essor

Danièle Bourdais / **Malcolm Hope** / **Teresa Huntley** / **Clive Thorpe**

University of Hertfordshire

Course consultant: Robin Pickering

• OXFORD UNIVERSITY PRESS •

Oxford University Press, Great Clarendon Street, Oxford OX2 6DP

Oxford New York
Athens Auckland Bangkok Bogotá Buenos Aires
Calcutta Cape Town Chennai Dar es Salaam Delhi
Florence Hong Kong Istanbul Karachi Kuala Lumpur
Madrid Melbourne Mexico City Mumbai Nairobi Paris
São Paulo Singapore Taipei Tokyo Toronto Warsaw

and associated companies in
Berlin Ibadan

Oxford is a trade mark of Oxford University Press

© Oxford University Press 1997
Reprinted 1998

ISBN 0 19 912224 5

Acknowledgements

The authors and publishers would like to thank the following for their contributions to *Essor*: Jenny Gwynne, Stephen Hawkins, Marie-Thérèse Bougard, Elspeth Broady, Simone Doctors, Télé Millevaches, Docteur Alayn Le Barbier and Alain Diverrès, Arthur da Silva and Jeunesse sans Frontière, José Sourillan at RTL. Thanks also, for their assistance, to: Monique and René Bourdais, Laure Daudouit, Pascal Silvestre, Fanny Thierrie-Slough, Adélaïde Valentini, sixth-form students at Framlingham College.

The publishers would like to thank the following for permission to reproduce photographs: Bibliothèque Nationale de France p193; Bridgeman Arts Library pp106 left, 107, 110, 129; Britstock IFA p17 top left and bottom right, 20 bottom left and right, 51, 67 bottom centre, 71 centre right, 198 bottom, 200 top; Michael Busselle pp44 left, 46 right, 71 bottom right; Dick Capel-Davies pp113, 120, 175; J. Allan Cash p42 bottom; Comité Régional de Limousin p45; Festival d'Avignon p176 top; Freemantle Inc p12; Futuroscope p141; Jenny Gwynne p37; Robert Harding Picture Library pp18 left, 20 top right, 48 top, 49 top, 71 top left, 77 right, 198 top; Stephen Hawkins pp18 right, 19 left; The Hutchison Library pp49 bottom right, 67 top left, 68 top left, 73, 76, 118; Anne Jacquemin p34 top and bottom left; Jeunesse sans Frontière pp158, 159; Life File p50; Médecins sans Frontières p165; Moviestore Collection pp171 top right, 173; OUP pp82, 134, 164 bottom left and right, 22 bottom; Peraves AG p55 top; Performing Arts Library/Clive Barda p16; Rex/Sipa p143; RSPCA pp67 centre, 77 left; David Simson pp17 top, centre and bottom right, 25, 34 top right, 42 top and bottom centre, 44 right, 48 bottom left, 58, 59, 62, 70 top right, 74, 75, 84, 100, 114 top, 116 all except top, 176 bottom; Pierre Soissons pp169, 174, 177 top; Frank Spooner Pictures pp77 centre, 86, 101, 102, 105, 109, 114 bottom, 177 top, 182, 184, 186; Still Pictures pp67 top right, bottom left and right, 68 top right, 69 top, 70 left, 71 top right, 72 top, 119, 121, 138; David Sumner-Smith p55 bottom; Sygma pp6, 11, 17 bottom left, 19 right and centre, 22 top, 26, 28, 29, 30, 42 top right, 46 left, 64, 65, 71 centre left, 72, bottom 80, 92, 94, 116 top, 126, 148, 149, 150, 151, 152, 162, 166, 172, 183, 189 right, 191, 194, 198 top, 200 bottom; Topham Picture Point pp69 bottom, 87, 93, 189 left and centre, 199; VSF/Philippe Rocher p155 bottom left; Sue Williams p132 top and centre right.

Cover photographs: NHPA (foreground), Images Colour Library (background).

The illustrations are by: Stefan Chabluk p108; Simon Fell pp131, 132; Clive Goodyear pp14, 29 centre, 41 bottom left, 44, 48, 57 bottom, 77 top right, 83, 88, 94, 103, 118, 136, 140, 159, 176, 178, 179, 181, 200; Hardlines pp103 right, 117, 125, 134, 136, 137, 195; Maggie Ling pp7, 12, 66, 93 bottom, 124, 127, 143, 146; Chris Molan pp52, 122, 130, 168, 180, 190, 206; Viv Quillin pp13, 21, 29 right, 39, 41 top, 54, 56, 58, 93 top, 101, 126, 135, 139, 178, 192, 202, 203.

Handwriting by Kathy Baxendale.

We are grateful to the following for permission to reproduce copyright material in this book:
Editions A.V.R.E.P.: for 'Les Corons', words by Jean-Pierre Lang, music by Pierre Bachelet, © 1982 Éditions AVREP. Groupe Excelsior: for extracts from articles from *Science et Vie Micro Junior*, July 1995. Editions Gallimard: for extracts from Albert Camus: *L'Etranger*, © Editions GALLIMARD. Editions Bernard Grasset: for extracts from Jean Giono: *Regain*, © Bernard Grasset, 1932, and Amin Maalouf: *Le premier siècle après Béatrice*, © Grasset et Fasquelle, 1992. Hachette Littératures: for extract from Pierre Daninos: *La Galerie des glaces*, copyright © Hachette, 1983. Jeunesse Sans Frontière: for extract from their journal, *Davantage*. Larousse-Bordas: for extracts from *Francoscopie*, 1995 and extract from *Thèmes transversaux: La sécurité* (Librairie Larousse, 1986) Librairie Générale Française: for extract from Philippe Meyer: *Balivernes pour la levée du corps - Chroniques* (Livre de Poche, 1996). Région des pays de la Loire, Direction de l'éducation: for extract from article. Macadam France: for cover of *Macadam Journal* and two poems from Sept 1994 issue. Le Monde: for extract from *Le Monde de l'éducation* Nov 1994. Editions Nathan: for quiz. New York Times Syndicate: for articles from *L'Express*. Le Nouvel Observateur: for 'Agrippine' cartoon by Claire Bretécher, and articles from *Le Nouvel Observateur*. Société Ouest-France: for article from *Ouest-France* 18.8.95. Planète Jeunes: for front cover and letters from *Planète Jeunes*. Presses de la Cité: for extract from Jean Lartéguy: *Les Centurions*, © Presses de la Cité, 1960. Prisma Press: for article by Emmanuel Voisin and interview with Jean-Marie Cavada from *Ça m'intéresse*. Editions Ramsay: for extract from Danielle Mitterand: *En Toutes Libertés* (1996). Rebondir: for extracts from guide written by Laurence Binet and Caroline Livio: *Travailler dans l'action humanitaire* (1995). Editions du Seuil: for extract from Dominique Voisin: *L'Elevage, un metier en poche*, ©Editions du Seuil, 1995. Despite efforts to contact all copyright holders before publication this has not always been possible. If notified, the publishers will be pleased to rectify any errors or omissions at the earliest opportunity.

Bayard Presse: articles from *Okapi*, and *Phosphore*. Edilarge: map from *Petit Atlas de France* by Patrick Merriéne (Editions Ouest-France). Milan Presse: extracts from *Les Clés de l'actualité* and extract from *Mikado* (Éditions Milan). Editions Pastorelly: extract from Marcel Pagnol: *Le temps des amours*. Editions Pocket: extract from Claude Bienvenue: *L'Aventure nucléaire* (Pocket-Sciences, La Villette). Le Point: article from *Le Point*.

The recordings were produced by Marie-Thérèse Bougard and Charlie Waygood. Studio recordings were made at Post Sound, London.

Printed in Italy

Welcome to Essor!

Why *Essor*? The phrase *prendre son essor* means to take flight or to spread one's wings. This course is designed for students who have already "taken off" in French, maybe with *Envol*, *Essor's* partner book, and are now ready to go higher and extend their French, aiming to use it with style and confidence. The course will prepare you for AS, A level or Higher exams.

What's in Essor?

The contents list on pages 4–5 tells you what you will find in each unit.

Unité d'introduction
In the opening unit, *Les vedettes*, you will revise some familiar topics and grammar points. You will also be introduced to some regular features of the book.

Unités 1–15
There are 15 units of work, based on different topics.

Survol
After every three units, there is a revision section called *Survol*. It provides opportunities to:
– revise key points from the previous pages
– work through some revision activities
– work in groups to complete an assignment.

Grammaire
The grammar reference section enables you to check points you've learned before and provides support for those you learn in *Essor*. At this level of study, it is important to have your own grammar book as well; you can also refer to the verb tables in your dictionary.

Vocabulaire
The glossary gives most of the key words from the units. You will need to become familiar with bilingual and monolingual dictionaries too.

Index
This lists all the topics, language functions, grammar, skills and pronunciation points that are covered in the units.

What's in a unit?

Each unit starts with a "menu" of the main topics.

The first page usually consists of a collage of items related to the main topics of the unit. This is a chance to say what you already know or think about them, and to discover some facts and key vocabulary, before going into more depth in the pages that follow.

Each unit contains a wide variety of material to read and listen to, with activities to help you learn both the factual information and the language. Many of the printed extracts are from newspaper and magazine articles, but there are also extracts from other sources such as guide books, brochures, adverts and cartoons.

This symbol indicates an activity with a cassette recording. The *Essor* cassettes contain studio recordings, extracts from authentic French radio, and interviews recorded in and around Reims.

This symbol appears above a set of activities based on the *Essor* video – a compilation of extracts from TV programmes and videos made for the French market. Some people speak rather fast or with regional or informal pronunciation; the activities will help you work through each sequence, in order to understand and enjoy it.

Zoom sur...
All the key grammar areas for your level of study are explained as they occur in the units. Activities on the page or on repromaster offer a chance to practise them.

This arrow tells you where to find more help in the *Grammaire* at the back of the book.

Expressions-clés
You need to learn these key expressions. Occasionally, you are asked to compile your own list of expressions from a recording or a printed text.

Compétences
A logo indicates a group of activities or a box of advice that focuses on a particular skill area. They provide opportunities for you to develop your French and your study skills.

Vie active
This logo highlights a page or activities set in the world of work.

Ça se dit comme ça !
A special focus on French pronunciation and intonation.

Interlude
Many units include an extract from French literature. Read them at your leisure and don't feel you have to look up every unfamiliar word; the point is to understand what's going on and get a feel for how the French language is used.

Bilan de l'unité X
A unit summary, to use as a checklist: are you confident you can do all these things, or do you need to go over some of them again?

Essor offers ...

a wealth of material, information and suggestions, that you can use as a basis for your studies. It's up to you to do the learning! Advice on effective learning appears in some of the *Compétences* sections. As you work through *Essor* you will become familiar with the different sections and how you can make the best use of them.

Bon courage... et prenez votre essor !

Contents

Les vedettes

- Etre vedette pour une minute
- Se débrouiller au téléphone
- Les gagnants et les perdants s'expriment
- Réussir ses études… et réussir dans les jeux

Julien Lepers

A **Exceptionnel !** Gagne un voyage pour deux personnes à **New York** la ville de **Jeff Buckley !**

Pour participer à ce jeu, appelez-nous au **02 33 15 88 98**

B

Yannick Noah

Céline Dion

C **LES STARS N'ONT AUCUN SECRET POUR TOI ?** Alors teste vite tes connaissances et GAGNE de NOMBREUX LOTS en téléphonant au **01 36 68 21 01**

D N'oubliez pas d'écouter RTL !

Sylvie Guillem

Daniel Auteuil

1 Quelle annonce vous invite à…
   a écouter une station de radio ?
   b participer à un jeu ?
   c participer à un concours sur la vie des stars ?
   d vous rapprocher un peu (si vous gagnez !) d'un chanteur américain ?

2 Quels domaines sont représentés par les photos ?
   Exemple : la musique pop, …

3 Trouvez parmi les personnalités en photo :
   a une chanteuse
   b un animateur de jeux
   c une vedette de cinéma
   d une danseuse étoile
   e un sportif.
   Donnez leur nom.

Les jeux à la radio et à la télé

1 Lisez les extraits de *Francoscopie* à droite, puis lisez les phrases suivantes. Vrai ou faux ? Corrigez les affirmations fausses.

a Les jeux à la télé passent surtout en début d'après-midi.

b TF1 propose davantage de jeux que France 2.

c *Des chiffres et des lettres* existe depuis plus de quinze ans.

d Il y a beaucoup de femmes âgées qui aiment regarder les jeux à la télé.

e En 1993, les Français ont regardé la télé plus longtemps qu'en 1991.

f Les séries et les feuilletons sont plus populaires que les jeux.

g *Les Clés de Fort-Boyard* est un feuilleton qui passe sur France 2.

2 📼 **Micro-trottoir.** Que pensent les Français des jeux à la radio et à la télé ? *Essor* a interviewé des gens à Reims. Ecoutez leurs opinions.

a Combien de personnes expriment une opinion positive ? Combien expriment une opinion négative ?

b Lisez les expressions ci-dessous. Réécoutez le micro-trottoir et notez la lettre de chaque expression que vous entendez.
Exemple : f, …

c Recopiez les phrases du tableau : faites deux listes, les phrases qui expriment une opinion positive, et celles qui expriment une opinion négative.

L'animateur/trice

a C'est un homme/une femme très naturel(le)/sympa.

b Je trouve relativement sympathiques X et Y.

c Il/Elle me fait rire.

d Je ne l'apprécie pas spécialement.

e J'éteins la télé quand je le/la vois.

Les jeux

f X est très bien./J'aime bien X.

g C'est bête/idiot.

h Ça passe le temps.

i Ce n'est qu'un jeu, ça ne fait aucun mal, ça distrait.

j Je ne suis pas passionné(e) de jeux.

k J'aime observer les réactions des participants.

l J'essaie toujours de répondre aux questions avant les participants.

Les jeux à la télé

En 1993, les chaînes proposaient douze jeux quotidiens, concentrés en fin de matinée et en avant soirée, et sept jeux hebdomadaires. Au total six heures de programmes par jour, dont 3 h 25 sur France 2, 2 h 35 sur TF1, 30 minutes sur France 3. En 1980, on ne comptait que trois jeux : *Des chiffres et des lettres*, sur Antenne 2, *Les inconnus de 19 h 45*, sur TF1 et *Les jeux de 20 heures*, sur FR3. La clientèle des jeux est plutôt féminine, âgée et provinciale à 80%.

Les émissions préférées des Français

Les Français (4 ans et plus) ont consommé en moyenne 988 heures de télévision en 1993 (contre 1 074 heures en 1991), dont : 274 heures de séries et feuilletons ; 142 heures de magazines et documentaires ; 130 heures de journaux télévisés ; 94 heures de films ; 70 heures de jeux ; 69 heures de variétés ; 82 heures de publicité ; 50 heures de sport.

Le palmarès 93 des jeux à la télévision

Les meilleurs scores d'audience :

Que le meilleur gagne, spécial Restaurants du cœur	25,6%	France 2
Les Clés de Fort-Boyard	16,7%	France 2
Le Juste Prix	13,8%	TF1
Le Trésor de Pago Pago	12,8%	TF1

3 Et vous, est-ce que vous écoutez ou regardez des jeux ? Qu'en pensez-vous ? Parlez-en avec un(e) partenaire. Décrivez l'animateur d'un jeu que vous connaissez. Notez votre opinion.
Exemple : J'écoute les jeux de Capital Radio, qui passent entre les chansons. C'est amusant et j'essaie de répondre aux questions.

4 A votre avis, pourquoi les jeux sont-ils si populaires ? Qu'est-ce qui attire les gens…
– à y participer ?
– à les écouter ?
– à les présenter ?
Avec votre partenaire, cherchez ensemble quelques explications possibles.

Stop ou encore

Vous allez écouter trois extraits d'un jeu radiophonique qui s'appelle *Stop ou encore*.

1 📼 Ecoutez le premier extrait. Vrai ou faux ?
  a Pendant la chanson de François Valéry, 43% d'auditeurs ont voté "encore".
  b François Valéry a été éliminé après deux chansons.
  c La valise à gagner contient plus de 70 000 francs.
  d Julien est très poli, il s'excuse tout de suite de déranger M. Juliani.
  e Julien lui dit qu'il aurait pu gagner 74 248 francs en écoutant RTL.
  f Dans la région de Nice, on écoute RTL sur la fréquence 97,5.

2 📼 Ecoutez le deuxième extrait. Complétez ces phrases.
  a ...... de gens ont voté "encore" pour Michel Fugain.
  b Dans la valise il y a ...... francs. Julien ajoute ...... francs et cela fait un total de ...... francs.
  c M. Martinez ne connaît pas le montant de la valise. Il n'écoutait pas, il était en train de ......
  d M. Martinez dit un petit bonjour à ...... et à ......
  e Julien rappelle aux auditeurs que les numéros de téléphone à appeler se terminent par 10 10 pour voter "encore" et ...... pour voter "stop".

STOP OU ENCORE

Contrôlez le programme musical de votre station de radio ! Vous aimez la vedette choisie et vous avez envie d'écouter un autre de ses tubes ? Alors, composez le numéro d'"encore". Vous en avez marre ? Composez le numéro de "stop".

Gagnez des milliers de francs en écoutant RTL ! Si vous recevez un coup de téléphone de Julien Lepers, vous n'avez qu'à donner le montant de la valise. Si vous donnez la bonne réponse, l'argent est à vous !

---

3 📼 Ecoutez le troisième extrait.
  a Selon Julien, qui joue le plus grand rôle dans cette émission ?
  b Ecoutez plusieurs fois si nécessaire, pour noter les numéros de téléphone de l'émission : un pour dire "encore", un autre pour dire "stop".

COMPÉTENCES

Que faire de tous ces textes qu'on vous donne à lire ?

Prenons un exemple…

Julien Lepers rappelle son enfance

« Je suis né à Paris où mon père, Raymond Lepers, était, à l'époque, chef d'orchestre, notamment pour Georges Ulmer et Paul Anka. Ma mère était chanteuse réaliste sous le nom de Maria Remusat et partait souvent en tournée. Elle m'avait confié à son amie, ma marraine, avec qui j'ai vécu dans plusieurs petits villages du Loir-et-Cher et à Chartres. A l'âge de 14–15 ans, je suis venu vivre à Antibes où mon père travaillait comme urbaniste-architecte. Plusieurs immeubles d'Antibes et de Villeneuve-Loubet portent d'ailleurs sa signature. »

A l'époque, le jeune Julien n'a rien d'un champion, côté études. « J'avoue avoir donné du fil à retordre à mes éducateurs. Je me faisais virer du lycée pour indiscipline notoire : j'en ai fréquenté quelques-uns, dont le Saint-Exupéry et le Liberty, plus un cours privé à Vence. Mon père a fini par m'inscrire comme interne à l'école des dominicains de Sorèze, près de Castres, une institution à la discipline quasi-militaire. Pendant les permanences, la tête sous mon pupitre, j'écoutais l'émission d'Europe 1 *Salut les copains* ! »

❶ Commencez par la préparation du texte. Lisez-le trois fois :
  • **première lecture** : pour voir simplement ce que vous comprenez.
  • **deuxième lecture** : faites un effort pour <u>deviner</u> ce que vous n'avez pas compris. Utilisez le contexte… et votre bon sens !
  • **troisième lecture** : utilisez le dictionnaire, mais le moins possible ! Cherchez seulement les mots qui vous semblent importants à la compréhension du texte.

❷ Pour votre acquisition de vocabulaire :
  a faites une liste de tous les mots ou expressions à apprendre et à réutiliser, par exemple : *à l'époque, notamment, à l'âge de, d'ailleurs, côté études, finir par faire.*
  b notez aussi le vocabulaire que vous aimeriez reconnaître la prochaine fois : *donner du fil à retordre, se faire virer.*

❸ Notez des exemples de points grammaticaux que vous avez appris récemment ou que vous êtes en train d'apprendre, par exemple : les verbes au passé composé ou à l'imparfait, les prépositions (*à Paris, sous le nom de, en tournée, etc.*).

❹ Enfin, faites les activités demandées sur le texte !

ZOOm sur les nombres (révision)

Notez bien les nombres qui peuvent être problématiques.

70 soixante-dix
71 soixante et onze
80 quatre-vingts
81 quatre-vingt-un
90 quatre-vingt-dix
91 quatre-vingt-onze

Attention ! pas de "s" lorsque *vingt* est suivi d'un autre nombre.

100 cent
101 cent un
200 deux cents
240 deux cent quarante

Attention ! pas de "s" quand *cent* est suivi d'un autre nombre.

1 000 mille
2 000 deux mille

Attention ! pas de "s". (Les *milles* sont des mesures anglo-saxonnes de longueur.)

1 000 000 un million
13 000 000 treize millions
15 491 quinze mille quatre cent quatre-vingt-onze
1 432 765 un million quatre cent trente-deux mille
sept cent soixante-cinq

Attention ! *mille* personnes, *des milliers* de personnes, *un million* de personnes.

La ponctuation :
Les Français se servent de la virgule pour exprimer les nombres décimaux : 34,5.
On dit : trente-quatre virgule cinq.

Un espace sépare les centaines des milliers : 3 500.
On dit : trois mille cinq cents.

Les pourcentages :
78% soixante-dix-huit pour cent
17,5% dix-sept virgule cinq pour cent

Les numéros de téléphone :
Les chiffres se donnent par groupes de deux (ou quelquefois trois) chiffres :

01 30 50 62 32 zéro un, trente, cinquante, soixante-deux, trente-deux

0181 752 3434 zéro un, quatre-vingt-un, sept cent cinquante-deux, trente-quatre, trente-quatre

---

1 Seriez-vous capable de gagner à un jeu de chiffres ? Faites ce test avec un(e) partenaire.

a Notez, chacun(e) en cachette de l'autre, dix nombres de deux à six chiffres. Lisez-les à tour de rôle ; votre partenaire doit les écrire (en chiffres).

b Donnez-vous des calculs à faire, du genre : *122 plus 64 (font 186), moins 39 (font 147).* Faites votre calcul et notez le résultat, puis demandez à votre partenaire de faire le même calcul. Obtenez-vous tous les deux le même résultat ?

2 Lisez à votre partenaire l'article de la page 7, *Les émissions préférées des Français.* Votre partenaire vous écoute et vous aide à bien dire les nombres.

3 Lisez ces phrases à haute voix, et puis réécrivez-les en remplaçant les chiffres par des mots.
Exemple : a Douze mille cinq cents auditeurs ont voté "stop".
a 12 500 auditeurs ont voté "stop".
b 95% des auditeurs ont voté "encore".
c Chaque émission attire 2,4 millions d'auditeurs.
d Chaque billet va vous coûter 365 francs.
e Pour avoir d'autres précisions, composez le 04 75 56 09 16.
f Gagnez 55 500 francs !
g Tapez le 36.15 STOP pour participer à ce jeu.

4 Jeu de nombres. Pour deux équipes. Chaque équipe essaie de dire le plus rapidement possible chacun des nombres écrits au tableau. La première équipe à dire un nombre correctement gagne un point. L'équipe gagnante est la première à obtenir un score déterminé à l'avance.

Zoom *sur le comparatif et le superlatif (révision)*

A *Le Juste Prix* est **plus populaire que** *Stop ou encore*.
B Philippe Risoli est **aussi amusant que** Julien Lepers, et il parle **plus vite que** lui.
C Ma copine est **plus rigolote que** Patricia Kaas, mais elle chante **moins bien qu'**elle.
D Les jeux radiophoniques sont **moins intéressants que** les jeux télévisés.

- Pour comparer une chose ou une personne avec une autre, utilisez le <u>comparatif</u> :
plus + adjectif/adverbe + **que/qu'**
moins + adjectif/adverbe + **que/qu'**
aussi + adjectif/adverbe + **que/qu'**

Attention aux formes irrégulières :
adjectifs : bon → meilleur(e)(s)   mauvais → pire(s)
adverbes : bien → mieux   mal → pire

N'oubliez pas que l'adjectif s'accorde avec le nom auquel il se rapporte.

Trouvez quatre adjectifs et deux adverbes parmi les phrases A–D ci-dessus. Trouvez-y aussi un exemple d'adjectif au pluriel.

- Pour exprimer le plus haut ou le moins haut degré d'une qualité, utilisez le <u>superlatif</u> :
le/la/les plus + adjectif (+ **de**)
le/la/les moins + adjectif (+ **de**)
E **La plus grande** vedette **des** années 60, c'était Johnny Hallyday.
F Ce sont les émissions **les plus ennuyeuses de** la semaine.

- Pour comparer deux quantités de quelque chose, utilisez :
plus de + nom (+ **que/qu'**)
moins de + nom (+ **que/qu'**)
autant de + nom (+ **que/qu'**)
G Elle a fait **moins de fautes que** l'autre concurrent.

Et ajoutez-y **le/la/les** pour transformer en superlatif :
H **De** tous les concurrents de la semaine, c'est elle qui a fait **le moins de fautes**, alors elle a gagné le gros lot.

7

Ça se dit comme ça !

Pour bien parler français, il est important de soigner sa prononciation. Faites d'abord attention aux sons voyelles. En français, ils sont généralement plus courts et plus purs qu'en anglais.

2 [🔊] Ecoutez plusieurs fois les phrases suivantes. Répétez-les, en imitant de près la prononciation. (Exagérez même !)
a [i] Il y a huit mille six cent dix francs dans la valise.
b [a] Natacha a un chalet à la montagne.
c [u] Julien a reçu plus de huit tubes !
d [e/eu] Je ne veux pas plus de jeux que le monsieur.
e [an] Vincent a quarante ans et un grand appartement.
f [on] On a consommé onze million d'émissions de télévision.
g [in] Au moins, Julien est au Parc des Princes le 15 juin prochain.

1 Lisez cet article sur la vie de trois vedettes. Comparez-les : faites dix phrases avec des comparatifs et des superlatifs.
Exemples : *Sylvie a enregistré plus de disques que Karin. Des trois vedettes, c'est Sylvie qui a enregistré le plus de disques.*

Vie de vedette = vie heureuse ?

Nous avons demandé à trois des plus grandes vedettes de nous décrire leur vie.

E*tienne :* Moi, j'habite un château dans un domaine de 100 hectares. C'est très grand, il y a 50 chambres. J'ai une Porsche, une Ferrari et deux hélicoptères. J'emploie une vingtaine de personnes. J'ai 32 ans et j'ai déjà gagné des millions. Je tournerais un nouveau film si je trouvais un script intéressant. Mais là, pour le moment, j'attends, je fais ce qui me plaît. Bien sûr que je suis heureux !

N*atacha :* J'habite un appartement à Paris, et j'ai aussi un chalet à Morzine et une maison de vacances à Cannes. Je n'aime pas tellement les voitures, alors je possède seulement une Mercedes. J'ai 26 ans et jusqu'ici j'ai enregistré une dizaine de disques. Chaque soir, je vais au gymnase pour faire un peu de fitness. Je ne fume pas et je bois peu. Pour rester une grande vedette, il faut se maintenir en forme et être en bonne santé. Ça demande du travail, vous savez.

S*ylvie :* J'ai des maisons à Paris et à Londres, et puis pour mes jours de repos, j'ai un petit château en Bourgogne et un appartement à New York. Je n'ai pas beaucoup de temps pour faire du sport, car je passe pas mal de temps au studio. Je viens d'enregistrer mon trentième disque, et ça me passionne autant qu'au début, j'adore chanter, j'adore mon travail. J'ai des milliers de fans qui m'écrivent, et ça, c'est super !

Parler au téléphone

Dans la vie, on passe de plus en plus de temps au téléphone – pour communiquer avec ses amis et sa famille, pour participer à des jeux radiophoniques, mais aussi dans le contexte du travail. Savez-vous vous débrouiller au téléphone ?

1 🔊 Ecoutez Fabienne Jamin, journaliste, qui essaie de contacter un certain Joël Claverie afin de l'interviewer.
  a A combien de personnes doit-elle parler, avant de joindre Joël Claverie ?
  b Quelles sont les nouvelles coordonnées de Joël Claverie ? Notez le nom et le numéro de téléphone de la société.
  c Réécoutez en regardant les expressions-clés. Trouvez cinq expressions qui ne figurent pas dans ces conversations.

2 Travail à deux. Inventez une série de coups de téléphone. *A* est reporter et voudrait interviewer une vedette (à vous de choisir qui). *B* est le/la secrétaire de cette vedette et trouve une multitude d'excuses pour empêcher *A* de la joindre au téléphone. A vous de trouver ensemble le plus grand nombre d'excuses !
Exemple :
A : Bonjour, monsieur, je voudrais parler à Yannick Noah, s'il vous plaît.
B : Ah, je regrette, il vient juste de sortir.
A : Il rentre quand ?
B : Il rentre assez tard, et ce soir il est occupé, il a des invités.
A : Alors, je rappellerai demain, merci.

3 Jeu de rôle : *A* prend le rôle de Julien Lepers, *B* joue le rôle de trois auditeurs différents, à la suite. Préparez ensemble une émission de *Stop ou encore*, où les auditeurs essaient de gagner la valise.
Exemple :
A : Première valise d'aujourd'hui. Il y a 953 francs dans la valise, j'ajoute 351 et j'appelle un numéro… ça sonne…
B : Allô ?…

Expressions-clés

Pour téléphoner :

Allô ?   Allô, oui ?   Société X, bonjour.
C'est de la part de qui ?
Ne quittez pas.
Je vous le/la passe.
La standardiste a dû se tromper de numéro.
C'est occupé.   Son poste est occupé.
Il/Elle n'est pas là.   Il/Elle est en réunion.
Voulez-vous rappeler tout à l'heure/plus tard ?

Je voudrais parler à Monsieur/Madame…
Le département/Le service de X.
Le poste 243, s'il vous plaît.
Pourriez-vous lui dire que… ?
Pourriez-vous lui demander de me rappeler ?
Est-ce qu'il/elle pourrait me rappeler ?
Je rappellerai tout à l'heure/demain.
Pourriez-vous lui passer/donner un message ?
Mon numéro c'est le…   L'indicatif c'est le…
(C'est) Monsieur/Madame… à l'appareil.
Je m'excuse de vous déranger.
Je vous appelle pour + *infinitif*

Z00m *sur les pronoms personnels d'objet (révision)*

Un pronom personnel représente un nom.

A J'aime bien **Julien Lepers**, je **l'**ai écouté ce matin, je **le** trouve rigolo. (J'ai écouté Julien ce matin, je trouve Julien rigolo.)

B Julien pose des questions **aux candidats**, et il **leur** demande de répondre sans hésitation. (Il demande aux candidats de répondre sans hésitation.)

C **Josiane** n'est pas là? Pourriez-vous **lui** demander de **me** rappeler ? (Pourriez-vous demander à Josiane de me rappeler, moi ?)

Il faut comprendre la différence entre les pronoms d'objet <u>direct</u> et <u>indirect</u>. Si le nom est lié au verbe…
- directement, par exemple :
  voir quelque chose → <u>direct</u> → *Je le vois.*
- indirectement, donc lié par la préposition **à** :
  parler à quelqu'un → <u>indirect</u> → *Je lui parle.*

4 Dans les exemples A–C, quels sont les pronoms d'objet <u>direct</u>, et quels sont les pronoms d'object <u>indirect</u> ? Comparez votre réponse avec celle d'un(e) partenaire.

5 Regardez la liste d'expressions-clés ci-dessus. Retrouvez toutes les expressions qui contiennent un pronom d'objet. Que représente-t-il à chaque fois ?

6 Remplacez les noms soulignés par un pronom.
  a J'ai téléphoné <u>à Julien</u> ce matin.
  b Je recommande <u>à mes amis</u> d'écouter RTL.
  c Tu n'écoutes jamais <u>l'émission</u> ?
  d On compte <u>les voix d'"encore"</u> maintenant.
  e J'ai vu <u>Julien</u> en direct.
  f Johnny enregistre <u>son dernier disque</u> maintenant.
  g J'espère gagner <u>la valise</u>.
  h Julien s'excuse toujours de déranger <u>les auditeurs</u>.

10b,e

Les gagnants et les perdants 📹

Le Juste Prix est un des jeux les plus populaires de France. Il passe sur TF1 à 12 h 20 tous les jours de la semaine. Quatre joueurs essaient de deviner le prix de certains articles. Le gagnant/la gagnante passe à la finale qui a lieu le dimanche suivant. Le public participe et l'animateur, Philippe Risoli, s'efforce de créer une ambiance super sympa.

1 Vous allez voir un extrait du début d'une émission, dans lequel les concurrents – Joël, Elzira, Francine et Giovanni – se présentent.
  a Avant de regarder, devinez les deux questions que l'animateur va poser à chaque concurrent pour les aider à se présenter. Notez vos prédictions.
  b Regardez la séquence <u>sans le son</u>. Pouvez-vous deviner ce que chacun fait comme travail ? Notez vos prédictions.
  c Maintenant, regardez la séquence <u>avec le son</u>. Repérez les réponses correctes aux questions **a** et **b**.

2 Quelle est votre première impression de l'animateur ? Trouvez au moins cinq adjectifs pour le décrire, et comparez votre choix avec un(e) partenaire.
Exemples : charmant, encourageant, …

3 Regardez de nouveau, en observant bien les quatre concurrents.
  a Dites si chacun vous semble calme, confiant, timide ou nerveux.
  b Quels sont les signes – dans le comportement ou dans la voix – qui vous révèlent les sentiments de chaque concurrent ?
  c Comparez vos opinions avec votre partenaire.

4 En général, les participants d'un jeu télévisé manifestent toute une gamme de réactions. Comment les exprimer en français ?
  a Regardez les illustrations. Choisissez l'adjectif qui convient.
  b Avec un(e) partenaire, lisez la liste des expressions-clés, en essayant de mettre le plus d'émotion possible dans la voix.

11.50	La roue de la fortune
	Jeu animé par **Olivier Chiabodo** et **Sandra Rossi**.
	12.18 Tout compte fait.
12.20	**Le juste prix**
	Jeu animé par **Philippe Risoli** avec **Pierre Nicolas**.
	12.50 A vrai dire.
13.00	**Le journal - Météo**
13.40	**Les feux de l'amour**
	Feuilleton américain inédit.

Stéphane vient d'être choisi pour participer au jeu. Il est déçu/surpris/bouleversé.

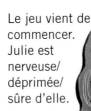

Le jeu vient de commencer. Julie est nerveuse/déprimée/sûre d'elle.

Jean vient de perdre le jeu. Il est déçu/fâché/comblé de joie.

Christophe vient de remporter le premier prix. Il est nerveux/ému/en colère.

5 Que diriez-vous dans les situations suivantes ?

a Vous venez de gagner le premier prix au concours d'un magazine.

b Vous venez de perdre votre porte-monnaie.

c Vous attendez devant la porte avant un entretien important.

d En rentrant de vacances avec vos parents, vous tombez en panne d'essence.

e Votre idole vous invite à dîner.

f Vous avez eu la meilleure note à un examen de français important.

g Vous venez de vous apercevoir que vous avez été arnaqué dans un magasin.

6 En groupe, préparez le jeu télévisé *La Grande Evasion* (lisez l'annonce à droite).

a Décidez qui va jouer le rôle de l'animateur ou de l'animatrice et qui va jouer le rôle des participants.

b Préparez chacun(e) une dizaine de questions concernant votre établissement scolaire et ses élèves. *Exemples : En quelle année est-ce que votre lycée a été fondé ? Combien y a-t-il de salles de classe ?*

c Mettez-vous en scène… et jouez ! N'oubliez pas de manifester vos sentiments !

> ## LA GRANDE ÉVASION
> ## NOUVEAU JEU !
> Quatre lycéens se battent pour montrer qui connaît le mieux leur établissement scolaire. Les questions sont posées par une vedette qui monte (on la verra bientôt partout !). Prix de rêve : une année de voyages gratuits, dans des pays au choix du gagnant, mais sûrement bien loin des cours !

Comment apprendre le vocabulaire ?

Au début de l'année, vous aurez sans doute beaucoup de problèmes au niveau du vocabulaire. Ne vous inquiétez pas ! Il suffit d'apprendre progressivement. Adoptez nos suggestions et vous ferez rapidement des progrès.

◆ Il y a plusieurs façons de noter le vocabulaire : prenons comme exemple le mot *vedette*. Vous pourriez le noter :
– avec son équivalent anglais *une vedette – a star*
– avec une définition en français – *personne très célèbre dans le monde du cinéma ou de la télé*
– employé dans une phrase donnée en exemple – *la vie d'une vedette me semble assez désagréable.*

◆ Il y a également plusieurs endroits où noter le vocabulaire : dans un carnet spécial, sur une page spéciale de votre classeur, à la fin de chaque texte, ou à côté du mot d'origine.

◆ Essayez d'apprendre un peu de vocabulaire chaque soir. N'y passez pas trop longtemps à la fois : 15 minutes chaque soir sont plus efficaces que deux heures une fois par semaine.

◆ Familiarisez-vous avec le contenu de votre dictionnaire. Lisez l'introduction. Prenez quelques exemples d'explications assez longues et faites une liste de tous les renseignements qu'il fournit sur chaque mot.

◆ Il n'est pas nécessaire d'apprendre <u>tous</u> les mots que vous rencontrez. A vous de décider quels sont les mots les plus importants pour vous. Apprenez surtout les *Expressions-clés* dans *Essor* !

◆ Il est possible que votre professeur vous demande d'apprendre du vocabulaire pour un test. Voici une bonne façon de procéder :
1 faites deux colonnes
2 écrivez les mots à apprendre dans la colonne de gauche
3 mettez leur définition dans la colonne de droite
4 couvrez les mots à apprendre avec une feuille de papier
5 essayez de vous rappeler chaque mot en regardant seulement la définition
6 couvrez ensuite les définitions et essayer de vous rappeler chaque définition en regardant seulement le mot.

◆ Jeu de vocabulaire à faire en classe : écrivez tous les mots appris récemment sur de petits morceaux de papier, et mettez-les dans un petit sac. Le professeur sortira un mot à la fois. A vous de construire une phrase contenant ce mot.

Comment réussir vos études supérieures de français

COMPÉTENCES

Vous avez choisi de faire des études approfondies de français : vous avez bien fait ! Cela vous permettra de devenir presque bilingue ; vous pourrez profiter de vos voyages à l'étranger ; vous ferez peut-être un métier qui demande une bonne connaissance des langues vivantes. Quel que soit votre but personnel, visez haut, visez à réussir vos études ! Lisez et suivez attentivement nos conseils : cela vous aidera à étudier de manière efficace et à réussir.

◆ Pendant les cours, vous accumulerez une grande quantité de textes et d'informations. Il est donc important d'acheter un classeur pour y mettre vos notes et vos photocopies.
Organisez votre classeur dès le début de l'année. Comment allez-vous l'organiser ?
Les classeurs A, B et C sont organisés de façons différentes : quel est le modèle que vous croyez être le plus efficace pour vous ?

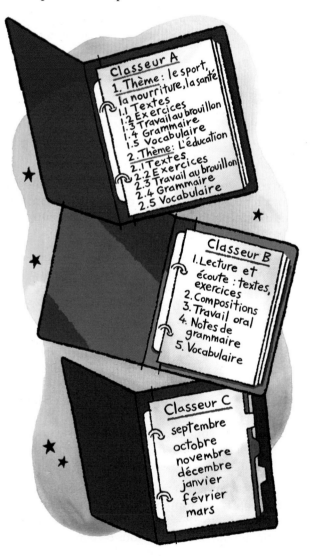

◆ Essayez d'**écouter la radio** et de **regarder la télévision francophones le plus souvent possible**. Au début, vous trouverez qu'on parle trop vite et vous ne comprendrez pas tout, mais petit à petit, vous reconnaîtrez des mots, puis des phrases, et enfin vous comprendrez le sens général.

◆ Profitez de toutes les occasions possibles pour **lire en français**, surtout les journaux et les magazines. Si votre établissement est abonné à une publication, trouvez un moment de la semaine où vous êtes libre et profitez-en pour la lire. Sinon, organisez-vous avec des copains de façon à acheter régulièrement des journaux français et lisez-les chez vous.

◆ Pour la préparation des cours, apprenez à **travailler avec vos copains** – la collaboration vaut mieux que la compétition ! Avec un(e) partenaire, faites une liste des activités communes qui pourraient vous aider à mieux travailler, par exemple : explication de grammaire, préparation d'idées pour un débat, etc.

◆ Faites tout votre possible pour **aller en France** ou dans un autre pays francophone. C'est, sans aucun doute, la meilleure façon d'apprendre la langue. La meilleure solution est de participer à l'échange organisé par votre établissement, s'il y en a un. Sinon, il existe des organismes qui vous trouveront un(e) correspondant(e). En organisant un séjour en France, souvenez-vous des points suivants :
– Plus vous passez de temps dans le pays, plus vous ferez de progrès. (Un week-end ne suffit pas !)
– Trouvez un contexte vraiment francophone, où l'on parle seulement le français. (Un séjour avec vos copains/votre petit(e) ami(e)/votre famille n'est pas très utile du point de vue linguistique !)
– Profitez de votre séjour pour parler le plus possible. Même si vous êtes timide, il faut parler pour parler : posez des questions, trouvez des sujets de discussion, intéressez-vous à ce qu'on vous dit, soyez ouvert(e).
– N'attendez pas la deuxième année ; essayez d'y aller le plus tôt possible, cela vous aidera dans vos études.

◆ **N'évitez pas le travail préparatoire !** Si votre professeur vous demande de préparer un texte, ne manquez pas de le faire ; tous vos progrès en dépendront. Les textes sont une source riche de vocabulaire, d'expressions, de grammaire et d'idées, qui vous aideront dans vos études.

◆ **Prenez plaisir à travailler !** Et participez au maximum. De cette façon, vous ne vous ennuyerez jamais, et cela vous aidera à mieux travailler.

A vous de jouer… et d'inventer !

Vous vous êtes peut-être demandé comment tous ces jeux radiophoniques et télévisés voient le jour. Voici un début de réponse.

Julien Lepers joue et gagne

C'est « Au pied du mur » qu'on voit Julien Lepers maintenant ! Le dimanche, de 13 h 50 à 14 h 20, sur France 3, avec ce nouveau jeu qui n'est pas une adaptation américaine (comme « La Roue de la fortune ») ou australienne (comme « Questions pour un champion »). Cocorico pour Lepers ! Hervé Bourges, le patron de France 2-France 3, a lancé un appel d'offres, voici un an. Il voulait proposer un jeu 100% made in France ! Il a reçu plus de quatre cents projets, dont « Au pied du mur », une idée de la société de production Phase 2.

Le mécanisme d'« Au pied du mur » est simple : « Basé sur la télé, il utilise des documents récents ou historiques, drôles ou émouvants, dans des domaines très variés, tels que sport, politique, économie, qui ont marqué l'histoire de la télévision. Ce jeu comporte trois manches. Au départ, nous avons quatre candidats qui sont au pied du mur : ils se trouvent, et les téléspectateurs aussi, devant un grand mur d'images. »

Dans la première manche, quatre candidats se trouvent derrière un pupitre équipé de boutons-poussoirs, face au mur d'images. Ils doivent identifier les événements qui défilent en trois documents. Chaque fois, le candidat qui a deviné le premier est sélectionné pour la manche suivante. En fin de manche, il ne reste plus que trois candidats, le quatrième ayant été éliminé.

Dans la deuxième manche, les trois candidats sont assis dos au mur d'images. Chaque candidat vient à tour de rôle se placer à une barre, face au mur d'images, et joue le rôle du « narrateur ». En quarante-cinq secondes, il doit décrire les images que ne voient pas les autres candidats, et essayer de leur en faire découvrir le sens. Dans la troisième manche, il ne reste plus que les deux meilleurs candidats s'opposant dans un duel final.

un bouton-poussoir = *buzzer button*
une manche = *(here:) round*

1 Mettez les phrases suivantes dans l'ordre de l'article.
  a Le jeu est divisé en trois manches.
  b Les gens ont pu proposer leurs idées de nouveaux jeux.
  c Ce jeu est d'origine française.
  d Pour répondre aux questions, il faut appuyer sur un bouton.
  e Il ne reste que deux candidats dans la manche finale.
  f Dans la deuxième manche, on a 45 secondes pour décrire une image.
  g Les questions se rapportent à des événements relatés à la télévision.

2 [▶] Deux jeunes, Alexandre et Malika, s'amusent à inventer des jeux pour la radio. Ecoutez-les parler d'une de leurs idées.
  a Notez les détails : le thème, le nombre de participants, le nombre de manches, le genre de questions, les prix, et le style qu'ils recherchent.
  b Comment est-ce qu'Alexandre réussit à convaincre Malika ? Réécoutez en regardant les expressions-clés : lesquelles de ces expressions entendez-vous ? Notez d'autres expressions qu'ils utilisent pour se persuader.

3 [▶] Alexandre téléphone à une station de radio pour essayer de leur proposer le jeu. Ecoutez la conversation. Qu'est-ce qu'il accepte de faire ?

4 Lisez les grandes lignes du jeu d'Alexandre et Malika. En fait, ce n'est pas la version définitive ; il y a deux erreurs : pouvez-vous les retrouver ? Réécoutez leur conversation (activité 2) si nécessaire.

5 C'est à vous ! Avec un(e) partenaire, inventez un jeu pour la radio ou la télévision.
  a Réfléchissez… et puis discutez des aspects de la liste de l'activité 2a. Mettez-vous d'accord. Prenez des notes.
  b Ecrivez les grandes lignes de votre jeu. Relisez celles du jeu d'Alexandre et Malika pour vous aider.

Expressions-clés

Persuader quelqu'un :

Et si on… ?
Mais figure-toi/imagine…
Je crois vraiment que…
Je suis tout à fait d'accord avec toi, mais…
Ce serait vraiment super/très bien si…
C'est mieux comme ça.
Tu ne crois pas ?
Mais non ! Mais si !
Exactement !

Une idée de jeu radiophonique
Thème : un objet mystérieux.
Participants : tous les auditeurs.
Méthode : par téléphone.
Manches : deux.
But du jeu : on donne une phrase tirée d'une chanson ; les auditeurs doivent deviner de quelle chanson il s'agit. La première personne qui téléphone avec la bonne réponse passe directement à la 2ème manche : elle doit écouter une autre phrase et deviner la chanson.
Prix : un CD (1ère manche), un beau voyage (2ème manche).

Interlude

Julien Lepers

au piano avec l'Orchestre philharmonique de Bratislava !

On est au cœur du vieux Bratislava, à la Reduta, le berceau de l'Orchestre philharmonique slovaque : derrière les lourdes portes de la grande salle, des violons, des cuivres, un piano, tout un orchestre emplit l'espace d'amples sonorités. Julien Lepers, debout au côté du chef d'orchestre Benoît Kaufman, écoute « sa » musique. Il l'a composée, en a interprété la partie pour piano, mais c'est la première fois qu'il l'entend, jouée par un orchestre symphonique.

« C'est le moment le plus émouvant quand, après un long travail solitaire, la musique devient réelle. L'orchestre donne aux mélodies une force que je n'attendais pas. J'adore le son des cordes. »

C'est la dernière journée de l'enregistrement de son CD. Deux années de travail s'achèvent ici. Il ne restera plus qu'à mixer – mélanger sur la bande magnétique les sons des différents instruments – en Suisse, à Vevey, où Benoît Kaufman a son studio. Ce CD est, pour Julien, comme un aboutissement dans une vie placée sous le signe de la musique. Un père pianiste, une mère chanteuse, et depuis toujours, une véritable passion pour la composition.

« A 13 ans, je transcrivais sur le piano les mélodies des Beatles ou des chanteurs yé-yé du moment, mais j'ai toujours, en même temps, créé mes mélodies. Je compose tout le temps. Cela me délasse. »

« Pour le plaisir » d'Herbert Léonard, « Vu d'avion, un soir » de Michel Delpech, « Jerry » de Sylvie Vartan, c'est lui. C'est pourtant la première fois que Julien compose, interprète et enregistre un disque pour lui.

« J'y ai pris un plaisir immense. Même s'il n'a pas de succès, j'aurai été heureux. »

ZOom sur les articles définis, indéfinis et partitifs (révision)

Rappelez-vous qu'en français les noms sont répartis en deux genres : masculin et féminin. Dans la plupart des cas, le nom est précédé d'un article. L'article peut être défini, indéfini ou partitif.

• **L'article défini :** *le, la, l', les*
On l'utilise souvent en français là où on ne l'utilise pas en anglais. Par exemple :
Je ne regarde pas souvent **les jeux** à la télé. (*I don't often watch* **games** *on TV.*)

2b

• **L'article indéfini :** *un, une, des*
Il se traduit en anglais par 'a', 'an', ou au pluriel, 'some', 'any'.
L'animateur pose **des questions** aux concurrents. (*The presenter asks the competitors* **some questions**.)

2a

• **Le partitif ou l'article partitif :** *du, de la, de l', des*
Il exprime une quantité indéfinie. Il se traduit par 'some', 'any', ou ne se traduit pas. Par exemple :
J'ai gagné **de l'argent**. (*I won* **some money**.)

N'oubliez pas d'utiliser *de/d'* après une forme négative :

2c

Je n'ai pas gagné **d'argent**. (*I didn't win* **any money**).

(Ne le confondez pas avec la préposition *de*, qui est autre chose !)

Bilan de l'unité d'introduction

Bien manger, bien vivre

- La bonne cuisine française
- Le sport : loisir, passion et métier
- La santé

Pendant l'hiver, Consommez les Fruits de la Vitamine C Naturelle

1 Regardez les photos et discutez de ces questions avec un(e) partenaire.
 a Lesquels des sports illustrés aimeriez-vous faire ? Pourquoi ?
 b Etes-vous en forme ?
 Croyez-vous que vous mangez sainement ?
 Aimeriez-vous mener une vie plus active ?

Expressions-clés

Parler de ce qu'on aimerait faire :

Ce serait amusant/rigolo/difficile.
Ça me paraît dingue*/dangereux/ridicule.
J'aime être dehors/en montagne.
Je n'aime pas les sports aquatiques/les activités trop énergiques.
Ça me plaît beaucoup de…

* français familier

Où en est la bonne cuisine française ?

La cuisine française mérite-t-elle sa bonne réputation mondiale ? Quels changements a-t-elle connus au cours de la seconde moitié du vingtième siècle ? Lisez ces extraits du magazine *Les Clés de l'actualité*.

De 1950 à 1970

Dans les années 50–60, à la campagne, on se nourrit encore beaucoup avec les produits du jardin : légumes et féculents prédominent. On préfère poulet, œufs, lapin, canard ou porc à la viande de boucherie. On ignore superbement le poisson, sauf si l'on habite au bord de la mer.
La ménagère de la campagne utilise abondamment conserves et confitures. Le porc se fait jambons fumés, petit salé, pour mieux se conserver. On est encore très tributaire des saisons : on n'imaginait pas alors manger des fraises en mars comme on peut le faire aujourd'hui.
Pour les recettes, ragoûts et pot-au-feu étaient des plus fréquents.

Années 80

Le modèle de ces années-là vient des Etats-Unis. Il faut avoir l'air sain, sportif, bien dans sa peau. Plus question d'afficher un ventre replet (synonyme d'assoupissement, de manque d'énergie et de vitalité).
On n'a plus le temps de manger ; la nourriture, elle aussi a évolué : surgelé et micro-ondes font bon ménage. C'est l'ère du tout-prêt, du vite fait : légumes ensachés prêts à l'emploi, sauces à diluer. C'est sur ce terrain que la nouvelle cuisine fait son apparition : les anciens la trouvent un peu chiche ("trois carottes dans une grande assiette"), les modernes apprécient son esthétique et le fait de se nourrir sans s'alourdir.
L'homme et la femme des années 80 fréquentent le fast-food, bien adapté à leur vie trépidante. C'est l'explosion, tout d'abord de Mac Donald et de Quick, tout aussi vite suivis de fast-foods italiens (panini et pizza), asiatiques (nems), voire indiens et orientaux (le kebab se transforme en sandwich).

Années 1970

Alors que depuis des centaines d'années, bien manger était signe d'opulence et de réussite, on commence à changer d'avis. L'abondance est coupable : on devient sensible à la souffrance du tiers-monde qui, lui, est bien loin de manger à sa faim. C'est la fin de "la grande bouffe". Manger trop, c'est se montrer égoïste et peu solidaire. De plus en plus, on s'occupe de l'esprit et pas du corps. Ceci dit, la majorité des Français pratiquent encore le rite du repas du dimanche en famille. On trouve la cuisine familiale grasse, indigeste et malsaine. On commence à envisager les punitions prévisibles pour tant d'excès : le cholestérol et les maladies cardiaques…
En même temps, d'autres modes alimentaires font leur apparition : on découvre le maïs, le soja, le riz complet. Les Français deviennent moins casaniers et intègrent d'autres cuisines : pizzas et couscous entrent dans leur quotidien, à tel point que le couscous est cité aujourd'hui comme étant leur quatrième plat préféré.

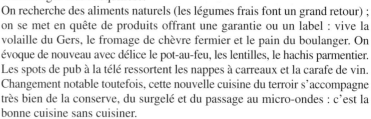

Années 90

C'est la crise, les gens se sentent un peu perdus : alors ils se réfugient dans des valeurs alimentaires traditionnelles. On veut manger vrai et équilibré.
On recherche des aliments naturels (les légumes frais font un grand retour) ; on se met en quête de produits offrant une garantie ou un label : vive la volaille du Gers, le fromage de chèvre fermier et le pain du boulanger. On évoque de nouveau avec délice le pot-au-feu, les lentilles, le hachis parmentier. Les spots de pub à la télé ressortent les nappes à carreaux et la carafe de vin. Changement notable toutefois, cette nouvelle cuisine du terroir s'accompagne très bien de la conserve, du surgelé et du passage au micro-ondes : c'est la bonne cuisine sans cuisiner.

1 Servez-vous d'un dictionnaire pour vous aider à classer ces mots selon les catégories suivantes : verbe, adjectif, nom d'un aliment. Faites trois listes. Repérez aussi chaque mot dans les textes.

légumes	féculents	prédominent	lapin	canard
ignore	confitures	petit salé	fréquents	devient
sensible	égoïste	pratiquent	grasse	malsaine
maïs	casaniers	couscous	sain	prêts
sauces	chiche	apprécient	s'alourdir	trépidante
italiens	se transforme	se sentent	alimentaires	équilibré
frais	se met	volaille	pot-au-feu	cuisiner

2 Lisez les phrases suivantes. De quelle époque s'agit-il dans chacune : est-ce les années 50–60, 70, 80 ou 90 ?

a On a besoin de se rassurer en mangeant de la bonne cuisine.

b On passe beaucoup moins de temps à cuisiner et à manger.

c On mange beaucoup de légumes, mais peu de poisson.

d On commence à prendre goût aux cuisines étrangères.

e Le fast-food a de plus en plus de succès.

f On retrouve les recettes d'autrefois.

g Les saisons dictent ce qu'on mange.

h On pense à ceux qui n'ont rien.

> Jean-Pierre Coffe exprime souvent ses opinions en matière d'alimentation à la télévision et à la radio. Dans cet extrait d'une émission de RTL, vous allez l'entendre parler de pain avec le journaliste Jean-Jacques Bourdin.

3 a Que s'est-il passé dans votre pays à la même époque ? Interrogez vos parents et grands-parents, puis écrivez un résumé de la situation.

b Et vous et vos amis ? Qu'aimez-vous manger ? Pensez-vous avoir de bonnes habitudes alimentaires ? Justifiez votre réponse.

4 🔊 Ecoutez la première partie du dialogue.

a Selon M. Coffe, le pain doit satisfaire les cinq sens. Dans quel ordre parle-t-il de chacun des sens ? Recopiez la liste des sens et numérotez-les de 1 à 5.

le goût   l'odorat   l'ouïe   le toucher   la vue

b Lesquelles des idées suivantes M. Coffe n'a-t-il pas exprimées ?

1 Il devient de plus en plus difficile de trouver du bon pain.

2 Le boulanger marque la croûte du pain avec son couteau.

3 Le pain doit avoir une légère odeur de froment et de levure.

4 Le goût du pain doit être salé.

5 Le pain se mange mieux avec du beurre.

5 🔊 Ecoutez la deuxième partie du dialogue, où M. Coffe décrit quelques développements récents dans l'industrie du pain.

a Complétez les phrases pour expliquer ce qui a changé chez…

1 l'agriculteur : les rendements de blé sont ……

2 le meunier : on ajoute à la farine de …… et de ……

3 le boulanger : il s'est mécanisé à outrance, et il utilise des levures ……

b Quelle est la distinction qu'il fait entre les deux types de boulangers d'aujourd'hui ?

6 Y a-t-il une tendance ou une pratique dans le monde culinaire qui vous dégoûte ? (Exemples : le fast-food, les additifs alimentaires, le transport des bêtes vivantes, l'élevage des veaux…). Préparez un petit discours de 2–3 minutes dans lequel vous exprimez votre mécontentement.

la croûte = partie extérieur du pain
un fournil = là où on trouve le four du boulanger
un meunier = la personne qui fabrique la farine
un minotier = meunier dans un grand établissement industriel
un quintal (*pl.* -aux) = unité de 100 kg

Expressions-clés

Parler de ce que vous n'aimez pas :

C'est…

Il me semble…

A mon avis, …   Selon moi, …

En ce qui me concerne, …

insupportable

inacceptable   inadmissible

incroyable   pas croyable

détestable

écœurant   révoltant

dégueulasse**

J'en ai assez.

J'en ai marre.*

J'en ai ras-le-bol.*

* *français familier*

** *français populaire, même vulgaire*

Les nouveaux sports d'hiver

Surf des neiges

Les ventes mondiales de surf ou snowboard ont quasiment doublé depuis l'hiver 93–94. On compte aujourd'hui plus de 2 millions d'adeptes de ce sport, dont 450 000 en France. Il a été inventé au début des années 70 par un Américain surfeur de vagues, mais a dû attendre près de vingt ans avant d'être populaire.

Sa particularité : le surfeur n'affronte pas la pente de face, mais les deux pieds placés en travers de la planche. Cette position fait du surf un engin facile à manier et donc particulièrement adapté au hors-piste.

Monoski

Les monoskis vendus dans les années 80 restent désormais dans les placards. On ne compte plus que 30 000 pratiquants réguliers, et la production actuelle ne dépasse pas quelques centaines d'exemplaires annuels. Apparu dans les années 70 aux Etats-Unis, le monoski n'a véritablement eu de succès qu'en France.

Les deux pieds joints sur un unique ski d'environ 30 cm de large permettaient de se lancer dans la poudreuse sans risque de croiser ses skis. En revanche, ce principe exigeait un effort physique important pour chaque virage, particulièrement au niveau des cuisses ! L'arrivée du surf des neiges a porté un coup fatal au monoski, dont le nombre n'a cessé de baisser depuis 1985.

Skwal

Le nombre d'adeptes de ce nouveau-né dans le monde de la glisse est encore faible : il ne dépasse pas 20 000. Inventé en 1992 par deux Français, moniteurs et compétiteurs, Manuel Jammes et Patrick Balmain, le skwal n'est pour l'instant commercialisé que par un seul fabricant, Lacroix. En moins de deux ans, 8 000 planches ont été vendues et la production ne parvient pas à satisfaire la demande.

Le skwal est un compromis entre le ski et le surf. A la différence du snowboard, les deux pieds sont placés l'un derrière l'autre, dans le sens de la pente. Les skieurs peuvent plus facilement débuter avec leur technique et leurs bâtons.

1 Lisez les trois articles sur les sports qui se sont développés à partir du ski traditionnel. Ensuite, lisez les phrases suivantes. Quelle phrase décrit quel sport ?

a C'est une invention française.

b C'est un Américain qui a inventé ce sport.

c Il serait rare de trouver des adeptes de ce sport sur les pistes.

d Presqu'un quart des partisans de ce sport sont en France.

e Né pendant les années 70, ce sport est actuellement populaire seulement en France.

f On ne fabrique plus beaucoup d'équipements pour ce sport.

g Ce sport demande des jambes ultra-puissantes.

h Ce sport est l'amalgame de deux autres sports.

Zoom sur le conditionnel (révision)

On utilise le conditionnel :

• si une action n'est pas certaine ou dépend d'une condition :
Si j'avais beaucoup d'argent, **je ferais** du ski.

• pour exprimer une préférence ou une demande (polie) :
J'aimerais mieux faire du skwal.

• dans le discours indirect, pour rapporter ce qui a été dit au futur :
Elle a dit qu'**elle essayerait** encore une fois.

19 Révisez les formes du conditionnel.

2 Voici quelques formes du conditionnel très utiles. (Apprenez-les par cœur !) Quel est l'infinitif de chacune ?
Je ferais   Ce serait   J'irais   Je voudrais   Pourriez-vous… ?

3 A vous de choisir ! Lequel de ces quatre sports (en comptant le ski traditionnel) préféreriez-vous essayer ? Discutez-en avec un(e) partenaire et donnez vos raisons.

Expressions-clés

Parler de ce qu'on aimerait et n'aimerait pas faire :

J'aimerais mieux faire du/de la…

Je préférerais faire du/de la…
   parce que…

Ça m'intéresse plus/moins
   parce que…

Ça ne m'attire pas.

Ça ne me dit rien.

Que penses-tu de… ?

Ce serait plus passionnant.

Ça me donnerait un frisson.

Ça me plairait.

(Voir aussi les expressions-clés page 17.)

Z00m *sur les pronoms avec l'impératif*

Les joies du ski !

Voici deux phrases qui ont le même sens : quelle différence remarquez-vous ?

A Vous pouvez me passer mes skis ?

B Passez-moi mes skis, s'il vous plaît.

– Le pronom complément d'objet est différent :
   me dans la phrase *A*, placé entre le verbe et l'infinitif ;
   moi dans la phrase *B*, placé après l'impératif.

Retrouvez les pronoms qui suivent l'impératif dans ces phrases :

C Allez-y, doucement !

D Si le ski vous plaît, faites-en tous les ans.

E Il reste un sandwich ? Luc a faim, donne-le-lui.

Faites une liste de tous les pronoms qu'on peut utiliser après un impératif. (Il y en a quatre dans les phrases *C–E*, et deux autres dans la BD ci-dessus, pour commencer.)

Lisez les phrases suivantes :

F Regardez cet homme ! Regardez-le !

G Mais je vous en prie ! Ne l'imitez pas !

F contient un impératif affirmatif ;

G a un impératif négatif.

Qu'arrive-t-il au pronom ?

– Avec un impératif négatif, le pronom se place avant le verbe.

10f

1 Imaginez que vous passez quelques jours avec un correspondant très peu sûr de lui. Il ne fait rien sans vous consulter. Lisez ses phrases. Complétez vos réponses.

Exemple : a Bien sûr ! Ferme-la.

a « Je peux fermer la fenêtre ? »
   « Bien sûr ! … »

b « Je peux manger ces chips ? »
   « Bien sûr ! … »

c « Je voudrais faire de la gymnastique ! »
   « Vas-y ! … »

d « Je peux emprunter ton journal ? »
   « Bien sûr ! … »

e « Je peux prendre cette brochure ? »

f « J'aimerais bien interviewer ton prof de gym. »

g « Je voudrais téléphoner à Delphine. »

h « Je peux regarder les informations ? »

2 Transformez les instructions suivantes : d'abord changez le nom en pronom, ensuite mettez l'instruction à la forme négative.

Exemple : a Fais-les. Ne les fais pas.

a Fais ces exercices.

b Réparez ma voiture.

c Regardez la télévision.

d Sortez votre calculatrice.

e Ecris la lettre.

f Lisez ces articles.

g Donne-moi le paquet.

h Donnez-moi les résultats maintenant.

Les métiers du sport

Quel métier choisir quand on est passionné par le sport, mais qu'on ne veut pas – ou qu'on ne peut pas – se lancer dans la compétition ? Lisez ces reportages, tirés des magazines *Okapi* et *Le Point*.

Patrick Mermet, entraîneur sportif

Je travaille à l'Institut national du sport et de l'éducation physique (INSEP) qui se trouve dans le Bois de Vincennes, à Paris. Ce centre accueille 950 jeunes sportifs et leur permet de s'entraîner tout en continuant leurs études. Toutes les disciplines sont représentées, dont la gymnastique. Depuis 1987, j'entraîne les mêmes gymnastes. Quand je les ai connus, ils avaient 15 ans. Aujourd'hui, ils ont plus de 25 ans.

Au début, ces jeunes gymnastes devaient apprendre les bases techniques des mouvements. Je devais être très présent et les motiver sans cesse. Maintenant, je leur fais travailler les enchaînements et la technique de leurs mouvements.

Je suis plus un "manager" qui doit leur remonter le moral quand il le faut. Je connais chaque sportif, ses qualités physiques, son caractère et même sa vie. En fonction de cela et des compétitions sportives prévues, j'établis un programme d'entraînement individuel qui permet à chacun de progresser.

L'entraînement se déroule six jours sur sept, de 11 h à 13 h et de 16 h à 19 h. Je suis aussi présent à toutes les compétitions, qui ont lieu généralement le week-end. Sans compter le travail de réflexion pour établir le programme. Car, régulièrement, les juges introduisent de nouvelles difficultés techniques. Nous filmons les gymnastes et je visionne avec eux leur travail. Nous décortiquons chaque mouvement, chaque enchaînement et nous voyons les progrès qui restent à faire.

Si ça vous intéresse...

Qualités : La patience, la rigueur et la passion sont essentielles. Etre à l'écoute et très disponible sont aussi nécessaires.

Aptitudes : Etre capable de motiver une équipe tout en ayant assez de recul pour juger les capacités des gens.

Etudes : Il existe deux voies pour devenir entraîneur : soit en devenant professeur d'éducation physique et sportive, soit en obtenant le brevet d'Etat dispensé au sein des écoles des fédérations sportives.

Gérard Porte, médecin du Tour de France

A 4 ans, il disait : « *Je serai coureur.* » Ses parents et les circonstances en ont décidé autrement. La passion est restée. Etudiant en médecine, il se fait admettre en 1972 comme infirmier du Tour. Sa thèse, en 1975, aura pour
5 thème la médecine du cyclisme.

Aujourd'hui, à 44 ans, Gérard Porte en est à sa vingt-quatrième année, à la tête d'une équipe de quatorze personnes, dont quatre médecins, avec sept véhicules, dont quatre ambulances. Joie toujours renouvelée : le
10 contact privilégié avec les plus grands champions ; être leur recours, leur conseiller, leur confident.

Les champions : des phénomènes dans leur corps par rapport à monsieur Tout-le-Monde. Chez eux, une blessure superficielle disparaît en quatre jours, contre huit à dix
15 chez vous et moi.

En 1988, Jeannie Longo, au championnat du monde contre la montre, dans les Ardennes belges, tombe : fracture du bassin pas très grave, mais qui impliquerait normalement cinq à six semaines d'immobilité. Trente jours plus tard, elle
20 s'aligne au départ des jeux Olympiques de Séoul.

Explication : le cycliste de haut niveau, qui roule 40 000 km par an, qui, au plus fort d'une course, brûle jusqu'à 1 000 calories à l'heure (un sédentaire : 150), développe un métabolisme accéléré. Tout va plus vite chez lui : la
25 reconstitution en calcium, la circulation, etc.

A part les irritations à l'entrejambes – inflammation, kyste, abcès, furoncle – il n'y a pas de pathologie spécifique du coureur cycliste. Le coup de chaleur ? Porte n'en a jamais vu. Explications : le fait de boire des litres pendant la course,
30 la transpiration, qui rafraîchit ; la vitesse, qui crée un vent virtuel et le fait d'être en position assise, de se protéger, de s'être entraîné, adapté peu à peu. « *Rien à voir avec le troufion en manœuvre, sans formation aucune, auquel on colle 50 kilos sur le dos* », dit Porte.

1 Recopiez et remplissez la fiche pour chaque personne.

Nom :

Métier :

Rôle principal :

Avantages de leur métier :

Désavantages :

2 Répondez aux questions suivantes concernant l'article sur Patrick Mermet.
  a Que signifie INSEP ?
  b Combien de jeunes fréquentent le centre où travaille Patrick Mermet ?
  c Quel est l'avantage de ce centre ?
  d Quelle est la spécialité des sportifs dont s'occupe Patrick Mermet ?
  e Quel est le rôle de Patrick Mermet ?
  f Combien de jours par semaine a lieu l'entraînement ?
  g Quelles sont les qualités principales d'un entraîneur sportif ?
  h Quelles études faut-il faire pour devenir entraîneur ?

3 Relisez le paragraphe intitulé *Si ça vous intéresse…* à la fin de l'article sur Patrick Mermet, puis écrivez le même genre de texte pour compléter l'article sur Gérard Porte.

Ça se dit comme ça !

Essayez de vous entraîner à bien prononcer le son "r" en français.

4 Ecoutez plusieurs fois les phrases suivantes, puis répétez-les en prenant soin d'imiter ce que vous entendez.
  a Patrick Mermet travaille à Paris comme entraîneur sportif.
  b Le centre où il travaille permet aux jeunes sportifs de s'entraîner sérieusement.
  c Il doit vraiment être très présent pour leur remonter le moral.
  d Il prépare un programme d'entraînement pour les faire progresser régulièrement.
  e Il faut bien sûr faire preuve de rigueur et de recul.
  f Un professeur de sport peut devenir entraîneur sportif.
  g Les fédérations sportives délivrent sûrement des brevets.

Servez-vous de vos dictionnaires !

Un bon dictionnaire sera un outil essentiel pour vos études de français.
Si possible, achetez un dictionnaire bilingue (anglais–français/français–anglais)
et un dictionnaire monolingue (français–français). Ensuite, suivez nos conseils…

Quand vous lisez un texte, ne cherchez pas tous les mots dans le dictionnaire. Posez-vous trois questions :

Puis-je comprendre ce mot à partir du contexte ?

Ressemble-t-il à d'autres mots français ou anglais, qui m'aideraient à le comprendre ?

Puis-je comprendre la phrase sans connaître ce mot ?

Si la réponse est *Non*, *Non*, et *Non*, alors, consultez un dictionnaire !

Apprenez les descriptions grammaticales.
Par exemple:

nm = nom masculin

nf = nom féminin

v = verbe

vpr = verbe pronominal

fam = familier

- Choisissez une page de votre dictionnaire monolingue. Quelles autres abréviations y trouvez-vous ? Que représentent-elles ?
Faites la même chose pour le dictionnaire bilingue.

- Entraînez-vous à utiliser ces renseignements. Par exemple, si vous cherchez la traduction française du mot anglais *"ski"*, vous trouverez deux sections, une pour le nom, l'autre pour le verbe. Alors, choisissez celle qui vous convient.

Imaginez que vous cherchez un mot dans la section anglais–français, et que vous y trouvez plusieurs possibilités : **comment être sûr d'avoir fait le bon choix ?**

– Lisez attentivement les exemples donnés.

– Utilisez la section français–anglais, ou un dictionnaire monolingue. Cherchez-y votre mot.

- Pour vous entraîner : imaginez que vous devez traduire en français *"It takes skill at handling people to be a good gymnastics trainer"*.
Cherchez dans la section anglais–français les mots *"skill"* et *"handle"*. Lisez les exemples donnés, choisissez des mots, cherchez-les dans la section français–anglais. Etes-vous satisfait(e) de vos choix ?

Quand vous lisez un texte, notez le contexte.
Cela vous aidera à choisir la bonne définition dans le dictionnaire.

- Pour bien comprendre le texte sur Patrick Mermet (page 22), cherchez le verbe *entraîner* dans votre dictionnaire bilingue. Combien a-t-il de sens différents ? Lequel est le plus approprié, compte tenu du sujet du texte ?

N'utilisez pas automatiquement le dictionnaire bilingue pour trouver le sens d'un mot nouveau ; quelquefois le dictionnaire monolingue peut être encore plus utile.

---

1 Avec un(e) partenaire, examinez les situations suivantes. A vous de décider quel dictionnaire utiliser dans chaque cas : un dictionnaire bilingue ou monolingue (ou les deux). Faites des recherches en comparant le contenu des deux dictionnaires.

 a On vous a demandé de trouver le synonyme d'un mot français.

 b Vous ne savez pas si un mot est masculin ou féminin.

 c Vous préparez un texte en français et il y a un mot dont vous ne réussissez pas à deviner le sens.

 d Vous traduisez une phrase en anglais : il y a un mot que vous croyez connaître, mais vous n'êtes pas sûr(e).

 e Vous cherchez l'équivalent français de *"wave"*. Vous avez trouvé *vague*. Vous n'êtes pas sûr(e) que ce soit le bon mot.

2 Relisez l'article de la page 23, *Gérard Porte, médecin du Tour de France*. En vous aidant de vos dictionnaires, trouvez la réponse aux questions suivantes.

 a Expliquez le mot *équipe* (ligne 7) en français.

 b Comment dit-on *fracture du bassin* (ligne 17) en anglais ?

 c Donnez un équivalent français du verbe *s'aligner* (ligne 20).

 d Trouvez un verbe de la même famille que le nom *reconstitution* (ligne 25).

 e Traduisez *coup de chaleur* (ligne 28) en anglais.

 f Le mot *troufion* (ligne 32) appartient au registre familier. Quel est le mot plus courant ?

La santé – rêve ou réalité ?

1 🔊 Ecoutez une émission de radio de RTL concernant les points Info-santé.
Répondez aux questions.

a Quelle tranche d'âge cette initiative cible-t-elle ?
b Où a-t-on installé les points Info-santé ?
c En quoi consiste le questionnaire ?
d Dans certaines familles, combien prend-on de douches par semaine ?
e A quoi servent "un paquet de chips" et "une bouteille de soda" ?
f Quelle raison donne un jeune pour ne pas fumer ?
g Quel est l'avantage pour les jeunes de venir au point Info-santé individuellement ?

2 🔊 Réécoutez. Pensez-vous que cette initiative réussisse ? Avec un(e) partenaire, essayez de faire une liste des points pour et contre un tel projet.

3 Lisez l'article des *Clés de l'actualité*. A l'aide de votre dictionnaire, trouvez dans le premier paragraphe l'équivalent des expressions suivantes :

a … ont été effectuées
b une organisation qui aide les autres
c gens qui ont répondu aux questions
d [ils] manquaient…
e bien sûr
f à cause de

4 Relisez l'article. Selon les résultats des enquêtes, les personnes interrogées…

a ont tendance à cuisiner ou à acheter des conserves ?
b ne mangent pas assez de quels aliments ?
c mangent trop de quoi ?
Selon l'article, pourquoi est-ce que ces gens ne mangent pas bien ?

Que mange-t-on quand on est pauvre ?

Deux enquêtes ont été menées sur ce sujet, l'une par l'association caritative Les Equipes Saint-Vincent, l'autre par des assistantes sociales. 68,3% des personnes interrogées disaient sauter un repas par jour (46,4% faisaient cela plusieurs fois par semaine), 22% des adultes se passaient de petit déjeuner. Certes, cela est dû à des problèmes d'argent mais aussi de déprime, de solitude, de manque d'envie de cuisiner.

Dans les familles ayant des difficultés, 30% des enfants ne vont pas à la cantine. Ce qu'on mange le plus : des plats tout prêts, en conserve, comme le cassoulet, les raviolis (qui, de plus, ne coûtent pas cher).

50% des adultes seulement mangent des fruits et légumes, 40% du poisson ; 45% consomment régulièrement de la viande. En revanche, en dépit des problèmes d'argent, enfants et adultes consomment trop de sucré : boissons gazeuses, gâteaux, confiserie.

5 Pendant un stage dans une MJC (Maison des jeunes et de la culture) en France, on vous demande de mener une enquête afin de sensibiliser les jeunes aux problèmes de la santé.

a Travaillez avec un(e) partenaire pour rédiger votre questionnaire. (Voir l'exemple ci-contre.)
b Interviewez deux ou trois copains en utilisant votre questionnaire. A la fin, décidez ensemble qui mène la vie la plus saine : soyez prêt(e) à expliquer votre choix !

Voici quelques idées :

quantité de nourriture

qualité de nourriture   **activités sportives**

fréquence des repas

alcool ?   **modes de transport utilisés**

Cochez la réponse correcte.

Je mange au moins un fruit par jour:

vrai ☐   faux ☐

Je bois plus de trois unités d'alcool :

tous les jours ☐   2 fois par semaine ☐

2 fois par mois ☐   aux fêtes seulement ☐

Que faire quand on lit un texte assez difficile pour la première fois ?

Lisez le texte trois fois (voir *Compétences*, page 8). Ensuite, si certains mots vous posent des problèmes…

• Identifiez le contexte : est-ce un texte scientifique, sociologique ?

• A vous de décider de l'importance des mots inconnus. Par exemple, si c'est un texte culinaire, les mots qui décrivent la nourriture seront assez importants.

• Que savez-vous du sujet ? Faites appel à vos connaissances afin de deviner le sens des mots inconnus. Ressemblent-ils à des mots anglais ou français que vous connaissez ?

Chef à Paris, Alain Senderens, parle de la cuisine

Au fil de sa formation, il s'est aperçu qu'on faisait partout la même chose ; or, en lisant les livres anciens, il s'est rendu compte de ce qui était oublié ; cela l'a poussé à ouvrir son restaurant, pour ressusciter d'anciens plats en les allégeant. Ainsi sont nés le canard Apicius, le homard à la vanille, le saumon à l'argile, les ravioles.

Sa curiosité est intarissable et il cherche tout le temps de nouveaux mariages de parfums et de saveurs. Il aime à citer Gide : « L'art naît là où la nécessité ne suffit plus » – une belle définition de la cuisine.

S'il y aura toujours de grands chefs dans de grands restaurants, il pense que ceux-ci travailleront pour l'agro-alimentaire. Les gens ne peuvent plus cuisiner : le sous-vide leur permettra d'avoir chez eux la cuisine de grand-mère mieux faite que par grand-mère. La technologie le permet, et surtout les produits ne cessent de s'améliorer.

1 Lisez le texte et faites cinq listes de mots et expressions :

a les mots qui ressemblent à des mots anglais, et dont vous pouvez donc deviner le sens (exemple : *curiosité*)

b les mots qui ressemblent à des mots français que vous connaissez, ou qui sont de la même famille, et dont vous pouvez donc deviner le sens (exemple : *alléger*)

c les noms de plats – vous n'avez donc pas vraiment besoin d'en comprendre les détails

d les mots dont vous pouvez deviner le sens à partir du contexte

e les mots qui vous posent encore des problèmes, et que vous devez donc chercher dans le dictionnaire. N'oubliez pas que certains mots s'y trouveront sous une forme différente. (Lesquels ?)

Un centre de remise en forme ?

1 Lisez la lettre. Identifiez des expressions qui servent à se plaindre.
Exemple : il est hors de question, …

2 Une semaine plus tard, Mme Hubert n'a pas reçu de réponse et décide d'écrire au siège principal de l'établissement. Ecrivez une lettre de sa part : exprimez votre mécontentement et répétez les demandes de la première lettre.

3 Travail à deux. Comme elle n'a toujours pas reçu de réponse à sa lettre, Mme Hubert décide de téléphoner au centre de remise en forme pour se plaindre.
L'un(e) d'entre vous prend le rôle de Mme Hubert, l'autre prend celui du directeur ou de la directrice et essaie de lui répondre poliment.
Avant de commencer, préparez votre rôle avec un(e) autre camarade qui doit jouer le même rôle.

Expressions-clés

Vous plaindre :

Je voudrais savoir pourquoi…
Je ne suis vraiment/absolument pas content(e)/satisfait(e) de…
Je suis/J'ai été déçu(e) de…
Je n'ai jamais été traité(e) comme ça de ma vie.
Ceci est tout à fait inadmissible.
Pouvez-vous m'expliquer pourquoi… ?
Comment expliquez-vous que… ?
(et aussi les expressions de la lettre)

Répondre aux plaintes :

Vous en êtes sûr(e) ?
Je vous assure que…
Nous faisons toujours tout notre possible pour…
Je vais voir ce qu'on peut faire.
Je vais en parler avec…
Je comprends bien votre mécontentement, M./Mme X, mais…

Madame Jeanne Hubert
33 rue de la Convention
75015 Paris

Le directeur
Centre de remise en forme
Avenue de la paix
82000 Montauban

Paris, le 3 septembre 1997

Monsieur, Madame,

J'ai passé quinze jours dans votre établissement au mois d'août dernier, afin d'y faire une cure anti-stress, et je voudrais vous signaler que je ne suis absolument pas satisfaite de mon séjour.

D'après la brochure que mon médecin m'avait donnée, je m'attendais à trouver un établissement de luxe et à y passer un séjour agréable : dès mon arrivée, je me suis rendu compte que ce ne serait pas le cas.

La route d'accès et le parking étaient en chantier, ce qui m'a obligée à laisser ma voiture très loin de l'hôtel. J'ai dû prendre une chambre sans salle de bains à cause d'une surréservation. Au restaurant, la nourriture n'était pas mauvaise, je l'ai même appréciée, mais le service était très médiocre et plusieurs fois il m'a fallu attendre plus d'une demi-heure pour être servie. Enfin et surtout, le bruit de fond continuel des travaux dehors m'a fait souffrir de maux de tête abominables.

Je ne me suis pas reposée dans votre établissement. Au contraire ! Quand je suis partie, je me sentais encore plus fatiguée qu'avant. Il est hors de question que je retourne dans votre établissement à l'avenir. De plus, je vous assure qu'il me serait impossible de le recommander à mes amis.

Je vous demande donc d'avoir la gentillesse de m'expliquer pourquoi je n'ai eu ni préavis de ces conditions inacceptables, ni excuses. J'estime également que j'ai le droit d'exiger un remboursement partiel de mes frais de séjour.

Dans cette attente, veuillez agréer, Monsieur, Madame, l'expression de mes salutations distinguées.

Jeanne Hubert

ZOom sur l'accord du participe passé

16c Aux temps composés des verbes, quand faut-il accorder le participe passé ? Apprenez les quatre cas principaux.

• Quand le verbe auxiliaire est *être*.
Retrouvez un exemple dans la lettre de Mme Hubert (paragraphe 4).

• Au passif :
… pour être **servie**.
– voir l'unité 3, page 51.

• Quand le verbe auxiliaire est *avoir*, et qu'il y a un complément d'objet <u>direct</u> placé <u>avant</u> le verbe :
Mon médecin m'avait **donné la brochure.**
D'après la brochure que mon médecin m'avait **donnée**, …
J'ai **apprécié la nourriture.**
La nourriture n'était pas mauvaise, je l'ai même **appréciée**.

Attention ! Il n'y a pas d'accord avec un complément d'objet <u>indirect</u>, même s'il est placé avant le verbe :
… il **m'**a **fallu** attendre…

• Avec un verbe pronominal.
Retrouvez un exemple dans la lettre (paragraphe 4).

Attention ! Le participe passé de *se rendre compte* est invariable :
Mme Hubert s'est **rendu** compte…

Attention ! Si le verbe pronominal est suivi d'un complément d'objet direct (COD), le participe passé ne s'accorde pas :
Mme Hubert s'est **lavé les mains.**

… mais il s'accorde avec le COD si celui-ci est représenté par un pronom placé avant le verbe :
Oui, elle se **les** est **lavées.**

Interlude

Que feriez-vous dans un restaurant 5 étoiles ?
Sauriez-vous comprendre la carte ? Sauriez-vous
commander un repas en toute confiance ? Lisez cet
extrait de *La Galérie des glaces* de Daninos pour voir
ce que ressent l'auteur dans un tel restaurant.

Au plaisir que j'éprouvais naguère à me rendre
dans un grand restaurant, succède la peur.

Le patron, tout de blanc vêtu, a les apparences
d'un thérapeute qui va m'examiner. S'il me
demande « Qu'est-ce qui vous ferait plaisir ? » j'ai
l'impression, en lui disant une bouillabaisse ou
un ris de veau, qu'il me regarde avec le sourire
indulgent du médecin auquel je me serais permis
de suggérer un médicament.

Dans certains restaurants particulièrement
huppés, j'ai peur d'être recalé à l'oral. Il ne s'agit
pas de ces lieux où les mets indiqués sur la carte
ne sont suivis d'aucun prix (ce sont les plus
chers), mais de ceux où il n'y a pas de carte du
tout, le seul fait de la demander prouvant qu'on
n'est vraiment pas dans le coût. [Quand le maître
d'hôtel] a énuméré les desserts : la charlotte
Astarté, les feuillantines de poires, les crêpes
soufflées au Grand Marnier, la grande assiette
Pompadour, le biscuit glacé à la framboise, la
marquise au chocolat – je me fais une telle
mousse que je n'ose pas demander des fruits.

Bilan de l'unité 1

Apprendre au lycée

- Apprenez à mieux apprendre !
- Mais que faut-il savoir au juste ?
- Le lycée : galère ou sinécure ?
- Profs et élèves : l'entente cordiale
- En route vers l'avenir !

Le mot baccalauréat vient de baccalaureatus, latin pour baie de laurier, symbole de victoire. Il existe déjà au Moyen Âge et devient officiel en 1808 sous Napoléon. Il existe maintenant plus de 50 séries différentes. 443 000 Français l'ont obtenu en 1993, un taux national de réussite de 71,6%.

Pour "le turbin"? Heu... c'est facile, bon heu... Vous allez tout droit jusqu'à la sortie "Le brevet", là, heu... à droite... je crois... c'est une rue à plusieurs voies. Bon... après, c'est la première, heu... à gauche, peut-être... Ensuite, heu... faut aller au terminal des bacs et traverser. Si ce n'est pas trop bouché, vous y serez dans 4 ou 5 ans.

le turbin = le travail, le métier, en français familier
bouché = blocked up

Sondage : Les Français et le savoir

Vous préférez apprendre :

en lisant des livres	40,0%
en parlant avec des proches	25,5%
en écoutant des professeurs	22,9%
en regardant la télévision	8,6%
sans réponse	1,5%

Sondage : Les Français et l'école

41% des Français disent y avoir acquis un bagage intellectuel, 20,4% la réflexion, 20,1% la discipline, 15,1% la vie en société. 20% des jeunes estiment ne rien avoir appris à l'école.

LYCÉE RENÉ CASSIN

Destination lycée

Des jeunes de troisième, seconde, première et terminale répondent.

Les programmes scolaires sont-ils adaptés au monde dans lequel vous vivez ?

tout à fait adaptés	6,8%	} 56,9%
à peu près adaptés	50,1%	
pas assez adaptés	31,6%	} 43,1%
pas du tout adaptés	11,5%	

Parmi les mesures suivantes, applicables à tous les lycées et collèges, lesquelles vous paraissent très urgentes ?

plus de nouvelles formations pour préparer à un métier	80,0%
plus de matériel adapté à votre formation	62,6%
plus d'activités sportives et culturelles	58,2%
un meilleur aménagement des locaux	47,7%
un réaménagement des horaires	47,7%
plus de sécurité dans les établissements	40,8%

En général, attendez-vous des professeurs que ce soit des personnes... ?

qui vous aident à préparer votre avenir	45,2%
qui transmettent un savoir	35,9%
qui soient à votre écoute	14,5%
qui vous donnent des informations quand vous en avez besoin	4,4%

Petit guide pour grosses têtes

**Savez-vous comment apprendre ?
Voici des tests et des trucs pour
apprendre mieux, plus et plus vite !**

1 Est-ce que vous savez observer ? Faites ce test : fermez les yeux et décrivez comment sont habillées trois personnes autour de vous. Vous y arrivez ? Oui ? Alors, vous avez une excellente mémoire visuelle. Non ? Ne vous découragez pas ! Entraînez-vous !

2 Votre partenaire vous lit deux fois à haute voix et très lentement un texte de 4 ou 5 lignes. Attendez une minute et répétez ce texte. Vous n'y arrivez pas ? Si ? Bravo ! Votre mémoire auditive est excellente. Non ? Ça viendra, avec un peu d'entraînement !

3 En cours de langue, on vous demande de savoir une longue liste de vocabulaire. Vous essayez de l'apprendre par cœur. C'est dur, non ? Apportez vos propres images à cette liste et vous l'apprendrez mieux. Par exemple, imaginez une courte histoire à partir de ces mots. Vous n'y croyez pas ? Faites l'expérience !

4 Combien de temps pouvez-vous concentrer votre esprit sur une seule idée ? Quelques secondes, pas plus ? Essayez tous les jours de vous concentrer sur un thème (école, musique, mode, etc.), chronomètre en main.

5 Quand est-ce que se fait la consolidation de l'apprentissage ? Pendant le sommeil paradoxal (quand on rêve), moment où notre cerveau range les informations enregistrées pendant la journée. Un(e) étudiant(e) a besoin de 8 ou 9 heures de sommeil par jour.

6 N'avez-vous pas remarqué que vous apprenez plus efficacement et plus durablement quand vous êtes détendu(e) ? Sans tension nerveuse, votre esprit est plus réceptif. Alors, détendez-vous ! Plus facile à dire qu'à faire, n'est-ce pas ? Essayez cette technique : installé(e) confortablement, fermez les yeux et visualisez toutes les parties de votre corps en train de se détendre, une à une.

1 Lisez et retrouvez le titre de chaque paragraphe.
  a Apprendre en rêvant
  b Apprendre en imaginant
  c Apprendre en écoutant
  d Apprendre en regardant
  e Apprendre en se relaxant
  f Apprendre en se concentrant

2 Trouvez dans le texte six façons de poser des questions.
Vérifiez dans les expressions-clés.

3 Suivez les conseils 1 à 6 à la maison pendant une semaine. Ensuite, comparez avec votre partenaire. Pour cela, préparez des questions à lui poser.
Exemples : *Qu'est-ce que tu as essayé à la maison ? Combien de fois as-tu fait le test ? Tu n'as pas amélioré ta mémoire ? Qu'est-ce qui marche le mieux pour toi ? Tu arrives à te détendre ?*

Expressions-clés

Poser des questions :

- par l'intonation :   *Vous y arrivez ?*
- avec *est-ce que* :   *Est-ce que vous savez… ?*
- en inversant sujet-verbe :   *Savez-vous comment apprendre ?*
- avec des interrogatifs :   *Combien… ? Quand (est-ce que)… ?*
- avec *non ?* (familier) :   *C'est dúr, non ?*
  ou *n'est-ce pas ?* (soutenu) :   *Plus facile à dire qu'à faire,*
                                      n'est-ce pas ?
- avec une interro-négation :   *Vous n'y arrivez pas ?*
  et en inversant (plus soutenu) : *N'avez-vous pas remarqué que… ?*

NB : à une interro-négation, répondez *non* ou *si*, mais ne répondez pas *oui*.
Exemple : *Tu ne sais pas ? **Si**, je sais.*

Apprendre, oui, mais quoi ?

Que doit-on apprendre quand on a 16 ans ?
L'école est-elle le meilleur endroit pour apprendre ?

> Je ne pense pas que le lycée soit très utile. Moi, j'ai l'impression que j'apprends plus de choses vraiment utiles en regardant les feuilletons ou les documentaires à la télé, en lisant les magazines pour les jeunes ou en discutant avec les gens autour de moi.
>
> **Katia**

> Je pense que c'est très important pour notre développement personnel d'étudier le plus possible, même si tout ne nous intéresse pas. C'est ça l'éducation ! Et je suis persuadé que le lycée est le meilleur endroit pour ça… même si je n'arrête pas de critiquer les cours et les profs !
>
> **Cyril**

1 [cassette] On a posé ces questions à des lycéens français. Ecoutez et lisez leurs réponses.

2 Qui dit quoi ? Expliquez vos réponses en citant les arguments de chacun.
Exemple : a C'est Michel parce qu'il dit que le bac, « c'est un but complètement artificiel ».

  a Un système scolaire basé sur les examens est mauvais.
  b Le lycée devrait offrir une formation professionnelle.
  c Il est vital d'avoir une bonne culture générale.
  d On devrait apprendre à devenir citoyen au lycée.
  e On apprend moins de choses bénéfiques au lycée qu'à l'extérieur.

> On passe tout notre temps à préparer le bac. Au lycée, on est obsédés par ça, les profs ne parlent que de ça, mais c'est un but complètement artificiel ! Après, on oublie tout ! Personnellement, j'estime qu'on devrait travailler dans un autre but, pas seulement celui de réussir l'oral et l'écrit ! Vous ne croyez pas ?
>
> **Michel**

3 Faites une liste de tous les arguments donnés par les jeunes. Avec lesquels êtes-vous d'accord ? Discutez avec votre partenaire. *Exemple :*

  A : *Est-ce que tu crois, comme Cyril, qu'on doit étudier le plus possible ?*

  B : *Oui, je crois que c'est nécessaire à la culture générale.*

  ou : *Non, je pense que c'est inutile d'étudier des matières qui ne nous intéressent pas.*

> Je crois que les matières qu'on étudie au lycée sont utiles et nécessaires pour notre avenir. Mais je trouve qu'on devrait apprendre d'une façon plus active, apprendre par exemple à avoir de vraies responsabilités, à réfléchir, à prendre des décisions, comme plus tard, dans la société.
>
> **Jamila**

> L'enseignement qu'on reçoit n'est pas concret, je ne sais pas pourquoi j'apprends toutes ces matières, ni ce que je vais en faire plus tard. C'est pas très motivant ! A mon avis, on devrait tous apprendre les bases d'un métier au lycée, et pas seulement dans les sections techniques.
>
> **Charles**

Ça se dit comme ça !

Accent tonique et intonation

[cassette] Lisez, en écoutant les exemples enregistrés.
L'accent tonique d'un mot ou d'un groupe de mots tombe en général sur la dernière syllabe :
*impor**tant** *dévelop**pement***

L'intonation d'une phrase courte :

On passe tout notre temps à préparer le bac.

Une phrase longue, se découpant en groupes de mots :

Je pense que c'est très important pour notre développement personnel

d'étudier le plus possible, même si tout ne nous intéresse pas.

Une énumération :

On devrait apprendre à avoir de vraies responsabilités, à réfléchir,

à prendre des décisions, comme plus tard, dans la société.

Une question :

Vous ne croyez pas ?

4 [cassette] Réécoutez la cassette.
  a Lisez chaque phrase après la cassette en imitant l'intonation.
  b Lisez en même temps que la cassette.
  c Lisez chaque phrase avant d'écouter la cassette pour vérifier votre intonation.

31

Lycée : l'état des lieux

Comment vivez-vous votre vie quotidienne au lycée ? Voici des extraits de journaux lycéens. Tout le monde ne voit pas la vie en rose !

Notre lycée 4 étoiles

Si on donnait des étoiles aux lycées comme aux hôtels, le nôtre en mériterait sûrement 4 ! Je ne sais pas ce que vous en pensez, mais je suis convaincue que nous avons une chance énorme : des bâtiments modernes, bien conçus, avec des salles de classe claires et bien décorées, un centre de documentation sous une grande verrière, une cafétéria sympa avec un foyer confortable, des espaces de conversation, des pelouses et des jardins, des écrans télématiques pour les informations internes…

Je sais que si un cadre agréable ne fait pas tout, il améliore quand même la vie quotidienne. Bien dans les murs = bien dans la tête, non ? Alors, 4 étoiles pour le lycée Vallée-de-Chevreuse ?

Catherine, seconde

Haro sur l'insécurité !

J'en ai assez de ne pas savoir si je vais rentrer indemne du lycée, le soir après les cours, de toujours avoir peur de me faire racketer, agresser, d'être confrontée tous les jours à des problèmes de drogues, de voir certains tout casser autour d'eux… Je ne crois pas que ce soit possible de travailler dans un climat pareil. Une discipline trop stricte n'est pas toujours la meilleure solution, mais il faut quand même réagir, vous ne pensez pas ? Parlez-en à vos délégués !

Emmanuelle Granjean, première S.

Le lycée, c'est le bagne !

Le proviseur et le conseiller d'éducation ont pris de nouvelles mesures pour renforcer la discipline : 5 minutes de retard = une heure de colle ; absence sans mot d'explication = exclusion ; absences répétées = suppression possible des allocations familiales ; le moindre écart au règlement = lettre aux parents.
Nous estimons que ces mesures sont beaucoup trop draconiennes. On a l'impression de vivre dans une prison à haute surveillance. Ça ne crée pas vraiment un climat favorable au travail ! Qu'en pensez-vous ?

Jean-Christophe et Stéphanie, délégués, première L

Vie scolaire à Henri-Meck

« Je m'ennuie en cours. » « Les profs sont nuls, ils ne savent pas nous intéresser. » « On n'apprend rien d'utile en cours. » « Je suis nul, je ne comprends rien ! » Qui n'a pas dit ça à un moment ou à un autre ?

Au dernier conseil de délégués, on nous a promis du changement : plus d'ordinateurs et la possibilité d'utiliser l'Internet dans la majorité des matières ; l'utilisation d'émissions captées par antenne parabolique en langues étrangères ; la possibilité de passer les examens de Cambridge ou du Goethe Institut ou de participer aux Olympiades de chimie, etc., si on est motivé par les concours ; la mise en place d'une équipe de soutien pour nous aider en cas de difficultés scolaires ou extra-scolaires. La condition ? « Jouer le jeu et suivre les règles » nous a dit le Proviseur !

Patrick Bertin, délégué, première S

1 Lisez et faites une liste des mots nouveaux. Echangez votre liste avec un(e) partenaire. Discutez avant de chercher les mots dans le dictionnaire.

2 Quels aspects de la vie au lycée, parmi la liste suivante, sont abordés dans ces extraits ? Donnez des exemples.
Exemple : a « bâtiments modernes, bien conçus, etc. » – Catherine
a l'environnement (bâtiments, etc.)
b le climat/l'ambiance (sécurité, discipline, etc.)
c l'enseignement (cours, équipements, etc.)
d les professeurs et le personnel administratif
e la vie extra-scolaire (soutien, clubs, etc.)

3 A deux ou en groupes, faites "l'état des lieux" de votre établissement. Notez quelques idées sur les aspects mentionnés dans l'activité 2. Inspirez-vous des textes en les adaptant.
Exemple : Pour l'environnement, notre école ne mérite pas d'étoile : les bâtiments sont vieux, mal conçus, les salles de classe ne sont pas décorées, etc.

4 Présentez votre "état des lieux" oralement à la classe. Etes-vous tous d'accord ? Discutez pour obtenir un portrait avec lequel la classe entière soit d'accord.
Savez-vous présenter votre point de vue quand il est différent ? Il y a trois exemples dans les textes. Vérifiez avec les expressions-clés.

Expressions-clés

Présenter un point de vue différent :

Je sais que…
Je comprends que… } mais je pense que…
Il est (peut-être) vrai/exact que…
Si un cadre agréable ne fait pas tout, il améliore quand même…
…, vous ne pensez pas ?
…, vous ne croyez pas ?
…, non ?

Trouver des idées et des moyens d'expression dans des textes

COMPÉTENCES

Un magazine français pour collégiens et lycéens interroge ses lecteurs :

> *Pensez-vous que les conditions de vie dans votre établissement affectent vos résultats scolaires ?*

1 Etes-vous d'accord ? Pas d'accord ?
Expliquez votre opinion.
Notez d'abord vos réactions personnelles.
Exemple : D'accord, parce que je n'arrive pas à apprendre si on est trop nombreux dans la classe, ou : Non, parce que j'arrive à apprendre même si on est trop nombreux.

2 Complétez vos arguments en cherchant d'autres idées dans les textes. Comment ?
Repensez à la façon dont vous avez dégagé les idées des textes et donné votre opinion dans les activités 2 et 3, page 31.

Notez toutes les idées utiles à votre point de vue dans les textes que vous avez lus jusqu'à présent.
Exemples : Le lycée est le meilleur endroit pour avoir une éducation. (p31)
On devrait apprendre d'une façon plus active. (p31)
Un cadre agréable améliore la vie quotidienne. (p32)

3 Trouvez aussi dans les textes des mots ou expressions pour vous aider à exprimer vos idées.
Repensez à la façon dont vous avez manipulé et adapté le vocabulaire dans l'activité 3, page 32.
Notez le vocabulaire utile (*des mesures draconiennes, un climat favorable, bien conçus,* etc.) et les structures utiles pour s'exprimer (*j'ai l'impression que…, j'estime que…, même si…, quand même,* etc.).

4 Maintenant, écrivez une réponse au magazine !
(entre 60 et 80 mots).

🎥 A nos profs bien-aimés !

1 Regardez la deuxième partie du documentaire sans le son. Ce sont des images tournées dans un lycée et une interview avec un professeur, Francine Contier.
 a Notez vos impressions concernant la personnalité de ce professeur et ses relations avec ses étudiants.
 b Quelle matière enseigne-t-elle ?
 c Quelles différences remarquez-vous entre ce lycée et votre école ?

2 Regardez la première partie avec le son. Vous allez entendre les commentaires très positifs de sept élèves sur Francine Contier. Que disent-ils ?
 a Elle est cool, elle nous donne de bonnes notes.
 b Si on est nul, elle nous encourage.
 c Elle est jeune, dynamique, elle est comme nous.
 d Elle est très personnelle avec les élèves.
 e Elle m'a fait travailler mieux.
 f C'est la meilleure prof que j'aie eue pour l'instant.
 g Elle raconte des plaisanteries, ça nous fait rire.
 h J'ai l'impression qu'elle a quelque chose en commun avec les auteurs qu'elle enseigne.

3 Regardez la deuxième partie avec le son. Corrigez les affirmations qui sont fausses :
 a Francine Contier a fait des études brillantes.
 b Elle enseigne maintenant dans un lycée parisien.
 c Elle enseigne dans les sections technologiques.
 d Ses élèves ne s'intéressaient pas à la littérature.
 e Selon elle, un professeur doit rassurer ses élèves.
 f Elle a beaucoup d'affection pour ses élèves.

4 Vérifiez le sens des expressions suivantes :

> le mépris   la courbe du chômage
> une générosité   la mélodie des alexandrins
> c'est de ma faute   blesser   se moquer de
> être en échec

Utilisez les expressions pour compléter ces phrases tirées du reportage. (Mettez les verbes à la forme voulue.) Ensuite, réécoutez pour vérifier.
 a Elle se retrouve face à des sections technologiques nettement plus concernées par …… que par ……
 b Les premières copies que j'ai corrigées, elles m'ont fait aussi un curieux effet. J'ai cru que les élèves …… moi.
 c J'ai vu qu'en fait les notes catastrophiques que j'avais mises les …… profondément.
 d Ç'aurait pu être une tentation que …… […] dès le début, je me suis dit si ça ne va pas, ……
 e C'est affreux d'…… tout le temps.
 f Je crois qu'ils ont éveillé en moi ce que je n'avais peut-être pas, ……

5 a Francine Contier déclare : « J'ai appris à aimer des gens avec qui à première vue je n'avais rien à partager». En quoi est-elle différente de ses élèves ?
 b Est-ce qu'elle correspond à votre image du professeur idéal ? Pourquoi ?

Apprendre la vie

La majorité des lycéens pense que les programmes scolaires ne sont pas adaptés à la société et voudrait que le lycée offre une formation professionnelle.

A Voici une expérience tentée dans certains lycées français : la "basket entreprise".

B Le proviseur d'un lycée parisien donne son avis.

Une entreprise dans votre lycée

Simuler la création d'une entreprise et en découvrir le fonctionnement de manière active, telles sont les deux composantes de cette opération inspirée par le souci de faciliter l'orientation et l'insertion professionnelle des lycéens.

La "basket entreprise"

Après avoir constitué une équipe autour d'une idée, un groupe d'élèves, assistés de leurs professeurs, va concevoir un produit ou un service,

choisir la forme juridique de leur "basket entreprise", définir le système de production, commercialiser le produit ou la prestation et au terme de l'année scolaire, évaluer l'activité et la clôturer.

L'aspect formateur du projet réside aussi dans le réseau de relations que les lycéens doivent tisser avec les divers partenaires du milieu économique local : entreprises, collectivités locales, banques, associations…

Lycéens, vous perdez les pédales !

Vous ne pouvez pas avoir le beurre et l'argent du beurre ; être scolarisé dans un lycée d'enseignement général et bénéficier des avantages de l'enseignement technique et même professionnel. Les années scolaires sont courtes, les programmes sont lourds : vous ne pouvez donc pas acquérir une formation générale tout en cumulant des stages en entreprise. Ne mélangez pas tout : le lycée d'enseignement général prépare à des études supérieures, qui elles-mêmes vous mènent vers une vie professionnelle. Il faut que nous luttions tous contre cet emballement qui consiste à vouloir tout professionnaliser. Cela dit, foncez sur les petits jobs de l'été, ça vous revissera la tête sur les épaules ! Vous avez d'assez longues vacances pour que cela ne soit pas scandaleux. Et ne ratez jamais une occasion de réfléchir à vos motivations et à vos aptitudes…

---

1 Lisez les deux textes et retrouvez l'équivalent des mots ou expressions suivants :

   A le désir d'améliorer ; à la fin de ; terminer ; se faire des contacts ; organisations et associations de la ville

   B on ne peut pas tout avoir ; combattre ; enthousiasme soudain ; prendre très vite ; rendre plus réaliste.

2 Répondez aux questions de votre professeur.

3 🔲 Ecoutez deux lycéens parler de l'opération basket entreprise. Notez :

   a l'activité de la basket entreprise d'Emilien

   b six aspects de la structure de l'entreprise

   c deux arguments de Turiane contre l'expérience

   d deux arguments d'Emilien pour l'expérience

   e les expressions utilisées pour donner son avis et pour exprimer son accord/désaccord.

4 Pour ou contre une basket entreprise dans votre lycée ? Divisez la classe en deux groupes, préparez le plus d'arguments possibles et discutez. Utilisez les expressions-clés !

Expressions-clés

Exprimer une opinion :

- Donner son avis :
  D'après moi, …
  Moi/Personnellement, je pense/crois que…
  J'estime que…
  Je ne pense/crois pas que (ce soit)…

- Quand on est sûr(e) :
  Je suis sûr(e)/certain(e) que…

- Quand on est d'accord :
  Tout à fait/Absolument.
  Je suis d'accord avec toi.
  Moi aussi, je pense/j'estime que…

- Quand on n'est pas d'accord :
  Pas vraiment/Pas du tout/Absolument pas.
  Je ne suis pas d'accord.
  Je ne vois pas ça comme ça.
  Je pense au contraire que…

Continuez cette liste avec d'autres exemples (vous en trouverez aux pages 31 et 32).

Que peuvent faire les lycéens pour mieux profiter de leur scolarité ? L'hebdomadaire français *Le Nouvel Observateur* a interrogé Philippe Meirieu, spécialiste en sciences de l'éducation.

5 Remettez les idées de Philippe Meirieu dans l'ordre du texte.

a Les lycéens devraient pouvoir participer à toutes les décisions sur la vie scolaire, pas seulement sur les aspects mineurs.

b Les élèves devraient être plus impliqués dans le fonctionnement du lycée, au même titre que le personnel.

c Le lycée devrait plus participer à la vie de la société.

d Les lycéens devraient mieux exercer leur droit d'expression.

6 Ecoutez une interview avec Simon, qui est délégué de classe. Faites une liste des points positifs et négatifs qu'il mentionne. Comparez avec votre partenaire.

Exemples :
positif – J'apprends à communiquer, …
négatif – Ça prend beaucoup de temps, …

« Qu'ils se fassent entendre ! Qu'ils investissent les structures de délégations d'élèves plus qu'ils ne le font. Qu'ils développent, avec leurs professeurs et chefs d'établissement, la notion de responsabilité partagée. Ils doivent chercher ensemble des lieux de négociation, pas seulement sur les classes vertes et la vente de croissants, mais sur l'organisation des cours, du travail personnel et des contrôles.

Pourquoi ne pas développer des projets d'action éducative ou humanitaire ? Ce serait l'occasion de briser les cloisons entre les classes, de fonder une vraie communauté scolaire, qui devienne lieu d'expérimentation. »

Philippe Meirieu

Rédiger un paragraphe   **COMPÉTENCES**

Simon donne son avis sur le rôle des délégués dans le journal de son lycée. Retrouvez dans le texte :

– l'introduction
– le développement :
  la présentation de la situation
  l'explication
  la conséquence
  l'argument personnel
– la conclusion.

A votre avis, quel(s) mot(s) parmi les mots soulignés sert/servent à… ?
– indiquer une conséquence
– introduire un contraste
– donner un avis
– donner une explication
– conclure

Nous avons le droit d'exprimer notre opinion et pouvons élire des délégués pour nous représenter et défendre nos intérêts. Mais il y a peu de candidats : sans doute parce que cela prend du temps, et aussi parce qu'on trouve que les délégués ne servent à rien. Alors, on se désintéresse. J'estime au contraire qu'on devrait s'impliquer plus dans le fonctionnement du lycée, avoir plus de vraies responsabilités. On apprend ainsi à mieux communiquer et à découvrir le monde des adultes. Etre délégué, c'est donc une bonne formation à la citoyenneté. – *Simon P.*

7 Maintenant, à vous d'écrire un petit texte (moins de 100 mots) pour donner votre avis. Choisissez **a** ou **b** comme sujet et dites ce que vous en pensez, en suivant le modèle de Simon.

a Votre école envisage de faire l'expérience d'une basket entreprise.

b Des élèves veulent lancer un journal lycéen dans votre école.

ZOom *sur le subjonctif (1)*

Vous avez rencontré dans cette unité une forme du verbe que vous ne connaissez peut-être pas :

1 Je ne pense pas que le lycée **soit** utile
2 Je ne crois pas que ce **soit** possible
3 Qu'ils se **fassent** entendre !
4 Il faut que nous **luttions**…

Ces verbes sont au subjonctif présent. Notez qu'ils suivent la conjonction **que**.
Le subjonctif est très utilisé en français, peu en anglais. On l'utilise souvent pour exprimer certains sentiments : l'incertitude (exemples *1* et *2* à gauche), un souhait (*3*), ou avec une expression impersonnelle comme *il faut que* (*4*).
Devinez quel est l'infinitif de *soit* et *fassent*.

22a

NB : Plus sur le subjonctif dans l'unité 4.

Une nouvelle mission

Interview — **Françoise Plouviez** *Professeur de « vie sociale et professionnelle » pendant dix-sept ans, elle se prépare à exercer un nouveau métier : professeur-médiateur.*

• Pourquoi cette reconversion ?
J'avais envie d'être encore plus à l'écoute des élèves de mon lycée (situé à Auchel, dans le Pas-de-Calais), de comprendre leurs difficultés et de parler avec eux de leurs projets. J'ai profité d'une initiative unique en France, lancée en 1994 par l'académie de Lille. Elle proposait, à titre expérimental, une formation en deux ans à temps complet pour devenir professeur-médiateur en lycée professionnel.

• Quelle va être votre nouvelle mission au sein de l'établissement ?
C'est d'abord une mission de dialogue et de soutien. Je serai placée sous la responsabilité du proviseur, et à sa demande, mon rôle sera de détecter, d'aider et de suivre les jeunes en situation d'échec ou d'abandon scolaire.

Dans un premier temps, j'analyserai la situation avec l'élève : étude de son dossier scolaire, entretien individuel avec lui et examen de l'origine de ses difficultés.
Dans un second temps, je discuterai avec ses professeurs, le conseiller d'orientation, l'assistante sociale et, bien sûr, ses parents. Ensuite, tous ensemble, nous nous concerterons pour trouver les solutions les mieux adaptées : poursuite des études, réorientation, insertion dans le milieu professionnel…

• L'enseignement ne risque-t-il pas de vous manquer ?
Le dispositif prévoit que chaque professeur-médiateur continue d'enseigner sa spécialité trois heures par semaine. Je poursuivrai donc ma mission d'enseignante mais avec d'autres attributions : je vais développer des cours de méthodologie.

1 Lisez l'interview et répondez aux questions de votre professeur.

2 Recopiez et complétez le tableau de noms et de verbes, comme dans l'exemple. Cherchez dans le dictionnaire si nécessaire.

nom	verbe
le dialogue	dialoguer
le soutien	–
l'analyse	analyser
l'étude	–
l'entretien	–
l'examen	–
–	discuter
–	se concerter
la poursuite	–
la réorientation	–
l'insertion	–

3 Transformez les phrases en remplaçant le nom souligné par un verbe au futur. Regardez le *Zoom* d'abord.
***Exemple :* a** *Le professeur-médiateur dialoguera avec les élèves et les soutiendra.*
a La mission du professeur-médiateur : le dialogue avec les élèves et leur soutien.
b Le travail du professeur-médiateur : l'étude du dossier, l'entretien avec l'élève et l'examen des causes du problème.
c Le professeur-médiateur doit trouver une solution par la discussion avec les responsables scolaires et la concertation avec les parents.
d Les solutions possibles pour l'élève : la poursuite des études, la réorientation vers une autre filière, ou bien l'insertion dans la vie active.

4 Écrivez un paragraphe (80–100 mots) sur les avantages d'avoir un professeur-médiateur. Pour vous aider, utilisez le vocabulaire ci-dessus et suivez le modèle de *Compétences*, page 35.

ZOOm sur le futur

*Je serai placée…   j'analyserai…
je discuterai…   je poursuivrai…*

Ces verbes font référence à des actions qui vont se passer dans l'avenir. Ils sont au **futur simple**.

Pour former le futur simple, ajoutez à l'infinitif des verbes réguliers les terminaisons d'*avoir* au présent :
analyser-
finir-   } -ai -as -a -ons -ez -ont
poursuivr(e)-

15a
15b

Quelques verbes irréguliers fréquents :
être	→ ser-	je serai
avoir	→ aur-	tu auras
faire	→ fer-	il fera
aller	→ ir-	elle ira
devoir	→ devr-	on devra
pouvoir	→ pourr-	nous pourrons
vouloir	→ voudr-	vous voudrez
voir	→ verr-	ils verront
tenir	→ tiendr-	elles tiendront

Quelle autre manière d'exprimer le futur connaissez-vous ?
aller + infinitif : *quelle **va être**… ?   je **vais développer**…*

L'avenir de l'école

Le directeur de la Cinquième, chaîne de télévision à but éducatif, donne son point de vue sur l'avenir de l'école face à l'importance croissante des médias.

1 **a** Avant de lire l'interview tirée du magazine *Ça m'intéresse*, devinez quels médias il va mentionner.

  b A votre avis, quelle sera son opinion parmi les suivantes, et quelle est la vôtre ?

    1 « On apprendra tout par les médias, l'école ne servira plus à rien et disparaîtra. »

    2 « L'école restera le lieu d'apprentissage, les médias seront uniquement des outils de loisirs. »

    3 « L'école devra intégrer l'utilisation des médias pour s'adapter à la société moderne et survivre. »

  c Lisez l'interview.

2 Trouvez les phrases du texte qui confirment ou corrigent votre réponse à l'activité 1b. Ce que dit J-M. Cavada a-t-il changé votre point de vue personnel ?

3 Répondez aux questions de votre professeur.

4 Imaginez ! Vous travaillez au service de presse de la Cinquième. Une école vous demande des renseignements. Ecrivez un paragraphe (environ 100 mots) pour décrire les buts de la chaîne et l'importance de sa mission.
Utilisez l'interview et les documents ci-dessous.

La Cinquième

ORIENTATION SCOLAIRE ET PROFESSIONNELLE

Les émissions de La Cinquième proposent de mieux comprendre les mécanismes de l'orientation scolaire, de mieux connaître les différentes filières de formation, celles des lycées, puis plus tard de l'université. La Cinquième présentera toutes les filières professionnelles.

LA DECOUVERTE DE L'ENTREPRISE

Depuis quelques années, les Français portent un regard différent sur l'entreprise. La Cinquième se propose d'aider à la découverte du monde du travail, des ruptures culturelles qui le bousculent, ainsi que des métiers nouveaux générés par la formidable mutation technologique de la dernière décennie.

« Une véritable révolution du savoir se prépare... »

Ça m'intéresse : Quels rôles les chaînes, et la Cinquième en particulier, peuvent-elles jouer dans la transmission du savoir ?

Jean-Marie Cavada : Notre premier but est de développer le désir d'apprendre et le plaisir de comprendre. Notre second objectif est de permettre d'en savoir plus sur tel ou tel thème, en favorisant l'accès à d'autres sources : les livres, les CD et les banques de données des autoroutes de l'information.

Ç.M. : Croyez-vous à un développement rapide de ces autoroutes de l'information et comment les appréhendez-vous ?

J-M.C. : Elles constituent l'une des plus grandes découvertes de ce siècle et vont révolutionner, d'ici à dix ans, nos relations au savoir. Par l'intermédiaire d'un ordinateur ou d'une télé interactive, chacun ira puiser ce qu'il veut dans ces banques de données, aussi bien un film d'aventure que des informations sur la santé. Les enjeux du futur sont de donner accès à cette source d'information au plus grand nombre. La Cinquième y contribuera très activement. L'apprentissage des médias comme source de savoir est fondamental. L'homme moderne doit apprendre à apprendre et non plus apprendre tout court.

Ç.M. : Comment situez-vous la place de l'école face à cette explosion du savoir médiatique ?

J-M.C. : Les médias sont des outils utilisables par les pédagogues. Les enseignants l'ont bien compris. Ils nous ont perçus comme des alliés. En devançant l'institution, beaucoup ont intégré nos émissions à leur enseignement. Nous savons que des millions de personnes enregistrent nos programmes et les professeurs sont sans doute les premiers. Reste que l'équipement audiovisuel et informatique des établissements est insuffisant et que les professeurs sont peu formés à ces technologies.
L'enjeu est pourtant crucial : la maîtrise de ces outils n'est pas simplement un plus pédagogique, elle est vitale pour ancrer l'école dans son temps. L'école devra apprendre et enseigner l'usage des nouveaux médias, sinon l'acquisition des connaissances pourrait bien se faire sans elle.

● 93% des enseignants jugent satisfaisante la qualité des programmes contre 3% seulement d'entre eux qui l'estiment peu ou pas du tout satisfaisante.

– Pour 92% des enseignants, les émissions de La Cinquième peuvent aider à illustrer un cours.

– Pour 87% d'entre eux, elles peuvent être un élément pour lancer un débat.

– Pour 85%, elles peuvent aider à dynamiser un cours.

– Pour 78%, elles permettent d'approfondir un sujet.

– Pour 73%, elles peuvent favoriser des passerelles entre les disciplines.

S'orienter pour aller où ?

Que souhaiteriez-vous faire après le lycée ?

En % Age	Aller à l'université	Aller en classes préparatoires aux grandes écoles	Aller dans une école supérieure spécialisée	Vous insérer tout de suite dans la vie professionnelle	Sans opinion
14 ans	49	10	19	19	3
15 ans	48	6	32	13	1
16 ans	44	16	25	14	1
17 ans	34	13	33	20	–
18 ans	51	8	25	16	–
Ensemble	45	11	27	16	1
Sexe					
Fille	51	10	24	14	1
Garçon	39	11	30	19	1

Quoi faire après le bac ?

Les principales filières :

✳ l'université, pour une formation "généraliste" (le DEUG ou le DEUST = bac + 2 ; la licence = bac + 3 ; la maîtrise = bac + 4 ; le DESS ou DEA = bac + 5 ; le doctorat = bac + 8 minimum)

✳ les classes préparatoires (bac + 2), qui mènent vers une grande école (formation de 3 à 5 ans, prestige du diplôme garanti !)

✳ les écoles spécialisées, pour se préparer à une profession spécifique (bac + 2 ou 5)

✳ une section de techniciens supérieurs (le BTS = bac + 2) avec 142 spécialisations, ou un institut universitaire de technologie (le DUT = bac + 2), avec 23 spécialisations

✳ la formation en alternance, avec cours théoriques et stage en entreprise sous la tutelle d'un maître d'apprentissage

1 🔊 **Micro-trottoir.** Cinq jeunes en classe de terminale à Reims (Aline, Vincent, Emilie, Annabelle et Luc) parlent du bac qu'ils sont en train de préparer et expliquent ce qu'ils ont l'intention de faire après le lycée. Ecoutez plusieurs fois et répondez aux questions.

a Combien sont en train de préparer… ?
   1 un bac économique
   2 un bac littéraire
   3 un bac scientifique

b Qui… ?
   1 a choisi des études qui vont durer de quatre à six ans
   2 va passer deux ou trois ans à préparer un concours
   3 doit d'abord faire trois années de fac jusqu'à la licence
   4 doit passer un concours d'entrée

c Ecoutez encore une fois et repérez les abréviations suivantes :
   EPS   STAPS   CAPES   IUFM
   Ensuite, retrouvez l'explication correspondant à chaque abréviation :
   1 éducation physique et sportive
   2 institut universitaire de formation des maîtres
   3 certificat d'aptitude au professorat du second degré
   4 sciences et techniques des activités physiques et sportives
   Lequel est le nom… ?
   – d'une école
   – d'un diplôme
   – d'une filière universitaire
   – d'une matière enseignée dans les écoles secondaires

d Qui dit quoi ?
   1 J'aime bien le contact avec les enfants.
   2 […] sentir que l'on sert à quelque chose.
   3 J'ai toujours voulu […] faire de la musique.
   4 Mais mes parents y voient un inconvénient…
   5 Depuis la sixième, j'ai envie de devenir professeur…

2 🔊 Comment les jeunes interrogés expriment-ils leurs intentions ? Prenez des notes et comparez-les avec la liste des expressions-clés.

3 Examinez les différentes filières mentionnées en haut de la page. Quelle filière a choisie chacune des personnes interrogées ?

4 Quels sont les projets de vos camarades de classe ? Faites un sondage.

Expressions-clés

Dire ce que vous avez l'intention de faire :

- Avec un futur :
  Après le bac, j'**irai** à la fac.
  Je **vais** aller en apprentissage.
- Avec un conditionnel :
  Je **voudrais** entrer dans la vie professionnelle.
  J'**aimerais bien** faire des études scientifiques.
- Avec certaines expressions :
  Je souhaite/J'espère/Je pense/Je compte + *infinitif*
  J'envisage/J'ai envie/J'ai l'intention + de + *infinitif*
  Je n'ai pas envie/Je n'ai pas l'intention + de + *infinitif*
  J'ai toujours voulu + *infinitif*
  Il faut que je/j' + *subjonctif*
  Il faut + *infinitif*

Interlude

Claire Bretécher est un grand nom du dessin humoristique français. Un de ses personnages les plus célèbres est une ado, Agrippine. Les histoires d'Agrippine reflètent la vie des jeunes dans les années 90.

1 Comment choisissez-vous votre orientation ? Vos parents ou vos profs vous influencent-ils beaucoup ? Discutez avec votre partenaire.

Le bon vieux temps de l'école !

Dans *Le Temps des amours*, quatrième volume inachevé de ses souvenirs d'enfance (*La Gloire de mon père*, *Le Château de ma mère*, *Le Temps des secrets*), le célèbre auteur provençal Marcel Pagnol raconte avec nostalgie ses années au lycée Thiers à Marseille. En voici un extrait.

C'est sans la moindre inquiétude, mais au contraire avec une véritable joie que je quittai la maison, un matin d'octobre, pour la rentrée au lycée, où j'étais admis en cinquième A2. Personne ne m'accompagnait : le cartable au dos, les mains dans les poches, je n'avais pas besoin de lever la tête pour regarder le nom des rues. Je n'allais pas vers une prison inconnue, pleine d'une foule d'étrangers : je marchais au contraire vers mille rendez-vous, vers d'autres garçons de mon âge, des couloirs familiers, une horloge amicale, des platanes et des secrets. J'enfermai dans mon casier la blouse neuve que ma mère avait préparée, et je revêtis la loque des années précédentes, que j'avais rapportée « en cachette » : ses accrocs, et la silencieuse mollesse du tissu devenu pelucheux marquaient mon grade.

Mon entrée dans la cour fut triomphale : je n'étais plus le « nouveau » dépaysé, immobile et solitaire, qui tourne la tête de tous côtés, à la recherche d'un sourire, et peut-être d'une amitié : je m'avançai dans ma blouse en loque et aussitôt Lagneau, Nelps et Vigilanti s'élancèrent vers moi en poussant des cris : je leur répondis par des éclats de rire, et Lagneau se mit à danser de joie, puis nous courûmes tous ensemble à la rencontre de Berlaudier ; il rapportait de la montagne des joues énormes sous des yeux à peine fendus ; et les manches de sa blouse n'arrivaient plus qu'au milieu de ses avant-bras. Pour commencer l'année scolaire, il tira de sa poche une bombe japonaise et la lança adroitement entre les pieds d'un « nouveau » qui lui tournait le dos : celui-ci fit un bond de cabri, comme soulevé par l'explosion, et prit la fuite, sans oser regarder en arrière avant d'avoir atteint le fond de la cour… Alors, nous allâmes nous asseoir sur un banc du préau, et nous commençâmes nos bavardages.

ZOOm sur le passé simple (1)

Je quittai… nous courûmes… il tira… il fit un bond…
Ces verbes sont tous au **passé simple**.

<u>Où trouve-t-on souvent ce temps ?</u>
Dans les récits historiques et les œuvres littéraires.

<u>Qu'exprime-t-il ?</u>
Des faits qui se sont produits et achevés à un moment précis dans le passé.

<u>L'utilise-t-on quand on parle ?</u>
Non, on utilise le passé composé (*J'ai quitté la maison*).

<u>Comment reconnaît-on un passé simple ?</u>
Par le contexte et les terminaisons typiques.

je …-ai/-is/-us	nous …-âmes/-îmes/-ûmes
tu …-as/-is/-us	vous …-âtes/-îtes/-ûtes
il/elle …-a/-it/-ut	ils/elles …-èrent/-irent/-urent

<u>Passé simple ou imparfait ?</u>
On utilise l'imparfait et non le passé simple pour décrire :
• un état plutôt qu'une action :
  *Personne ne **m'accompagnait**…*
  *Je n'**avais** pas besoin de lever les yeux…*
• une action passée continue par opposition à une autre action plus brève :
  *Il tira… une bombe et la lança… entre les pieds d'un « nouveau » qui lui **tournait** le dos.*

NB : Plus sur le passé simple dans l'unité 8.

Bilan de l'unité 2

Les pays de France

- Vivre dans sa région
- Les jeunes de Millevaches
- Un Parisien en "exil"
- La Guadeloupe à la loupe
- "Décentralisation" = "illusion" ?

A

B

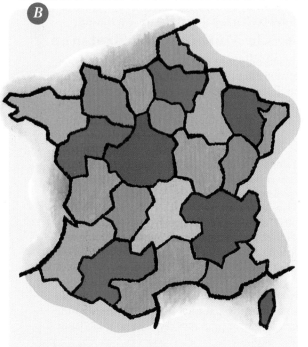

La France métropolitaine est divisée en 22 régions. En 1982, quatre nouvelles régions sont créées en outre-mer : la Guadeloupe, la Martinique, la Guyane et la Réunion.

C

Quel temps fait-il dans l'Hexagone ?

	Température moyenne en janvier	Température moyenne en juillet	Jours de gel	Jours de pluie	Jours de neige	Jours sans soleil
Nord	2,9	17,3	58	165	10	74
Bretagne	7,4	16,8	17	170	3	58
Franche-Comté	1,5	18,5	71	161	24	66
Provence-Alpes-Côte d'Azur	8,4	23,5	12	81	1	23
Auvergne	3	19	72	175	56	47

D

Ma région

1 Avant de lire ce que deux jeunes Français disent de leur région (Nord-Pas-de-Calais et Bretagne), que savez-vous sur les aspects suivants de ces régions ?

a l'image typique qu'on en a
b ses paysages
c ses attraits touristiques
d sa culture et ses traditions
e le temps qu'il y fait
f son économie

Hervé habite à Lille, dans le Nord-Pas-de-Calais

« Le Nord n'attire pas en général. Les gens imaginent une région noire, triste et peu accueillante : paysages industriels, habitants froids, mauvais temps, désert culturel… mais cette image est fausse ! Bien sûr, le passé industriel et minier a laissé des traces mais la région s'est reconvertie dans l'industrie de pointe, et comme elle a d'excellents transports (avec le TGV et le Tunnel sous la Manche), de plus en plus de monde s'y installe.

C'est un endroit dynamique ici, et le tourisme se développe. Il y a des tas de choses à voir et à faire : de belles côtes, avec deux sites classés, les caps Gris-Nez et Blanc-Nez, d'anciennes mines, des châteaux et de vieilles villes historiques. Question culture, c'est vivant : il y a des musées super (y compris Nausicaa, le centre de la mer, à Boulogne), des troupes théâtrales, des festivals, des universités…

Et puis, les gens sont formidables ici, pas du tout renfermés, au contraire ! Il y a beaucoup de jeunes et tout le monde adore se retrouver (il y a un nombre incroyable d'associations) et faire la fête ; on adore les carnavals et les braderies, par exemple.

Pour moi, c'est une région sympa, qui bouge et où je me sens bien même si je ne suis pas lillois d'origine, puisque ma famille est marseillaise ! Marseille ne me manque pas, à part peut-être le soleil ; le temps ici est imprévisible ! »

J'habite…

à + ville

en + département (au féminin ou au masculin) : *en Corse, en Languedoc*

en + région (au féminin) : *en Auvergne*

dans le + région (au masculin) : *dans le Centre*
dans le + département (au masculin) : *dans le Languedoc*
dans la + département (au féminin) : *dans la Drôme*
dans les + département/région (au pluriel) : *dans les Landes, dans les pays de Loire*

J'habite à York, dans le Yorkshire. J'habite en Cornouailles.

Morgane habite à Vannes, dans le Morbihan, en Bretagne

« Quand on pense Bretagne, on pense tourisme, mer et vieilles pierres, traditions et folklore. C'est vrai. Beaucoup imaginent aussi une région un peu arriérée, pas très dynamique et très pluvieuse ! Là, ils ont tout faux ! Il pleut moins ici qu'à Biarritz ! La Bretagne a effectivement une identité culturelle et historique très développée : ça se voit dans la musique traditionnelle, la danse, la gastronomie, et bien sûr, dans la langue. Plus de 500 000 personnes parlent breton. Moi-même, je suis allée dans une école bilingue français-breton. Mes parents sont "bretonnants", c'est-à-dire qu'ils parlent le breton et sont pour le maintien de la langue et de la culture bretonnes.

Ça ne veut pas dire que la Bretagne soit tournée vers le passé. D'ailleurs, de plus en plus de jeunes restent dans la région et veulent la développer. Comme partout, il y a du chômage mais l'économie marche assez bien, surtout l'agro-alimentaire : c'est une des premières régions productrices de fruits et légumes, et aussi pour la viande et la pêche.

Ce n'est pas vraiment une région industrielle mais il y a de grands noms, comme Yves Rocher pour les cosmétiques. Rennes et Nantes sont des villes actives et vivantes, en expansion. Il y a de plus en plus d'activités culturelles et on peut faire toutes sortes de sports, nautiques ou autres. Alors, Breizh o veiva ! Vive la Bretagne ! »

2 Lisez les textes, page 42. Notez les phrases correspondant aux aspects a–f de l'activité 1. *Exemple : Nord-Pas-de-Calais : a Cette région n'attire pas en général, c'est une région noire, triste, peu accueillante, etc.*

3 Hervé et Morgane aiment leur région. Maintenant, écoutez Michel. Est-ce qu'il aime le Limousin ou pas ? Pourquoi ?

4 Réécoutez. Que dit Michel de sa région sur les aspects a–f de l'activité 1 ? *Exemple : a l'image typique : région rurale, isolée, …*

5 Ecrivez ou enregistrez, avec un partenaire, un texte sur une région de votre pays que vous connaissez bien et que vous aimez (environ 225 mots, sur les aspects a–f). Aidez-vous de vos réponses aux activités 2–4 et utilisez le plus possible d'adjectifs qualificatifs (regardez le *Zoom*).

6 Vous allez écouter une interview avec Gérard Jacquemin, directeur de la communication de l'Office de Tourisme de Reims. Avant de l'écouter, lisez les phrases suivantes, et devinez lesquelles vous allez l'entendre dire. Ecoutez ensuite l'interview pour vérifier vos réponses.
  a Je suis originaire de la région Rhône-Alpes.
  b Je ne suis pas né à Reims, mais à Epernay.
  c J'ai un parcours de journaliste et d'homme de radio.
  d J'ai été guide de haute montagne pendant douze ans.
  e M. Falala, maire de Reims, m'a demandé de venir travailler avec lui.

7 Profitez de cette interview pour vous documenter sur la ville de Reims. Réécoutez, puis répondez aux questions suivantes. Regardez une carte de France pour un complément d'information.
  a Quel est le nom exact de la région où se trouve Reims ? Trouvez-la sur la carte.
  b M. Jacquemin mentionne le nom d'une autre ville de la région. Quelle est cette ville ? Trouvez-la sur la carte.
  c Donnez le nom d'une boisson typiquement française fabriquée dans la région de Reims.
  d La région Champagne-Ardenne est formée de quatre départements. Quels sont-ils ? Quel est le numéro et la ville principale de chacun ?

Zoom sur les adjectifs qualificatifs

Ils sont formés à partir…

- d'un substantif : *l'industrie* → *industriel(le)*
  Relisez les deux textes, page 42, et trouvez l'adjectif pour chaque nom : la tristesse, la culture, le dynamisme, l'histoire, le théâtre, la pluie, la tradition, Lille, Marseille, Bretagne.

- d'un participe présent : *accueillir* → *accueillant* → *accueillant(e)*
  Trouvez un autre exemple, page 42.

- d'un participe passé : *renfermer* → *renfermé* → *renfermé(e)*
  Combien d'exemples trouvez-vous, page 42 ?

Les terminaisons : n'oubliez pas les accords !

- les adjectifs réguliers : *noir   noirs   noire   noires*
  Retrouvez les adjectifs réguliers, page 42.
  Triste et *mauvais* sont des exceptions. Pourquoi ?

- quelques terminaisons différentes
  Retrouvez le féminin, page 42 : ancien, pluvieux, faux, beau, vieux, traditionnel, breton, premier, producteur, actif.
  Retrouvez deux adjectifs invariables, page 42.

La position des adjectifs :

- en général après le nom, parfois avant.
  Retrouvez sept adjectifs placés avant le nom, page 42.
  Lequel est placé avant le nom pour emphase ?
  Lesquels changent de sens s'ils sont placés après ?

A noter : **des** troupes théâtrales (des + nom + adjectif)
mais : **de** belles côtes, **de** grands noms (de + adjectif + nom)

Les adjectifs négatifs :

- avec le préfixe **in-/im-** ou avec **peu** ou **pas très** :
  croyable   → incroyable
  prévisible   → imprévisible
  accueillante → peu accueillante
  dynamique   → pas très dynamique

8 Regardez cet extrait d'un guide des métiers. A votre avis, M. Jacquemin correspond-il à ce profil ? Justifiez votre réponse et discutez-en avec un(e) partenaire.

Directeur d'office de tourisme

Qualités requises :
  ✔ avoir le désir de faire connaître et apprécier une ville/une région
  ✔ être dynamique
  ✔ avoir le sens des relations humaines
  ✔ avoir une bonne connaissance des langues étrangères

⌨ Etre jeune à Millevaches

Le plateau de Millevaches (attention ! rien à voir avec le nombre de vaches mais plutôt le nombre de sources sur le plateau !) est au cœur du Limousin. C'est une région rurale de moyenne montagne, avec des paysages de landes, de forêts et de lacs.

Beaucoup de moutons, de vaches et peu d'habitants à cause de l'exode rural (6 par km² en moyenne) ; aucune industrie, quelques exploitants agricoles, des artisans et, l'été, des touristes, parce qu'ici, "se mettre au vert" veut encore dire quelque chose !

1 Lisez ces documents. Résumez les buts et les moyens de Télé Millevaches. Que pensez-vous d'une télé de proximité sur ce modèle ?

Télé Millevaches, c'est…

Pour faire connaître le plateau et le patrimoine du Limousin dans toute la France.

Pour développer la communication et redynamiser les rapports humains entre les habitants du plateau, avec plus de 100 relais de diffusion (écoles, cafés, clubs, mairies, etc. munis d'un magnétoscope), en plus du système d'abonnement pour les particuliers.

Un magazine d'information locale, proposé tous les mois sur vidéo. Reportages, documentaires, débats sur les questions qui touchent au présent et à l'avenir du pays.

Une télévision de proximité : les micro-ondes de l'information !

Un miroir du plateau et de ses habitants. Mais plus qu'un simple reflet, c'est une partie prenante dans l'identité et la richesse culturelle du plateau.

Une équipe d'une quinzaine de bénévoles et quelques permanents qui pensent que l'information, la communication et le débat sont indispensables au processus de développement de leur petite région.

2 Vous allez voir des extraits d'un reportage de Télé Millevaches intitulé : *Avoir 16 ans sur le plateau.* Avant de regarder la séquence vidéo, devinez si les jeunes interviewés…

1 *a* veulent quitter le plateau.

   b préfèrent rester à la campagne plutôt qu'habiter en ville.

2 *a* trouvent qu'il y a assez de distractions sur le plateau.

   b disent qu'il n'y a rien à faire.

3 *a* aiment aller en boîte pour faire des connaissances.

   b préfèrent rester chez leurs amis pour discuter.

3 Regardez la séquence et répondez aux questions.

1ère partie

a Que fait Jouany pendant son temps libre ?

b Quels sont ses projets d'avenir ? Et ceux de Fabrice ?

c Jouany parle-t-il de la ville ou de la campagne quand il dit : « c'est morne, on s'y ennuie » ?

d A votre avis, pourquoi se sent-il "privilégié" ?

2ème partie

e Que font les jeunes du plateau pendant leur temps libre ?

f Qu'aimeraient-ils avoir pour ne pas s'ennuyer ?

g Comment considèrent-ils la discothèque ?

h Pourriez-vous suggérer d'autres activités de loisirs ?

4  Ecoutez des extraits d'un reportage et d'un débat de Télé Millevaches intitulé : *20–30 ans : vivre et travailler au pays*, où des jeunes expliquent pourquoi ils restent vivre sur le plateau. Numérotez les arguments a–f dans l'ordre mentionné.
Ensuite, classez-les sous deux titres : le pour et le contre de la vie sur le plateau.

a « une région très attachante, très belle, très forte, où on puise beaucoup d'énergie »

b « pas beaucoup d'animation, pas assez d'associations, pas assez de vie…, perdu au milieu de nulle part…, les jeunes ne s'intéressent qu'à leur petite vie »

c « beaucoup de jeunes aiment leur région et n'en partiront pas : ils y sont attachés, ils y ont vécu leur enfance, c'est une partie d'eux-mêmes »

d « pas de boulot, pas une région "entreprise", donc manque de travail »

e « on a la motivation de rester pour faire vivre le village »

f « pas toujours possible de vivre dans son pays »

5  Réécoutez. Quelles suggestions les jeunes font-ils pour améliorer la vie sur le plateau ?
Exemple : Il faudrait que le tourisme se développe de plus en plus.

6 A votre avis, l'avenir des jeunes en général est-il à la ville ou à la campagne ? Discutez en groupes. Lisez d'abord *Participer à un débat.*

COMPÉTENCES

Participer à un débat (1)

- Se préparer à une discussion :
  - Faire une liste d'arguments (rechercher dans des documents, donner ses idées personnelles)
  - Penser aux arguments potentiels de vos "adversaires"
  - Trouver des contre-arguments

- Savoir prendre la parole/intervenir pendant le débat :
  A ce propos/sujet, je voudrais dire que…
  En parlant de ça, je voudrais ajouter…
  Juste un mot/une question concernant…

- Savoir garder la parole :
  Excuse-moi, mais je n'ai pas fini…
  Laisse-moi continuer jusqu'au bout…
  J'étais en train de dire que…
  Comme je disais…

- Savoir faire parler les autres :
  Et toi, X, qu'est-ce que tu en penses ?
  Est-ce que tu es d'accord avec ça, X ?
  Donne-nous ton avis, X.

Paris ou province ?

De plus en plus de Parisiens quittent la capitale à la recherche d'une nouvelle "qualité de vie". Qu'en est-il exactement ? Fait-il meilleur vivre en région ? Voici le témoignage de Pascal, 24 ans, Parisien "émigré" en province !

« Avant, j'étais atteint d'un parisianisme aigu ; maintenant, je suis guéri ! J'étais intoxiqué par la vie frénétique de la capitale : je sortais presque tous les soirs, il y avait toujours quelque chose de nouveau et d'excitant à faire, à voir. C'était comme une drogue ! J'imaginais la vie en province d'un calme absolument mortel !

Et puis, il y a deux ans, nous avons eu un enfant et tout a changé. Je subissais tous les inconvénients de la grande ville : les transports, le stress, le bruit, la pollution, le manque d'espace et d'espaces verts, et je n'en avais plus les avantages.

Alors j'ai pris une grande décision : j'ai quitté Paris pour la province. Je suis illustrateur et je travaille à domicile, c'était facile. Je vis maintenant à Pornic, une petite ville côtière près de Nantes.

C'est vrai, la vie est beaucoup plus calme, il n'y a pas autant de distractions et je ne sors plus autant qu'avant. Par contre, j'ai un logement trois fois plus grand et deux fois moins cher. Pour tout, il y a moins de choix qu'à Paris, mais en revanche, tout est plus proche et plus facile d'accès : la crèche de ma fille, le supermarché, tout… Je peux faire le sport que j'aime (la voile) et profiter de la mer et de la nature.

Finis les embouteillages du week-end !

Si d'un côté je suis plus isolé par rapport à la vie culturelle, de l'autre, je suis moins isolé socialement, moins anonyme : ici, les gens ont le sens de la communauté, ils prennent le temps d'être aimables et ouverts, tandis qu'à Paris ils sont pressés, stressés et méfiants. Quand la culture me manque vraiment, Nantes n'est pas loin et c'est une ville très active à tous points de vue. Et puis, Paris est à trois heures de TGV ! J'adore toujours Paris… pour un week-end. Je ne pourrais plus y vivre. »

1 Retrouvez dans le texte les mots qui correspondent aux définitions suivantes. Vérifiez dans un dictionnaire monolingue.
   a touché par un mal
   b remis d'une maladie
   c je souffrais de quelque chose
   d la même quantité de
   e tirer avantage de quelque chose
   f qui n'ont pas assez de temps
   g qui n'ont pas confiance

2 a Faites quatre listes. D'après Pascal, quels sont les avantages et les inconvénients de la vie à Paris ? Et les avantages et les inconvénients de la vie en province ?
   b Trouvez d'autres idées pour continuer ces listes.

3 Pascal compare et souligne les différences entre sa vie à Paris et en province. Faites une liste de tous les mots et expressions qu'il utilise pour comparer/contraster ; puis regardez les expressions-clés.

4 Pascal essaie de convaincre un ami de quitter Paris pour la province. L'ami est contre. Avec votre partenaire, imaginez la conversation et enregistrez-la !
Pensez à utiliser le conditionnel (page 20), le futur (page 36) et les expressions-clés.
Exemple : A (Pascal) : *En province, tu serais moins stressé et tu aurais plus de temps libre.*
B (ami) : *Oui, mais je m'ennuierai tandis qu'à Paris, j'aurai toujours quelque chose à faire ou à voir.*

Expressions-clés

Comparer et contraster :

• le choix des mots
valorisants : nouveau, excitant, aimable, ouvert
dévalorisants : calme mortel, stressé, méfiant

• le comparatif (voir page 10)
plus proche
moins de choix
autant qu'avant
pas **autant de** distractions

et le comparatif renforcé
beaucoup plus calme, **trois fois plus** grand

• la juxtaposition de temps
j'**étais** atteint ⟷ je **suis** guéri

• un adverbe ou une locution adverbiale
comme   **par contre**   **en revanche**

• deux expressions en parallèle
ici… ⟷ là…

avant… ⟷ maintenant…

d'un côté… ⟷ de l'autre…

• une conjonction ou une locution conjonctive
ici, les gens sont aimables, **tandis qu'**à Paris…

Ça dépend du temps !

1 🔊 Ecoutez les prévisions météo de Radio-Bretagne pour la journée.

a Quel est le bon résumé ?

1 Journée ensoleillée mais vent fort sur toute la région.
2 Averses et éclaircies au nord, temps couvert avec risques d'averses au sud.
3 Soleil matin et soir, averses en milieu de journée au sud ; pluie et vent sur la moitié nord.

b Vous êtes en vacances avec des amis dans <u>le sud</u> de la Bretagne. Vous voulez faire une randonnée à vélo. Réécoutez la météo. Avec qui êtes-vous d'accord ?

A Moi, *j'irais* le matin. Pas vous ?
B *Si on y allait* plutôt vers midi ?
C A mon avis, *il vaudrait mieux* partir en milieu d'après-midi.
D Je crois qu'*il serait préférable* d'y aller le soir.
E Il risque de pleuvoir aujourd'hui. *On devrait* attendre demain.
F Oui, il fera beau demain. Aujourd'hui, *on ferait mieux de* visiter un musée.

2 🔊 Ecoutez un bulletin météo de RTL.

a Deux des régions suivantes ne sont pas mentionnées. Lesquelles ?

> l'Alsace, l'Aquitaine, la Bretagne,
> le Massif central, le Nord, l'Ile-de-France,
> le Languedoc-Roussillon, la Provence

b Valérie Quintin mentionne deux vents des régions sud : le mistral et la tramontane. Lequel souffle :
1 dans le Langedoc-Roussillon ?
2 en Provence ?

c Réécoutez et notez :
1 le temps qu'il fera dans chaque région
2 trois températures
3 le conseil du week-end.

3 🔊 Imaginez que votre classe est en vacances en France. Un groupe est dans la région de Bordeaux, un deuxième groupe est sur les côtes bretonnes et un troisième est dans l'est.

a Ecoutez un nouveau bulletin météo de RTL.
1 Qui aura le meilleur temps aujourd'hui ? Et demain ?
2 Qui aura le plus mauvais temps ?

b Réécoutez le bulletin, et notez le temps prévu pour votre région.

c Choisissez le meilleur moment pour faire une randonnée à pied dans votre région. Discutez-en avec vos amis. Utilisez les expressions-clés de l'activité 1b. Pensez aussi aux expressions de comparaison et de contraste, page 46.

Ça se dit comme ça !

Les liaisons et les enchaînements

🔊 Lisez, écoutez et répétez les exemples.
On fait **une liaison** quand on prononce la dernière consonne d'un mot qui est suivi par une voyelle :
nous‿allons   très‿ensoleillée

Il y a des liaisons obligatoires (quand deux mots sont très proches) :
C'est très‿intéressant. Ça m'est‿égal.

et des liaisons facultatives :
On peut espérer ou *on peut‿espérer.*
Je vais y aller ou *Je vais‿y aller.*

Notez ! Il n'y a jamais de liaison avec *et* : *et on peut espérer…*

On fait **un enchaînement** entre la dernière consonne prononcée d'un mot et la voyelle initiale du mot suivant :
Mon pè<u>re</u> habi<u>te en</u> France
(se lit : *"mon pèrabiten France"*)
le mon<u>de en</u>tier
(se lit : *le "mondentier"*)

Ecouter dans le détail

Quelques conseils pour s'entraîner :

- Ecoutez le passage en entier, pour bien comprendre le sens général (voir activités 1a et 3a).
- Faites bien attention à ce qu'on vous demande exactement (voir activités 1b et 2c).
- N'oubliez jamais la raison pour laquelle vous écoutez le passage. Prenez des notes utiles (voir activité 3b).
- Ne vous bloquez pas sur un mot que vous ne comprenez pas. Utilisez le contexte pour en deviner le sens.
- Rappelez-vous les règles de prononciation ! Elles vous aident à mieux distinguer les mots (par exemple, les liaisons, voir *Ça se dit comme ça !*).

Une région à la loupe

Es cale en Guadeloupe

L'île de la Guadeloupe est comme un papillon géant posé sur la mer des Antilles, au large du Venezuela. Un petit bout de France dans un coin de paradis ?

HI STOIRE

En 1493, Christophe Colomb arrive sur l'île de Karukera (île "aux belles eaux"), alors peuplée par les Indiens Caraïbes, et l'appelle Guadeloupe. En 1635, les colons français repoussent les Caraïbes et s'installent sur l'île. Aux 17e et 18e siècles, ils font venir des esclaves d'Afrique noire pour travailler dans les plantations. Il faut attendre 1848 pour que la France abolisse l'esclavage. En 1946, l'île devient un département français d'outre-mer. Elle reçoit le statut de région en 1982.

GE OGRAPHIE

Située à 6 700 km de la métropole, la Guadeloupe est formée de deux îles séparées par la Rivière Salée : Basse-Terre, montagneuse, volcanique (le volcan de la Soufrière y culmine à 1 467 m), et Grande-Terre, plate avec ses plantations et ses longues plages de sable blond. D'autres îles plus petites lui sont rattachées, dont Marie-Galante et la Désirade.

Le climat est tropical, tempéré par les alizés. Il y a deux saisons, peu marquées : le carême, sec et ensoleillé, de décembre à mai, et l'hivernage, de juin à novembre, avec des pluies fortes mais courtes. La température est agréable toute l'année (25° en moyenne). Le temps idéal pour une végétation luxuriante, véritable festival de couleurs et de senteurs.

PO PULATION

Les Guadeloupéens (environ 400 000) forment un vrai melting pot : Noirs, Métis, Blancs, Indiens. Environ 8 000 métropolitains vivent sur l'île, et un Guadeloupéen (né sur l'île) sur quatre vit en métropole. C'est une population jeune (37,5% ont moins de 20 ans). La langue la plus parlée est le créole, mélange de vieux français et de langues caraïbe et africaines. Le français est langue officielle.

EC ONOMIE

Ses points forts sont le tourisme et la production de bananes, de rhum et de sucre (2e production mondiale).

La pêche est artisanale et sa production en baisse, mais l'aquaculture se développe rapidement. Le secteur industriel est peu important (5 000 emplois) et presqu'exclusivement lié à

1 Lisez la brochure. Cherchez huit mots que vous ne comprenez pas dans un dictionnaire monolingue. Faites une liste des définitions et lisez-les à votre partenaire. Il/Elle devine le mot !

2 Divisez la classe en trois équipes et jouez au jeu de *Questions pour un champion*. Votre professeur a les règles et les questions.

3 A vous d'écrire une brochure sur une région de votre choix. Regardez *Ecrire une brochure : la recette.*

L'île offre une variété de sites remarquables sur terre comme en mer : le volcan de la Soufrière et le parc national, le lagon et le récif de corail de Grand-Cul-de-Sac Marin. Toutes les activités sont possibles ici : sports nautiques, golf, randonnées, circuits culturels (musées historiques, site précolombien), découverte des produits locaux (fruits et légumes exotiques sur les marchés) et de la vie culturelle antillaise avec la musique (le *zouk*, la *biguine*, le tambour ou *gro-ka*), la gastronomie (mélange de cuisines indiennes et africaines), etc.

SITUATION POLITIQUE

Les opinions sont divisées quant à l'avenir de l'île. Certains Antillais, une minorité, militent sans violence pour l'indépendance, frustrés par ce rattachement artificiel avec la France lointaine.

EN CONCLUSION

La Guadeloupe n'est pas la France, c'est une terre différente, avec une végétation, une culture, une histoire, une langue différentes. C'est une terre de contrastes : pauvreté et opulence, traditions et modernisme, paradis pour ses touristes, pas toujours pour ses habitants. Le meilleur conseil : aller voir sur place, sans idées reçues, et rencontrer les Guadeloupéens !

l'agro-alimentaire. Les entreprises artisanales emploient 16% de la population active, le secteur tertiaire 73%.

L'économie souffre de handicaps liés à la géographie et à l'histoire de l'île, par exemple son éclatement en archipel, l'étroitesse du marché local, ses liens commerciaux avec la métropole, et le cyclone Hugo, qui en 1989 a détruit toutes les plantations. Si la production bananière a repris, la canne à sucre reste en déficit. Le taux de chômage est préoccupant (26,9%) et le niveau de vie d'une grande partie de la population est bas.

TOURISME

Une des richesses les plus inestimables de l'île est sa beauté et le tourisme est devenu sa principale activité économique. Elle reçoit environ 500 000 touristes par an. Les complexes hôteliers sont concentrés le long du littoral de Grande-Terre.

COMPÉTENCES

Ecrire une brochure : la recette

1 **Choisir la région**
2 **Trouver de la documentation :** une encyclopédie, des guides touristiques, l'office du tourisme, autres sources ?
3 **Choisir un style :** plaquette de présentation ou brochure touristique ? quelles seront les différences (contenu/langue) ?

4 **Faire un plan :**
  l'introduction
  le développement (les différents thèmes)
  la conclusion
5 **Illustrer la brochure :**
  dessins, photos, autres ?

Le régionalisme

Quand les régions sont-elles nées ? Quels sont leurs pouvoirs ? Lisez cet article du magazine *Les Clés de l'actualité*.

La longue marche de la régionalisation

Sous la royauté, la France est divisée en provinces. La Révolution de 1789 décide de découper le pays en départements. En 1800, Napoléon Bonaparte, Premier consul et bientôt empereur, place à leur tête les préfets, représentants d'un Etat qui décide et organise tout.

Ce centralisme étouffe pendant plus d'un siècle toute revendication régionaliste. A partir de 1910, l'idée d'un nouveau découpage administratif de la France en régions réapparaît régulièrement, mais sans se concrétiser. Jusqu'en 1941, où le gouvernement de Vichy, qui collabore avec l'occupant allemand, définit 18 régions.

Cette réforme est cependant abandonnée à la Libération. Il faut avant tout reconstruire la France ravagée par la guerre. Dans un souci d'aménagement du territoire, pour équilibrer notamment la toute-puissance de la région parisienne, les départements sont regroupés en 1956 en "22 régions de programmes". Un découpage contesté. Pourquoi par exemple séparer la Haute- et la Basse-Normandie ? Pour que Rouen et Caen puissent toutes deux jouer un rôle de capitale régionale. Ceci explique l'existence de régions qui parfois éprouveront des difficultés à se reconnaître une forte identité.

En 1972, les régions sont transformées en établissements publics (organismes dotés d'un pouvoir de gestion). Elles ne disposent pourtant pas encore de pouvoirs politiques et de finances propres. Il faut attendre la loi de décentralisation* de mars 1982 pour que les régions deviennent de véritables collectivités locales, au même titre que les communes ou les départements. Elles sont administrées par un conseil régional élu au suffrage universel (première élection en 1986), dont le président détient le pouvoir exécutif. Quatre nouvelles régions sont alors créées (Guadeloupe, Martinique, Guyane et Réunion), ce qui porte leur nombre à 26.

Reste que les régions se débattent toujours avec nombre de difficultés quant à leurs moyens financiers et leurs compétences réelles face à celles de l'Etat et des autres collectivités locales.

Décentralisation : action consistant à confier la gestion administrative d'une région à des autorités locales élues, et non plus à des agents nommés par l'Etat.

Les compétences des régions

- Développement socio-économique : les sociétés en difficulté ou les créateurs d'entreprise sont soutenus par la région.

- Aménagement du territoire (routes, transports, etc.) : des plans sont élaborés par la région et intégrés au plan national.

- Formation, éducation, recherche : les lycées et établissements d'éducation spécialisée sont construits, équipés et entretenus par la région.

- Sport, culture, loisirs : les musées et bibliothèques sont financés par la région, qui subventionne aussi la production artistique régionale et les ligues sportives.

- Environnement : la région s'occupe de l'écologie même si cette compétence n'est pas imposée par la loi de décentralisation.

---

1 Cherchez dans un dictionnaire la définition des mots suivants :

administrer   une revendication

l'aménagement du territoire   la gestion   équilibrer

contester   la toute-puissance   une collectivité locale

2 Remettez ces phrases dans le bon ordre pour résumer le texte.
  a La décentralisation de 1982 établit la région comme collectivité locale, administrée par un conseil élu.
  b Les revendications régionalistes restent sans succès jusqu'à 1956, où sont créées 22 régions.

  c Le rôle et les pouvoirs des régions face à l'Etat ne sont pas toujours très clairs.
  d Les départements français sont sous le contrôle du tout-puissant Etat napoléonien.

3 Répondez aux questions.
  a Pourquoi la réforme de 1941 pour la création de 18 régions est-elle abandonnée après la guerre 39–45 ?
  b Pourquoi les départements sont-ils regroupés en régions en 1956 ?
  c Pourquoi certaines régions n'ont-elles pas une forte identité régionale ?

4 A deux ou en groupe, trouvez des arguments pour et contre la décentralisation.

La France : un pays décentralisé ?

Essor a posé la question à un responsable de l'institut culturel de Bretagne.

5 🔘 Ecoutez l'interview et choisissez les phrases qui reflètent son opinion ; corrigez les autres !

1 *a* La France est un des pays européens les plus centralisés.

   b La France est plus décentralisée que le Royaume-Uni.

2 *a* La région est responsable de l'éducation, des programmes scolaires et des professeurs.

   b C'est l'état central, non la région, qui décide des programmes scolaires.

3 Le rôle des régions est limité pour quatre raisons :

   a elles sont trop nombreuses et de taille trop différentes.

   b il y a trop de régions d'outre-mer.

   c elles ont une réalité historique et humaine.

   d elles ont des frontières artificielles.

   e le système administratif du pays est trop compliqué.

   f il n'y a pas assez de niveaux de collectivités locales.

   g les médias font trop de programmes régionaux.

   h les programmes de radio et de TV régionales sont conçus à Paris.

4 *a* La régionalisation reste à faire en France.

   b La régionalisation a été bien faite en France.

6 🔘 Réécoutez et répondez aux questions de votre professeur.

7 A votre avis, est-il important de respecter la culture régionale ? Pourquoi ? Comment ? Travaillez avec un partenaire et écrivez ou enregistrez vos idées. (Relisez les premières pages de l'unité, pensez à la langue, aux médias régionaux et locaux, etc.)

Zoom sur le passif (1)

A *Ce centralisme **étouffe**... toute revendication régionaliste.*

B *Le gouvernement de Vichy... **définit** 18 régions.*

C *Des plans **sont élaborés** par la région...*

D *Cette compétence **n'est pas imposée** par la loi...*

Quelle différence y a-t-il entre les phrases A/B et C/D ?
A et B sont à la forme active ; B et C sont à la forme passive.

Pourquoi parler de passif ?
Parce que le sujet de la phrase ne fait pas l'action du verbe de façon active, il subit l'action.
C'est le complément d'**agent** (introduit par **par**) qui fait l'action.

Comment former le **passif** ?
Avec l'auxiliaire **être** + le **participe passé** du verbe.

Attention !
Ne confondez pas passif et passé composé :
Il est allé chez ses amis. [passé composé]
Il est aidé par ses amis. [passif]

Ne confondez pas passif et adjectif :
Elle est organisée. [adjectif]
Elle est organisée par l'Etat. [passif]
Et n'oubliez pas d'accorder le participe passé :
Elles sont administrées par le conseil général.

• Mettez les phrases A et B (ci-contre) au passif.

Quand utiliser le passif ?
(i) quand on ne dit pas qui fait l'action du verbe ;
(ii) quand on veut mettre en valeur la personne ou la chose qui subit l'action plutôt que la personne qui fait l'action.
Le passif est souvent utilisé par les journalistes pour des raisons de style.

• Pour quelle raison a-t-on utilisé le passif dans les phrases suivantes, i ou ii ?

   a Les départements sont contrôlés par l'état.

   b Toute revendication régionaliste est étouffée.

   c Finalement, en 1956, 22 régions sont créées.

   d Ce découpage parfois artificiel est contesté par beaucoup de Français.

23

Interlude

Chantons la France

"Douce France, cher pays de mon enfance…" chantait Charles Trenet. Beaucoup d'artistes ont écrit et chanté la France et ses régions. Pierre Bachelet parle de son "pays", le Nord, dans sa chanson, *Les Corons.*

Les Corons

Refrain :
Au nord c'était les corons
La terre c'était le charbon
Le ciel c'était l'horizon
Les hommes des mineurs de fond

Nos fenêtres donnaient sur des fenêtres semblables
Et la pluie mouillait mon cartable
Mais mon père en rentrant avait les yeux si bleus
Que je croyais voir le ciel bleu
J'apprenais mes leçons la joue contre son bras
Je crois qu'il était fier de moi
Il était généreux comme ceux du pays
Et je lui dois ce que je suis
Refrain

Et c'était mon enfance et elle était heureuse
Dans la buée des lessiveuses
Et j'avais les terrils à défaut de montagne
D'en haut je voyais la campagne
Mon père était gueule noire comme l'étaient ses parents
Ma mère avait les cheveux blancs
Ils étaient de la fosse comme on est d'un pays
Grâce à eux je sais ce que je suis
Refrain

Y avait à la mairie le jour de la kermesse
Une photo de Jean Jaurès
Et chaque verre de vin était un diamant rose
Posé sur fond de silicose
Il parlait de trente-six et des coups de grisou
Des accidents du fond du trou
Ils aimaient leur métier comme on aime un pays
C'est avec eux que j'ai compris
Refrain

Paroles : Jean-Pierre Lang
Musique : Pierre Bachelet
© 1982 Editions AVREP

un coron = village de mineurs
un terril = colline de débris près d'une mine
une fosse = ensemble d'installations minières
la silicose = maladie des poumons
Jean Jaurès : [1859-1914] homme politique, leader socialiste
trente-six = 1936, année du Front populaire (réformes sociales)
un coup de grisou = explosion dans une mine

Bilan de l'unité 3

Survol 1, 2, 3

Les métiers du sport

Un secteur qui reste mal connu. Le monde du sport devrait demain générer des emplois.

Champion : l'exception

Les champions qui vivent de leurs exploits sont rares.

Ils sont à peine 4 000 en France à pouvoir se consacrer exclusivement à leur sport. Près de 3 000 sont reconnus chaque année sportifs de haut niveau. Parmi eux, une élite d'à peine 400 membres profite d'une convention signée par le ministère et certains employeurs qui les paient tout en leur accordant des aménagements d'emploi du temps. Les autres "amateurs" se débrouillent.

A côté, près d'un millier de sportifs sont des professionnels. Ils ont un contrat de travail et sont donc considérés comme des salariés.

Les formations

Les filières sont assez classiques. Mais de nouvelles voies peuvent aussi être explorées.

Pour devenir professeur d'éducation physique et sportive :
Après un bac, de préférence scientifique, il faut suivre trois ans d'études dans les UFR-Staps (Science et techniques des activités physiques et sportives).

Pour devenir éducateur :
Il faut posséder un brevet d'Etat d'éducateur sportif (BEES). Pour passer un BEES, il faut avoir 18 ans. Les préparations sont assurées pendant des stages de 4 à 9 mois. Les débouchés dépendent ensuite souvent du succès d'un sport, ou d'une mode.

D'autres métiers :
Le plus évident : médecin du sport. 10 000 médecins sont aujourd'hui spécialisés en "médecine et biologie du sport". Mais ils sont bien peu à pouvoir vivre uniquement de cette spécialité et doivent donc se diversifier. De la même façon, si le métier de juriste sportif semble devoir se développer, il faut encore attendre que se construise un véritable droit du sport. Autre moyen de côtoyer le sport : journaliste sportif. Enfin, d'autres métiers sont certainement encore à inventer, car le sport du XXIe siècle promet bien des surprises…

Révisez pages 20 *Zoom*, 35 *Zoom*, 51 *Zoom*

1 **a** Lisez l'extrait ci-dessus d'un dossier sur les métiers du sport. Repérez-y :
  1 un exemple de verbe au **conditionnel**
  2 quatre exemples de verbes au **passif**
  3 un exemple de verbe au **subjonctif**.
 b Réécrivez les phrases suivantes en utilisant *il faut que* et un subjonctif.
  Exemple : 1 Il faut que vous suiviez trois ans d'études.
  1 Il faut suivre trois ans d'études.
  2 Il faut posséder un brevet d'Etat.
  3 Il faut avoir 18 ans.
  4 Ils doivent donc se diversifier.

Révisez page 27 *Zoom*

2 Examinez les phrases suivantes. Chacune d'entre elles illustre les règles d'**accord du participe passé** données à la page 27. Retrouvez la règle correspondant à chaque exemple.
  a De nouvelles voies peuvent aussi être explorées.
  b La filière qu'il a choisie lui permettra de devenir éducateur sportif.
  c Il lui a fallu suivre trois ans d'études dans un UFR-Staps.
  d Ils se sont rendu compte que les métiers du sport étaient essentiellement ceux de l'enseignement.

Révisez page 43 *Zoom*

3 **a** « **De nouvelles voies** peuvent être explorées. » Relisez le *Zoom* de la page 43 sur **les adjectifs qualificatifs**, et faites trois remarques à propos de l'exemple ci-dessus.
 b Relisez le texte et trouvez-y :
  1 deux exemples d'adjectifs situés avant le nom
  2 deux exemples d'adjectifs situés après le nom.

Révisez pages 17, 21 *Expressions-clés*

4 Relisez le paragraphe ci-contre intitulé *D'autres métiers*, et **donnez votre opinion** concernant chacun des trois métiers proposés (médecin du sport, juriste sportif et journaliste sportif).
 Exemple : Médecin du sport, ça me plairait parce que… Par contre, juriste sportif, ça ne m'attire pas du tout…

Révisez page 45 *Compétences*

5 Participez à un débat !
  a « Le monde du sport devrait demain générer des emplois. »
  b « Les champions qui vivent de leurs exploits sont rares. »
 En groupe, organisez un débat pour discuter de l'une des deux phrases ci-dessus. Aidez-vous des expressions-clés des pages 32, 34, 46.
 Exemple : (a) Au contraire, je pense que le nombre d'emplois va diminuer parce que…

Révisez page 35 *Compétences*

6 « D'autres métiers du sport sont encore à inventer. » Etes-vous d'accord avec cette phrase ? **Ecrivez un petit texte** (100 mots maximum) pour donner votre avis sur le sujet.

Le guide de l'étudiant

Votre établissement scolaire accueille régulièrement des étudiants francophones qui viennent passer un ou deux trimestres avec vous. On vous a demandé de réaliser un petit guide destiné à ces étudiants. Travaillez par groupes de trois.

- Discutez du style de votre guide, en vous inspirant des idées données à la page 49 (*Compétences*).
- Discutez des sujets que vous allez aborder, et mettez-vous d'accord sur le plan à suivre : lisez les suggestions 1–5 ci-dessous, et ajoutez vos propres idées si vous le désirez.
- Partagez-vous les tâches ou faites tout en groupe si vous préférez.

Révisez pages 42, 43 *Zoom*, 46 *Expressions-clés*

1 La région

Décrivez votre région. Relisez la page 42 : servez-vous des points mentionnés dans l'activité 1 et inspirez-vous des textes sur le Nord-Pas-de-Calais et sur la Bretagne. Faites attention au choix et à la position des adjectifs qualificatifs que vous allez utiliser.

Révisez pages 17, 18, 19, 27, 46 *Expressions-clés*

2 A boire et à manger

Consacrez une rubrique aux cafés/restaurants situés à proximité de votre établissement scolaire.
Donnez d'abord des renseignements pratiques (adresses, numéros de téléphone, heures d'ouverture, etc.).
Ajoutez-y votre opinion personnelle en comparant les différents endroits. Quel est le plus sympa ? le plus calme ?, etc.
Exemple : Macari's est un café assez sympa et c'est le plus proche. En ce qui me concerne, je préfère…

Pour terminer, parlez du café/restaurant où il ne faut absolument pas aller. Relisez la page 27, et décrivez un endroit que vous préférez déconseiller.
Exemple : Récemment, je suis allée au Café Glass, et j'ai été très déçue. Le service est médiocre, la nourriture est abominable et…

Révisez pages 32, 34 *Expressions-clés*

3 L'environnement

Pour donner une image positive de votre établissement scolaire, demandez à plusieurs étudiants ce qui leur plaît le plus. Recueillez leurs citations et traduisez-les en français.
Exemple : J'estime que le bâtiment est moderne et bien conçu. Les salles de classe sont claires…

Révisez pages 30 *Expressions-clés*, 36 *Zoom*, 38

4 L'enseignement

Interviewez un(e) étudiant(e). Avant l'interview, discutez en groupe des questions à poser. La liste ci-dessous pourra vous être utile :
- matières étudiées
- matière préférée, raisons
- projets d'avenir (métier/études envisagées)
- conseils à donner à un(e) nouvel(le) étudiant(e)
Prenez des notes, afin de reproduire l'interview – ou des extraits de l'interview – dans le guide.

Révisez page 21 *Zoom*

5 A faire et ne pas faire

Donnez quelques conseils (en utilisant l'impératif et en faisant attention aux pronoms personnels !). Cette rubrique pourrait être présentée de façon humoristique avec quelques dessins rigolos.
Exemple : Le chien du concierge n'est pas très sympathique. Laissez-le tranquille !
Une minorité d'étudiants sont irresponsables. Ne les imitez pas !

Au volant

- Se déplacer à deux roues ou en voiture ?
- Les transports en commun
- Les "professionnels" des transports
- Et si on allait à pied ?

A

Voici l'écomobile : mi-auto, mi-moto

L'écomobile offre les avantages de l'auto et de la moto. Comme la moto (elle est deux fois moins large qu'une voiture), elle se faufile dans le flot de la circulation. Et, comme dans une voiture, les deux passagers sont installés dans leur siège, à l'abri sous une verrière. En plus, la forme aérodynamique permet une consommation d'essence qui ne dépasse pas 5 ou 6 litres aux 100 kilomètres, c'est-à-dire beaucoup moins qu'une voiture qui aurait les mêmes performances. Le rêve, quoi !

B

Le TGV des mers

Ce long et fin monocoque ressemble à un bateau de course off shore. Il transporte pourtant 566 passagers et 150 voitures. On l'appelle "le TGV des mers". Ou encore "le jet des mers". Il peut atteindre des vitesses impressionnantes, quel que soit l'état de la mer. Seule une houle très forte l'oblige à rester au port.

C

Les transports en commun constituent en France un secteur technologique de pointe. Ainsi, un tramway électrique sur pneus, guidé par un rail central, devrait être mis en service à Caen en 1998. Baptisé TVR, il peut transporter 3 000 personnes à l'heure à la vitesse de 70 km/h, et coûte 40% moins cher qu'un tramway classique.

1 Lisez les textes. Trouvez six noms de moyens de transport.
Exemple : le TGV

2 Trouvez dans les textes l'équivalent des expressions suivantes :
- **a** passe entre des obstacles (A)
- **b** le mouvement des véhicules (A)
- **c** porte d'un lieu dans un autre (B)
- **d** le transport des voyageurs dans des véhicules publics (C)
- **e** dans une période de maximum d'intensité ou d'intérêt (C)

Comment roulez-vous ?

Voulez-vous apprendre à conduire ? Vous êtes-vous déjà inscrit dans une auto-école ? Ou préférez-vous les deux-roues ?

| De: | Laure, Poitiers |
| À: | Luc, Bourges |

| Sujet: | Les deux-roues |

| Message: | A mon avis, savoir conduire est important. Et si on apprend à conduire un deux-roues dès l'âge de 14 ans, on apprendra à obéir au code de la route et on respectera les automobilistes. Je suis donc très contente d'avoir une mobylette. Ça me permet d'être indépendante. J'ai fait un stage d'apprentissage, comme ça, on apprend à être prudent et à éviter de conduire dangereusement, et je vais partout avec mes copains. Maintenant j'apprends à conduire une voiture, mais je crois qu'un deux-roues est plus pratique, car on a beaucoup moins de problèmes en ville pour le stationnement. |

| De: | Luc, Bourges |
| À: | Laure, Poitiers |

| Sujet: | Les deux-roues - réponse |

| Message: | Moi, je n'aime pas les deux-roues. Je trouve qu'ils sont dangereux et les jeunes qui les conduisent ont tendance à être imprudents. C'est entendu : on est jeune, on est libre et on peut aller n'importe où. Je préfère les voitures. Dans sa voiture, on est protégé du mauvais temps, on peut écouter de la musique et on peut emmener ses amis en ville, à la campagne, partout. |

1 Lisez l'opinion de Laure et de Luc. Vrai ou faux ?
a On peut apprendre à conduire une mobylette à l'âge de 14 ans.
b Laure apprend à conduire une mobylette.
c Elle ne veut pas apprendre à conduire une voiture.
d Luc a une mobylette.

2 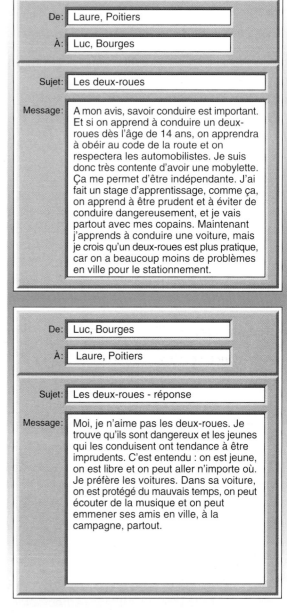 Ecoutez Elodie, Solène et Philippe. Ensuite, lisez les phrases suivantes ; qui pourrait dire chaque phrase ?
a Cette année, j'ai acheté une mobylette.
b Je n'ai pas de véhicule.
c Je viens de m'inscrire dans une auto-école.
d Je dois payer l'entretien moi-même.
e Je n'aime pas les véhicules à essence. Ils polluent.
f J'aime bien rouler à l'air libre.
g Avoir son propre véhicule, ça permet d'être indépendant.
h Si on sait conduire, on a la possibilité de chercher un travail plus loin de chez soi.
i Je préférerais avoir un bon système de transport en commun.
j Je voudrais avoir une voiture.

3 Travaillez à deux ou à trois. Imaginez que vous allez faire ensemble les activités suivantes. Discutez de chaque activité et mettez-vous d'accord sur le moyen de transport. Utilisez les expressions-clés.
a faire des courses en ville
b faire une randonnée à la campagne, dimanche prochain
c partir en vacances au bord de la mer
d aller voir un copain le week-end
   Exemple : … Alors, c'est décidé : on va aller en ville en autobus, et on se retrouve à neuf heures à l'arrêt de bus près de chez toi.

Expressions-clés

Planifier un voyage :

Si on allait en voiture/en autobus/en train ?
à pied/à vélo/à mobylette
Qu'est-ce qu'on pourrait faire pour… ?
On pourrait…   Il vaudrait mieux…   J'aimerais mieux…
Je circule toujours en voiture, c'est le plus pratique.
Il faut combien de temps pour y aller en bus/à pied ?
Le dernier train part à quelle heure ?
Il faut regarder l'horaire des trains/des autobus.
Il n'y a pas de train/d'autobus.
Je pourrais demander à mes parents de nous y emmener.
On se retrouve où ?

UN PERMIS À PLUSIEURS VITESSES

Le nouveau permis moto pour les 14–21 ans, prévoit quatre étapes selon l'âge du conducteur et la puissance de l'engin.

1 Dès 14 ans on peut piloter une machine dont la puissance est limitée à 50 cm³. A une condition : avoir l'attestation scolaire de sécurité routière (ASSR), une épreuve que tous les collégiens passent depuis 1993, ou bien obtenir le brevet de sécurité routière (BSR) qui vient d'être créé.

2 A 16 ans : on peut enfourcher une moto d'une cylindrée de 125 cm³ à condition d'avoir le permis de catégorie AL (épreuve de code + conduite).

3 Après 18 ans, tout jeune peut passer le permis A qui lui permet de conduire des cylindrées plus importantes (400 à 700 cm³) d'une puissance maximale de 34 chevaux.

4 Il faut attendre d'avoir 21 ans pour pouvoir chevaucher des "gros cubes", dont la puissance en France reste limitée à 100 chevaux (1 000 à 1 200 cm³).

La création de ce permis à plusieurs vitesses obéit d'abord à un souci de sécurité. Les statistiques le montrent : les conducteurs inexpérimentés sont souvent victimes d'accidents graves. La part des tués atteint 20% chez les accidentés ayant leur permis depuis moins d'un an. L'âge et surtout l'expérience de la conduite venant, le pilote de moto deviendrait plus raisonnable. Donc moins dangereux pour lui-même et pour les autres.

4 Lisez l'article tiré du magazine *Les Clés de l'actualité*.
  a Trouvez quatre expressions différentes (sections 1–4) qui veulent dire *conduire une moto*.
  b Trouvez les deux expressions utilisées (dernier paragraphe) pour parler de ceux qui conduisent une moto.
  c Quelle est la principale raison pour ce nouveau permis moto ?

Savez-vous rouler prudemment ? *Vous partez en voiture ? Voici quelques conseils de sécurité.*

A Avant de partir, vérifiez que vous avez bien rangé tous les bagages dans la voiture. Essayez de mettre tous les objets lourds dans le coffre.

B Pendant le trajet, écoutez la radio. Une musique entraînante optimise l'attention du conducteur. Un programme parlé, qui ajoute au ronronnement, la détériore.

C Un grand nombre de passagers, dont 50% des enfants de plus de 7 ans, voyagent sans protection. En bouclant les ceintures à l'avant et à l'arrière, on divise par deux le risque d'être tué.

D Vérifiez les niveaux d'huile, d'eau, etc., et les plaquettes de freins. Vérifiez aussi que les pièces de rechange dont vous vous servez sont d'origine constructeur.

E Contrôlez la visibilité. Attention surtout aux équipements (par exemple pare-soleil de lunette arrière) qui gênent la visibilité des rétroviseurs.

F Avant de partir, relisez les notes que vous avez préparées concernant votre itinéraire, et n'oubliez pas de ranger tout ce qui peut servir au conducteur à portée de main.

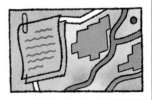

5 Lisez les conseils et faites une liste des mots nouveaux. Comparez votre liste avec celle d'un(e) partenaire. Essayez de deviner le sens des mots, avant de les vérifier dans le dictionnaire.

6 Avec votre partenaire, décidez si vous suivriez ces conseils :
  a chaque fois que vous voyagez
  b une fois par mois
  c avant un long voyage, par exemple quand vous partez en vacances.

Dans les villes, on ne respire plus...

Nos villes sont de plus en plus polluées.
La cause ? – la circulation automobile. Que faire ?

LE PROBLÈME

Nos villes sont de plus en plus malades de la circulation automobile, responsable de plus de 70% des émissions d'oxyde d'azote, nuisibles à notre santé.

Conséquences : une progression des décès dus aux maladies cardio-vasculaires, et aux affections respiratoires.

En France, il y a environ trente millions de voitures. C'est-à-dire, près de 500 automobiles pour 1 000 habitants ! Et là, c'est le problème : on perd 80 millions d'heures dans les embouteillages, d'après la Sécurité Routière... sans compter le coût de la pollution !

Vite, des métros, des bus, des trams, pour laisser respirer la ville !

Savez-vous que pour transporter 240 personnes, il faut utiliser :

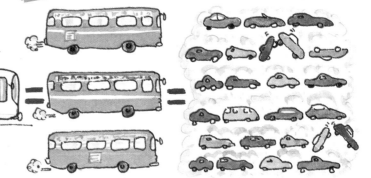

a) 1 tramway
b) 3 bus
OU
c) 177 automobiles !

LA SOLUTION ?

CERTAINS ORGANISMES comme l'Union des transports publics (UTP, qui regroupe les entreprises de transport urbain) veulent développer les transports en commun – un bus pollue entre dix et vingt fois moins qu'une voiture, par personne transportée – mais également le vélo, le co-voiturage (on partage une voiture à plusieurs) et les taxis collectifs.

A mon avis, il n'y a qu'une solution : les transports en commun. Métro, bus, autocars... Je voudrais que l'on développe les lignes de métro et les couloirs de bus.

Il faut que l'on commence à éduquer les habitants. Il faut encourager les amateurs de voiture à partager... à voyager en groupe.

On propose certaines mesures pour limiter la circulation en ville :

✓ Le développement des couloirs de bus
✓ La construction de lignes de RER
✓ La transformation des centres-villes en zones piétonnes
✓ La limitation de la circulation automobile en centre-ville
✓ La limitation du stationnement en centre-ville
✓ Le développement de lignes de métro
✓ L'interdiction totale de la circulation automobile en centre-ville

1 Faites une liste de tous les problèmes mentionnés dans les textes page 58.

2 a Lisez les solutions. Quelles mesures sont proposées pour limiter la circulation et pour développer l'utilisation des transports en commun ? Faites deux listes. Comparez-les avec votre partenaire.
Exemple : <u>Limiter la circulation</u> *: transformer les centre-villes en zones piétonnes, …*

b Trouvez-vous une solution pour chacun des problèmes mentionnés ?

3 📼 Ecoutez un débat sur les problèmes de la circulation en ville. Notez :

a les trois problèmes mentionnés par Raphaël

b les mesures proposées

c l'argument de Sonia pour la voiture

d les expressions utilisées pour exprimer les opinions pour et contre les mesures proposées.

4 Trouvez d'autres mesures pour limiter la circulation. Ecrivez une liste. Qui a la liste la plus longue ?
Exemple : On pourrait créer des parkings à l'extérieur des villes, …

5 Faites de la publicité pour une des mesures proposées.

a Inventez un slogan et dessinez une affiche.

b Ecrivez et enregistrez une pub pour la radio.

Laissez la voiture et le stress au garage…
VOYAGEZ EN TRAMWAY !

ZOOm *sur deux pronoms relatifs :* qui, que

Je n'aime pas les deux-roues. Les jeunes **qui** *les conduisent ont tendance à être imprudents.*
Vérifiez les renseignements **que** *vous avez trouvés.*

Qui et **que** sont des pronoms relatifs qui s'appliquent à des personnes ou à des choses.

<u>Quelle est la différence entre les deux ?</u>

• On utilise **qui** si le pronom relatif représente un <u>sujet</u>. Il est généralement suivi d'un verbe.
Exemple : Deux jeunes, **qui se sentent** concernés par la pollution, nous parlent.

• On utilise **que** si le pronom relatif représente un <u>complément d'objet</u>. Il est généralement suivi du sujet du verbe.
Exemple : Deux jeunes, **que le présentateur** a invités au studio, parlent des mesures **qu'on** a proposées.

Notez qu'après le pronom **que**, le verbe et son sujet peuvent être inversés pour des raisons de style.
Exemple : Le thème **que propose le présentateur** suscite de nombreuses réactions.

Attention ! **Qui** ne change pas, mais **que** devient **qu'** devant une voyelle.

10h

6 *Qui* ou *que* ? Retrouvez le pronom relatif qui manque dans les blancs.

a
Aux Etats-Unis

L'AUTOROUTE 137, ___ traverse l'Etat du Nevada, est devenue "la route des extraterrestres". On y signale depuis quelques années "d'étranges visiteurs", comme ce personnage ___ les riverains surnomment "Merlin II".

b
En France

LA RATP teste un nouveau dispositif ___ permettrait de supprimer 80 à 90% des particules de carbone des moteurs diesel.

c
A l'avenir ?

Les constructeurs d'automobiles ont déjà imaginé des véhicules électriques ___ possèdent un moteur à essence et une batterie. La batterie est rechargée par l'énergie ___ dégage le moteur.

ZOOm sur le subjonctif (2)

Je voudrais que l'on **développe** les lignes de métro.

Je n'aime pas qu'on **roule** trop vite.

Ces phrases expriment la volonté ou le sentiment. Le deuxième verbe de chaque phrase est au subjonctif (bien qu'il ressemble à un verbe à l'indicatif…).

Quand utiliser le subjonctif ?

- après certains verbes qui expriment un sentiment (un souhait, une préférence, l'incertitude)
  par exemple : *vouloir que, préférer que, demander que, douter que, s'étonner que, attendre que, interdire que*

Je ne pense pas qu'on **puisse** changer les habitudes du jour au lendemain.

- après certaines expressions impersonnelles
  par exemple : *il faut que, il est temps que, il vaut mieux que, il est possible que, il semble que, il n'est pas certain que, il est nécessaire que*

Il faut que tout le monde **commence** à regarder les choses en face.

- après certaines conjonctions
  par exemple : *bien que, quoique, afin que, pour que, de sorte que, jusqu'à ce que, à condition que, à moins que*

Bien que j'**aie** une voiture, je préfère utiliser les transports en commun.

- après une expression qui a une valeur indéfinie
  par exemple : *quel que, qui que, quoi que*

Quels que **soient** les problèmes, il faut les surmonter.

Dans la langue parlée on utilise couramment le présent du subjonctif, mais très rarement les trois autres temps. (Voir l'unité 15 page 197 et la Grammaire.)

22e

Comment former le présent du subjonctif ?

Prenez la 3ème personne du pluriel au présent, enlevez le *-ent*, et ajoutez ces terminaisons :

A	B		C	
parlent	*je*	-e		je parle
finissent +	*tu*	-es =	(que)	je finisse
attendent	*il/elle/on*	-e		j'attende
	nous	-ions		
	vous	-iez		
	ils/elles	-ent		

22a

Quelques verbes irréguliers à apprendre :

aller	(que) j'aille, nous allions
avoir	j'aie, nous ayons
devoir	je doive, nous devions
être	je sois, nous soyons
faire	je fasse, nous fassions
pouvoir	je puisse, nous puissions
prendre	je prenne, nous prenions
savoir	je sache, nous sachions
venir	je vienne, nous venions

Attention ! Ne compliquez pas trop vos phrases ! N'oubliez pas d'utiliser un <u>infinitif</u> dans les phrases comme celles-ci :
Je préfère aller en ville à vélo.
Il ne faut pas prendre la voiture trop souvent.

1 Qu'est-ce qu'on devrait faire pour résoudre les problèmes de circulation ? Reliez les deux parties de chaque phrase pour compléter les suggestions.

1 Pour commencer, il faut que les automobilistes…
2 Ensuite, il est nécessaire que le gouvernement…
3 Il est temps qu'on…
4 Il est important que tout le monde…
5 Il n'est pas certain que tout le monde…
6 Mais il faut que nous…
7 Parce qu'il est nécessaire qu'on…

a regarde les choses en face.
b propose des mesures pratiques et réalisables.
c limite la circulation en ville.
d commence à utiliser les transports en commun.
e soit d'accord.
f les persuadions.
g laissent leur voiture au garage.

2 Complétez les phrases en changeant les infinitifs en subjonctif.
a A mon avis, il faut qu'on [*penser*] à l'avenir.
b Nous devons faire quelque chose pour que les gens [*changer*] leurs habitudes.
c Je ne crois pas qu'on [*pouvoir*] limiter la circulation dans les grandes villes.
d Quel qu'en [*être*] le coût, il faut développer les transports en commun.
e Je voudrais bien que la ville où j'habite [*devenir*] moins polluée.

Débat

3 Travaillez en groupes. Préparez-vous, puis discutez tous ensemble de la question : *Comment résoudre les gros problèmes de circulation dans les grandes villes ?* Pensez surtout à votre ville ou à une ville près de chez vous. Révisez les pages 58–59 et *Compétences* page 45, et soyez prêts à répondre aux questions et aux suggestions de vos collègues.

> En premier lieu, il faudrait que...

> Moi, je crois qu'on ne peut plus continuer à...

> De toute façon, les gens...

GROUPE A

Vous représentez les commerçants des centres-villes : petits supermarchés, boutiques, etc. Vous vous opposez à toute restriction de la circulation automobile. Proposez des mesures pour réduire les embouteillages aux heures de pointe.

GROUPE B

Vous représentez une association d'usagers des transports en commun. Vous vous opposez à la circulation en ville. Proposez des mesures pour limiter la circulation et développer l'utilisation des transports en commun.

Les transports aériens

British Airways/Air France : l'une monte, l'autre pas. Pourquoi ?

En 1993, Air France perdait 240F par seconde tandis que British Airways en gagnait 120 ! Explication : quand la compagnie britannique se modernisait, sa concurrente française hésitait par crainte de grèves. Alors, quand la baisse du trafic est arrivée, les Britanniques étaient prêts, pas les Français.

En 1981, British Airways (qui était alors une entreprise publique) perdait énormément d'argent. Margaret Thatcher, nommée premier ministre de la Grande-Bretagne deux ans auparavant, voulait pourtant la privatiser. Mais comment décider d'autres entreprises ou des particuliers à racheter à l'Etat une compagnie en mauvaise santé ?

Le nouveau patron de British Airways a donc été chargé de redresser la compagnie. Et il n'y est pas allé par quatre chemins : il a supprimé 22 000 emplois, fermé 62 lignes et vendu 50 avions trop vieux et trop coûteux. Le personnel a reçu une formation spéciale pour être le plus accueillant possible et satisfaire les clients. La compagnie aérienne a donc été privatisée avec succès en 1987 et a continué sur sa lancée de réduction des coûts et de modernisation.

Résultat : elle était fin prête pour affronter la crise du transport aérien qui pointe son nez au début des années 1990.

4 Lisez cet extrait du magazine *Phosphore*.
  a Selon le texte, qu'est-ce qui est arrivé au début des années 1990 ?
  b Quels moyens a-t-on trouvés pour rétablir la compagnie aérienne BA, au cours des années 1980 ?

5 Regardez la séquence vidéo sans le son.
  Devinez quels sont les thèmes de la séquence :
  a les tarifs
  b les moyens de faire des économies
  c un vol typique
  d le salaire des navigants
  e l'hébergement à l'étranger
  f la semaine de travail des hôtesses de l'air
  g la rénovation des avions.
  Ensuite, regardez et écoutez la séquence pour vérifier.

6 Regardez la séquence encore une fois. Reliez ces expressions de la séquence à leur définition (**a–e**) :

> choyé   long-courrier   le départ volontaire
> une nuit blanche   la rotation

  a le licenciement payé, offert à des employés
  b soigné
  c une nuit sans sommeil
  d l'alternance des horaires de travail
  e un vol de long parcours.

7 Préparez un commentaire pour résumer les mesures adoptées par Christian Blanc, patron d'Air France, pour redresser la compagnie. Enregistrez votre commentaire.

Les métiers du transport

Si cela vous intéresse, il existe plusieurs métiers dans le monde des transports. En voici deux : vous allez faire la connaissance d'un chauffeur de poids lourds, et d'un « designer auto ».

1 Ecoutez les deux interviews. Notez *C*, chauffeur de poids lourds, ou *D*, designer auto, pour dire qui…

a aime être libre
b fait un travail d'équipe
c travaille tout seul
d dit qu'il faut être curieux
e a eu la possibilité de faire un apprentissage
f n'a pas fait une formation spécifique.

2 Voici les notes que l'interviewer britannique a prises avant l'interview. Réécoutez la cassette.

a A-t-elle posé des questions précises sur tous les aspects ?
b A-t-elle obtenu tous les renseignements qu'elle recherchait ?
c De mémoire, prenez des notes, en anglais, sur les aspects de la liste. Ensuite, réécoutez et ajoutez à vos réponses.
Exemple : Driving 9 hours a day, max. of 47 a week, …

- What's involved in the job?

- Skills/qualities required by job?

- Pros and cons?

- Training?

- Advice to anyone interested?

3 Essayez de servir d'interprète. Choisissez une des interviews et écoutez-la plusieurs fois, seul(e) si possible. Arrêtez la cassette à la fin de chaque phrase et dites-la en anglais.

Vous passez des vacances en Suisse avec des amis qui comptent sur vous pour servir d'interprète. Vous êtes à l'aéroport de Genève.

4 En attendant votre vol de retour, vous écoutez les annonces des vols et les traduisez pour vos amis.
Ecoutez la cassette et expliquez chaque annonce en anglais. Pour vérifier, écoutez la version anglaise qui suit chaque annonce.

5 Puisque votre vol à destination de Gatwick est annulé, vous allez tous au bureau de renseignements. Vous devez servir d'interprète.

a Ecoutez la cassette. Traduisez en français les questions de vos amis, et traduisez en anglais les réponses de l'employé.
b Quelle solution proposeriez-vous ?

Entraînez-vous à servir d'interprète

Pour vous aider :
• Ecoutez chaque phrase deux fois, au moins.
• Ne traduisez pas mot à mot. Dites l'équivalent de la phrase entière, d'une manière naturelle.
• S'il y a des chiffres ou des noms, écrivez-les rapidement, en continuant à écouter la suite.
• Au début, quand vous vous entraînez, prenez des notes. Puis, cherchez à interpréter sans écrire des notes.

Un peu d'histoire

L'automobile ou les transports en commun ?

L'histoire des transports en commun comporte trois périodes. De 1900 à 1950, c'est l'âge d'or : l'automobile étant quasi inexistante, le transport collectif est le mode de déplacement principal. A Paris, la première ligne de métro est ouverte en 1900. En province, les réseaux s'électrifient. Les premiers trolleys apparaissent en 1914.

Après la Seconde Guerre mondiale et jusqu'en 1970, l'auto va monter en puissance progressivement, et on commence à démanteler les tramways.

Puis, au début de la décennie 70, c'est la prise de conscience de l'importance du transport collectif. Lille, Lyon, Marseille se dotent de métros et, à partir des années 80, le tram refait son apparition à Nantes et Grenoble…

1 Lisez le texte, tiré des *Clés de l'actualité*, et répondez aux questions de votre professeur.

2 Question de mots : recopiez et complétez le tableau comme dans l'exemple.

Nom ⟷	Verbe
le comportement	comporter
le déplacement	……..
……..	ouvrir
………	s'électrifier
………	apparaître
………	démanteler
la prise	……….
le transport	……….
………	se doter

La prononciation

On va vous demander de lire le texte ci-dessus à haute voix. Savez-vous prononcer tous les mots ? Aidez-vous de votre dictionnaire !

Transcription phonétique du français

Voyelles

a	*de* patte	/pat/
ɑ	pâte	/pɑt/
ã	clan	/klã/
e	dé	/de/
ɛ	belle	/bɛl/
ɛ̃	lin	/lɛ̃/
ə	demain	/dəmɛ̃/
i	gris	/gʀi
o	gros	/gʀo/
ɔ	corps	/kɔʀ/
ɔ̃	long	/lɔ̃/
œ	leur	/lœʀ/
œ̃	brun	/bʀœ̃/
ø	deux	/dø/
u	fou	/fu/
y	pur	/pyʀ/

Semi-voyelles

j	*de* fille	/fij/
ɥ	huit	/ɥit/
w	oui	/wi/

Consonnes

b	*de* bal	/bal/
d	dent	/dã/
f	foire	/fwaʀ/
g	gomme	/gɔm/
k	clé	/kle/
l	lien	/ljɛ̃/
m	mer	/mɛʀ/
n	nage	/naʒ/
ɲ	mignon	/miɲɔ̃/
ŋ	dancing	/dãsiŋ/
p	porte	/pɔʀt/
ʀ	rire	/ʀiʀ/
s	sang	/sã/
ʃ	chien	/ʃjɛ̃/
t	train	/tʀɛ̃/
v	voile	/vwal/
z	zèbre	/zɛbʀ/
ʒ	jeune	/ʒœn/

3 🔲 Regardez les mots suivants et leur transcription phonétique.
  a Essayez de les lire à haute voix.
  b Ecoutez la cassette pour vérifier.
  c Cherchez ces mots dans votre dictionnaire.

> **inexistant, ante** /inegzistã, ãt/
> **quasi** /kazi/
> **principal, ale** /pʀɛ̃sipal/
> **puissance** /pɥisãs/
> **démanteler** /demãtle/
> **décennie** /deseni/

4 🔲 Lisez à haute voix le texte du haut de la page. Puis écoutez la cassette pour vérifier votre prononciation.

5 🔲 Encore des mots. Lisez-les à haute voix. Vérifiez en écoutant la cassette. Cherchez-les dans votre dictionnaire.
  a /mɔbilɛt/   **f** /otoʀaj/
  b /bato/   **g** /siʀkylasjɔ̃/
  c /otomɔbil/   **h** /buʃɔ̃/
  d /veikyl/   **i** /vwajaʒ/
  e /avjɔ̃/   **j** /kɔ̃dɥiʀ/

Et si on allait à pied ?

Et si les transports en commun ne fonctionnaient pas ? Que faire ?

1 Cet article décrit une journée de grève à Paris.
  a Avant de lire l'article, devinez comment le journaliste va aller au travail.
  b Lisez l'article.

Promenade forcée dans la capitale

Mercredi 20/02: 3ᵉ jour de grève. Métro, bus et trains ont déclaré forfait et les transports sont paralysés. Comme beaucoup de Parisiens, j'ai donc été obligé d'aller à pied jusqu'à mon bureau.

Je suis journaliste et j'habite une petite rue tranquille du XVᵉ arrondissement. Ce n'est pas très loin de la Maison de Radio-France, où je travaille, mais d'ordinaire je prends le métro. Solution de facilité ! Je n'avais donc jamais eu l'occasion de faire le trajet à pied.

2 Relisez et retrouvez le titre de chaque paragraphe.
  a Les grands esprits se rencontrent !
  b A la prochaine fois !
  c Quel beau paysage !
  d Que faire ?
  e Une marche obligatoire

3 Relisez le paragraphe qui commence par *Pendant ce temps*. Notez les verbes utilisés. Ils sont à quel temps ? Comparez avec votre partenaire.

D'habitude lorsque je sors de chez moi, la rue est pratiquement déserte. Mais ce matin-là, de nombreuses personnes semblaient se hâter dans des directions différentes, preuve d'une situation peu habituelle. J'ai rejoint la fourmilière qui arpentait le boulevard de Grenelle en direction de la Seine. Arrivé sur le pont Bir-Hakeim, j'ai fait une petite halte. De là, on peut admirer la tour Eiffel et le Champ de Mars. Je fus aussitôt frappé par la beauté de l'endroit. Un véritable chef d'œuvre visuel ! Moi qui voyage toujours sous terre, je ne m'étais jamais rendu compte qu'il y avait tant de jolies choses à voir à la surface.

Pendant ce temps, les bateaux-mouches glissaient sur le fleuve et les passants poursuivaient leur itinéraire imposé par la grève. Mais malgré tout, les gens paraissaient souriants et détendus. J'ai repris ma route en longeant le quai du Président-Kennedy. Un peu plus loin dans la foule, j'ai reconnu un collègue qui avait visiblement choisi lui aussi le transport pédestre ! Je me suis pressé pour le rattraper et nous avons commencé à discuter. Autour de nous, les gens se parlaient spontanément, fait remarquable, car en principe personne ne s'adresse la parole. Comme quoi la grève a finalement de bons côtés !

Tout en marchant, je songeais que j'avais fait cette promenade forcée avec beaucoup de plaisir et que j'avais découvert un monde que je ne connaissais pas : le Paris du petit-matin. Aussi, je me suis promis de venir à pied tous les jours.

Zoom sur le passé composé et l'imparfait (révision)

On utilise **le passé composé** pour décrire :
  • une action achevée à un moment défini dans le passé   *J'ai repris ma route...*

On utilise **l'imparfait** pour décrire :
  • un état   *Les gens paraissaient souriants...*
  • une action passée continue   *Les gens se parlaient spontanément...*

16a,b,d

4 Vous devez faire un reportage d'une minute pour la radio sur les problèmes de transport pendant une grève. L'article en face et les titres de l'activité 2 vont vous servir de script.

a Travaillez avec un(e) partenaire. Pour commencer, lisez l'article à haute voix.

b Relisez chaque paragraphe. Est-ce qu'il y a des expressions qu'il faut changer pour rendre le texte plus facile à lire ? Recopiez le texte et changez-le.

c Vous n'aurez qu'une minute pour parler. Faites un essai : est-ce que votre texte est trop long ?

d Modifiez le texte, si nécessaire.

e Quand vous serez prêt(e), enregistrez-vous.

f Ecoutez votre reportage !

5 [🔊] Ecoutez la cassette. Un journaliste demande des renseignements. Notez :

a sa destination

b les transports mentionnés

c les expressions utilisées pour donner des renseignements.

6 Travail à deux. Comment y aller, si les transports ne fonctionnent pas ?

A : vous travaillez au bureau de renseignements des transports publics. Donnez des conseils.

B : vous téléphonez pour demander des renseignements. Choisissez un scénario, ou inventez-en une autre.

Utilisez les expressions-clés. Ensuite, changez de rôle.

Scénarios :

1 Vous voulez aller au centre-ville, mais il y a une grève des bus.

2 Vous habitez à Londres. Vous partez samedi pour Paris. Malheureusement, ce sera une journée de grève des trains.

Expressions-clés

Demander des renseignements :

Je dois aller à…

Je pensais partir le…

Pourriez-vous me conseiller ?

Que suggérez-vous ?

Pouvez-vous me dire… ?

Donner des renseignements :

Ce serait mieux de…

Vous devriez…

Je vous conseille de…

Il sera important d'observer…

Je peux vous donner/dire…

7 Travaillez seul(e) ou à deux. Faites un exposé sur une randonnée que vous avez faite à travers une ville que vous connaissez assez bien.

a Notez les endroits importants ou historiques.

b Utilisez des photos, des plans pour l'illustrer.

c Exprimez les sentiments inspirés par cette randonnée.

d Présentez votre exposé devant la classe.

Interlude

Jeu-test Jeu-test Jeu-test Jeu-test Jeu-test

Avez-vous le sens de l'orientation ? Pour le savoir, faites ce jeu-test qui vous guidera vers la bonne réponse.

1 Le fait de vous imaginer seul dans un pays étranger…
- **A** vous plaît énormément.
- **B** vous est indifférent.
- **C** vous inquiète.

2 Lorsque vous êtes passager dans une voiture…
- **A** vous connaissez l'itinéraire d'avance et vous adorez jouer les co-pilotes.
- **B** de temps à autre, vous aidez la personne qui conduit.
- **C** vous faites entièrement confiance au chauffeur et vous ne vous préoccupez de rien.

3 Sur une carte géographique vierge de votre pays…
- **A** vous êtes capable de situer immédiatement et sans erreur six grandes villes.
- **B** vous pouvez identifier quelques villes mais il vous faut un peu de temps.
- **C** il vous est impossible de situer précisément les villes que vous connaissez.

4 Vous êtes en train de visiter un grand musée avec votre école. Tout à coup, vous vous rendez compte que vous êtes seul…
- **A** en dix minutes, vous retrouvez facilement les personnes que vous cherchiez.
- **B** après une demi-heure de recherches, vous finissez par apercevoir des membres de votre groupe.
- **C** quoique vous fassiez, vous avez le sentiment que vous ne retrouverez jamais votre chemin.

5 En ville, une personne qui cherche une rue vous aborde…
- **A** vous savez parfaitement où se situe l'endroit que cette personne recherche.
- **B** vous balbutiez quelques explications qui ne sont guère précises.
- **C** vous avouez votre ignorance.

6 Vous partez faire une balade à la campagne avec des copains…
- **A** vous menez le groupe et vous êtes très attentif aux chemins que vous empruntez.
- **B** vous discutez avec vos amis tout en essayant de repérer quelques endroits.
- **C** Il fait beau, le soleil brille ! Vous suivez les autres en toute insouciance.

Jeu-test Jeu-test Jeu-test

Résultats

Une majorité de :

A Bravo ! Votre sens de l'orientation est digne de celui d'un chef militaire. Où que vous soyez, ou que vous alliez, vous n'êtes jamais perdu. D'ailleurs, quand vous sortez avec vos copains, vous ne perdez pas une occasion pour les guider, si nécessaire.

B Lorsque les circonstances l'exigent, vous savez très bien vous débrouiller, bien que votre sens de l'orientation soit souvent au repos. Un peu plus d'attention peut parfois s'avérer très utile !

C Ne sortez pas de chez vous, ne quittez pas la maison ou vous courez à la catastrophe ! Si vous ne voulez pas vous perdre, il faut absolument que vous descendiez de votre nuage lorsque vous vous promenez. Vous n'êtes pas plus bête qu'un autre, simplement beaucoup plus étourdi que la plupart des gens.

Bilan de l'unité 4

Nos amis les humains

- **L'élevage à la ferme :** idylle rurale ou usine infernale ?
- **L'élevage intensif :** arguments, débats, lettres
- **La tauromachie :** accord et désaccord

1. Les photos représentent différentes façons d'élever les animaux. Reliez les légendes aux images.
   - a Elevage de poules pondeuses en batterie
   - b Elevage de porcs en plein air
   - c Elevage de bovins en prairie
   - d Elevage porcin en stalles
   - e Elevage de veaux en caisses
   - f Elevage d'oies en parcours libre

2. a Approuvez-vous ces méthodes ?
   b Les animaux ont-ils des droits ? Si oui, lesquels ?

Expressions-clés

Exprimer son accord et son désaccord :

J'approuve…	Je n'approuve pas…
Je suis pour…	Je suis contre…
J'accepte…	Je n'accepte pas…

Ils ont le droit de + *infinitif*
Ils ont droit à + *nom*
On ne devrait pas permettre + *nom*
L'idée de + *nom/infinitif* me dégoûte/révolte.
X est tout à fait acceptable/inacceptable.

Limousin : premier grand cru de viande

Des éleveurs fiers de leur cheptel

Ce que possèdent les éleveurs limousins, c'est une grande connaissance des animaux et un savoir-faire de soigneur. Les éleveurs limousins, grâce à leur technicité ont su, au cours des temps, sélectionner une grande race à viande de qualité.

Une race musclée

Bénéficiant, à l'origine, d'une race robuste et bien musclée, les éleveurs limousins ont amélioré ces grandes prédispositions bouchères. Ce qui fait la réputation internationale de la vache limousine, c'est son excellent rendement en viande.

Des animaux "tout terrain"

Des plaines du Canada à celles de l'Australie en passant par les tropiques du Brésil, la race limousine s'est toujours bien adaptée sous tous les climats même les plus difficiles.

Des qualités d'élevage remarquables

Sa résistance donne des animaux sans problèmes d'élevage, faciles à conduire, utilisant pleinement les ressources naturelles du milieu où ils s'implantent.

Une nature généreuse

La nature a bien pourvu le Limousin. Un relief varié : des collines boisées, des vallées où coulent de nombreuses rivières et des prés verdoyants. Ce qui favorise la croissance de la vache limousine et qui fait du Limousin un grand terroir d'élevage, c'est justement la richesse fourragère de cette région où les prairies occupent 80% de la surface agricole.

1 *Ce qui* ou *ce que* ? A faire par écrit, et puis à justifier oralement.
- **a** Ce ...... possèdent les éleveurs, c'est une grande connaissance des animaux.
- **b** Ce ...... donne des animaux sans problèmes d'élevage, c'est la résistance de la race limousine.
- **c** Ce ...... donne la valeur à la race, c'est sa gamme très large.
- **d** Ce ...... le Limousin offre au boucher, c'est une viande très mûre.
- **e** Ce ...... distingue le Limousin, c'est la tendreté de sa viande.

2 Trouvez dans le texte les réponses à ces questions ; notez bien l'incidence de *qui* ou de *que*.
- **a** Qu'est-ce qui favorise la croissance de la vache limousine ?
- **b** Qu'est-ce qui fait la réputation de la vache limousine ?
- **c** Qu'est-ce que les clients apprécient chez la Limousine ?

3 Avec un(e) partenaire, utilisez le texte pour formuler d'autres questions du même type. Posez-les à d'autres membres du groupe.

10h

ZOOM sur ce qui, ce que

« Ce qui favorise la croissance des Limousins, c'est **la richesse fourragère de la région**. »

« Ce qui fait la réputation du Limousin, c'est **son excellent rendement en viande**. »

Ce qui sert de **sujet du verbe**.
– **La richesse fourragère de la région** favorise la croissance des Limousins.

« Ce que possèdent les éleveurs limousins c'est **une grande technicité**. »

« Ce que recherchent les consommateurs, c'est **une viande qui a peu de gras**. »

Ce que sert de **complément d'objet**.
– Les éleveurs limousins possèdent **une grande technicité**.

Une valeur sûre

Etre né Limousin, c'est déjà bénéficier d'un privilège reconnu par les engraisseurs et les professionnels de la viande qui recherchent cette origine pour en exploiter les performances génétiques.

En qualité : "Limousin" c'est une signature

Limousin : la viande par excellence
En bœuf, la race Limousine produit des viandes de très grande qualité. Une finesse très réputée, une viande toujours mûre, une tendreté remarquable, une couleur rouge franc sont les caractéristiques principales qui les distinguent.
En veau, ses productions traditionnelles de veau de lait sont très appréciées pour leur valeur gustative et leur authenticité.
Du veau à la vache mûre, la gamme des Limousins est très large, ce qui rajoute à la valeur de la race. Chaque type présente des spécificités très compétitives.

Juste ce qu'il faut de gras

La viande limousine n'est jamais grasse. Le gras irrigue juste le muscle de ce qu'il faut de "persillé" qui, après cuisson, donne saveur et fondant. Voilà exactement ce que recherchent les consommateurs.

un cheptel = l'ensemble des animaux d'une ferme ou d'une région
(viande) persillé(e) = avec des infiltrations de graisse
le Limousin = région de France
un(e) Limousin(e) = habitant(e) ou animal de cette région
la race limousine = race de vaches élevées dans le Limousin

4 Faites une liste des principaux avantages de la race limousine : pour l'éleveur, pour le boucher et pour le consommateur.

5 Les mots de cette grille sont extraits du texte des pages 68–9. Recopiez et complétez la grille (à l'aide d'un dictionnaire, si besoin est).

Nom ⟷	Adjectif ⟷	Verbe
....	boisé(e)(s)	....
croissance (f)	....	....
élevage (m)	....	....
richesse (f)	....	....
....	....	bénéficier
réputation (f)	....	....
....	....	produire
....	mûr(e)(s)	....
tendreté (f)	....	....
....	gustatif(s)/ive(s)	....
spécificités (f)	....	....
gras (m)	....	....
cuisson (f)	....	....

6 🔊 Ecoutez une interview avec Jean Favard, éleveur de bovins du Limousin.

a Avant d'écouter, cherchez ce vocabulaire dans un dictionnaire et notez-en le sens :

haut de gamme	la génisse
vêler	l'os (*m*)
sevrer	le sevrage
le taurillon	abattre
les déchets (*m*)	brouter
le broutard	engraisser

b Ecoutez l'interview. Prenez des notes complétant ce que vous avez lu dans le texte ci-dessus. Notez, en particulier, des informations sur les différents types d'animaux qui composent la race limousine : le gros bovin, le jeune bovin, le broutard et le veau de lait.

c D'après vos notes, faites une mise en commun (orale) des informations que vous avez trouvées.

L'élevage intensif : le pour…

L'ÉLEVAGE INTENSIF : une réponse aux besoins d'une population plus grande et plus sophistiquée.

L'agriculture française a fait énormément de progrès depuis la fin de la Seconde Guerre mondiale.

Jusqu'aux années 60, les éleveurs français constituaient une catégorie particulièrement défavorisée : très pauvres, parce que trop nombreux, trop âgés, et propriétaires d'exploitations trop petites. L'élevage était surtout une affaire familiale, mal organisé, inefficace. La France s'est heurtée à des déficits de viande bovine, porcine, ovine, chevaline.

Tout cela a changé.

Depuis, les fermes grandissent, bénéficient d'une mécanisation impressionnante (les tracteurs étaient deux fois plus nombreux en 1994 qu'en 1964), et se spécialisent davantage. Grâce à la modernisation et à l'intensification de l'agriculture, la France connaît actuellement une production excédentaire de céréales, de fruits, de produits laitiers et d'animaux. L'agriculture française a répondu aux besoins d'une population qui veut se nourrir en choisissant parmi une gamme très large d'aliments à des prix modérés qui représentent un excellent rapport qualité/prix.

En trente ans la productivité s'est multipliée plusieurs fois, tandis que la main d'œuvre a considérablement diminué. Les chiffres démontrent qu'en valeur de production, on est passé de 250 milliards de francs en 1960 à 6700 milliards en 1996. Quel triomphe !

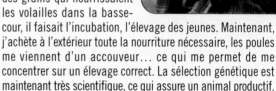

Charles Tixier, éleveur de porcs en atelier et de poules en batterie explique les raisons de cette réussite :

« Tout d'abord, on est spécialiste et par conséquent, plus efficace. Avant, mon père faisait tout… il produisait des grains qui nourrissaient les volailles dans la basse-cour, il faisait l'incubation, l'élevage des jeunes. Maintenant, j'achète à l'extérieur toute la nourriture nécessaire, les poules me viennent d'un accouveur… ce qui me permet de me concentrer sur un élevage correct. La sélection génétique est maintenant très scientifique, ce qui assure un animal productif.

« Et puis il y a l'économie d'espace. Mes porcs sont élevés en atelier plutôt qu'en prairie. Si le nombre de bêtes par hectare est triplé, les coûts par tête sont divisés par deux et ainsi les marges de profit sont conservées malgré les baisses des prix de marché.

« On peut constater aussi que les méthodes intensives limitent les pertes d'énergie des animaux… ils sont très près l'un de l'autre et par conséquent ils bougent moins et conservent leur poids.

« Et puis les bêtes sont bien nourries car leur ration alimentaire est étudiée et complétée par des produits industriels qui sont très forts en énergie. Dans certains cas, on rajoute des hormones qui favorisent la formation de viande, et des antibiotiques pour éliminer les maladies. Encore une fois la productivité est augmentée.

« Je sais bien que tout le monde n'est pas d'accord avec certaines de ces méthodes, mais on ne peut pas faire remonter le temps et j'ai ma vie à gagner ! »

---

1 🔊 Lisez les deux textes et écoutez ce que dit Charles Tixier. Complétez ces phrases.

a L'élevage intensif répond…

b Avant les années 60, la France connaissait des déficits d'aliments parce que…

c La France connaît maintenant une production excédentaire parce que…

d En trente ans, il y a eu une multiplication de… et une diminution de…

e La différence entre Charles Tixier et son père, c'est que…

f En augmentant le nombre de bêtes par hectare, il a… et a gardé…

g Les hormones…

h Les antibiotiques…

2 Comparez vos réponses à l'activité 1 avec un(e) partenaire et faites-en une version unique qui fournit un maximum d'informations. Ensuite, faites une mise en commun (orale) des réponses dans votre groupe.

3 Travail à deux. Les cinq droits (ci-dessous) sont-ils défendus ou violés par les pratiques d'élevage intensif décrites en haut ? A chaque fois, précisez comment.

Cinq droits essentiels

Les groupes de protection animale demandent aux gouvernements de prendre des mesures assurant aux animaux ces cinq droits essentiels :

1 Le droit d'être épargnés de la soif, de la faim et de la malnutrition en disposant d'eau et en recevant une alimentation équilibrée.

2 Le droit à un environnement approprié, avec abri et aire de repos.

… et le contre

En France, plus de 50 millions de poules pondeuses sont emprisonnées dans ces élevages concentrationnaires : prisonnières chaque jour, tous les jours. Vous pouvez choisir une autre solution : acheter les œufs de poules élevées en parcours libre. Ces œufs ont été pondus par des poules heureuses qui disposent d'air frais et de liberté.

Ce petit veau aimerait recevoir l'affection de sa mère, se nourrir de son lait, jouer avec ses camarades, dormir sur de la paille, ou courir dans les champs verts, mais de tout cela, on l'a privé. Quelques jours après sa naissance, ce petit veau a été séparé de sa mère. Il en avait encore tant besoin. On l'a placé dans une minuscule caisse en bois au sol nu.

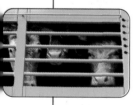

Transport d'animaux : le stress rend les animaux plus vulnérables aux infections, notamment par des agents pathogènes du système respiratoire. Les maladies du système respiratoire sont considérées comme les affections les plus fréquentes et les plus coûteuses en élevage bovin.

Les porcs sont des animaux particulièrement sensibles. Cette truie est attachée et immobilisée par une sangle rivée au sol. Les porcelets ne pourront pas s'amuser dans la nature, mais seront claustrés sur le ciment.

Ces agneaux ont de l'air frais et peuvent se prélasser au soleil. Mais des millions d'autres animaux en France n'ont pas cette chance. Ils sont enfermés derrière les portes closes des élevages intensifs.

Ces animaux sont élevés en plein air. Ils ont la possibilité d'évoluer en parcours libre et peuvent jouer, creuser la terre, se gratter, se nettoyer, élever leurs petits, vivre une vraie vie. Tout cela leur est interdit dans un élevage intensif. L'élevage intensif est une fausse économie ; les animaux heureux se vendent plus cher.

4 Faites deux listes alphabétiques de tous les mots de la brochure ci-dessus concernant les animaux et le matériel agricole. Notez leur fonction grammaticale : nom *(n)*, verbe *(v)*, adjectif *(adj)*.

5 Faites une liste des mots et expressions de la brochure qui, à votre avis, sont utilisés pour vous influencer par leur valeur positive ou négative.
Exemples : <u>*Positive*</u> *– se prélasser au soleil,…*
<u>*Négative*</u> *– sont emprisonnées,…*

6 Vous contestez les méthodes intensives. Formez de courtes phrases en utilisant *On devrait…* ou *On ne devrait pas…* à chaque fois.
Exemple : *On devrait élever les poules en plein air ; on ne devrait pas les élever en batterie.*

7 Jeu de rôle : *A* approuve l'élevage intensif, *B* le conteste. Réfutez chaque constatation de l'opposant. Utilisez les expressions-clés.

3 Le droit d'être épargnés de la souffrance et de la maladie, par la prévention, ou par un diagnostic et des soins immédiats.

4 Le droit de se comporter naturellement, de disposer d'un espace suffisant, d'installations appropriées et d'être en compagnie d'animaux de la même espèce.

5 Le droit d'être protégés de la peur et de la détresse, de vivre dans des conditions évitant toute souffrance psychique.

Expressions-clés

Exprimer son accord et son désaccord :

Je (ne) suis (pas) d'accord avec… parce que…
Mon point de vue, c'est (que)…
Je suis persuadé(e)/convaincu(e)/sûr(e) que…

C'est		parce que…	Il est	
	nécessaire			nécessaire de…
	important			important de…
	affreux			affreux de…
	intolérable			intolérable de…
	(in)admissible			(in)admissible de…
	(tout à fait) (in)acceptable			(tout à fait) (in)acceptable de…

(Voir aussi les expressions-clés page 67.)

ZOOm sur le passif et comment l'éviter (2)

Voici quelques phrases tirées de la page précédente :

A Plus de 50 millions de poules pondeuses **sont emprisonnées** dans ces élevages…

B Ces œufs **ont été pondus** par des poules heureuses…

C Les porcelets… **seront claustrés** sur le ciment.

D Les maladies du système respiratoire **sont considérées** comme les affections les plus fréquentes…

E Ce petit veau **a été séparé** de sa mère.

Les verbes sont à la forme passive (revoir l'unité 3, page 50).
Comme vous le voyez, le passif peut s'employer à tous les temps. L'exemple A est au présent : à quel temps sont les exemples B–E ?
Notez que le participe passé s'accorde avec le sujet du verbe.

23

Le passif est moins fréquent en français qu'en anglais. En français, on peut éviter la forme passive en utilisant :

◆ *on* + verbe actif :
On l'a placé dans une minuscule caisse en bois.
(= Il a été placé dans…)

◆ un autre sujet + verbe actif :
L'éleveur l'a placé dans une minuscule caisse en bois.

◆ un verbe à la forme pronominale, de sens passif :
Les animaux heureux **se vendent** plus cher.
(= Les animaux heureux sont vendus plus cher.)

Attention ! Certains verbes ne peuvent pas s'utiliser à la forme passive :
• les verbes pronominaux : *se lever*, etc.
• les verbes qui ne prennent pas de complément d'objet direct : *aller, mourir, partir*, etc.

1 Réécrivez les phrases A–E ci-dessus, en remplaçant la forme passive par une forme active avec *on* ou un autre sujet.

2 Transformez les phrases suivantes pour les mettre à la forme passive :
***Exemple :** a En France, plus de 50 millions de poules sont élevées en batterie.*

a En France, on élève plus de 50 millions de poules en batterie.

b On attache les truies enceintes dans de petites stalles.

c On transporte inutilement les veaux vivants.

d Quelques jours après leur naissance, on sépare les veaux de leur mère.

e On enferme des millions d'animaux derrière les portes closes des élevages intensifs.

f On mène une campagne contre le transport excessif d'animaux.

Le label rouge – un logo connu, une garantie de qualité

1 🔊 Ecoutez un extrait d'une émission de radio où l'on explique aux consommateurs le système du label rouge.
Remplissez les blancs dans ces extraits de l'émission (qui sont dans le bon ordre).

a Il est parfois difficile de ...... la qualité d'un produit ......

b Vous le trouverez notamment sur les volailles, les viandes, les ...... et les .... , et depuis peu sur les produits de la mer.

c En ce qui concerne la viande, par exemple, l'...... accepte de remplir un ...... des charges de production.

d La qualité est garantie par l'...... de la bête depuis la ferme jusqu'à la table.

e Le label rouge n'est pas un simple signe ...... , c'est une éthique de production, garantie par des ...... réguliers.

2 🔊 Ecoutez la cassette une deuxième fois. Quels sont les rôles respectifs de l'éleveur, de l'abatteur, du détaillant ?

3 En vous inspirant de l'enregistrement et des expressions-clés, rédigez le script d'un spot publicitaire télévisé (de 30–45 secondes) qui a pour but d'informer le public sur le système du "label rouge".

- -

Expressions-clés

Recommander une action :

N'hésitez pas à demander…

N'oubliez pas de…

Pensez toujours à…

Ça vous permettra de…

Nous vous assurons que…

Finis les doutes sur l'origine/la provenance de…

Vous voulez être sûr de… ? Eh bien, cherchez le label rouge !

Ça se dit comme ça !

En français, bon nombre de mots commencent par *in-*. En voici quelques-uns tirés de cette unité : internationale, incidence, interview, informations, intensifs, inscrite, intérêts, indique, insatisfaction.

4 a Avant d'écouter ces mots sur la cassette, regardez la transcription et essayez de les prononcer.

b 🔊 Ecoutez la cassette et répétez la prononciation.

/ɛ̃tɛrnasjɔnal/   /ɛ̃skrit/

/ɛ̃sidɑ̃s/   /ɛ̃terɛ/

/ɛ̃tɛrvju/   /ɛ̃dik/

/ɛ̃fɔrmasjɔ̃/   /ɛ̃satisfaksjɔ̃/

/ɛ̃tɑ̃sif/

5 🔊 Maintenant regardez ces mots. Ecoutez-en la prononciation.

inactif /inaktif/   inattentif /inatɑ̃tif/

inégal /inegal/   inepte /inɛpt/

- Alors, le préfixe *in-* se prononce /ɛ̃/ ou /in/ ? Comment le savoir ?

  in- + consonne = /ɛ̃/

  in- + son de voyelle = /in/

6 🔊 **a** /ɛ̃/ ou /in/ ? Essayez de prononcer les mots suivants selon la règle ci-dessus. Vérifiez votre prononciation avec la cassette.

inerte   intrépide   involontaire

infini   interdit   inadmissible

b Ecrivez ces six mots en transcription phonétique.

La tauromachie : spectacle sublime ou torture barbare ?

Vous allez entendre un débat diffusé à la radio qui oppose des partisans de la tauromachie à ceux qui la désapprouvent. Avant d'écouter le débat, lisez ces documents qui reprennent à peu près les mêmes arguments que ceux des intervenants.

Débat radiophonique – les participants

Monique Charles, adjointe au maire de Nîmes

Xavier Merlin, journaliste

Karine Laurent, étudiante vétérinaire

Jean-Louis Gomez, torero

1 Lisez cette liste de points pour et contre la tauromachie.

  a Associez chaque point à un texte de la page 75 qui l'a inspiré.
  Exemple : 1 E

   1 Spectacle superbe : courage, technique, esthétique
   2 Selon des physiologistes et des écrivains, un art sans souffrance
   3 Fêtes folkloriques qui animent nos villes et villages
   4 Les traditions qui attirent de nombreux touristes
   5 Un minimum de risque pour le torero, un maximum de souffrance pour le taureau
   6 Mauvais exemple pour les jeunes
   7 Spectacle ? Oui, mais de tortures ignobles

  b Faites deux listes des points *1–7* : le pour et le contre de la tauromachie.

2 🔘 Voici des extraits du débat. Devinez qui va dire quoi ! Ensuite, écoutez la cassette : aviez-vous raison ?

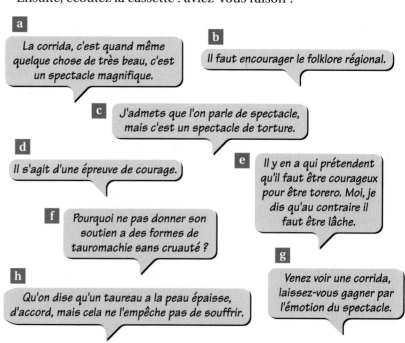

a La corrida, c'est quand même quelque chose de très beau, c'est un spectacle magnifique.

b Il faut encourager le folklore régional.

c J'admets que l'on parle de spectacle, mais c'est un spectacle de torture.

d Il s'agit d'une épreuve de courage.

e Il y en a qui prétendent qu'il faut être courageux pour être torero. Moi, je dis qu'au contraire il faut être lâche.

f Pourquoi ne pas donner son soutien a des formes de tauromachie sans cruauté ?

g Venez voir une corrida, laissez-vous gagner par l'émotion du spectacle.

h Qu'on dise qu'un taureau a la peau épaisse, d'accord, mais cela ne l'empêche pas de souffrir.

A — Les fêtes

D'avril à septembre, Nîmes et Arles rivalisent dans l'organisation des célèbres férias tauromachiques qui attirent des foules passionnées, qu'il s'agisse de corridas avec picadors et mise à mort ou de simples courses à la cocarde (placée entre les cornes du taureau, celle-ci doit être enlevée par les razeteurs). En Camargue, les "ferrades" sont un grand moment : les taureaux reçoivent, au fer à chaud, la marque du propriétaire.

Guide Michelin "Provence"

B

Pour attirer les spectateurs et l'argent des touristes, tenter de rentabiliser les courses de taureaux, une publicité mensongère est toujours employée. Les promoteurs de tauromachie invoquent la tradition et l'art pour tenter de justifier ces ignobles spectacles.

C

De plus en plus souvent, afin de minimiser les risques encourus par les tortionnaires de l'arène, les cornes des taureaux sont sciées ; supplice affreux pour l'animal qu'il faut maintenir par des cordes tant la douleur est atroce. Parfois ces cornes sont "refaites", c'est-à-dire limées afin de leur donner une apparence normale, ce qui ajoute de nouvelles souffrances pour le taureau.

Sur son cheval aveuglé par un bandeau et bavant de peur, le *picador* enfonce une ou plusieurs fois une pique d'acier – dont la pointe mesure au moins 10 cm – dans le corps du taureau, ouvrant des plaies béantes. Des promoteurs de tauromachie voudraient faire croire que la peau des taureaux est si épaisse que les crochets des banderilles ne leur causent aucune douleur, c'est une flagrante contre-vérité. En réalité, la peau peu épaisse des taureaux est un organe innervé, et par conséquent très sensible.

D

Les travaux récents des physiologistes démontrent que le taureau, pendant la course, ne souffre pas, ou à peine. Tout le monde sait qu'une blessure, on la sent à peine sur le moment, certaines fois on ne sait même pas qu'on est blessé. On en souffre plus tard. Mais plus tard, le taureau ne peut en souffrir puisqu'il est mort. [...]

Comme dans tout art, la maîtrise engendrait enfin la simplicité. Les passes rituelles se firent posées et majestueuses, semblèrent faciles comme les actes qu'on fait dans les rêves, douées de la noblesse et de la liberté surhumaines qu'ont les mouvements filmés au ralenti.

Les Bestiaires,
Henry de Montherlant

E — L'arène tremble pour Cristina la torera

Les aficionados se souviendront longtemps de la feria Primavera, qui eût lieu le week-end dernier à Nîmes. Ils y ont vu une torera espagnole, blessée à l'aine d'un coup de corne, continuer le combat et couper une oreille au taureau. Depuis qu'elle a douze ans, Cristina Sanchez se bat pour se faire une place dans l'arène. Cette fois, sa légende est en marche.

« Je suis une femme dans la vie. Un torero dans l'arène ». Cristina Sanchez a 24 ans. Samedi dernier, ils étaient nombreux à venir se presser autour des arènes de Nîmes. Curieux, sceptiques. Sûrs de n'avoir jamais vu une femme sacrifier au rituel du paseo dans l'enceinte du cirque romain. Elle est comme ça, Cristina. Surprenante. Irrésistible. Et précoce. A l'âge de 12 ans, elle annonce à son père qu'elle sera torera. Antonio Sanchez choisit de lui apprendre les rudiments du métier avant que de l'inscrire à l'école de tauromachie de Madrid. Cristina a 15 ans. A 16 ans, elle entre sur le circuit professionnel. « Longtemps, je n'ai pas été convaincu de la place que pouvait occuper une femme dans la tauromachie à pied, commente Simon Casas. Sans doute parce qu'au sein du couple formé par le taureau et son torero, ce dernier est plutôt considéré comme étant déjà l'élément féminin. Cristina m'a fait changer d'avis. Elle est très jolie, mais à aucun moment ne spécule sur sa condition de femme. Elle incarne parfaitement les valeurs que l'on s'attend à trouver en entrant dans une arène. Le courage, la technique. Et l'esthétique ». Ce samedi-là, les Nîmois auront tremblé pour Cristina, projetée à terre d'un seul coup de corne. Touchée à l'aine. Stupéfaits, ils l'auront vue, blessée, retourner au combat. Couper l'oreille de son premier taureau avant que d'en affronter un second !

VSD

F — TAUROMACHIE
Des corridas, encore des corridas...

Feria à Saint-Rémy
Concours d'abrivado, bandido en ville, ferrade au pré, course de vachette, soirée flamenco, corrida portugaise, chevaux en liberté...

En dehors des arènes, le centre-ville connaîtra lui aussi son lot d'animations : avec une grande encierro de 20 taureaux, mardi, le défilé de plus de 50 chevaux de trait, et enfin, le lâcher de plus de 200 chevaux pour un tour de ville crinières au vent !

Le Provençal

G — Les honteuses écoles de tauromachie

Instituant et propageant la cruauté, des adultes, au sein d'écoles de tauromachie, apprennent à des enfants d'âge tendre à martyriser des veaux. Ces jeunes – dont on tue la sensibilité – sont dévoyés par le comportement de leurs aînés qui leur font miroiter un avenir plein de gloire et de "gros sous". Les enfants imitent les adultes et sans pitié maltraitent d'inoffensifs animaux.

Débat : l'élevage intensif – vous êtes pour ou contre ?

COMPÉTENCES

1 Débat à faire en cours.

a Préparation. On divise le groupe en deux équipes : les "pour" et les "contre". Chaque membre de l'équipe prépare un ou deux aspects.

Les "pour"
Révisez les arguments de la page 70 (besoin de réformer l'agriculture française, mécanisation, spécialisation, science…) et lisez les documents de ces pages-ci.

Les "contre"
Révisez les arguments de la page 71 et ceux de ces pages-ci (élevage en stalles et en batterie, transports excessifs, gavage…).

b Les expressions-clés comprennent des expressions utilisées lors du débat sur la tauromachie (pages 74–75). Essayez de les utiliser pendant le débat.

c Le débat. Les "pour" avancent leur défense des méthodes intensives d'élevage. Les "contre" écoutent et prennent des notes. Les "contre" expriment leur opposition. Les "pour" écoutent et prennent des notes.

d Chaque groupe, à tour de rôle, essaie de réfuter les arguments de l'autre (utilisez encore une fois les expressions-clés).

Expressions-clés

Introduire l'argument de votre équipe :

Nous allons démontrer que…
X présentera… Y vous parlera de…
Z décrira…
Il y en a qui prétendent que…
Citons…

Souligner un point-clé de votre argument :

A ceci s'ajoute le fait que…
Il faut préciser que…
D'ailleurs…
Ceci s'oppose à…
Ceci est à l'origine de …
Par conséquent… Il s'ensuit que…
Il ne s'ensuit pas forcément que…
En définitive… Evidemment…

tandis que   mais en réalité
au contraire   en revanche
et justement

En bref…
Pour conclure…
Nous terminons par…

Exprimer votre accord/désaccord avec quelqu'un :

Mais si ! Mais non !
Je suis d'accord avec X sur
    l'essentiel, mais…
Qu'on dise que… d'accord, mais…
Admettons que…
J'admets que…
Là vous exagérez !
Cet argument n'est guère convaincant.
Moi, je dis qu'au contraire…
(*Voir aussi les expressions-clés page 71.*)

Arriver à une conclusion :
Voilà ce que nous proposons : …
Pourquoi ne pas… ?
Il faut/Il faudrait…
Si, par exemple, on…
Il est nécessaire de…

Seuls les animaux heureux sont rentables

Les experts dénoncent le stress dans les élevages intensifs. Ils mettent en garde contre les idées reçues sur le confort des bêtes.

L'élevage intensif a donné lieu à quelques excès que dénoncent aujourd'hui les experts. Faire souffrir casse le rendement. Ethnologues et vétérinaires qui se penchent sur la détresse animale, dosages d'hormones de stress et observations de comportements inhabituels à l'appui sont formels : pour mieux produire et se reproduire, chaque espèce doit exprimer au maximum son « répertoire naturel ». A chaque bête selon ses besoins.

L'occasion aussi de tordre le cou à quelques idées reçues. Les poules, à tout prendre, se sentent plus à l'aise dans un volume réduit que dans un enclos plus vaste lourd de menaces. Les bovins, eux, en ont vite plein les sabots des longues randonnées au grand air, supportent mieux les froides nuits d'hiver que la canicule estivale. N'empêche, un brin d'humanité leur ferait du bien.

- garantie de qualité
- garantie d'hygiène
- garantie sur le mode d'élevage
- garantie de déguster une viande sans activateur de croissance ni antibiotique.

On dit que certains porcs sont élevés en plein air... Les nôtres, en plus, courent dans les champs toute l'année.

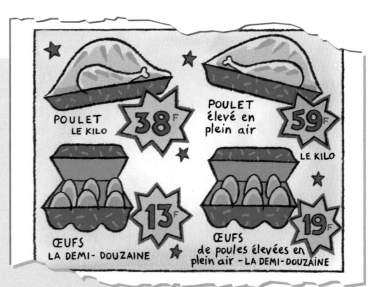

SIX MILLIONS DE VEAUX sont élevés au sein de l'Union Européenne.

Agés de quelques jours, les veaux sont retirés à leur mère. Ils sont ensuite parqués dans des stalles individuelles, parfois enchaînés par le cou.

Le sol des stalles, constitué de lattes de bois espacées, est totalement inadapté : les veaux ne peuvent pas se coucher, glissent et parfois tombent. Ce qui leur provoque souvent des contusions, des inflammations aux genoux ou d'autres blessures. Aucune litière n'est prévue : si les animaux en mangeaient, leur viande perdrait sa blancheur.

NON AU FOIE GRAS

Pendant la période de gavage, les oies et les canards, terrorisés à l'approche du gaveur, sont enfermés dans des cages individuelles.

Scandaleux... pour obtenir le foie gras, le gavage consiste notamment à enfoncer dans le gosier des oies et des canards, un tube d'environ 20 à 40 centimètres et à leur faire avaler de force une grosse quantité de céréales : c'est le « supplice de l'entonnoir » répété deux ou trois fois par jour et qui dure de deux à quatre semaines.

CHAQUE POULE VIT SA COURTE VIE ENFERMÉE avec quatre autres poules dans une cage d'élevage en batterie. Dans cet univers restreint et stérile, elle ne dispose pas d'un espace suffisant pour étendre ses ailes.

Elle aurait aimé picorer et gratter le sol, se percher, courir, voler ou construire un nid pour pondre ses œufs. Mais dans une cage, tout cela est impossible.

Après une année dans cette cage, elle n'aura plus de plumes : les autres poules les lui auront arrachées pour lutter contre le stress et l'ennui.

Exprimer ses opinions par écrit

La formule d'en-tête la plus fréquente (bien que très contestée par certains) lorsqu'on ignore si son correspondant est un homme ou une femme.

Une phrase (même longue) devrait traiter une seule idée.

Formule de politesse qui indique le respect mais non pas la déférence. La formule "je vous prie d'agréer" marque une déférence plus grande.

La direction
Supermarché Quick
Carpentras

Monsieur,

Je vous suis fidèle depuis cinq ans, mais vous risquez de me perdre comme cliente, car j'ai remarqué que dans votre rayon boucherie vous ne stockez aucune viande qui porte le "label rouge" que je considère comme garantie de qualité.

Sachez que j'ai l'intention de favoriser la viande provenant de fermes qui offrent au moins un minimum de respect pour les droits des animaux et qui élèvent leurs bêtes sans hormones.

Par ailleurs, je constate que vous ne vendez pas non plus d'œufs de poules provenant d'une agriculture biologique. De nombreux magasins de la région le font. Ces œufs viennent de poules qui ne souffrent pas les cruautés de l'élevage en batterie.

J'aimerais vous rester fidèle, car d'autres aspects de votre magasin me plaisent beaucoup, mais…

Merci d'avance de l'attention que vous voudrez bien accorder à mes observations, et agréez, Monsieur, l'expression de mes sentiments distingués.

F. Vasseur

Francine Vasseur

Le rédacteur en chef
Le Provençal

Monsieur,

J'apprécie fort peu un phénomène croissant de la vie contemporaine dans ma ville (Carpentras) : la distribution de tracts dans la rue.

Ce matin même, en sortant du supermarché Quick, j'ai dû accepter à trois fois, des feuilles de papier condamnant : la production du foie gras, le transport des moutons et l'élevage en batterie de poules pondeuses !

Pourquoi ces gens n'acceptent-ils pas les droits du client de faire ses courses tranquillement, sans gêne, et d'exercer sa liberté de choix ?

Ne savent-ils pas que grâce aux agriculteurs efficaces et travailleurs presque tout le monde a maintenant accès (et souvent à des prix très raisonnables) aux produits qui n'étaient autrefois que les privilèges des riches ? Liberté et égalité !

Marcel Desforges du Lou

Marcel Desforges du Lou
84200 Carpentras

Questions rhétoriques. Notez l'inversion verbe-sujet.

---

1 Lisez ces deux lettres et les notes en bleu.

2 Répondez à l'une des lettres. Vous êtes le gérant/la gérante du supermarché Quick, ou un lecteur/une lectrice du journal *Le Provençal* qui ne partage absolument pas l'avis de M. Desforges du Lou.

3 En vous inspirant de ces deux lettres et du contenu de cette unité, écrivez une lettre au *Provençal* pour défendre ou contester un aspect de l'élevage moderne.

Bilan de l'unité 5

Le monde des médias

- L'influence de la publicité
- La publicité, comment et pourquoi
- Les ados et l'actualité
- Connaître et lire les journaux français
- La liberté de la presse

A

Petit dictionnaire de la publicité

✦ Dans les magazines, on lit des **pubs** (*fam.*).

✦ On entend des **annonces publicitaires** à la radio.

✦ On regarde des **spots publicitaires** à la télé.

✦ On voit des **affiches publicitaires** ou des **panneaux d'affichage** dans la rue.

✦ Et tous ces genres s'appellent aussi des **publicités**.

pour faciliter votre vie d'étudiant

B

Que coûte la publicité ?

Au total : 147,7 milliards de francs en 1995 !

Le tarif d'un spot à la télé ?

sur TF1, le dimanche soir, en plein film = 520 000 francs

le matin, à 7 heures = 3 000 francs

Une page couleur dans un magazine ?

environ 264 000 francs, suivant l'emplacement

C

L'Equipe en tête

Nombre de lecteurs réguliers (1993) et en pourcentage de la population de 15 ans et plus :

	Lecteurs	%
L'Equipe	1 386 000	3,0%
Le Monde	1 295 000	2,8%
Le Figaro	1 132 000	2,5%
Libération	685 000	1,5%
France-Soir	598 000	1,3%
Les Echos	497 000	1,1%
La Tribune Desfossés	249 000	0,5%
L'Humanité	248 000	0,5%
La Croix	196 000	0,4%

NOUS N'AVONS PAS PERDU UNE SECONDE.

D

La presse écrite est le plus ancien des médias contemporains. Aujourd'hui, il se trouve concurrencé par la radio et surtout la télévision, mais le journal garde une place particulièrement influente dans le domaine de l'information. Et en plus, outil de la liberté d'expression, il demeure un élément essentiel de la démocratie.

L'INSOLENTE PERFECTION

E

JOURNALISTE *n.* Personne qui collabore à la rédaction d'un journal. **V. rédacteur; chroniqueur, correspondant, critique, éditorialiste, envoyé** (spécial), **reporter**. Journaliste politique, parlementaire. Journaliste de radio, de télévision.

1 Lisez-vous un journal en anglais ? Lequel ? Quels noms de journaux de la liste (C) reconnaissez-vous ? En avez-vous lu quelques-uns ? Comparez vos réponses avec celles de vos collègues de classe.

2 Lisez la définition du mot *journaliste* (E). Cherchez dans votre dictionnaire monolingue les mots en caractères gras.

3 Aimeriez-vous devenir journaliste ? Dans quel média préféreriez-vous travailler ?

4 Quels sont, pour vous, les attraits du travail de journaliste ? Et les inconvénients ? Discutez-en avec un(e) partenaire et notez vos idées.

Que pensez-vous de la publicité ?

**La publicité exerce une influence immense sur nous tous.
Est-elle vraiment efficace ou plutôt nocive ?**

Comment la pub nous influence...

L'obsession des publicitaires : attirer notre attention

Pour bien comprendre l'influence que la publicité exerce sur nous, il faut avant tout savoir comment elle fonctionne. Car l'obsession des investisseurs – les annonceurs – et des publicitaires, c'est bien sûr l'impact.

A Il faut de six à huit mois au publicitaire pour bâtir une campagne. Quatre étapes se succèdent : stratégie, création, réalisation et lancement. Que doit-on dire sur le produit ? A qui doit-on s'adresser ? Telles sont les questions auxquelles l'annonceur et le directeur de la clientèle doivent répondre avant de lancer un produit dans le circuit publicitaire.

B Ces questions aboutissent à un document : le PTC (Plan de travail créatif), destiné aux créatifs et qui contient une phrase clé : « la promesse ». Cette phrase deviendra l'obsession des « artistes » chargés du dossier. Généralement banale et mal rédigée, elle définit ce que la campagne de publicité devra décliner de façon imaginative. Dites à des créatifs, par exemple, que « la pellicule Kodak est celle qui restitue le mieux les couleurs ». Le verbe « restituer » provoque alors chez eux une association d'idées : restitue-vol-voler-voleur... Et cela devient « le voleur de couleurs ».

C Il existe plusieurs angles d'attaque possibles pour une campagne. Soit faire découvrir un produit nouveau – en déclenchant la curiosité, soit donner envie d'acheter un produit qui existe déjà – en jouant sur l'image par exemple, ou encore conforter le consommateur dans son choix après l'achat. Enfin, plus prosaïquement, il peut s'agir de « matraquer ». C'est ce que font les grands lessiviers, le consommateur achetant en général la dernière poudre à laver dont il ait entendu parler, le plus souvent à la télé.

D Les réunions se multiplient en présence de sémiologues, psychologues ou sociologues. Le sémiologue (spécialiste des signes) analysera les premières maquettes. « Un produit laitier doit comporter obligatoirement les couleurs vertes, bleues et blanches, couleurs de la nature et du lait », explique Bernard Dahan, l'un de ces experts parisiens. « Les produits de luxe pourront utiliser le noir, pour évoquer les sorties nocturnes, et les parfums la couleur ambre. La banque ne devra jamais se séparer des couleurs sombres – vert foncé, bordeaux – pour marquer le côté confidentiel de l'argent, donc opaque, non transparent. »

1 Lisez cet article tiré du magazine *Ça m'intéresse.*
Retrouvez le titre de chaque paragraphe.
> Le message caché…
> Un jeu de mots
> Choisir son angle
> Préciser le but de la publicité

2 A deux. En vous référant à l'article, faites une liste des étapes à suivre quand on prépare une campagne de publicité.
Exemple : … Ensuite, il faut formuler un slogan intelligent et plein d'imagination.

3 🔘 Ecoutez la cassette. Patrick, Noémie, Kader et Catherine parlent de la publicité pour les jeunes. Qui :
a trouve ce genre de publicité marrant ?
b pense que c'est plutôt dangereux ?
c croit que les publicitaires n'ont pas une haute opinion des jeunes ?

d pense plutôt aux parents et aux problèmes créés par la publicité ?

4 🔘 On fait une enquête sur le pouvoir de la publicité. Ecoutez la cassette. Faites une liste des expressions utilisées pour décrire les images présentées par la publicité.
Exemple : le bonheur stéréotypé de la famille classique

5 🔘 Réécoutez les enregistrements des activités 3 et 4.
a Notez les expressions utilisées pour exprimer une opinion sur la publicité.
Exemple : Les publicitaires font preuve d'un grand mépris vis-à-vis des jeunes.
b Et vous, qu'en pensez-vous ? Discutez de l'effet de la publicité avec un(e) partenaire. (Par exemple, la trouvez-vous plutôt dangereuse ou amusante ?)

Des techniques utilisées pour faire vendre

1 S'appuyer sur la crédibilité d'une star

En s'appuyant sur la crédibilité d'une star du monde du sport, de la télévision ou du cinéma, les marques verront une augmentation considérable des ventes.

2 Conforter le choix du consommateur

Dans certains secteurs, comme la hi-fi, faire vendre n'est pas forcément le premier objectif de la publicité. Celle-ci sert surtout à conforter le consommateur sur l'image du produit, après l'achat.

3 Entretenir une image forte

Quand leur boisson ou leurs vêtements sont reconnus dans le monde entier, les publicitaires essayent de créer et d'entretenir une image forte. Parfois la pub atteint son but sans même mentionner le nom du produit.

6 Résumez en anglais les trois techniques décrites dans le texte ci-contre.

"J'ai une Saab 9000. **Pas vous ?**"

7 Petite analyse des pubs : travail à deux.

  a Regardez la publicité Saab ci-dessus.
  – Le slogan donne-t-il des informations claires (prix, qualité) ?
  – Y a-t-il un message caché (représentant un but à atteindre ou à éviter) ?
  – Quel genre de client est visé par cette publicité ?

  b Faites des recherches. Sélectionnez trois publicités dans des magazines français. Rédigez un rapport dans lequel vous les analysez. Utilisez les expressions-clés.

Zoom sur la négation

Savez-vous vous servir de tous les négatifs ? Pour en être sûr(e), révisez-les. Exemples :

Les publicitaires savent que l'humour caustique **ne** fonctionne **pas** en France.

Il **n'**y avait **personne**.

Je **n'**ai **rien** remarqué d'intéressant.

Les marques de tabac **n'**ont **plus** le droit de faire de pub.

Nous **n'**avons **jamais** vu cette publicité dont vous parlez.

Castorama **ne** fait **que** 16%.

On estime qu'un franc sur deux investi en spot télé **n'**a **aucun** impact sur les comportements d'achat.

Ce **n'**est **guère** surprenant.

La publicité **n'**est **ni** amusante **ni** inoffensive.

La position des éléments de négation :

• temps simples :
  ne + verbe + *pas/jamais*, etc.

• temps composés :
  ne + auxiliaire + *pas/rien/plus/jamais/point* + participe passé
  ne + auxiliaire + participe passé + *personne/ aucun(e)/que/ni… ni…*

8 Mettez ces phrases affirmatives à la forme négative, en utilisant l'expression négative proposée.

Exemple : a … les consommateurs n'achètent plus.

  a Quand le prix augmente trop, les consommateurs achètent. (*ne… plus*)

  b Les ventes ont progressé de 0,6%. (*ne… que*)

  c Le bilan est rassurant. (*ne… guère*)

  d Les annonceurs ont intérêt à acheter un espace publicitaire dans ce journal. (*ne… aucun*)

  e La presse peut refuser l'aide financière des grands groupes. (*ne… plus*)

13

Une publicité pour quoi faire ?

**Les publicitaires savent qu'il leur faut connaître leur public,
le genre de client visé. Dans cet extrait d'une interview
parue dans *L'Express*, Gérard Demuth, sociologue, parle
du rôle changeant du consommateur français.**

Que nous disent les consommateurs ?

Q Est-ce qu'il faut des éléments supplémentaires à la pub pour voir des résultats positifs de vente ?

A La tâche des publicitaires n'est pas simple, car le Français est aujourd'hui quelqu'un de complexe. Changeant, volatile, il est devenu difficile à suivre. Si, il y a vingt ans, les consommateurs formaient une masse relativement homogène, clairement identifiable, aujourd'hui ils constituent une population fragmentée, kaléidoscopique. D'où l'extrême difficulté rencontrée par la publicité dans son désir d'atteindre, de convaincre le plus grand nombre. On ne fait plus mouche à tous les coups.

De ce point de vue-là, il est évident qu'une campagne qui nous parle du corps, de nos sensations, de la rosée, de l'herbe, qui caresse plutôt un visage que la musculature d'un Rambo correspond manifestement davantage à notre manière d'être.

Reste la grande question : ces ingrédients sont-ils suffisants pour faire vendre un produit ? Probablement de moins en moins. Pour deux raisons : d'abord, le consommateur est aujourd'hui plus nonchalant – le temps de latence entre le désir d'acheter et l'acte d'achat proprement dit n'a cessé de s'allonger. Ensuite, il a tendance à se montrer plus exigeant. Et à s'interroger : cette pub est belle, certes, mais qu'y a-t-il derrière ? Bref, on ne se laisse plus prendre par l'image.

1 Trouvez dans la liste de droite la bonne définition pour chacun des adjectifs *1–6* extraits du texte.

1	complexe	*a*	morcelé, divisé
2	homogène	*b*	changeant
3	fragmenté	*c*	difficile à contenter
4	kaléidoscopique	*d*	qui contient plusieurs
5	nonchalant		éléments différents
6	exigeant	*e*	dont les parties sont de
			même nature, cohérentes
		f	indolent

2 Comment le consommateur français a-t-il changé ? Relisez le texte et complétez les phrases suivantes, selon le sens du texte mais en utilisant vos propres mots.
  a Il y a vingt ans, les consommateurs…
  b Aujourd'hui, les consommateurs…
  c Leurs réactions sont…
  d Le consommateur réfléchit avant…
  e Il est devenu plus…

3 📼 Travaillez à deux ou à trois. Thème : est-ce possible de vendre des produits sans publicité ?
  a Discutez de la question (une minute au maximum) et notez vos réactions.
  b Ecoutez la cassette et répondez oralement aux questions suivantes :
    – pourquoi dirait-on que la publicité est indispensable ?
    – à votre avis, pourquoi les grandes surfaces ont-elles décidé de distribuer des produits sans marque ?
    – est-ce que les résultats de vente de ces produits ont été positifs ? Citez des statistiques pour illustrer votre réponse.
  c Discutez encore une fois de la question du début et rédigez ensemble une réponse. Mettez-y : vos opinions avant d'avoir écouté, les renseignements donnés dans l'enregistrement, ce qu'ils démontrent, et une conclusion.
    Exemple : *Nous aurions dit que tout produit a besoin de publicité pour être connu et acheté par le public. Cependant, il est vrai que les supermarchés arrivent à vendre…*

4 Avec votre partenaire, regardez ces trois publicités :
considérez le but de chacune.

a Décidez si, dans chacune, on a l'intention de nous
éduquer, informer, choquer, amuser, frapper, ou
faire rire.

b Comparez vos réponses avec celles d'autres
membres du groupe.

**Vous la trouvez craquante ?
Dites-vous que ses
"ex" aussi.** L'été est
le moment propice au
coup de foudre. Parler
du préservatif en-
semble et l'utiliser
systématique-
ment, permettent
de se protéger.
Contempler une
fille, lui sussurer des mots, sortir avec
elle, ne dit rien de son passé. Alors si vous
craquez, n'oubliez pas le préservatif et ce,
dès la première fois. Pour en parler, Sida
Info Service au 05.36.66.36.
Protégez-vous du sida.

Les jeunes et le Crédit Agricole

4,75%   MOZAïC CA

**Livret Jeune Mozaïc
+ carte Mozaïc**   CA

Ça va faire des jaloux.

5 [🔊] Travaillez à deux. Ecoutez quelques phrases
extraites d'annonces passées à la radio.

a Identifiez le but ou la signification de chaque extrait.
Exemple : *a On veut nous faire croire qu'il ne faut
pas manquer cette occasion exceptionnelle.*

b Ecoutez encore une fois. Ensuite, en vous inspirant
de ces extraits, préparez une ou deux annonces
(30 secondes) pour vendre un produit.

6 En groupe. A vous de préparer une campagne
publicitaire !

– Choisissez un produit, une action ou une idée.

– Identifiez la cible, c'est-à-dire, la section du
public que vous cherchez à toucher.

– Quelles techniques allez-vous utiliser pour
vendre votre produit ?

– Quel est votre message ? Comprend-il texte et
image ? Quel est le message caché ?

– Par quels médias (affiche, radio, télévision…)
allez-vous diffuser votre message ?

– Rédigez, esquissez, dessinez, enregistrez vos
publicités.

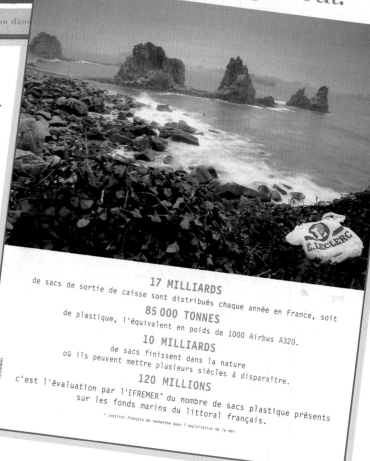

**Non, E.Leclerc ne veut pas
être présent partout.**

17 MILLIARDS
de sacs de sortie de caisse sont distribués chaque année en France, soit
85 000 TONNES
de plastique, l'équivalent en poids de 1000 Airbus A320.
10 MILLIARDS
de sacs finissent dans la nature
où ils peuvent mettre plusieurs siècles à disparaître.
120 MILLIONS
c'est l'évaluation par l'IFREMER* du nombre de sacs plastique présents
sur les fonds marins du littoral français.

* Institut français de recherche pour l'exploitation de la mer.

Les ados et l'actualité

> **Est-ce que vous aimez la télévision ?**
> **Que pensez-vous des informations télévisées ?**

1 Ces deux questions ont été posées à cinq jeunes Français. Avant d'écouter ces jeunes, familiarisez-vous d'abord avec eux en lisant ci-dessous les extraits de leurs réponses.

   a Ecoutez. Est-ce qu'ils regardent tous les journaux télévisés ?

   b Sinon, pourquoi ? Repérez et notez les raisons données.

2 Ecrivez un paragraphe pour donner votre réponse personnelle aux questions du haut de la page (80–100 mots).

> *Je ne regarde pas souvent la télé. Le soir j'ai trop de devoirs, et pour me relaxer, j'écoute de la musique ou la radio, de préférence dans ma chambre.*

> *Moi, j'aime bien la télévision, surtout les émissions qui me font découvrir d'autres cultures…*

> *Oui, d'habitude je regarde "Le 20 h" sur France 2. Je le trouve intéressant et en plus, ils ont tendance à analyser, à expliquer les événements-clés, surtout les événements internationaux. On a donc la possibilité de découvrir le monde et de se faire une opinion sur toute une gamme de sujets.*

Nicolas

Aïcha

Magali

Laurent

Fatima

> *Regarder la télévision est assez amusant, et parfois relaxant.*

> *J'estime que la télévision est un moyen très efficace pour apprendre.*

ZOOm *sur le pronom relatif : dont*

Dont est un pronom relatif invariable qui :

- peut représenter une personne ou une chose :
- *A* Les politiciens dont on parle ne répondent jamais aux questions posées.
- *B* Les journaux dont on parle sont assez difficiles à lire.

- est l'équivalent de *de qui*, *duquel*, *de laquelle*, etc. et sert à introduire une proposition qui est un complément d'un nom ou d'un adjectif :
- *C* L'article dont il est l'auteur a provoqué beaucoup d'intérêt. (= L'article duquel il est l'auteur…)

- sert à introduire une proposition qui est un complément d'un verbe suivi normalement de la préposition *de* :
- *D* L'équipe de journalistes dont elle s'occupe travaille chez Euronews. (– *s'occuper de* + objet : Elle s'occupe d'une équipe de journalistes qui travaille chez Euronews.)

- peut aussi remplacer *parmi lesquels* pour exprimer le mot anglais "including" :
- *E* Ces journalistes, dont quelques "vedettes", présentent un journal de 7 à 10 minutes.

3 Relisez les exemples *A–E*. Traduisez-les en anglais.

4 Combinez chaque paire de phrases de façon à n'en faire qu'une seule, en employant *dont*. *Exemple : a Les jeunes préfèrent les journaux courts, dont le plus rapide est "Le 6 minutes" de M6.*

   a Les jeunes préfèrent les journaux courts. Le plus rapide des journaux courts est *Le 6 minutes* de M6.

   b Les jeunes préfèrent les émissions qui abordent un sujet à partir de témoignages. *Envoyé spécial* et *Ushuaïa* sont parmi les émissions préférées des jeunes.

   c Ce journaliste vient de publier un article sur les JT. La carrière de ce journaliste s'est déroulée exclusivement chez TF1.

   d 45 chaînes numériques sont prévues d'ici la fin de l'année. On prévoit une chaîne Disney.

10h

Les quotidiens

1 Travail de vocabulaire. Lisez les définitions suivantes, et retrouvez dans le texte *Connaître vos journaux !* les mots qu'elles expliquent. (Utilisez votre dictionnaire.)

  a l'ensemble des thèmes traités dans un journal

  b la première page d'un journal

  c un article qui répond en un minimum de mots aux quatre premières questions de référence : qui ? quoi ? quand ? où ?

  d un court article de commentaire ou d'humeur sur un fait d'actualité

  e un article qui ne s'intéresse qu'aux faits, sans commentaire ni réaction

  f un article écrit à partir d'informations provenant de sources diverses (dossiers ou communiqués de presse, livres, interviews, etc.)

  g un rendez-vous pour le lecteur, souvent à thème (littéraire, gastronomique, etc.)

2 Travail de recherche. Faites la comparaison de deux journaux français : un régional et un national.

  a Quels sont les rubriques traitées dans chacun ?

  b Y a-t-il une différence dans l'ordre des rubriques dans les deux journaux ?

  c Trouvez dans les journaux un exemple de chaque genre journalistique (le billet, la brève, etc.).

Connaître vos journaux !

- Un Français sur dix lit un quotidien national.
- 51% des Français lisent régulièrement un journal régional.
- Un journal est divisé en rubriques : économie, politique, culture, société, sport, etc.
- Chaque rubrique comprend un ou plusieurs articles.
- La une d'un journal est très importante. 61% des Français disent qu'ils achètent un journal par curiosité, après l'avoir lue.
- Les journalistes utilisent différents genres journalistiques pour traiter de l'information : le billet ; la brève ; la chronique ; le compte rendu ; la critique ; l'éditorial ; le portrait, et bien sûr, l'interview, l'enquête et le reportage.

La vie d'un journaliste

3  Ecoutez une interview avec Nancy Gouin, journaliste à Reims, qui travaille pour le journal régional, *L'Union*.

  a Prenez des notes sur les aspects suivants :
    – le rôle d'un journal régional
    – la position de ce journal par rapport aux autres quotidiens
    – son travail et une journée typique
    – le rôle du journaliste, en général
    – les raisons pour lesquelles elle a choisi ce métier
    – ce qu'elle en pense.

  b Comparez vos réponses avec celles d'un(e) partenaire. A deux, résumez par écrit les informations données sur les aspects ci-dessus. Réécoutez l'interview, si nécessaire, pour vérifier et compléter votre résumé.

La liberté de la presse

La presse est-elle libre ? Est-il important d'avoir une presse sans pressions de la part des pouvoirs politiques et financiers ?

1 Lisez l'interview avec un journaliste, parue dans le magazine *Phosphore*. Trouvez les expressions qui signifient la même chose que les expressions ci-dessous.

a le cœur de l'affaire

b l'argent affecté à la publicité

c menacer

d ils ont envie de…

e la solidité de l'investigation

f par contre, au contraire

2 Relisez le dernier paragraphe sur ce qui limite la liberté de la presse. A votre avis, laquelle des trois limites mentionnées est la plus importante ? Justifiez votre réponse.

3 🔘 Ecoutez la cassette. On parle de l'avenir de la presse française. Notez :

a les problèmes qui menacent actuellement la presse française

b une solution possible aux problèmes financiers

c les actions des résistants en 1945 afin d'avoir une presse indépendante

d la situation actuelle.

« Un journal libre est un journal riche »

Une interview de Louis-Marie Horeau, journaliste

Phosphore : En France, à quels types de pressions les journaux sont-ils soumis aujourd'hui ?

Louis-Marie Horeau : Je crois que dans la presse, comme ailleurs, l'argent est le nerf de la guerre. Quand il y a pression politique sur un journal, ça passe toujours par l'argent.

Phosphore : Comment se manifestent ces pressions dans un journal ?

L-M Horeau : Dans un journal qui vit de la publicité, c'est simple. Prenez l'exemple de *L'Evénement du jeudi*. Lorsqu'il a publié des articles désagréables sur Peugeot, la direction du groupe automobile a retiré son budget de publicité de ce journal ! Ce genre de pratiques peut mettre en péril l'équilibre financier d'un journal.

Phosphore : On en revient toujours à l'argent…

L-M Horeau : Oui. Il y a une autre manière d'être dépendant. Aujourd'hui, des groupes industriels n'ayant rien à voir avec la presse, rachètent des journaux. Ces gens-là ont des intérêts énormes à défendre et, forcément, ils sont tentés, à un moment ou à un autre, d'utiliser leurs moyens de communication dans ce but.

Phosphore : Existe-t-il des limites à la liberté de la presse ?

L-M Horeau : Oui. Une fois que les conditions de la liberté sont réunies, cela ne veut pas dire qu'on peut faire n'importe quoi. Ensuite, la première limite est le sérieux de l'enquête, des faits et des preuves. Il m'est arrivé de ne pas publier des informations faute de preuves. La deuxième limite est la protection de la vie privée. Pour la boulangère du coin de la rue, c'est tout ce qu'elle vit en dehors de sa boutique, pour le président de la République, en revanche, c'est presque rien : sa vie sentimentale et, dans une certaine mesure, sa santé. J'avoue que sur cette question, certains journaux me donnent envie de vomir… Enfin, la troisième limite, dont on ne parle pas assez, c'est la limite technique de la pratique du métier de journaliste. Il y a parfois des affaires commerciales sur lesquelles on n'arrive pas à avoir la plus petite information publiable.

Ça se dit comme ça !

Les semi-voyelles

4 🔘 **a** Lisez, en écoutant les exemples enregistrés.

/j/ comme **ailleurs**
leurs **moyens** de communication

/w/ **oui** n'importe **quoi** du **coin** de la rue

/ɥ/ **aujourd'hui** **ensuite**

b Cherchez dans le dictionnaire la transcription phonétique des mots en caractères gras.

c Réécoutez et répétez les exemples.

5 a Travail à deux. *A* prend le rôle de Louis-Marie Horeau, *B* celui du/de la journaliste de *Phosphore*. Lisez l'interview ci-dessus à haute voix. Enregistrez-vous et réécoutez-vous. Faites attention aux semi-voyelles.

b Cherchez d'autres exemples des semi-voyelles dans les textes que vous lisez.

6 Lisez ce compte rendu de l'assassinat d'un journaliste algérien et répondez aux questions de votre professeur. Ensuite, imaginez que vous êtes rédacteur et résumez le texte pour en faire une brève (50 mots).

7 Imaginez ! Vous êtes journaliste. Vous venez d'interviewer quelques témoins de ce meurtre. Transposez leurs paroles, notées ci-dessous, en discours indirect. Lisez le *Zoom* d'abord.
Exemple : a Il a dit qu'il était arrivé au marché vers 10 h.

a Je suis arrivé au marché vers 10h.
b Nous ne l'avons pas remarqué dans la foule.
c Je me suis vraiment affolée.
d Ma femme et moi, nous nous sommes cachés derrière une boutique.
e C'est horrible. J'ai parlé avec la victime une demi-heure avant l'attentat.
f Je n'ai pas vu la figure de l'assassin. Il portait un casque.
g Nous avons appelé la police.
h Moi, je suis restée avec la victime.

Mille et une façons de faire taire un journaliste

Meceffeuk Mohamed avait à peine empoigné son vélomoteur, posé contre le petit muret qui longe le marché de Boukadir, un village situé à 250 kilomètres d'Alger, quand un tueur a surgit brusquement de l'ombre. Il a braqué son revolver et a tiré. Mohamed s'est effondré.

Pourquoi a-t-on assassiné cet homme à grosse moustache et cheveux ras ? Pourquoi a-t-on tué ce père débonnaire de six enfants ? Mohamed était journaliste. Il n'était pas l'une de ces plumes acérées qui démolissent un régime en cinq lignes et une religion en trois paragraphes. Non. Mohamed était simplement un bon journaliste. Il avait d'abord travaillé pour *El Watan* avant de collaborer à *Détective*, un hebdomadaire d'Oran. Dans ce journal, il a publié un reportage sur une affaire de trafic de drogue. Ce fut son dernier article.

Pourquoi a-t-on tué Mohamed ? Tout simplement parce qu'il était journaliste. Qu'il aidait modestement ses lecteurs à se forger une opinion. Qu'à sa manière, il luttait contre le fanatisme. Lorsque Mohamed s'est écroulé sans un mot, contre le petit muret du marché de Boukadir, le tueur s'est enfui. On ne l'a jamais retrouvé.

ZOOM sur le plus-que-parfait

Meceffeuk Mohamed <u>avait empoigné</u> son vélomoteur…
Il <u>avait travaillé</u> pour El Watan avant de collaborer à Détective.

Dans les exemples ci-dessus, les verbes soulignés sont au plus-que-parfait. Le plus-que-parfait exprime un événement qui s'est passé avant un autre, également passé.

On l'utilise également pour rapporter ce que quelqu'un a dit, dans le discours indirect :
– Je suis allé au marché à vélomoteur, a-t-il dit.
Il a dit qu'il <u>était allé</u> au marché à vélomoteur.

Pour former le plus-que-parfait :
• *avoir* à l'imparfait + participe passé
  J'avais regardé le journal.
  Il avait écrit son dernier article ce matin-là.
ou
• *être* à l'imparfait + participe passé
  Il s'était écroulé avant que personne n'ait pu venir à son aide.
  Elle était arrivée assez tôt.
16g Ils étaient partis avant la réunion.

Quel style choisir ?

Les journalistes utilisent différents styles pour obtenir le meilleur impact. Savoir les reconnaître vous permettra de mieux comprendre l'intention du journaliste, et ce que vous lisez vous paraîtra plus intéressant.

Dans cet article de *Libération,* on examine les problèmes posés aux publicitaires par la limitation actuelle de la publicité sur les alcools et les tabacs dans les journaux et dans les cinémas.

COMPÉTENCES

Entraînez-vous à lire rapidement un texte pour en tirer des détails spécifiques

• Avant de commencer, lisez toutes les questions auxquelles vous devrez répondre. Elles vous guideront et vous aideront à mieux comprendre le thème.

• Repérez surtout les noms et les chiffres. Ils indiquent les informations-clés.

La loi Evin, obsession des publicitaires

Les agences réclament sa révision dans un texte adressé aux parlementaires

L'Association des agences-conseils en communication (AACC), qui regroupe la quasi-totalité des agences de publicité françaises, a adressé vendredi un texte aux parlementaires réclamant la « *révision de la loi Evin* », relative à la limitation de la publicité sur les alcools et les tabacs. Cette loi, très critiquée depuis sa promulgation en janvier 1991 par les producteurs de tabacs, de boissons alcoolisées et l'ensemble des médias, devait faire l'objet d'un rapport d'évaluation au 1er janvier 1995. Celui-ci n'a jamais vu le jour.

L'AACC indique en préambule de son texte qu'elle « *ne méconnaît pas les objectifs de santé publique qui avaient inspiré les auteurs du texte* », mais constate que la loi « *n'a en rien contribué* » à améliorer la santé des Français. Cette position rejoint une étude de la Fédération nationale de la presse française publiée en novembre, qui révélait l'absence de corrélation, au sein des différents pays de l'Union européenne, entre la consommation de tabac et l'interdiction ou non de la publicité.

L'AACC note que la loi a déstabilisé le marché publicitaire et déplore un manque à gagner d'un peu moins de 900 millions de francs sur quatre ans, dont 275 millions pour le tabac et 600 millions pour les alcools. En second lieu, l'association s'inquiète de la perte de recettes pour les médias, qui « *atteint des proportions considérables* ». La publicité sur le tabac, presque totalement interdite, représentait en 1990 0,5% du total des investissements publicitaires. « *Cette part est aujourd'hui nulle* », constatent les auteurs du texte. La publicité pour les alcools, a vu ses investissements publicitaires passer de 2,9% en 1990 à 1,9% aujourd'hui. Le cinéma en a été la première victime avec 17,6% d'investissements publicitaires en 1990 contre 0% à l'heure actuelle. Assez logiquement, les agences publicitaires ont elles aussi subi le contrecoup de la législation. La perte dans ce secteur est évaluée à 35 millions de francs de la marge brute des agences. Pour corriger le tir, l'AACC préconise de nombreux amendements, dont le rétablissement de certaines formes de publicité comme le sponsoring pour le tabac ou encore un élargissement au cinéma de la publicité pour les alcools, assortie dans ce dernier cas « *d'un message à caractère sanitaire* ».

1 Lisez l'article et repérez les détails suivants :
   a la date de la loi Evin
   b la date du rapport d'évaluation manqué
   c les trois groupes d'industries qui ont perdu des recettes suite à la loi Evin
   d la somme totale que les industries de tabac et d'alcool auraient pu gagner sans les restrictions de cette loi
   e le secteur des médias le plus sévèrement frappé par ces restrictions
   f l'estimation de la perte de recettes subie par les agences publicitaires.

2 On fait un compte rendu à la radio des actions de l'AACC.
   a Avant d'écouter, notez les informations-clés de l'article. *Exemple : l'AACC réclame la révision de la loi Evin (janvier 91)*
   b Ecoutez la cassette. L'auteur du compte rendu a-t-il choisi les mêmes informations que vous ?

3 L'auteur de l'article utilise le style d'un journal sérieux :
   • il utilise un vocabulaire soutenu : *la quasi-totalité des agences de publicité françaises… depuis sa promulgation en janvier 1991…*
   • il utilise des expressions complexes : *Cette position rejoint une étude […] qui révélait l'absence de corrélation, au sein des différents pays de l'Union européenne…*
   • il traite des faits, sans exprimer une opinion.
   Relisez l'article. Trouvez d'autres exemples.

Reconnaître le registre d'un texte

L'article sur la loi Evin, page 88, contient un grand nombre de statistiques. Il y a bien d'autres moyens de rédiger un article. Vous allez analyser le style de quelques extraits (a, b, c et d) tirés de différents journaux français. D'abord, lisez-les !

4 a Trouvez un adjectif pour décrire chaque extrait. Attention : il y a plus d'adjectifs que d'extraits.
frivole   sérieux   moqueur   instructif
littéraire   tendancieux   objectif   amusant

b Pour chaque extrait, dites si le langage employé est :
– familier (le langage qu'on utilise entre amis ou parents)
– courant (le niveau "ordinaire", le français standard)
– soutenu (une langue soignée, élevée).

c Relisez les extraits. Trouvez d'autres exemples du registre : l'inversion (voir le *Zoom*), des citations, etc.

5 Travail de groupe. Vous êtes journaliste et vous devez préparer un article.
a Choisissez votre sujet. Un événement sportif ? Une question de politique ?
b Préparez ensemble trois versions différentes :
– une brève (50 mots)
– un compte rendu pour la radio (1–2 minutes)
– un reportage (250 mots), avec des images.
Discutez du registre de chaque version.

Zoom sur l'inversion du sujet

Après des mots tels que : *à peine, ainsi, aussi, du moins, peut-être, sans doute*, placés en tête d'expression, l'inversion verbe-sujet est fréquente dans la langue écrite soignée.
Sans doute étaient-ils prêts à réclamer.
Au moins n'est-il plus différent.
On utilise aussi l'inversion du sujet pour obtenir certains effets stylistiques, par exemple pour mettre un mot en valeur :
Nombreux sont ceux qui craignent…
A cela s'ajoute une augmentation de six points…

12

---

a

Les Français s'intéressent enfin au dentifrice

On a dit des Français qu'ils n'étaient pas très actifs, côté brosse à dents. D'après les statistiques, un million d'entre eux ne connaîtraient pas les joies du brossage, quand les autres ne changeraient d'outil qu'une fois par an. Les choses ne sont pas si simples. Ces dernières années, le marché a été en constante progression : la hausse est de l'ordre de 5% depuis deux ans. Cette salutaire réaction bucco-dentaire s'explique sans doute bien davantage par l'élargissement et la diversification de l'offre. Les rayons se sont spécialisés et les dentifrices « scientifiques » à forte valeur ajoutée s'apparentent désormais aux produits de beauté. En écho aux crèmes anti-rides, Vademecum propose une formule « Vital anti-âge gencives » : les outrages du temps n'atteindront pas la bouche des quinquagénaires. Les fabricants ont compris que la variété des produits participe dans l'éducation générale à l'hygiène, mais repose aussi sur un argument choc. Plus que jamais, un sourire présentable est une nécessité de la vie sociale.

---

b

La préfecture de police s'offre un bon sondage

Principales inquiétudes des Parisiens : pollution et sans-abri
Pollution, drogue, terrorisme, sans-abri…, le préfet de Paris Philippe Massoni s'estime heureux. Le sondage Sofres [1], réalisé à sa demande auprès des Parisiens pour mesurer « l'action de la préfecture de police », est tout à son avantage. Cette enquête révèle que 80% des habitants de la capitale se sentent en sécurité dans leur ville et 79% se disent « satisfait de l'action de la police » (contre 72% dans le précédent sondage en 1994). Mais nombreux sont ceux qui craignent (surtout chez les jeunes) la banalisation des contrôles d'identité, et ne veulent pas qu'ils deviennent « un moyen comme un autre pour maintenir l'ordre ». A cela s'ajoute une augmentation de six points par rapport à 1994 (56%) de ceux qui estiment n'avoir senti aucun changement quant au « respect par les policiers des droits des citoyens ». Autre constat : la pollution suscite une extrême anxiété. 79% des sondés ont déclaré en avoir peur, la même proportion que pour le terrorisme, et plus élevée que la crainte de la drogue (77%) et surtout des agressions dans la rue (61%).

(1) Effectué du 15 au 17 janvier auprès de 1 000 personnes.

---

c

Le **président** du Front National parlait de « Harlemisation » de la violence scolaire en France, jeudi dernier sur RMC. Il a été entendu par le député (démocrate) du quartier noir de New York. Charles B. Rangel a rejeté la comparaison comme « raciste ». Et M. Giuliani, porte-parole municipal, a affirmé que « les homicides à Harlem étaient tombés de 44,6 % ces deux dernières années ». Il n'a pas précisé, toutefois, si ses propres enfants étaient scolarisés dans ce quartier.

---

d

Cinq interpellations

Cinq personnes soupçonnées d'alimenter en drogue des boîtes de nuit parisiennes fréquentées notamment par une clientèle homosexuelle viennent d'être interpellées par la brigade des stupéfiants, qui a saisi plus de 4 kilos de cocaïne. L'un des suspects a indiqué, durant sa garde à vue, qu'il importait la marchandise du Venezuela.

Interlude

Point de vue d'un satiriste

Extrait de *Balivernes pour la levée du corps*
du journaliste Philippe Meyer.

PHILIPPE MEYER

*Balivernes
pour la levée du corps*

Introduction

Heureux habitants des départements français et des contrées
francophones circumvoisines ou plus éloignées, le volume
dont vous entamez la lecture et que l'on ne saurait trop vous
féliciter d'avoir acquis constitue rien moins que le septième
recueil des homélies prononcées cinq fois la semaine sur les
ondes de France-Inter dans le but de rendre moins pénible à ses
auditeurs l'inévitable levée du corps, de mettre du baritonage
dans le gargouillis de leur salle de bains ou de les divertir des
impressions panurgiques causées par le sur-place de leur
automobile à gaz de pétrole.

Ingéniosité

Heureux habitants de la Loire-Atlantique, qui fut longtemps
inférieure, et des autres départements français, dans ce temps de
crise que nous traversons, on entend souvent regretter le peu
d'esprit d'entreprise des Français. Je voudrais ce matin m'inscrire
en faux contre cette calomnie. J'ai en effet sous les yeux une lettre
adressée à diverses entreprises de spectacles par l'un de nos
compatriotes qui se parfume d'un certificat de marketing de
l'université de Berkeley, aux Etats-Unis. Cet homme annonce, je
cite, qu'il « vient de mettre en place une structure nouvelle
permettant l'utilisation de nouveaux espaces à vocation de
supports publicitaires dans des locaux fréquentés essentiellement
par un public relativement jeune et familial qui représente une
bonne part de la clientèle des entreprises de spectacles ».

Quels sont ces locaux ? Des pubs, des bowlings, des
discothèques, des laveries automatiques et les restaurants d'une
chaîne spécialisée dans les menus à prix fixes pas trop élevés. Et,
dans ces locaux, quels sont les espaces sur lesquels notre diplôme
de Berkeley a jeté son dévolu ? Je préfère lui laisser la parole :
« Ma société a disposé de nombreux panneaux dans les toilettes
de ces établissements, en face de chaque W.C. ainsi qu'au-dessus
des urinoirs. Ainsi situées, vous comprendrez aisément qu'il est
impossible de ne pas voir les affiches accolées sur ces panneaux. »

Fin de citation.
Nous comprenons
aisément, quoique
nous ne soyons
guère diplômés de
marketing. Mais
pour achever de
déclencher notre
enthousiaste
adhésion, le
conquérant des
toilettes nous
explique qu'à
l'avantage
spatial s'ajoute un atout psychologique. « Il
s'avère, écrit-il, que l'affichette de petit format lue à une distance
réduite par un consommateur disponible d'esprit dans un moment
d'intimité privilégiée présente un facteur d'imprégnation beaucoup
plus important que l'affiche conventionnelle. » Fin de citation.

Je ne veux pas savoir et même pas imaginer l'importance d'un
facteur d'imprégnation publicitaire au-dessus de la faïence
sanitaire. Je dois avouer que je fais partie de ceux qui ont
longtemps cru à une sorte de privilège d'extra-territorialité des
toilettes, même publiques, à leur inexpugnabilité, au caractère
sacré de l'asile qu'elles nous offrent à l'abri duquel chacun pouvait
se sentir vraiment maître chez soi. Mais voilà, cette page aussi est
tournée et il aura fallu le bicentenaire de la décollation de Louis
XVI pour que réussisse cette ultime offensive contre le trône.

Amis de l'intimité, le dernier carré de la résistance à la
communication marketinguée, c'est le huis clos de vos salles
de bains.

Je vous souhaite le bonjour.

Nous vivons une époque moderne.

25 janvier 1993

Bilan de l'unité 6

Survol 4, 5, 6

Révisez pages 78, 81

1 Ecrivez une lettre à propos d'une publicité qui ne vous plaît pas. Choisissez une pub (à la télé, à la radio, au cinéma, dans un magazine…) qui vous déplaît et écrivez à la direction de la société concernée ou au Bureau de vérification de la publicité pour exprimer votre opinion.
Exemple :
Monsieur
Je viens de voir votre dernière publicité à la télévision et je dois vous dire que je ne l'apprécie pas du tout. Vous vous servez d'images dangereuses, même effrayantes – surtout pour les petits…

Révisez page 62 *Compétences*

2 Entraînez-vous à **servir d'interprète**.
Imaginez que le débat sur la tauromachie, page 74, a lieu devant un public anglophone. Choisissez un participant : Jean-Louis Gomez, Monique Charles, Karine Laurent ou Xavier Merlin. Vous allez lui servir d'interprète pendant le débat.
a Ecoutez l'enregistrement plusieurs fois, seul(e) si possible. Arrêtez la cassette à la fin de chaque phrase de "votre" participant, et dites-la en anglais.
b Par groupes de cinq, traduisez le débat entier : chacun sert d'interprète à une personne différente (le présentateur ou l'un des participants).

Révisez page 87 *Zoom*

c Par écrit, transposez en **discours indirect** les extraits du débat qui suivent. (Faites attention aux temps des verbes !)
Exemple : 1 Le présentateur a dit qu'ils avaient choisi un sujet qui suscitait bien des émotions.
1 Nous avons choisi un sujet qui suscite bien des émotions.
2 Ce qui m'a surtout attiré c'est le côté tradition.
3 Les scientifiques ont montré qu'on ne souffre pas d'une blessure au moment où l'on est blessé.
4 Xavier Merlin, vous avez récemment tourné un documentaire sur la tauromachie.
5 Je suis d'accord avec Karine.
6 Les férias attirent des foules énormes dans la ville de Nîmes.

Révisez page 65 activité 4

3 Faire un reportage oral
Relisez l'article, page 87, relatant l'assassinat d'un journaliste. Vous avez une minute pour faire passer l'information à la radio. Préparez votre script et enregistrez-vous.
Exemple : Hier, dans le village de Boukadir, à 250 kilomètres d'Alger, Meceffeuk Mohamed a été tué…

Révisez pages 56–57, 58–59, 71 *Expressions-clés*, 81 *Zoom*

4 Jeu de rôle : travaillez à deux. *A* veut encourager l'usage des vélos, cyclomoteurs et motos, par tout le monde. *B* veut limiter cet usage, en élevant de trois ans la limite d'âge pour le permis moto.
Aspects à considérer : la sécurité, l'indépendance, les crise de la circulation automobile…
Exemple : A : Je suis persuadé qu'en favorisant les deux-roues, on aurait moins de difficultés à circuler dans le centre-ville…
B : Conduire une moto à 16–17 ans, c'est inacceptable. A partir de 18 ans,…

Révisez page 88 *Compétences*

5 Lire rapidement un texte pour en tirer des détails spécifiques. Relisez le texte du haut de la page 70 et repérez les détails suivants :
a les problèmes des éleveurs avant les années 60
b les causes principales du changement
c les exigences des consommateurs
d la valeur de production en 1960…
e … et en 1996.

Révisez page 68 *Zoom*

6 Ce qui ou **ce que** ?
Relisez le texte B page 89, donnant les résultats d'un sondage. Complétez par *qui* ou *que* les phrases suivantes.
a Ce …… plaît au préfet de Paris, c'est le message rassurant des résultats.
b Ce …… est plutôt menaçant, selon les jeunes, c'est la banalisation des contrôles d'identité.
c Ce …… la majorité estime très inquiétant, c'est la pollution.
d Ce …… est moins surprenant, c'est le grand nombre des Parisiens qui ont peur du terrorisme.
e Ce …… beaucoup des sondés craignent aussi, c'est la drogue.

Révisez page 60 *Zoom*

7 Le subjonctif
Relisez la brochure de la page 71. Complétez les phrases suivantes en changeant les infinitifs en subjonctifs.
a Il faut que les consommateurs [*réfléchir*] avant de faire leurs achats.
b Il n'est pas certain que l'élevage intensif [*s'expliquer*] sur le plan économique.
c Il vaut mieux que ces animaux [*être*] élevés en plein air.
d Il est possible que le stress pendant le transport [*rendre*] les animaux plus vulnérables.
e A moins que les gens ne [*changer*] leurs habitudes, ils continueront à priver ces animaux d'une vie normale.

Maintenant vous êtes journaliste…

Votre groupe travaille pour un quotidien régional et va réaliser :
• une partie de la une
• le dossier (2–3 pages intérieures du journal).
Sujet : un blocus imposé par les camionneurs sur les routes de France, et l'effet de ce blocus. Certains détails du blocus sont notés ci-dessous. Vous pouvez inventer des détails supplémentaires, ou si vous préférez, faire des recherches sur un blocus récent – en France ou dans votre pays.
Lisez également les conseils concernant la réalisation d'un journal ; ils vous aideront à bien vous organiser.

Réaliser un journal nécessite une bonne organisation

● Il est indispensable de planifier votre travail. La méthode la plus simple est de faire une **séance de remue-méninges** : à tour de rôle, chaque membre du groupe propose et explique ses idées.
● Procédez ensuite au **travail**. Chacun a une tâche à effectuer. Il est important de choisir son angle et de bien préparer son texte.
● Il est utile d'organiser une **réunion de suivi** pour faire le point sur le travail en cours. Chacun a la possibilité de donner son avis sur le travail de ses collègues et de faire partager ses idées.
● Le travail fini, une **lecture critique** est essentielle. Chacun donne son opinion sur le produit fini.

Les barrages et les problèmes montent…

La colère des camionneurs

En l'espace d'une semaine, des milliers de camions ont bloqué les routes et les autoroutes dans plusieurs régions. Plusieurs villes, notamment Bordeaux, ont été encerclées. Ce blocus commence à poser de sérieux problèmes à certaines usines qui ne peuvent recevoir les pièces dont elles ont besoin. Les raffineries de pétrole sont également bloquées, privant d'essence de nombreuses stations.

Le transport routier en chiffres

● Le transport routier assure à lui seul près de 74% des marchandises transportées contre seulement 15% au rail et 2,3% aux voies navigables.
● Le nombre de camions circulant sur les routes a fortement augmenté ces dernières années : 134 000 en 1983, 175 000 en 1994.
● Les produits agroalimentaires représentent 42% du volume des marchandises transportées, suivis des produits manufacturés (29%) et des matériaux de construction (17%).

A noter :
Près de 74% des marchandises transportées le sont aujourd'hui par la route. Le camion apparaît beaucoup plus souple, plus rapide et surtout moins cher d'environ 30% pour le client que le rail.
Les conséquences :
Le "tout camion" engendre de nombreux problèmes : accidents, nuisances pour les populations, saturation des grands axes de circulation…

L'avenir
Un projet combinant le rail et la route appelé "ferroutage" est à l'étude à la SNCF. Il permettrait d'acheminer chaque jour 30 000 camions par train entre Lille et Avignon. Mais cette "autoroute ferroviaire" ne serait réalisé qu'au début des années 2000.

Révisez pages 58–59, 64–65, 85

1 Utilisez le gros-titre ci-dessus. Ecrivez pour **la une** :
 a un compte rendu de la situation actuelle : la cause du blocus, les revendications des routiers, les conséquences, les régions concernées, etc.
  Exemple : Depuis cinq jours, des milliers de camions bloquent les routes. Les routiers ont monté des barrages et ils réclament…
 b un article sur les conséquences du blocus pour les automobilistes.
  Exemple : Après une semaine de barrages sur les routes de France, les problèmes montent pour les automobilistes…

Révisez pages 56, 58–59, 63, 70–71, 72, 88–89

2 Décidez ensemble du contenu de votre **dossier**. Partagez-vous les tâches, afin d'écrire :
 a une interview avec un agriculteur sur le transport des animaux et les problèmes que lui pose le blocus
  Exemple :
  – *Pourquoi choisissez-vous le transport routier plutôt que le rail, par exemple ?*
  – *Eh bien, la route, c'est rapide, c'est direct. Le camion arrive à la ferme…*
 b d'autres interviews avec des automobilistes ou avec des gens habitant le long des routes barrées
 c une enquête sur l'avenir du rail et de la route, surtout pour le transport des marchandises
 d d'autres articles… A vous de proposer des idées !

La pollution : les déchets nucléaires, le bruit

- La dissertation – mode d'emploi
- L'industrie nucléaire : connaître la vérité
- Ça sonne mal, la pollution sonore

l'énergie nucléaire
les centrales nucléaires
la radioactivité
le réchauffement de l'atmosphère
une manifestation pour/contre…
un machin* pour détecter…
les risques, les dangers de…

* *français familier*

1 A deux ou en groupe, discutez de ces illustrations.
  - Quelle est la signification des dessins ?
  - Qu'est-ce qui se passe sur la photo ?

2 A deux ou avec tout votre groupe, lisez à haute voix (et fort !) les mots onomatopéiques ci-dessous. Quels autres mots français de ce genre connaissez-vous ? (Cherchez dans des BD, si vous en avez !) Dites ce que chacun représente, par exemple : *Zzzzz – c'est une personne qui ronfle.* Dessinez-les.

La dissertation : par où commencer ?

Deux lycéens, Chloé et Kévin, ont chacun une dissertation de 500 mots à écrire avant la fin du trimestre (dans six semaines).

1 Ils notent les étapes par lesquelles il faut procéder.
   a A votre avis, ces étapes sont-elles dans le bon ordre ?
   b Travail à deux : discutez, puis recopiez la liste et renumérotez les étapes, si besoin est.
   Exemple : D'abord il faut choisir le sujet, non ?

Expressions-clés

Discuter des démarches à suivre :

D'abord il faut…
Premièrement, deuxièmement…
En premier/deuxième/dernier lieu…
Et ensuite/enfin, on doit + *infinitif*

nom	*verbe*
structures	structurer
prise	prendre
choix	choisir
vérification	vérifier

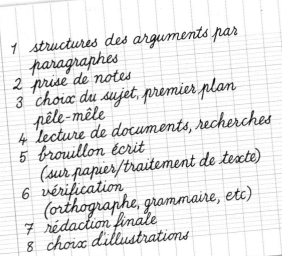

1 structures des arguments par paragraphes
2 prise de notes
3 choix du sujet, premier plan pêle-mêle
4 lecture de documents, recherches
5 brouillon écrit (sur papier/traitement de texte)
6 vérification (orthographe, grammaire, etc)
7 rédaction finale
8 choix d'illustrations

2 Ils se servent d'un ordinateur pour rédiger leur plan stratégique. Chloé choisit des images pour l'illustrer. Lisez le plan et mettez les images au bon endroit.

a   b   c

d   e   f

Plan stratégique

1 On choisit son sujet. On est guidé par :
- ses intérêts personnels (si le sujet plaît, on prendra plaisir au temps passé à préparer la dissertation)
- les documents disponibles : livres, articles de journaux, cassettes-vidéo, magazines, diapositives, photos, CD-ROM…
- les délais
  1re semaine : choix du sujet, évaluation des documents disponibles
  2e semaine : recherches, prise de notes
  3e semaine : structuration, brouillon
  4e et 5e semaines : rédaction
  6e semaine : vérification et choix d'illustrations.

2 On recherche des documents.
On consulte les rayons et le catalogue du centre de documentation du lycée, on interroge ses profs et ses amis (éventuellement des correspondants à l'étranger), on envoie des lettres afin d'obtenir des documents authentiques. Interviews ? Sondages ?

3 On prend des notes.
… mais comment les organiser ?

4 On fait un premier plan de la dissertation, suivi d'un brouillon.
- On esquisse une introduction, une conclusion et le sujet principal comportant cinq ou six paragraphes.
- On s'inspire des idées, des mots et expressions-clés vus dans les documents, mais on essaie d'exprimer ses idées à sa façon.
- On sélectionne des citations.

5 On vérifie, on corrige.
- A l'aide d'un dictionnaire et d'une grammaire, on essaie d'éliminer les erreurs et de trouver des expressions plus claires ou plus intéressantes à lire.
- On fait lire son texte à son/sa partenaire.

6 On rédige la version finale.
- On fait une dernière correction.
- On cherche des illustrations pour alléger et embellir le texte, en favorisant celles qui ont un rapport direct avec le texte.
- On pense à la présentation et à une bonne mise en page.
- Bibliographie : la liste des ouvrages qu'on a consultés (titre, auteur, éditeur, date de parution).

C'est fini, on se détend, content de soi !

Etes-vous cerveau gauche ou cerveau droit ?

Cerveau gauche ou cerveau droit : c'est utile à savoir…
ça vous aidera même dans vos études. Comment ?
Faites le test et lisez les explications en bas de la page.

Testez-vous ! Testez-vous !
Cochez la réponse de votre choix

1 Vous chantez :
a faux.
b juste.

2 Vous avez marché :
a tôt (entre neuf et douze mois).
b après douze mois.

3 Vous avez l'habitude de :
a parler peu.
b parler beaucoup.

4 Dans les disciplines sportives ou manuelles, vous êtes :
a adroit.
b plutôt maladroit.

5 Quand vous avez vu un film qui vous a plu :
a vous aimez revoir mentalement les scènes.
b vous aimez le raconter à quelqu'un.

6 Quand vous avez écouté une chanson, vous retenez mieux :
a l'air, la mélodie.
b les paroles.

7 Vous préférez :
a travailler à plusieurs.
b travailler seul.

8 Pour vous rendre au lycée :
a vous aimez varier votre trajet.
b vous prenez toujours le même chemin.

9 Quand vous évoquez vos vacances avec des amis :
a vous aimez leur montrer des photographies, des diapositives.
b vous aimez leur raconter ce que vous avez vécu.

10 Quand vous avez fait la connaissance d'une personne, vous retrouvez plus facilement :
a son visage.
b son nom.

Les résultats et ce qu'ils signifient :

■ Le cerveau est constitué de deux parties. Ces deux parties, en apparence identiques, ont en réalité des modes de fonctionnement différents. Chacun d'entre nous a généralement une préférence cérébrale.

■ Pour connaître la vôtre, faites le compte des réponses *a* et *b* du test. Coloriez une graduation de thermomètre correspondant à chaque réponse *a* ou *b*. Si les *a* l'emportent, le cerveau droit domine chez vous. Si les *b* l'emportent, c'est le cerveau gauche. Vous visualiserez ainsi votre profil cérébral.

Voici les "thermomètres" de Kévin et Chloé.

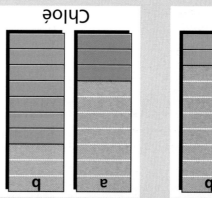

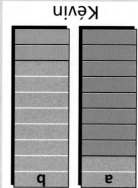

Kévin (cerveau droit) est "plus caméra que magnétophone" ; il préfère un croquis à un long discours. Il comprend sans difficulté un plan, un schéma, une carte, un graphique, bref, tous les messages visuels.

Chloé (cerveau gauche) a besoin de mots pour comprendre et retenir les informations. Elle aime dialoguer, poser des questions et préfère les explications verbales.

Regardez la façon dont Kévin et Chloé ont pris des notes à la page 97. Ils ont trouvé chacun une méthode qui correspond à leur profil cérébral.

Il est utile que vous connaissiez votre profil dominant. Cela vous aidera à prendre des notes pour préparer vos dissertations et, en général, à travailler d'une façon plus efficace **pour vous**. Toutefois, si vous fonctionnez de préférence sur un mode, gauche ou droit, il est important que vous entraîniez à mobiliser aussi l'autre partie de votre cerveau.

Les déchets nucléaires : prendre des notes

COMPÉTENCES

Avant de vous lancer dans la prise de notes sur un texte, soyez prêt(e) ! Il faut d'abord lire et comprendre le texte... Voici nos conseils : lisez-les et suivez les étapes proposées.

Note-taking from French: getting started

Use a sheet of paper to cover this page, and move it down to the next section only as you complete each activity. On the next page, Chloé and Kévin demonstrate some techniques for making notes on a text. But Chloé and Kévin are working on a text in their own language. As a non-native speaker, you need to start with some techniques to find your way into the text.

In the steps described on the right, you are not asked to read the text carefully word by word (you'll do that later) but to skim or scan it.

Now that you have a reason for reading the text (to answer your own questions) and you have dealt with unfamiliar vocabulary, you are ready to start!

1 Look first at this headline:

Les différentes catégories de déchets radioactifs et leur processus de traitement

What clues do you pick up about the subject matter of the text?

2 That headline is quite easy to decipher, as it has several cognates (words that have a similar form in more than one language, because they come from the same root, like *radioactif* and 'radioactive'). The most difficult word is *déchets*: can you guess this from the context? If not, look it up.

3 Now write down, in English, a couple of questions that you're expecting the text under that headline to answer.

4 Your questions might be:
– How is radioactive waste categorized?
– What does the treatment process involve?
– Which types of waste are the least/most radioactive?
– How long does the waste go on being radioactive?
– Where is it stocked and treated?
– How is security ensured?

Before looking at the text itself, think about what kind of answers it is likely to provide, and make a list of words, in French and, where you don't know the French word, in English, that you're expecting to meet. (This will be much easier if you are already familiar with the subject matter. Remember that most of the texts that you will meet during your course come from the French equivalent of British broadsheet newspapers or news magazines. The more you get into the habit of reading these, the more easily you will be able to predict the content of the French texts you meet.)

5 Now skim through the text (the article on page 97) and see if you can find any of your predicted words. The English words on your list may have a French cognate word which you will recognize.

6 Read the text again and try to use the context to guess any unknown words. If you have guessed but are not sure you're right, check by using a dictionary.

7 Skim through the text again and write down any words which are new to you and whose meaning you cannot guess.

8 Look up the meaning of those new words and write it down. Can you put these words into groups or 'sets' to help you remember them?

9 Now choose about three of the words from the text (preferably from among those that are new to you) and write down next to each of them another word that is associated with it in the text. You could, for example, find a verb that is used with a noun (*la catégorie... regroupe...*), an adjective that occurs with a noun (*les déchets radioactifs*) or two words that are linked by de (*la durée de vie*). Pairs of words that often occur together like this are known as collocations. You will find it useful to learn them in association with each other; and remember that in note-taking, collocations are more useful than single words when you come to the writing-up stage later.

10 Finally, do a quick scan to check the tenses of verbs used in the text. Written French offers very helpful visual clues to tenses: can you spot any examples of the future tense or of the passé composé in this text? What part-of-speech markers are you looking for when answering this question?

1 Chloé a trouvé dans un livre intitulé *L'Environnement*, un passage sur les déchets nucléaires. Pour la catégorie A des déchets, elle a noté des idées-clés et des mots-clés. Kévin aussi a pris des notes, mais à sa façon. Lisez le passage, puis leurs notes.

2 a Prenez des notes pour les catégories B et C (plutôt graphiques ou verbales, selon votre "cerveau").
b Comparez-les avec celles de vos ami(e)s.

Les différentes catégories de déchets radioactifs et leur processus de traitement

La catégorie A regroupe les déchets les moins radioactifs et dont la durée de vie est la plus courte. Ce sont aussi les déchets les plus nombreux : 25 000 m³ par an. Il s'agit pour l'essentiel des résines et des filtres utilisés pour traiter l'eau des circuits de refroidissement et des déchets de service tels que les gants, les outils et les combinaisons nécessaires aux opérations d'entretien ou de réparation. Pour la majorité de ces déchets, la moitié de la radioactivité disparaît en huit jours, puis la moitié de la moitié en huit autres jours, et ainsi de suite jusqu'au degré 0 de radioactivité. A la fin du siècle, ils représenteront un volume cumulé de 800 000 m³. Ils sont aujourd'hui stockés en surface sur le site de Soulaines dans l'Aube qui a succédé en 1992 au Centre de la Manche (près de l'usine de retraitement de La Hague) arrivé à saturation. C'est l'Etat qui est en charge de la surveillance de ces deux sites pour une période de 300 ans.

La catégorie B regroupe les éléments contaminés par des éléments à longue durée de vie tels que le plutonium 239 qui met 24 000 ans pour perdre la moitié de sa radioactivité. C'est parmi ces déchets B que sont rangés en particulier les morceaux métalliques provenant des assemblages de combustible de l'usine de retraitement de La Hague ainsi que les boues provenant de traitement des effluents de cette usine. Les déchets B représentent un volume de 4 000 m³ par an et ils représenteront un volume cumulé de 80 000 m³ à la fin du siècle. Ils sont actuellement stockés sur leur lieu de production mais ils doivent à terme être déposés à plusieurs centaines de mètres sous terre dans des formations géologiques (ils doivent en effet rester isolés pendant une période d'au moins 100 000 ans).

La catégorie C est constituée par les produits les plus dangereux qui proviennent du cœur des réacteurs nucléaires. Le combustible d'une centrale nucléaire est renouvelé régulièrement à raison d'un tiers tous les ans. Le combustible du "tiers sortant" est récupéré et traité dans l'usine de retraitement de La Hague afin de permettre la récupération de l'uranium et du plutonium. Mais cette opération entraîne la formation de résidus de combustibles aussi "brûlants" que le combustible lui-même. Ils forment les déchets C ; la France en produit environ 200 m³ par an ce qui représentera en l'an 2000 un volume cumulé de 1 800 m³ environ. Les déchets C sont destinés à être vitrifiés et sont coulés avec du verre dans des conteneurs d'acier inoxydable. A terme, ils seront probablement enfouis dans des centres de stockage souterrains mais ils doivent d'abord refroidir en surface pendant plusieurs dizaines d'années. Cet éventuel enfouissement des déchets C divise encore les spécialistes.

Chloé
Cat. A : les moins radioactifs
- durée de vie la plus courte, mais les plus nombreux
• résines, filtres, déchets de service
• ½ de la radioactivité disparaît en 8j. → degré 0
• à la fin du siècle : 800 000 m³
• stockés en surface
  (l'Etat en charge pour 300a.)

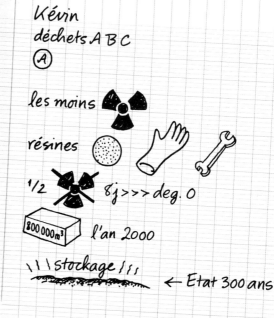

Les déchets nucléaires : peut-on avoir confiance ?

Chloé a trouvé plusieurs documents qui prennent des positions différentes sur le sujet. Lisez les extraits et faites les activités qui vous aideront à comprendre les points-clés.

A

Que faire des cendres des chaudières nucléaires ?

Deux solutions sont utilisées de nos jours. La première est celle des Américains. Ils stockent ces combustibles dans d'immenses piscines. Les produits à courte période disparaissent peu à peu. Dans 30, 40, 50 ans, ils espèrent avoir trouvé des solutions pour les produits à longue période.

Au contraire la France, comme d'autres pays, a décidé de séparer le plus tôt possible les produits actifs des autres dans des usines dites de retraitement. Les produits de fission concentrés sont alors vitrifiés en blocs compacts que l'on projette de stocker dans des couches géologiques profondes et stables à l'échelle géologique.

Une autre solution avait été utilisée autrefois : la dilution au fond des fosses océaniques. Le supplément d'activité dû aux quelques centaines de tonnes de déchets est négligeable devant l'activité naturelle de la mer.

Il ne faut pas oublier, dans l'évaluation de ce type de risques, que l'on produit chaque année 55 000 tonnes d'arsenic, de quoi tuer chaque année toute l'humanité, d'autant plus que la demi-vie de l'arsenic est infinie, et qu'on le retrouvera identique à lui-même à la fin des temps. Et pourtant beaucoup d'eaux de source contiennent 50mg d'arsenic par mètre cube.

L'Aventure nucléaire, C. Bienvenu

C

Plus de 4 milliards de tonnes de ces déchets nucléaires sont dispersés de par le monde.

Il a fallu que plusieurs scandales éclatent en France pour décider les autorités à demander des comptes sur tous les déchets nucléaires "oubliés". Les exemples de Saint-Aubin dans l'Essonne (où les blocs de béton fissurés ont laissé fuir, entre autres éléments, du plutonium et des boues radioactives...

... Si la conformité aux règles actuelles de radioprotection devaient être respectée pour ces déchets A et B, il faudrait prendre des mesures inapplicables : "Il ne faut pas penser à la protection des populations de l'avenir au point où nous ferions dix fois plus de dégâts sur les personnes actuelles". Autrement dit, les personnes employées à l'application de ces mesures seraient massivement irradiées...

... Avec son époque, Marie Curie pensait que l'emploi des rayonnements ionisants ne pourrait être que bénéfique à la santé et au progrès des hommes. Elle en est morte.

La Dignité antinucléaire, Deguillaume & Souny

B

Les écologistes contestent tout projet de stockage des déchets radioactifs

Après la publication récente d'un rapport, les opposants du nucléaire des Verts à Greenpeace, en passant par la Coordination nationale contre l'enfouissement des déchets radioactifs, réitèrent leur refus de toute idée de "stockage définitif". Ils préconisent l'entreposage des déchets "sur les lieux de production, en surface, sans retraitement" et une révision de la politique énergétique nationale visant à l'abandon progressif de la filière nucléaire.

"Aux Etats-Unis, on s'efforce d'utiliser les réserves indiennes. Ce rapport a su trouver, en guise d'Indiens, des populations rurales désespérées, prêtes à accepter une pollution pour des millénaires, dans l'espoir illusoire d'offrir du travail à leurs enfants" écrit Greenpeace dans un communiqué.

Le Monde

---

1 Prenez des notes sur les textes A et B, en recopiant et en complétant le schéma ci-dessous.

le stockage	où?	risques?
les Américains		
les Français		
les Verts et Greenpeace		
les Américains (selon Greenpeace)		

2 Quelle phrase résume le mieux le texte C ?
   a Il faut sacrifier la santé du personnel afin de sauvegarder les générations futures.
   b Les règles de radioprotection posent des dangers inacceptables pour le personnel qui doit les appliquer.
   c On peut toujours prédire et calculer les effets de la radioactivité.

3 Lisez le texte D. Quel est le mot qui manque cinq fois dans le texte ?

4 Estimez les valeurs qui manquent dans la liste du texte E.

5 Lisez le texte F. Quelle est le morceau de phrase qui manque ?
   a parce que les gens font confiance aux scientifiques.
   b parce qu'elles apparaissent plus lointaines.
   c parce que la plupart des gens approuvent le programme nucléaire.

D

A toutes les étapes de son histoire, la ~~█████~~ a gouverné le comportement de l'homme : ~~█████~~ de la nature et de ses dangers réels ou supposés, ~~█████~~ du manque, des autres hommes et surtout ~~█████~~ de l'inconnu : on n'a pas ~~█████~~ de ce que l'on comprend.

L'Aventure nucléaire, C. Bienvenu

F

Les craintes concernant l'environnement s'accroissent

Les accidents liés au développement technologique ont provoqué en France, comme dans d'autres pays industrialisés, une croissance des inquiétudes concernant l'environnement. Les préoccupations prioritaires concernent la pollution de l'eau courante et les maladies liées à la dégradation de la flore et de la faune (craintes plus répandues chez les femmes). Le réchauffement de l'atmosphère, les changements de climat et l'élimination des déchets sont ressentis comme des menaces moins importantes, sans doute [...............]. Le développement du nucléaire arrive en dernière position, bien que les Français lui soient majoritairement défavorables.

Francoscopie

E

Risques de la vie quotidienne

Voici les risques statistiquement équivalents qui conduiraient chacun à une augmentation de un millionième du risque de mort (ou, ce qui revient au même, à une augmentation de un millionième de la prime d'assurance à payer).

- 100 km en voiture
- **?** km en avion
- la consommation de **?** cigarette(s)
- **?** heures de séjour dans une pièce avec fumeurs
- **?** minutes d'alpinisme
- **?** heure(s) de pêche en mer
- absorption de pilules contraceptives pendant **?** semaines et demie
- **?** bouteille(s) de vin
- dose de 0,1 mSv de radioactivité soit :
  - exposition à la dose professionnelle maximale admissible pendant $\frac{1}{2}$ journée ;
  - dose reçue en moyenne pendant deux mois due au seul radiodiagnostic ;
  - séjour pendant trois ans au voisinage d'une centrale nucléaire.

L'Aventure nucléaire, C. Bienvenu

Faire la synthèse de documents   COMPÉTENCES

Avant de passer au schéma de sa dissertation, Chloé fait une synthèse de sa lecture sur une feuille double divisée en colonnes.

6 a Chloé a écrit les en-têtes de ses notes. Recopiez-les et complétez les notes, sur la base des textes (cherchez, dans chaque cas, le texte qui correspond).

b Pour le premier texte, Chloé a ajouté ses réflexions personnelles, à incorporer dans sa dissertation. Faites de même pour les autres textes.

c Faites une mise en commun de vos réflexions.

Les déchets nucléaires – synthèse de lecture

Que faire des déchets nucléaires ? Solutions :	Comprendre le nucléaire, c'est en avoir encore plus peur.	Ce qu'en pensent les Français.
		Des écologistes s'opposent au stockage de déchets.
+ la solution américaine : est-il juste de "condamner" les générations futures ? + la comparaison des déchets nucléaires avec l'arsenic – est-elle valable ?	Les risques des déchets nucléaires comparés à d'autres risques.	Accidents (cachés ?) avec les déchets nucléaires – dangers évidents.

Les déchets nucléaires – optimisme ou pessimisme ?

Chloé décide d'interroger plusieurs personnes sur le sujet des déchets nucléaires. Elle enregistre les opinions de deux personnes.

1 Ecoutez les interviews.
En voici quelques extraits. Placez-les du côté optimiste (*o*) ou pessimiste (*p*) de l'argument.
   a « Toutes les études menées sur les dangers montrent que le gaz naturel et le nucléaire sont des sources d'énergie beaucoup plus sûres que le pétrole et le charbon, par exemple. »
   b « Je ne sais pas s'il y a vrai danger ou pas, mais je ne voudrais pas habiter à côté d'un lieu de stockage. »
   c « Je n'ai pas grande confiance en ce que disent les scientifiques. Souvent ils disent qu'un processus est sûr et sans danger, et quelque temps après on découvre qu'il y a eu une catastrophe… »
   d « Les techniciens ont perfectionné des contrôles, et ces contrôles sont fréquents. Il faut leur faire confiance… Ils publient les résultats des analyses. »
   e « On a choisi le verre pour confiner les déchets, alors que le verre est un matériau fragile qui peut casser et qui risque de finir en poussière au bout de quelques centaines d'années. »
   f « Je crois que si le lieu de stockage est bien choisi, bien étudié, il n'y a pratiquement pas de risque. »

2 Réécoutez. A l'aide de ses sous-titres, écrivez les notes prises par Chloé.

	+	–
sécurité (fiabilité des scientifiques)		
risques actuels et futurs		
matériaux utilisés		
dangers pour les gens et pour l'environnement		

3 Travaillez à deux. Utilisez vos notes pour débattre le sujet. L'un de vous est plutôt optimiste, l'autre pessimiste.

ZOOm sur le futur antérieur

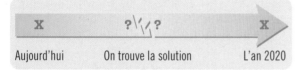

Avant l'an 2020 **on aura trouvé** *une solution plus sûre pour le stockage des déchets.*
La phrase ci-dessus parle d'un événement qui aura lieu dans le futur, mais avant (= antérieur à) une autre date future (l'an 2020). Le temps utilisé s'appelle donc le **futur antérieur**.

X	?|/?	X
Aujourd'hui	On trouve la solution	L'an 2020

Voici deux actions futures :
1 Greenpeace cessera ses opérations.
2 Toute menace pour l'environnement disparaîtra.
L'action 2 doit se produire avant l'action 1. Si on relie ces deux phrases par *quand*, c'est le futur antérieur qu'on utilise pour exprimer l'action 2 :
Greenpeace cessera ses opérations quand toute menace pour l'environnement **aura disparu.**

Notez que si l'on veut indiquer un passage de temps très rapide entre les deux actions, on utilise *dès que* de préférence à *quand* : *Je te téléphonerai dès que j'aurai terminé ma dissertation.*

Les formes du futur antérieur
Comme le passé composé, le futur antérieur se forme avec un verbe auxiliaire (*avoir* ou *être*) et un participe passé, mais puisqu'il s'agit d'une action future, l'auxiliaire est au futur.
Exemples : *j'aurai fait ; je serai parti(e)*

15e

4 Reliez ces paires de phrases avec le mot *quand* :
   a Je partirai en vacances.
     Je passerai mon bac.
   b Tu auras un yaourt.
     Tu mangeras tes légumes.
   c Le nucléaire sera une énergie plus sûre.
     On trouvera un moyen efficace de traiter les déchets.
   d Vous saurez la vérité sur cette affaire.
     Le livre de mes mémoires paraîtra.

5 Complétez ces slogans écologistes ; utilisez un futur antérieur.
   a La planète sera sauvée quand…
   b On croira au nucléaire quand…
   c Dès que… nous approuverons le nucléaire.
   d Les poissons retourneront dans nos rivières quand…

📹 Les déchets nucléaires à l'écran

Vous allez voir un extrait de l'émission de télévision *Ecolo 6* au sujet du stockage des déchets nucléaires en France. La première partie (film d'archive) nous montre le centre de la Hague (aussi appelé centre de la Manche) qui vient de fermer ses portes. La seconde partie décrit son successeur, le centre de l'Aube.

1 Avant de regarder l'émission :
  a Trouvez sur une carte, la Hague (côte de la Manche), la vallée de l'Aube et Troyes.
  b Cherchez le sens et le genre de ces mots que vous allez entendre :

> armature
> tumulus
> béton
> fût
> gravier
> argile
> enrobage

> alvéoles
> intempéries
> marteaux-piqueurs
> dotations

2 Regardez l'émission. Cinq des expressions suivantes figurent dans l'émission. Lesquelles ?

> colis de béton   laboratoires de recherches
> fûts métalliques   matériaux d'enrobage
> réacteur   l'enfouissement de déchets
> poussière radioactive   centre de stockage

3 Le commentaire du film d'archive est censé rassurer les spectateurs des années 70. Pourquoi est-ce qu'il ne nous rassure plus ?
Est-ce que, à votre avis, la description du centre de l'Aube nous rassure davantage ?

4 a Regardez encore une fois la section qui décrit le système de stockage au centre de la Hague (film d'archive). Voici un diagramme du système. Retrouvez (à droite) le texte de chaque légende A–E.
  b Regardez encore une fois la séquence sur le centre de l'Aube. Faites-en un diagramme avec des légendes.

5 L'émission fait référence à des problèmes à résoudre lors de la construction d'un centre de stockage :
  • connaître le contenu de chaque colis qui arrive
  • éviter de mélanger des colis dont la radioactivité n'a pas la même durée de vie
  • connaître l'emplacement exact de chaque colis, une fois enterré
  • empêcher la pénétration de l'eau
  • mesurer le niveau de radioactivité dans les alentours
  • empêcher les colis de prendre feu
  • prévenir les générations futures de l'emplacement des colis
  • convaincre la population locale d'accepter l'implantation du centre.
  a Avec un(e) partenaire, décidez pourquoi chaque point est essentiel.
  b Rappelez-vous ou imaginez des réponses à ces problèmes. Mettez vos solutions en commun.
  c Regardez encore une fois l'extrait de l'émission. Comment les responsables du centre ont-ils en effet abordé ces problèmes ?

terre
argile
containers en béton
gravier
fûts métalliques

Ça se dit comme ça !

Une langue parlée a, tout comme la musique, des hauts et des bas : c'est *l'intonation*. Il est important d'imiter l'intonation française.

Voici un extrait de l'émission de la page 101: les hauts et les bas (tons ascendants et descendants) sont indiqués.

« Voici comment va s'effectuer le stockage. On commence par constituer l'armature des tumulus avec des conteneurs en béton. Les fûts métalliques sont stockés ensuite à l'intérieur des compartiments créés par les conteneurs. »

6 🔊 Ecoutez et répétez les trois phrases en essayant d'imiter la prononciation du commentateur.

7 🔊 Ecoutez encore quatre phrases de l'émission, en faisant attention aux mots suivants. Pour chacun d'entre eux, dites s'il s'agit d'un ton ascendant ou descendant.

1 a) fûts   b) béton   c) identification   d) tumulus
2 a) achevé   b) gravier   c) colis
3 a) barrières   b) terre   c) argile   d) enrobage
  e) rôle   f) extérieur   g) environnement   h) déchets
4 a) réalisé   b) courte

La dissert prend forme…

COMPÉTENCES

Chloé a rassemblé tous les documents et les notes dont elle a besoin, elle a fait la synthèse de ses lectures, et elle peut maintenant faire le plan de sa dissertation.

8 Lisez le plan.

9 Ecrivez un de ses paragraphes et la conclusion de la dissertation.

Les déchets nucléaires: peut-on avoir confiance?

Intro : d'où viennent les déchets nucléaires? parcours bref du processus nucléaire civil, besoins énergétiques de la France, nécessité que la science saura maîtriser? ou risque inacceptable pour l'avenir?

Para 1 : la confiance des scientifiques
Para 2 : l'opinion publique (satisfaction ou ignorance?)
Para 3 : le point de vue des mouvements écologistes
Conclusion : synthèse du problème la moralité d'attendre une solution future ; mon opinion personnelle

Expressions-clés

Faire la synthèse d'arguments :

Les scientifiques prétendent/affirment/ constatent que… mais pourtant…
D'un côté on nous dit que…
  mais en revanche, …
  mais d'autre part, …
  mais par contre, …
Bien que beaucoup de gens se prononcent…, d'autres…
A ces arguments s'ajoute(nt) aussi…
Quelles conclusions peut-on tirer de… ?
Pour conclure, …
En définitive, …
On doit retenir/écarter l'hypothèse que…

Le bruit : pollution numéro un

1 a Le vocabulaire du bruit. A l'aide d'un dictionnaire, collectionnez autant de mots possibles (noms, verbes, adjectifs…) concernant le bruit. Faites un collage artistique, à l'ordinateur ou dessiné à la main.

b Lisez votre liste à un(e) partenaire qui fait claquer ses doigts chaque fois qu'il/elle entend un mot qu'il/elle ne connaît pas : vous l'expliquez en français.
Changez de rôle. Ensuite, changez de partenaire et répétez.
Exemple : *Le clapotis, c'est le bruit fait par les liquides, par exemple, une rivière qui coule, ou des vagues sur une plage.*

2 A l'aide des illustrations ci-dessous et en ajoutant vos propres idées, recopiez et complétez ce tableau du bruit dans l'environnement :

Lieu	Bruit	Conséquences
la rue	bruit des moteurs, coups de freins, klaxons	anxiété, stress, manque de concentration, accidents
une usine		
la maison		
le jardin		

3 Recopiez et complétez le tableau ci-dessous. Travaillez à deux.

a Discutez et mettez-vous d'accord sur la place que chacun des bruits de la liste devrait occuper sur l'échelle.

b Vérifiez vos résultats : y a-t-il des différences qui vous surprennent ?

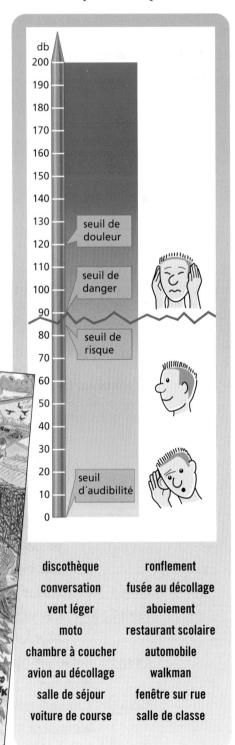

discothèque	ronflement
conversation	fusée au décollage
vent léger	aboiement
moto	restaurant scolaire
chambre à coucher	automobile
avion au décollage	walkman
salle de séjour	fenêtre sur rue
voiture de course	salle de classe

103

ZOOm sur le conditionnel passé

Entendu lors de la discussion de l'activité 3 :
A mon avis, le ronflement **ferait** *moins de bruit que la conversation.*

Et à la fin de l'activité : *Mais je croyais vraiment que le ronflement* **aurait fait** *moins de bruit que la conversation.*

La deuxième phrase contient un exemple du **conditionnel passé**, qui se forme avec l'auxiliaire *avoir* ou *être*, au conditionnel, et un participe passé.

19b

4 Lisez le *Zoom*. Composez d'autres phrases semblables pour commenter vos résultats de l'activité 3. Utilisez le conditionnel passé.
Pour varier ce que vous dites :
faire plus/davantage/moins de bruit que…
être plus/moins bruyant que…

5 [🔊] **Micro-trottoir sur le bruit.** Ecoutez quelques habitants de Reims. Faites le bilan des réponses – types et fréquence :
Bruits les plus gênants :
Bruits les plus agréables :

6 Lisez cet extrait de *Francoscopie*.
  a Selon le texte, quels sont les principaux responsables du bruit ?
    A-t-on parlé de ces bruits dans le micro-trottoir de l'activité 5 ?
  b Trouvez un équivalent français pour chacun des mots soulignés.

7 Voici le plan préparé par Kévin pour sa dissertation. Rédigez vous-même la dissertation, en utilisant (tout en adaptant) ce plan. Avant de commencer, faites une liste, avec un(e) partenaire, de conclusions possibles. (Il vous faudra faire plus de recherches avant de rédiger la dissertation.)

Le **bruit,** ennemi public numéro un

Le Français se plaignent plus du bruit que des autres nuisances. Deux millions d'entre eux sont exposés sur leur lieu de travail à des bruits jugés dangereux (supérieurs à 85 décibels, avec parfois des pointes à 120 décibels). Environ 20 000 plaintes sont enregistrées chaque année, dont plus de la moitié à Paris.

Dans la vie quotidienne, les véhicules sont les principaux responsables ; au cours des 25 dernières années, le parc automobile a triplé et le traffic aérien a décuplé. Les sirènes des voitures de police, la multiplication des systèmes d'alarme des logements et des voitures (dont beaucoup se déclenchent de façon intempestive) ont accru le niveau, déjà élevé, du bruit ambiant dans les villes.

Le bruit serait à l'origine de nombreuses maladies. Il est responsable de 15% des journées de travail perdues chaque année et de 20% des internements psychiatriques, sans oublier la consommation de certains médicaments (somnifères, hypnotiques).

Le bruit : ennemi public numéro un
Introduction : Les dimensions du problème ; nombre de gens touchés ; plus qu'une gêne, une vraie cause de souffrance.
Para 1 : Les causes - de quels bruits s'agit-il ?
Para 2, 3, 4 : Les effets - l'oreille, la santé, psychologiques.
Para 5 : Solutions? pas évidentes : la subjectivité du bruit
Para 6 : Conseils utiles pour faire diminuer la nuisance.
Conclusion : ???

Bilan de l'unité 7

L'art et l'architecture

- **Quel genre de peinture préférez-vous ?**
- **Les Parisiens aiment-ils les "grands travaux" ?**
- **Urbaniste : architecte ou ingénieur ?**
- **Transformer son environnement**

Le dadaïsme

le surréalisme

le futurisme

Monet

Degas

Matisse

le fauvisme

Renoir

le cubisme

Manet

l'impressionnisme

Cézanne

Gauguin

Van Gogh

l'expressionnisme

Braque

Pissarro

1 Connaissez-vous déjà des artistes français ? Lesquels des tableaux reproduits sur cette page vous sont familiers ? Lesquels des noms de peintres et de mouvements mentionnés sur la page connaissez-vous (même très peu) ?

2 Faites-vous vous-même de la peinture, du dessin ou de la sculpture ? Parlez-en à un(e) partenaire.

Les monuments historiques et les musées les plus visités

Les Français visitent, au moins une fois par an :
32% un monument historique,
30% un musée,
29% un magasin d'antiquités ou une foire brocante,
21% une exposition d'art.

Quel genre de peinture préférez-vous ?

1 Regardez les tableaux. Les reconnaissez-vous ?
Lequel préférez-vous ?

2 Lisez le texte. Pour chacun des mots ou expressions
sélectionnés, trouvez la bonne définition dans la
liste suivante.
  a ont travaillé avec zèle
  b un des meilleurs tableaux d'un artiste
  c les genres d'art qui se rapportent à l'Europe de
  l'ouest et aux Etats-Unis
  d fait naître un sentiment
  e ce qui suit, vient après
  f tableau
  g fait plaisir à
  h la cessation brusque de ce qui durait

    QUITTER

L'impressionnisme

Traditionnellement, **un chef-d'œuvre** invite à la contemplation, à la délectation. Il **réjouit** l'œil et l'esprit. Il **suscite** l'étonnement, l'émotion, le plaisir. On parle de chef-d'œuvre à propos des meilleures œuvres d'un artiste, celles qui sont jugées par les institutions comme les plus accomplies. Si la notion de "beauté" varie selon les époques, **l'art occidental**, quelles que soient les formes qu'il prend, ne représente que ce qui est beau depuis la Renaissance et jusqu'au début du XXe siècle.

Watteau : L'Amore quieto

Le XIXe siècle, jusqu'aux impressionnistes, avait été **la suite de** la peinture académique, où les peintres suivaient les codes et les règles établis, et se contentaient de reproduire simplement la réalité (paysages, portraits…). L'impressionnisme marque la première **rupture** avec ce genre.

Les impressionnistes **se sont appliqués** à peindre la lumière plutôt que l'objet ; à rendre les effets de la lumière sur les choses. Claude Monet a représenté dix-sept fois la cathédrale de Rouen, à des heures différentes de la journée.

Monet : Impression, soleil levant

Les impressionnistes rejettent aussi les sujets historiques, mythologiques, sentimentaux. Ils cherchent plutôt à fixer sur leur **toile** ce qu'ils aperçoivent à l'instant précis où ils peignent. Edouard Manet a choqué ses contemporains avec son *Olympia*, non pas parce que c'est une femme nue mais parce que le sujet n'est pas idéalisé.

Ça se dit comme ça !

Monet et Watteau (et leur chefs-d'œuvres)

Notez bien les "o" différents en français :
le o ouvert /ɔ/ et le o fermé /o/

3 📼 Regardez ces deux groupes de mots et écoutez
la cassette. Lisez-les à voix haute.

o ouvert /ɔ/	o fermé /o/
Monet	Watteau
soleil	beau
bonne	chose

4 📼 Quel "o" utiliser ? Décidez, à l'aide du
dictionnaire, comment prononcer les mots suivants.
Ecoutez la cassette pour vérifier votre prononciation.

tableau	objet	occidental	étonnement
beau	plutôt	code	propos

5 📼 Notez aussi le son "œ". Dans les mots suivants, il
se prononce comme dans "leur" :
  – un chef-d'œuvre /œvʀ/
  – un œil /œj/
Connaissez-vous d'autres mots qui contiennent "œ" ?
Cherchez-les dans votre dictionnaire.

6 Regardez ce tableau. Ecoutez un extrait d'une émission de radio sur le peintre Paul Cézanne. Mettez ces idées dans l'ordre où vous les entendez.

a La description des techniques cézanniennes

b L'importance de Cézanne

c Les différentes techniques des impressionnistes et des post-impressionnistes

d Sa recherche continue de nouvelles techniques

e L'évolution de ses nouvelles techniques, vue dans une série de tableaux

f Le refus des techniques traditionnelles

Cézanne : La Montagne Sainte-Victoire

Cézanne

Né à Aix-en-Provence en 1839, Cézanne y retournera souvent pendant sa vie d'adulte. Le paysage de la région le fascine, surtout la montagne Sainte-Victoire qui domine la ville. Cette montagne est parmi les motifs les plus importants pour Cézanne. Entre 1885 et 1890, il l'a représentée soixante fois, expérimentant inlassablement de nouveaux codes, de nouvelles techniques. Dans cette série, il réfute les règles académiques.

La juxtaposition des couleurs suffit à rendre simultanément le près et le lointain, la profondeur, au lieu du clair-obscur traditionnel. Chaque représentation devient de moins en moins compliquée et, à la fin de la série, il n'y a plus de distinction entre le fond et les formes, mais une unité de surface parallèle au plan du tableau.

le clair-obscur = effet de contraste produit par les lumières et les ombres

7 Le texte sur Cézanne contient des mots qui ressemblent en forme et en sens à des mots anglais. Traduisez en anglais les mots sélectionnés.

8 Ecoutez la réponse de quatre personnes à la question : *Quel genre de peinture préférez-vous ?* Notez :

a le nom des artistes mentionnés (voir page 105)

b les genres de peinture mentionnés

c les expressions utilisées pour exprimer une opinion sur les tableaux.

9 Préparez une présentation orale (3 minutes) d'un tableau que vous aimez.

a Faites des recherches sur l'artiste et sur le tableau.

b Quel genre de peinture est-ce ?

c Notez quelques dates importantes dans la vie de l'artiste, surtout la date du tableau.

d Décrivez le tableau : ses couleurs, sa construction, son atmosphère. Essayez d'exprimer les sentiments qu'il inspire.

Expressions-clés

Décrire les peintures :

Je suis très attiré(e) par…

Je préfère les peintures/les peintres réalistes/expressionnistes/impressionnistes.

Les tableaux de… me touchent beaucoup.

Ce qui m'intéresse/me fascine chez… , c'est…

Je veux dire que…

J'ai l'impression que…

Il semble que…

Au premier plan, on voit…

A l'arrière-plan/Au fond, il y a…

Ses tableaux sont hauts en couleur/baignés de lumière/très décoratifs.

Il/Elle utilise des couleurs brillantes/vives.

Les figures (ne) sont (pas) idéalisées/romantiques.

Les grands travaux, qu'en pensent les Parisiens ?

Les grands travaux, les monuments importants représentent une politique architecturale. Plusieurs Présidents de la Vᵉ République ont cherché à marquer Paris de leur empreinte. Mais il y a longtemps qu'on n'avait autant bâti de monuments dans la capitale. En deux septennats, François Mitterrand a inauguré onze grandes réalisations culturelles dont neuf portent sa marque.

1 Regardez le plan de Paris et écoutez cinq Parisiens parler des grands travaux.

a Notez le monument préféré de chaque personne.

b Réécoutez et notez les raisons données.

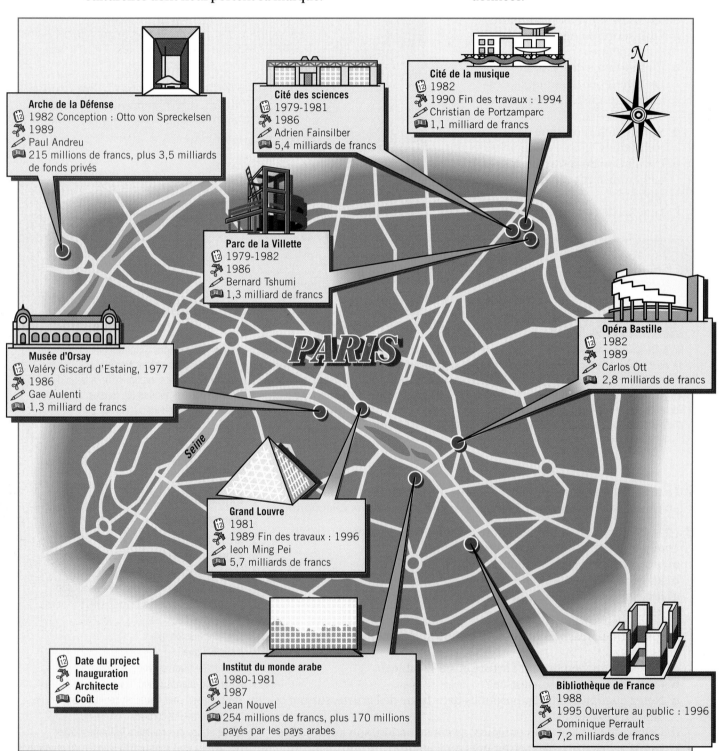

Arche de la Défense
- 1982 Conception : Otto von Spreckelsen
- 1989
- Paul Andreu
- 215 millions de francs, plus 3,5 milliards de fonds privés

Cité des sciences
- 1979-1981
- 1986
- Adrien Fainsilber
- 5,4 milliards de francs

Cité de la musique
- 1982
- 1990 Fin des travaux : 1994
- Christian de Portzamparc
- 1,1 milliard de francs

Parc de la Villette
- 1979-1982
- 1986
- Bernard Tshumi
- 1,3 milliard de francs

Musée d'Orsay
- Valéry Giscard d'Estaing, 1977
- 1986
- Gae Aulenti
- 1,3 milliard de francs

Opéra Bastille
- 1982
- 1989
- Carlos Ott
- 2,8 milliards de francs

Grand Louvre
- 1981
- 1989 Fin des travaux : 1996
- Ieoh Ming Pei
- 5,7 milliards de francs

Date du project
Inauguration
Architecte
Coût

Institut du monde arabe
- 1980-1981
- 1987
- Jean Nouvel
- 254 millions de francs, plus 170 millions payés par les pays arabes

Bibliothèque de France
- 1988
- 1995 Ouverture au public : 1996
- Dominique Perrault
- 7,2 milliards de francs

Seine

PARIS

2 📼 Lisez et écoutez le texte *Grands travaux = grands débats*.

a Faites la liste des expressions utilisées pour exprimer une opinion.

b Trouvez dans le texte une phrase équivalente à chaque phrase ci-dessous (*1–4*).

1 On est attiré par l'originalité de sa forme et des matériaux.
2 On admire la sobriété du bâtiment.
3 C'est l'endroit idéal pour exposer les chefs-d'œuvre de la peinture française.
4 On a construit un bâtiment qui est en harmonie avec ceux qui l'entourent.

c Discutez de vos réponses avec votre partenaire.

3 Lisez l'article sur la nouvelle Bibliothèque nationale de France, en bas de la page.

a Quel a été le problème le plus grave à surmonter ?
le feu   la guerre   l'inondation
les contraintes budgétaires   le soleil

b Répondez aux questions de votre professeur.

4 📼 Ecoutez la description de la Bibliothèque donnée par un guide.

a Notez les dates importantes et les événements-clés.

b Quelle est l'image suggérée par les quatre tours du bâtiment ?

5 Travaillez seul(e) ou à deux, pour faire la description par écrit d'un bâtiment ou d'un monument (ancien ou nouveau) que vous aimez. Faites des recherches.
– Où se trouve-t-il ?
– Décrivez-le.
– Qui en est l'architecte ?
– Quelles sont les dates de construction (l'annonce de sa création, son inauguration, …) ?
– Qui l'a inauguré ?
– Pourquoi choisissez-vous ce bâtiment ?

Pour vous aider, réécoutez la cassette pour l'activité 4 et regardez votre liste d'expressions de l'activité 2.

Grands travaux = grands débats

Les grands travaux font toujours l'objet de discussions passionnées. En France, un bâtiment sur quatre fait l'objet d'une mise en compétition. Et à l'attribution de chaque projet, commence une polémique. On admire, on déteste le projet. On adore la forme innovée ; on exècre sa forme étrange. On est attiré par la pureté des lignes ; c'est un bâtiment sans style, sans forme. Les murs courbes vont s'avérer parfaits pour les expositions ; le bâtiment se révélera peu fonctionnel. Le bâtiment proposé va défigurer le quartier ; la ligne s'intègre parfaitement à son environnement…

Bref… il est tout à fait impossible de construire un bâtiment public sans provoquer de vives réactions.

Menaces sur un grand projet

Pendant qu'il construisait la Bibliothèque nationale de France, l'architecte Dominique Perrault dut faire face à toutes sortes de questions. Et si les crues de la Seine inondaient les ouvrages stockés en sous-sol ? Et si le feu du soleil grillait ceux qui seront conservés dans les quatre tours, « signatures » de l'ouvrage ? Et si une explosion atomique frappait Paris ? Ou une chute de météorite ? Perrault répondit à tout. Mais personne n'avait prévu la pingrerie de Bercy. Le ministère du Budget menace aujourd'hui la BNF plus que l'eau ou les flammes. Selon nos informations, le plus coûteux et le plus contesté de tous les grands travaux mitterrandiens pourrait ne pas ouvrir ses portes à la date prévue, afin de faire des économies.

Les Français connaissent la BNF sous son sobriquet d'origine, la TGB. La Très Grande Bibliothèque. Les Parisiens voient ses quatre tours découper le ciel de ce coin pas franchement accueillant du XIIIe arrondissement, le quartier Tolbiac. Entre l'idée originelle, soufflée au président par Jacques Attali un 15 juin 1988, lors d'une visite chez les bouquinistes, et l'inauguration officielle, le 20 mars 1995, un septennat s'est écoulé. Une peccadille au regard de l'importance des travaux et de la férocité des combats, intellectuels et politiques, suscités par ce projet.

📹 *Que pensez-vous de l'art contemporain ?*

La séquence vidéo est extraite de *Graffiti*, le magazine culturel de Télé Millevaches (voir l'unité 3, pages 44–45). Cet extrait présente le Centre d'art contemporain au lac de Vassivière, près de Limoges.

1 Regardez la première partie de la séquence. Après une introduction générale, on observe les œuvres. Selon vous, le reporter est-elle favorable à l'art contemporain ?

2 Regardez la deuxième partie. Ecoutez bien les opinions des visiteurs. Parmi les femmes 1, 2, 3 et l'homme, qui dit… ?
  a C'est trop moderne.
  b C'est un peu trop vague.
  c Ça nous amuse.
  d Ça ne m'inspire pas.
  e On n'y comprend rien.
  f Ça veut tout dire et rien dire en même temps.
  g Ça doit inspirer un certain respect du travail.
  h C'est pas sérieux. On se moque de nous.
  i Je ne suis pas convaincu(e).

3 Ensuite, l'artiste Henri Cueco parle de l'art contemporain. Retrouvez les mots qui manquent dans les extraits suivants.

  a Il faut qu'il s'informe, qu'il se cultive, et puis après…
  b Si au 19ème siècle les artistes cherchaient… , on peut dire qu'à partir de Cézanne, ils cherchaient plus…
  c Je devrais dire… , car il y a autant de vérités qu'il y a…
  d Si l'œuvre est une question, elle n'est pas…

4 Et vous, que pensez-vous de l'art contemporain ? Ecoutez les opinions de la classe.

5 Oui ou non à l'exposition ? Travaillez à deux.
  A : Vous proposez une exposition d'art contemporain dans votre quartier. Vous devez persuader le représentant des habitants.
  B : Vous êtes le représentant des habitants du quartier où l'on propose une exposition d'art contemporain. Vous vous y opposez. Que dites-vous ?
Préparez vos idées avec des collègues qui prennent le même rôle que vous. Regardez la séquence encore une fois et préparez une liste d'expressions-clés pour vous aider.

A vous de créer ! COMPÉTENCES

Cette peinture peut servir comme point de départ d'un millier de compositions différentes. On donne libre cours à son imagination et… on se régale !

6 Imaginez que vous faites partie de la foule. Vous allez raconter votre journée, par écrit.
Avant de commencer, trouvez au moins six possibilités différentes, seul(e) ou avec un(e) partenaire. Ensuite, choisissez-en une qui vous intéresse plus particulièrement, et faites un plan. Posez-vous des questions pour vous aider, par exemple :
  – Avec qui passez-vous la journée ?
  – Pour quelle raison êtes-vous là ? Pour le plaisir, le travail ?
  – Que pensez-vous ? Vous amusez-vous ?
  – Qu'avez-vous fait avant cette scène, et que ferez-vous après ?

7 a Ecrivez votre composition au brouillon.
  b Lisez votre composition. Essayez d'être critique : que pouvez-vous ajouter (ou enlever) pour la rendre plus intéressante ? Pensez à y mettre plus de détails et plus d'adjectifs. Evitez d'utiliser toujours les mêmes expressions.

Renoir : Le Moulin de la Galette

  c Il est important de corriger votre français, alors relisez-vous plusieurs fois ; chaque fois, cherchez des fautes dans une des catégories suivantes.
    – Faites attention aux accords des verbes et des adjectifs.
    – Vérifiez le temps des verbes.
    – Vérifiez le genre des noms dans un dictionnaire.
    – Vérifiez l'orthographe des mots problématiques.
    – Demandez à votre partenaire de lire votre composition et lisez la sienne. (On voit les fautes des autres plus facilement que les siennes !)
  d Après avoir tout corrigé, recopiez votre composition.

Interlude

Dans son roman *L'Œuvre*, Emile Zola décrit l'effort de la création d'un œuvre d'art. Dans cet extrait, l'artiste, Claude Lantier, travaille à une grande toile – des gens se reposant dans une forêt, au soleil – et discute de l'art avec son ami, Sandoz, écrivain, qui pose pour la peinture. On peut voir dans les deux amis, Claude et Sandoz, le reflet de l'amitié de Cézanne et Zola.

Émile Zola
L'Œuvre

Claude passait devant l'Hôtel de Ville, et deux heures du matin sonnaient à l'horloge, quand l'orage éclata. Il s'était oublié à rôder dans les Halles, par cette nuit brûlante de juillet, en artiste flâneur, amoureux du Paris nocturne. Brusquement, les gouttes tombèrent si larges, si drues, qu'il prit sa course, galopa dégingandé, éperdu, le long du quai de la Grève. Mais, au pont

PRESSES ♥ POCKET

Il se tut, se recula pour juger l'effet, s'absorba une minute dans la sensation de son œuvre, puis repartit :

« Maintenant, il faut autre chose… Ah ! quoi ? je ne sais pas au juste ! Si je savais et si je pouvais, je serais très fort. Oui, il n'y aurait plus que moi… Mais ce que je sens, c'est que le grand décor romantique de Delacroix craque et s'effondre ; et c'est encore que la peinture noire de Courbet empoisonne déjà le renfermé, le moisi de l'atelier où le soleil n'entre jamais… Comprends-tu, il faut peut-être le soleil, il faut le plein air, une peinture claire et jeune, les choses et les êtres tels qu'ils se comportent dans de la vraie lumière, enfin je ne puis pas dire, moi ! notre peinture à nous, la peinture que nos yeux d'aujourd'hui doivent faire et regarder. »

Sa voix s'éteignit de nouveau, il bégayait, n'arrivait pas à formuler la sourde éclosion d'avenir qui montait en lui. Un grand silence tomba, pendant qu'il achevait d'ébaucher le veston de velours, frémissant.

Sandoz l'avait écouté, sans lâcher la pose. Et, le dos tourné, comme s'il eût parlé au mur, dans un rêve, il dit alors à son tour :

« Non, non, on ne sait pas, il faudrait savoir… Moi, chaque fois qu'un professeur a voulu m'imposer une vérité, j'ai eu une révolte de défiance, en songeant : « Il se trompe, ou il me trompe. » Leurs idées m'exaspèrent, il me semble que la vérité est plus large… Ah ! que ce serait beau, si l'on donnait son existence entière à une œuvre, où l'on tâcherait de mettre les choses, les bêtes, les hommes, l'arche immense ! […] enfin, le grand tout, sans haut ni bas, ni sale ni propre, tel qu'il fonctionne… Bien sûr, c'est à la science que doivent s'adresser les romanciers et les poètes, elle est aujourd'hui l'unique source possible. Mais, voilà ! que lui prendre, comment marcher avec elle ? Tout de suite, je sens que je patauge… Ah ! si je savais, si je savais, quelle série de bouquins je lancerais à la tête de la foule ! »

Il se tut, lui aussi. […]

« Ah ! tout voir et tout peindre ! reprit Claude, après un long intervalle. Avoir des lieues de murailles à couvrir, décorer les gares, les halles, les mairies, tout ce qu'on bâtira, quand les architectes ne seront plus des crétins ! Et il ne faudra que des muscles et une tête solides, car ce ne sont pas les sujets qui manqueront… Hein ? la vie telle qu'elle passe dans les rues, la vie des pauvres et des riches, aux marchés, aux courses, sur les boulevards, au fond des ruelles populeuses ; et tous les métiers en branle ; et toutes les passions remises debout, sous le plein jour ; et les paysans, et les bêtes, et les campagnes !… On verra, on verra, si je ne suis pas une brute ! J'en ai des fourmillements dans les mains. Oui ! toute la vie moderne ! Des fresques hautes comme le Panthéon ! Une sacrée suite de toiles à faire éclater le Louvre ! » […]

Claude, qui se reculait maintenant jusqu'au mur, y demeura adossé, s'abandonnant. Alors, Sandoz, brisé par la pose, quitta le divan et alla se mettre près de lui. Puis, tous deux regardèrent, de nouveau muets. Le monsieur en veston en velours était ébauché entièrement ; la main, plus poussée que le reste, faisait dans l'herbe une note très intéressante, d'une jolie fraîcheur de ton ; et la tache sombre du dos s'enlevait avec tant de vigueur, que les petites silhouettes du fond, les deux femmes luttant au soleil, semblaient s'être éloignées, dans le frisson lumineux de la clairière ; tandis que la grande figure, la femme nue et couchée, à peine indiquée encore, flottait toujours, ainsi qu'une chair de songe, une Eve désirée naissant de la terre, avec son visage qui souriait, sans regard, les paupières closes.

« Décidément, comment appelles-tu ça ? demanda Sandoz.

– Plein air » répondit Claude d'une voix brève.

Zoom sur le passé simple (2)

Retrouvez ces phrases dans l'extrait de *L'Œuvre*, page 111.
Il **se tut**, **se recula** pour juger l'effet...
Sa voix **s'éteignit** de nouveau...
Un grand silence **tomba**...
Puis, tous deux **regardèrent**...

Ces verbes sont tous au <u>passé simple</u>.
Le passé simple s'emploie surtout dans les récits historiques et les œuvres littéraires.
Son équivalent dans la langue parlée est le <u>passé composé</u>.

Relisez le *Zoom* page 40.

A noter :
s'asseoir : je m'assis, il s'assit, nous nous assîmes
avoir : j'eus, il eut, nous eûmes
écrire : j'écrivis, il écrivit, nous écrivîmes
être : je fus, il fut, nous fûmes
faire : je fis, il fit, nous fîmes
prendre : je pris, il prit, nous prîmes
tenir : je tins, il tint, nous tînmes
venir : je vins, il vint, nous vînmes
vivre : je vécus, il vécut, nous vécûmes
voir : je vis, il vit, nous vîmes

Il vaut mieux apprendre les terminaisons de toutes les personnes du verbe : mais ce sont les formes de la 3ème personne (sing. et pl.) qui s'emploient le plus souvent.

16i

Le passé simple et l'imparfait
Relisez le dernier paragraphe de l'extrait page 111. Repérez les verbes. Avec un(e) partenaire, identifiez le temps de chaque verbe et expliquez l'usage de ces temps.

1 Recopiez ces phrases et mettez les infinitifs au passé simple.
a Pierre [*se trouver*] en face de la gare.
b Il [*se dépêcher*] pour rattraper Henri.
c Les deux hommes [*s'asseoir*] devant le café.
d Las d'attendre, le garçon [*enlever*] les verres vides.
e « Il est bien évident, [*continuer*]-t-il, que tout le monde se moque de moi.
f Henri [*rire*]. Alors pourquoi restes-tu à l'Ecole? » [*demander*]-t-il.
g Ils [*partir*] ensemble. Puis ayant quitté son ami, Pierre [*revenir*] dans la direction du café.
h Il [*rester*] un moment immobile. Assise devant le café, lui souriait Hélène.

La fac idéale ?

2 Lisez le texte et notez les renseignements donnés sur :
a le style d'architecture
b les matériaux
c les problèmes (il y en a deux)
d la conséquence
e les avantages prévus des matériaux et du style du bâtiment.

1965, Paris, faculté des sciences de Jussieu
Sur le papier, c'était la fac idéale. En fait, un enfer

Le plus important campus de France (70 000 étudiants, soit 7% de l'ensemble des étudiants français !) est un exemple de l'architecture « tubulaire métallique » de l'architecte-ingénieur Edouard Albert, le maître d'œuvre. Des pilotis d'acier de 22 centimètres de diamètre et 4,90 m de haut, supportant des bâtiments aux éléments préfabriqués, rationalisés et à la pose rapide, devaient libérer 6 hectares de sol, rendant ainsi le campus « convivial ». La dégradation rapide de l'ensemble ainsi que le vent qui s'y engouffre en ont fait un espace particulièrement désolé et inhumain.

Zoom sur les pronouns y et en

« La dégradation de l'ensemble et le vent qui s'**y** engouffre **en** ont fait un espace désolé. »

Le pronom *y* représente :
– "there" : Tu es allé **au musée** ? J'**y** vais samedi.
– à + un nom (animal ou chose) : Elle a écrit **au musée**. Elle **y** a écrit.
– à + une idée : Cézanne renonce **au contour des formes**. Il **y** renonce.
– à + infinitif : Les artistes ont réussi **à recomposer** la réalité. Ils **y** ont réussi.

10c.d

Le pronom *en* représente :
– un nom précédé d'un mot exprimant une quantité : Il n'y a pas beaucoup de **musées d'art** dans la région. Il n'**en** a pas beaucoup.
– de + un nom : Que pensez-vous **du tableau** ? Qu'**en** pensez-vous ? Tout le monde **en** parle.

Y et *en* avec d'autres pronoms
Notez bien l'ordre des pronoms dans une phrase :
Ils sont allés au musée, je **les y** ai emmenés hier.
Le prix ? Je **lui en** ai parlé, mais rien à faire.

C'est quoi, l'urbanisme ?

L'urbanisme : aménagement des quartiers, des zones commerciales : le paysage de nos villes est façonné par cette discipline.

A Urbanisme et architecture : définitions
Depuis l'Antiquité, les hommes ont le souci d'organiser la ville, en distinguant par exemple les espaces publics et privés, les lieux dévolus au commerce ou aux loisirs… Mais l'urbanisme en tant que discipline est né en Europe, à la fin du XIXᵉ siècle.

B L'urbanisme entend répartir les hommes et organiser leurs activités le mieux possible.

C Impossible, donc, de dissocier les deux.

D Les urbanistes collaborent fréquemment avec des architectes, mais aussi avec des ingénieurs, des paysagistes, des sociologues…

E Un projet urbain se différencie d'une architecture par sa taille : un quartier, une ville, une zone industrielle ou rurale, et non un bâtiment isolé. Mais c'est l'architecture qui donne au projet urbain son volume et ses formes dans l'espace.

F Tous les grands domaines de la vie quotidienne sont donc concernés : le logement, le travail, les transports et les loisirs.

G L'essor de la société industrielle à cette époque, allié à une forte croissance démographique, entraîne des exigences nouvelles d'organisation : plus question de laisser la ville se développer au hasard.

H L'urbanisme repose sur des fondements théoriques. Il comporte aussi un volet juridique (le droit foncier, qui regroupe les lois concernant les terrains).

1 Les fragments de texte ci-dessus constituent une description du développement de l'urbanisme, mais elles sont dans le désordre.
  a Remettez-les dans le bon ordre.
  b Identifiez la fonction de chaque fragment. Choisissez entre :
   introduction   introduction d'une idée
   développement d'une idée
   exemple ou illustration   explication
   détails qui confirment un argument
   résumé   conclusion

2 Lisez l'article dans l'ordre. Reliez les débuts et fins de phrases qui suivent.
  1 Le développement des villes industrielles a produit…
  2 Il n'était plus possible de…
  3 En aménageant les villes, les urbanistes s'occupent de…
  4 L'urbanisme est une discipline complexe, liée aux…
  a l'organisation des activités de leurs habitants.
  b laisser les villes évoluer sans l'intervention des urbanistes.
  c sciences humaines, à l'architecture et à la vie politique.
  d des conditions nouvelles d'aménagement des villes.

3 Retrouvez ces verbes. Que signifient-ils, dans ce texte ?
  entraîner : = emmener ?   = avoir pour conséquence ?
  entendre : = vouloir ?   = écouter ?
  comporter : = consister en ? = inclure ?

4 📷 Ecoutez Jeanne Haushalter, urbaniste, qui parle d'un projet d'aménagement à Reims.
  a Que dit-elle sur :
   – l'usage précédent de l'îlot ?
   – l'usage qu'on envisage pour les bâtiments réhabilités ?
  b Qui sont les trois partenaires principaux dans le projet ?
  c Dans quelle mesure et par quels moyens vont-ils changer l'image du quartier ?
  d Quelles seront les conséquences pour les alentours de l'îlot ?

un îlot = groupe de bâtiments
une voirie = réseau de voies, de routes
délester = décongestionner
l'INSEE = l'Institut national de la statistique et des études économiques

La ville en question

Actuellement en France, on lance des projets pour sauver les quartiers en difficulté, les quartiers devenus ghettos, surtout dans les banlieues. On parle de la crise, de l'échec de l'architecture, surtout dans les quartiers où les grands immeubles ont provoqué un sentiment d'exclusion. Mais quelle en est l'histoire ?

A Le sort des banlieues est d'abord lié à celui du logement social. 80% des habitations à loyer modéré s'y trouvent concentrées, pour le meilleur et pour le pire.

B Au lendemain de la Seconde Guerre mondiale, l'Etat se lance dans un programme de construction sans précédent. Les besoins sont énormes : aux destructions de la guerre (400 000 logements détruits, 1 500 000 endommagés) s'ajoutent les besoins nés de l'exode rural (afflux de paysans vers les villes) et de l'appel à la main-d'œuvre étrangère.

C C'est l'occasion pour Le Corbusier et ses émules d'appliquer, pour la première fois, à grande échelle, leurs théories. Des tours et des barres, principalement constituées d'habitations à loyer modéré (HLM) dits « logements sociaux », s'ancrent dans le paysage. S'y installent les familles les plus nécessiteuses ainsi que quelques représentants des classes moyennes tentées par ce mode d'habitat nouveau.

D Dans les années 1970, les grands ensembles vont connaître toutes sortes de problèmes : matériels, avec leur dégradation rapide, et sociaux, avec la montée d'un sentiment d'exclusion. Les premières flambées de violence dans les années 1980 mettent en évidence le phénomène du ghetto.

E Les tentatives pour revaloriser les cités (remise en état, équipements…) se succèdent alors, mais sans grand résultat. L'Etat doit en outre faire face, à partir des années 1990, à la montée d'une nouvelle pauvreté. Actuellement, avec près d'un million de sans-logis, la France est de nouveau confrontée à une pénurie de logements sociaux. Mais l'euphorie de la reconstruction n'est plus en mise. A quelques exceptions près, les urbanistes actuels ont déserté la banlieue, qu'ils trouvent trop dure, trop ingrate, ainsi que le logement social, qui les oblige à travailler avec peu de moyens. Conscient de la situation, l'Etat prend des mesures d'urgence (requisition d'immeubles, logements provisoires), mais le manque d'HLM se fait encore cruellement sentir, notamment en Ile-de-France.

une tour = immeuble moderne à nombreux étages
une barre = immeuble construit en longueur
une HLM, habitation à loyer modéré = immeuble
   construit par une collectivité, habité par des gens
     qui ont de petits revenus
une cité = groupe d'immeubles

1 Lisez le texte et retrouvez le titre de chaque paragraphe.
  1 Un nouveau problème à résoudre : le manque de logements sociaux
  2 Manifeste de l'architecture "moderne"
  3 Des logements pour les enfants de l'après-guerre
  4 Plus personne ne voulait y habiter
  5 Banlieues : un habitat en crise

2 Relisez et trouvez la solution expérimentée ou proposée pour chacun des problèmes suivants :
  a le besoin de bâtir en urgence à la fin de la guerre
  b les problèmes matériels et sociaux
  c le manque de logements sociaux.

3 🔊 Ecoutez l'interview avec Alain Bardet, architecte, au sujet de la crise des banlieues. Résumez en anglais le contenu de l'interview.
Exemple : *Architecture in the suburbs is in crisis. Flats are … Towns …*
Causes: "progressive" town planning in the 1950s …
Solutions: …

L'Entretien : Jean Nouvel : je bâtis avec les mots

En 1987, l'Institut du monde arabe (IMA), à Paris, projetait Jean Nouvel au rang des créateurs d'architecture de premier plan... Ni néo, ni futuriste, férocement opposé au postmodernisme, à tout historicisme, Nouvel, architecte de la lumière, exploite les capacités révolutionnaires du verre, mais aussi la tôle ondulée ou les parpaings. Il construit en France comme à l'étranger avec une idée très précise de la mission de l'architecture aujourd'hui : travailler dans le « contexte existant », « ajouter du sens, de la qualité, de l'humanité » au chaos de l'univers urbain.

Quel est le défi qui motive le plus un architecte tel que vous : construire l'Institut du monde arabe, la tour la plus élancée du monde ou rénover l'Opéra de Lyon ?

Je préfère travailler dans un contexte existant. Ce peut être un site, une rue, un quartier. Un monument historique où l'on me demanderait de limiter mes interventions. Je m'y plierais volontiers, dans la mesure où cela fait sens par rapport à ce qui est déjà là. L'architecture, c'est l'art d'une réponse à une question donnée : plus cette question est posée précisément, plus elle exige une réponse précise. Et je crois aussi que la tâche de l'architecte est de comprendre le monde dans lequel il vit, d'intégrer à son travail certains éléments de la culture ambiante.

Quelle est votre démarche, quand vous avez un projet à réaliser ?

La situation où je me trouve est un peu celle d'un réalisateur qui aurait reçu la commande d'un film sur Louis XIV ou sur la planète en 2050. Selon le cas, il formera autour de lui une équipe différente. De même, selon qu'il s'agit d'un hôpital ou d'un aéroport, je m'entoure de familiers de ces installations, afin qu'ils me conseillent dans le bon sens. Toute une réflexion s'élabore avec eux. On me dit souvent, avec juste raison, qu'ici, à l'agence, on travaille avec les mots beaucoup plus qu'avec le dessin. C'est seulement lorsque les choses sont claires dans les mots que l'on peut commencer à dessiner.

La plupart des grandes villes du monde sont malades. Comment agir, concrètement ?

Il n'y a que trois façons de faire évoluer les villes. La première, la plus classique, c'est d'ajouter une unité à une autre existante. La deuxième consiste à supprimer un élément et, le cas échéant, à lui en substituer un autre. La dernière solution, de loin, à mes yeux, la plus efficace, procède par révélation. Je m'explique : il y a dans toute ville créée par le hasard et le déterminisme géographique une beauté souvent extraordinaire, qui doit être révélée, pour qu'elle prenne sa véritable dimension. Il suffit parfois de modifier quelques petites choses, de compléter, de nettoyer, de changer des affectations pour qu'elle apparaisse à tous.

Que faire pour améliorer la situation des banlieues ?

Je ne crois pas qu'on la réglera à coups de bulldozer, du moins pas dans tous les cas. Ces lieux, pour sinistrés qu'ils soient, génèrent aussi des liens affectifs, émotionnels qui valent d'être pris en compte. L'essentiel, à mes yeux, est d'agir sur la nature du logement, afin que les gens aient envie de vivre là où ils sont. En leur offrant de l'espace. Souvent, avec deux appartements, il faut en faire un !

4 Lisez cet article tiré du magazine *L'Express*.
  a Quel grand bâtiment parisien a été dessiné par Jean Nouvel ?
  b Quels sont les matériaux qu'il exploite le plus souvent ?
  c Qu'est-ce qu'un architecte doit faire pour bien répondre aux exigences d'un nouveau projet ?
  d Au début d'un projet, avant de commencer à dessiner, que fait Nouvel ?
  e Nouvel parle de trois façons de faire évoluer les villes. Résumez-les par écrit.
  f Quelle solution propose-t-il pour améliorer la situation des banlieues ?

5 Quels verbes utilisés dans l'article sont synonymes des verbes suivants ?
  1ère question : édifier, moderniser, se soumettre, réclamer, incorporer
  2ème question : réunir autour de soi, se développer
  3ème question : détruire, dévoiler, changer
  4ème question : résoudre, produire

6 Relisez l'article et aussi le texte de la page 114, et réécoutez la cassette (activité 3). Faites une liste des problèmes actuels de la banlieue. Cherchez aussi à résumer les causes.

7 Travaillez à deux. En tant qu'urbanistes, vous travaillez à l'aménagement d'un nouveau quartier résidentiel dans une ville proche de chez vous. On vous a demandé de préparer une liste d'endroits essentiels et d'y ajouter vos idées pour rendre le quartier plus agréable.
  a Quelles sont vos priorités (magasins, hôpital, ...) ?
  b Que proposez-vous pour améliorer l'environnement ?
  c Préparez une présentation orale (3 minutes) pour expliquer vos suggestions et vos raisons.

Quelle forme d'art est-ce ?

De nouveaux projets pour améliorer le cadre de vie dans les banlieues.
Actuellement, on invite des jeunes à travailler pour embellir l'endroit où ils habitent. On va jusqu'à décorer les bâtiments avec des tags. De l'art ou du vandalisme légalisé ?

1  Six habitants du quartier disent ce qu'ils pensent de ce projet.

a Regardez les photos. Avant d'écouter la cassette, selon vous, qui va être pour ? Qui va être contre ?

b Ecoutez la cassette. Notez qui est pour et qui est contre.

M. Jean-Jacques Blandin, commerçant retraité, père et grand-père

Mme Sonia Brahim, infirmière et mère

M. Patrick Millet, animateur d'une maison de jeunes

Florence Chabrun, lycéenne

Martin Doukhan, lycéen

M. Philippe Olivier, conseiller municipal

2  Réécoutez la cassette.

a Qui dit les choses suivantes ?

1 Il est inconcevable qu'on puisse considérer les tags comme de l'art.

2 Les tags, c'est notre culture, c'est notre façon de nous exprimer.

3 Ce genre de projet pourrait inciter à la rébellion.

4 L'essentiel est d'agir, d'avoir un but. Sinon, les jeunes ne s'en sortiront jamais.

5 Il serait préférable de créer un projet à long terme.

6 J'aimerais bien avoir de talent pour contribuer à ce projet.

b Notez les raisons pour et contre qu'ils donnent.

3 Travaillez en quatre groupes. Vous avez 15 minutes de préparation, avant de vous réunir pour présenter vos arguments.

Groupe A : représentants de la municipalité
Vous devez respecter les contraintes budgétaires et ne voulez pas financer le projet. Préparez tous les arguments que vous pourriez utiliser pour vous y opposer.

Groupe B : représentants des maisons de jeunes
Vous demandez un tel projet depuis deux ans. Préparez tous les arguments que vous pourriez utiliser pour le soutenir.

Groupe C : représentants des lycéens
Vous êtes pour le projet, mais vous auriez préféré un projet à long terme. Préparez tous les arguments possibles pour soutenir le projet et aussi pour le prolonger.

Groupe D : représentants des parents
Vous croyez qu'il est nécessaire de créer un projet pour que les jeunes s'insèrent dans la société, mais vous êtes contre les tags. Préparez tous les arguments possibles pour vous opposer à ce projet. Vous pourriez aussi en proposer un autre.

4 Vous jouez toujours votre rôle de l'activité 3 (ou vous en choisissez un autre). Ecrivez une lettre au journal régional pour convaincre ses lecteurs de votre point de vue. (200 mots maximum)

Bilan de l'unité 8

La France agricole

- La vie des agriculteurs français
- Il était une fois…
- Les agriculteurs en colère… et en évolution
- Les merveilles de la technologie… ?

Paysages et activités agricoles

QUELQUES PRODUCTIONS AGRICOLES

Part de chaque région dans la production de : (en % en 1990)

	Blé	Maïs	Orge	Prairies fourragères	Betterave	Colza
Alsace	1,1	8,7	0,9	0,9	1,1	1,3
Aquitaine	1,5	26,2	1,9	4,4	0	0,5
Auvergne	1,7	1,8	1,9	10	0,8	1,3
Bourgogne	7	3,5	8,7	7,7	1,5	16,5
Bretagne	4,1	4,7	4,6	6,7	0	3,3
Centre	15,2	9,4	9,3	3,3	6	12,3
Champagne-Ardenne	11	3,7	12,6	5,6	22,8	17,1
Corse	0	0,1	0	0,3	0	0
Franche-Comté	0,9	1,4	2,4	3,7	0,2	2,7
Ile-de-France	6,6	2,6	3,2	0,2	7,9	4,3
Languedoc-Roussillon	0,1	0,3	0,6	1,5	0	0,4
Limousin	0,4	0,2	0,5	4,8	0	0,2
Lorraine	3,9	0,8	8,4	5,4	0,1	17,8
Midi-Pyrénées	3,6	11,6	6,8	9	0	3,4
Nord-Pas-de-Calais	7,4	0,2	8,7	2,4	15,3	2,1
Basse-Normandie	3,8	0,4	2	6,4	1,6	1
Haute-Normandie	5,5	0,3	5,3	3	6,5	4,5
Pays-de-la-Loire	5,5	4,6	1,9	9,1	0,1	0,15
Picardie	12,6	1,4	10,8	2,4	36,3	6,8
Poitou-Charentes	5,9	9,9	6,1	4,5	0	2
Prov.-Alpes-C.-d'Azur	0,3	0,7	0,8	1,3	0	0,2
Rhône-Alpes	2	7,7	2,5	7,3	0,1	1,9
Total en %	100	100	100	100	100	100
Total en milliers de quintaux	315 035	90 945	100 021	558 268	307 786	19 620

Légende

- Champs ouverts avec cultures industrielles et céréales
- Polyculture avec céréales, vigne, tabac et élevage
- Champs ouverts avec céréales
- Bocage avec agriculture et élevage
- Prairies, vergers avec agriculture et élevage
- Bocage avec polyculture et élevage
- Herbages, landes, maquis avec élevage d'ovins

- Agriculture méditerranéenne intensive avec vergers, vigne et horticulture
- Agriculture méditerranéenne extensive avec bois, maquis, vergers et vigne
- Sols médiocres boisés
- Zones montagneuses boisées
- Espaces fortement boisés
- Vignobles
- · · · · Limite nord de la culture de la vigne
- · · · · Limite nord de la culture de l'olivier

1 Etudiez la carte, lisez la légende et cherchez dans le dictionnaire les mots que vous ne connaissez pas.

2 [🔊] Par groupes, préparez une courte présentation orale d'une partie de la France en ce qui concerne ses paysages et son agriculture. Utilisez les statistiques des productions afin d'ajouter des détails. Ecoutez une description de la Bretagne, de la Normandie et du Poitou qui peut vous servir d'exemple.

C'est une région…
où on trouve (un mélange de)…
où on cultive…
qui favorise…
qui produit…
qui comporte…
qui fournit…
riche en…
où domine(nt) le/la/les…
caractérisée par…

Panorama de l'agriculture française

A

Beaucoup de petites exploitations

La surface moyenne des exploitations agricoles est aujourd'hui de 38 hectares, soit presque deux fois plus qu'il y a trente ans. Mais près de 200 000 ont moins de cinq hectares.

40% des exploitations sont spécialisées dans l'élevage, dont 12% dans l'élevage des vaches laitières ; près de 20% sont consacrées aux grandes cultures (céréales), et 12% à la viticulture. L'horticulture, le bois et les petites exploitations diverses constituent les 28% qui restent.

Les cent visages de l'agriculture

L'agriculture est en mutation. Le nombre d'exploitations agricoles diminue rapidement, les écarts de revenus entre riches et pauvres augmentent.

La France agricole connaît depuis plusieurs décennies un changement profond. Elle compte de moins en moins d'agriculteurs. Plus de la moitié des exploitations ont disparu en l'espace de vingt-cinq ans ; elles n'étaient plus que 801 000 en 1993.

Pourquoi une telle diminution ? L'agriculteur qui est devenu un véritable chef d'entreprise doit produire davantage pour gagner de l'argent. Ce qui impose d'investir dans l'achat de machines, d'engrais. Pour ce faire, il emprunte de l'argent aux banques. Résultat : beaucoup d'agriculteurs sont couverts de dettes. Dans ces conditions, les jeunes ne veulent plus reprendre l'exploitation de leurs parents car elle n'est pas assez rentable.

Autre grande caractéristique de notre agriculture : sa très grande diversité. La France produit non seulement des céréales, des fruits, des légumes, des bovins, des porcs, des volailles mais aussi du lait, des fromages, du vin, des fleurs, etc. Cet "or vert" fait de notre pays le second exportateur agricole mondial (ventes à l'étranger) derrière les Etats-Unis.

Un secteur plutôt prospère où le revenu moyen des agriculteurs a augmenté l'an dernier de près de 10%. Mais attention aux chiffres, ils cachent en réalité de grandes différences. La terre rapporte beaucoup d'argent à certains alors que d'autres sont pauvres. Aujourd'hui 38% des exploitants agricoles ont un revenu inférieur au salaire minimum (environ 5500 F par mois). Tout dépend du secteur et aussi de la taille de l'exploitation.

Ces inégalités sont aussi renforcées par le système de subventions versées par l'Etat et la Communauté européenne. Ces primes sont calculées en fonction du nombre d'hectares. Plus on a d'hectares, plus on touche de ces subventions. L'an dernier, les céréaliers de la Beauce et du nord de la France ont reçu en moyenne 180 000 francs contre 90 000 francs pour les agriculteurs d'Auvergne. Ce système d'aides publiques comporte un risque : entraîner demain la disparition des dizaines de milliers de petits agriculteurs et dépeupler un peu plus nos campagnes.

---

une exploitation (agricole) = une ferme   une subvention = de l'argent public versé à une entreprise ou une association pour aider à financer son activité

---

1 Lisez l'article A, tiré des *Clés de l'actualité*. Inventez un graphique pour illustrer l'idée principale de chaque paragraphe, comme dans l'exemple.

2 Complétez chaque phrase en choisissant un mot de l'article :
   a Depuis presque trente ans, plus de 50% des fermes ont ......
   b Pour produire davantage, les agriculteurs sont obligés d'......
   c Souvent les enfants d'agriculteurs ne poursuivent pas une carrière dans l'agriculture parce que leur exploitation familiale n'est pas suffisamment ......
   d Ce qui caractérise l'agriculture française, c'est sa grande ......
   e Bien que le revenu ...... des agriculteurs ait augmenté, il y a un grand écart entre les deux pôles.
   f Cet écart est accru grâce au système de ......

3 Représentez les pourcentages fournis dans le texte B par un graphique "camembert".

C

Les agriculteurs ne représentent plus que 5% de la population active.

En 1800, les trois quarts des actifs travaillaient dans l'agriculture. Le changement s'est amorcé dès 1815. Pendant toute la période 1870–1940, les effectifs se sont maintenus, malgré la baisse régulière de la part de l'agriculture dans la production nationale. Dès la fin de la Seconde Guerre mondiale, la mécanisation a précipité l'exode rural.

Le déclin s'est encore accéléré depuis une trentaine d'années. La part des agriculteurs dans la population active est aujourd'hui quatre fois moins élevée qu'en 1960 : 5% contre 20%. Leurs effectifs, inférieurs à un million, ont diminué d'un tiers entre 1982 et 1990, et l'érosion n'est pas achevée ; les trois quarts de ceux qui partent en retraite n'ont pas de successeur, du fait des faibles perspectives de revenus de la profession dans son ensemble.

Un quart des agriculteurs habitent aujourd'hui dans des communes urbaines (contre 14% en 1968), la moitié en périphérie des villes. Cette proximité avec d'autres groupes professionnels explique que le conjoint travaille plus souvent à l'extérieur, parfois même le chef d'exploitation.

La disparition des paysans est celle de toute une classe sociale, de laquelle beaucoup de Français sont issus. Au-delà des difficultés de reconversion, c'est un drame plus profond qui s'est joué au cours de la seconde moitié du XXᵉ siècle pour le peuple français : la perte progressive de ses racines.

D

Quelques repères

▶ **La France**

La France est un pays rural. Les terres cultivables couvrent 57% du territoire.

▶ **800 000**

exploitations agricoles. C'est deux fois moins qu'en 1970. En moins de deux générations, l'agriculture française a multiplié par 2 sa production, et divisé par 3 ses effectifs.

▶ **An 2000**

En l'an 2000, 300 000 exploitants suffiront à satisfaire les besoins alimentaires du pays.

▶ **1,3 million**

de personnes travaillent pour l'agriculture (c'est-à-dire 6% des emplois français).

▶ **35 milliards**

de francs : c'est ce que rapporte la vente du blé, du maïs, et de l'orge chaque année en France. C'est le prix de 160 Airbus.

E

Les quotas laitiers

Entre 1970 et 1984, une vache avait doublé sa production quotidienne de lait, créant une surproduction. Transformés et stockés sous forme de poudre de lait ou de beurre, les excédents menaçaient de faire effondrer les cours et de ruiner les éleveurs qui avaient beaucoup investi dans cet élevage. L'Union européenne instaura donc des "quotas" laitiers : elle limita la part de production attribuée à chaque pays membre. Les gouvernements répartirent ensuite ces quotas entre les exploitations, tout dépassement entraînant le versement de pénalités.

La production française de lait étant toujours à la limite du quota attribué à notre pays, il est donc difficile de créer une nouvelle exploitation si la famille ne possède pas un élevage.

---

4 a Lisez l'extrait C, de *Francoscopie*. Représentez les grandes lignes de ce texte par une "ligne de temps".
Exemple :

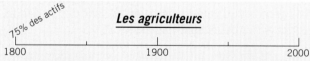

b Utilisez votre ligne de temps pour reconstituer oralement les points essentiels du texte, en vos propres mots. Votre partenaire vous écoute et vérifie à l'aide du texte. Ensuite, changez de rôle.
Exemple : En 1800, parmi les Français qui travaillaient, trois quarts travaillaient dans l'agriculture…

5 a Lisez le texte D, *Quelques repères*, paru dans *Okapi*. Expliquez ces expressions du texte, en vos propres mots (en français) :
a les terres cultivables
b exploitations agricoles
c exploitants
d ses effectifs.

b Travail à deux. *A* cite un chiffre du texte, par exemple : *300 000*. *B* doit expliquer ce qu'il signifie (sans regarder le texte, si possible). Après trois chiffres, changez de rôle.

6 Le texte E, sur les quotas laitiers, paru dans le guide *L'Elevage, un métier en poche*, s'applique à tous pays membres de l'Union européenne. Faites-en la traduction en anglais, à paraître dans un guide d'emploi pour les jeunes.

7 En relisant tous les textes de ces deux pages, résumez en une ou deux phrases ce qu'on apprend sur :
a l'investissement
b les subventions
c le nombre d'agriculteurs.
Ensuite, faites un résumé des textes (200 mots maximum), sous le titre : *Panorama de l'agriculture française*. Illustrez-le en y ajoutant vos propres dessins, graphiques ou photos.
(Eventuellement, préparez également une présentation orale accompagnée d'illustrations.)

La ferme des Cochemé

M. Cochemé et son fils Loïc sont agriculteurs dans le Tardenois champenois, près de Reims. Ecoutez une interview dans laquelle ils répondent à des questions sur le passé, le présent et l'avenir de leur ferme à Romigny. M. Cochemé répond d'abord ; dans la seconde partie de l'interview, c'est Loïc.

1 📼 Un de ces produits agricoles n'est pas mentionné par M. Cochemé. Lequel ?
le colza   le blé   l'orge
l'escourgeon   le maïs   les betteraves

2 📼 Cherchez l'équivalent anglais des expressions suivantes, utilisées par…
M. Cochemé :
a au cours de toutes ces années
b on a été obligé de faire un remembrement
c supprimer des haies… des fossés
d nous avions du petit matériel puisque le remembrement n'avait pas eu lieu
Loïc :
e tous ces problèmes ne me dérangent en aucun point
f même si on est agriculteur et que la ferme tourne mal
g c'est un métier qui… permet de voir aux alentours
h j'ai mon attache

3 📼 Selon votre compréhension globale de ce que dit M. Cochemé, complétez ces débuts de phrases en vos propres mots :
a Les produits agricoles qui dominent dans le Tardenois sont…
b A l'origine, la ferme des Cochemé comportait…
c Après la traversée de l'autoroute A4, la ferme…
d A l'époque du père de M. Cochemé, on…
e Avant le remembrement de la ferme, le matériel…

4 📼 Résumez l'essentiel de l'interview, en entrant dans les détails en ce qui concerne :
– la ferme avant et après la traversée de l'A4
– le matériel agricole, ancien et moderne
– la région, à l'époque et actuellement
– la vie de Loïc, à présent et à l'avenir.

ZOOm sur les propositions de concession

« Bien que les agriculteurs soient mécontents des revenus agricoles, ils défendent leur mode de vie. »

Autrement dit:
concession : Les agriculteurs sont mécontents, c'est vrai, <u>mais</u>
affirmation : ils défendent leur mode de vie.

Les propositions de concession sont introduites par des conjonctions :

bien que	subjonctif, en général,
encore que	même quand il s'agit
malgré que	d'un fait réel. Voir
quoique	l'unité 4, page 60.

alors que	
tandis que	+ indicatif
même si	

Exemples :
Quoique les consommateurs **veuillent** des prix moins chers, les agriculteurs doivent rentabiliser leurs exploitations.
Les grands cultivateurs de céréales sont riches, **tandis que** les petits agriculteurs **sont** pauvres.

Note : après *bien que* et *quoique*, le sujet et le verbe peuvent disparaître :
Bien que mécontents des revenus agricoles, ils défendent leur mode de vie. (Voir la phrase en début du *Zoom.*)

• Formez des phrases avec une proposition de concession :

concession	affirmation
Aujourd'hui il fait mauvais.	En général il fait beau en Provence.
Certains agriculteurs profitent de la PAC.	Beaucoup en souffrent énormément.
Les manifestations attirent l'attention du public.	Les politiciens restent inflexibles.
L'agriculture française est très efficace.	Elle est atteinte de beaucoup de difficultés.

Les jeunes agriculteurs

Vie active

Beaucoup d'employés du secteur agricole ne sont pas propriétaires des terres sur lesquelles ils travaillent. C'est le cas de Martial, ce jeune chauffeur-mécanicien.

1 Avant d'écouter l'interview, préparez le vocabulaire à l'aide d'un dictionnaire.

le matériel agricole
une batteuse
(battre le blé)
une ensileuse
une moissonneuse
une presse à balles (rondes)

les travaux d'entretien ou de réparation
le changement de filtres à air
le réglage
le remplacement de pièces
le soudage
la vidange

un chantier
un citadin
le concessionnaire
l'embauche

les heures supplémentaires
mener à terme
une période creuse
saisonnier

En quoi consiste votre travail ?
- chauffeur de diverses machines agricoles
- s'occupe de la maintenance courante sur place
- pannes importantes
- dans la matinée : chauffeur
- l'après-midi : réparations

Quelles sont les qualités requises ?
- être bricoleur
- être disponible tous les week-ends
- possibilité d'heures supplémentaires payées
- aimer les gens

Que faire pour devenir chauffeur-mécanicien ?
- il vaut mieux être issu d'une famille agricole
- Bepa souvent demandé

Le métier de chauffeur-mécanicien en tant qu'emploi ?
- Connaissances en élevage nécessaires pour travail saisonnier
- agriculteurs satisfaits ont tendance à reprendre la même personne

2 📼 Ecoutez l'interview. L'intervieweur a pris des notes (voir ci-contre), mais il a laissé glisser des erreurs. A vous de vérifier et de les corriger.

ZOOm sur les pronoms relatifs : lequel, laquelle, etc.

Beaucoup d'employés du secteur agricole ne sont pas propriétaires des terres sur lesquelles ils travaillent.

=

Beaucoup d'employés ne sont pas propriétaires des terres.

+

Ils travaillent sur ces terres.

Ces pronoms relatifs renvoient à un élément (une chose ou une personne) qui vient d'être nommé dans la proposition précédente. Ils s'accordent avec l'élément qu'ils reprennent.

lequel (sing. masc.) – Le tracteur avec lequel je travaille…

laquelle (sing. fém.) – La ferme dans laquelle je travaille…

lesquels (pl. masc.) – Les agriculteurs avec lesquels je travaille…

lesquelles (pl. fém.) – Les exploitations pour lesquelles je travaille…

Ils suivent une préposition : *à, de, avec, pour, dans, sur, sous, avant, après, devant, grâce à,…*

Notez qu'après *à* ou *de*, ils se comportent comme *le, la, les* : à + lequel = **auquel**, de + lesquels = **desquels**, etc.

Une référence à une personne peut aussi s'exprimer par *qui* : Les agriculteurs avec qui je travaille…

3 📼 Ecoutez encore une fois l'interview avec Martial. Complétez les extraits suivants en utilisant une phrase contenant *lequel, laquelle, lesquels,* ou *lesquelles*.

a Je m'occupe de la maintenance courante de toutes les machines avec…

b Les fermes… travailler.

c C'est à peu près les conditions…

d Etre à l'écoute des désirs des fermiers…

e Mais le matériel…, ça évolue tout le temps.

f Quand un agriculteur est satisfait d'un chauffeur…, il a tendance à le reprendre d'une année sur l'autre.

4 Remplacez par *lequel* etc. les éléments entre parenthèses, de façon à former une seule phrase.

a C'est un métier. Il faut être qualifié (pour ce métier).

b Une moissonneuse est une machine agricole. On récolte le blé (avec une moissonneuse).

c Il y a des stages de formation. (Grâce à ces stages de formation) on peut devenir qualifié.

10h

121

Interlude

Regain, de Jean Giono

L'exode rural n'est pas nouveau. Il date de presque 100 ans. Déjà avant 1930, l'auteur provençal Jean Giono décrivait la crise agricole : la désertification des terres et l'abandon de villages. Voici quelques extraits de son roman *Regain*. Bien que roman, *Regain* est plutôt un poème qui chante la terre et les paysans provençaux. Dans le premier extrait, un vieux rémouleur de couteaux ambulant, Gédémus, et sa compagne, Arsule, arrivent dans le village presque désert d'Aubignane.

1

Aubignane est de la couleur du plateau. On ne le voit pas à l'avance, puis, d'un coup on y est.

– J'étais passé une fois, moi, dans le temps : il y avait encore un peu de monde. Il y avait le Jean Blanc qui restait sur la place de l'église. Allons un peu voir.

Sur la place de l'église il n'y a plus que l'herbe. On a cloué la porte de Jean Blanc.

– Il y avait le Paul Soubeyran dans la rue après ; il y avait l'Ozias Bonnet qui tenait épicerie.

Il y a une maison toute ouverte, au dedans noir et qui sonne comme une grotte dès qu'on met le pied sur le seuil : c'est la carcasse, pas plus. Quand les yeux sont habitués à l'ombre, on voit au fond comme un arbre en or et en lumière. C'est une grande fente qui a partagé le mur maître depuis la fondation jusqu'aux tuiles.

– Il y avait aussi un qu'on disait le Panturle, avec sa mère, mais en dehors du village, en bas, tu vois, près du cyprès. Viens, on descend.

Là aussi la porte est fermée. Pourtant, il y a un billot où on a fendu du bois à la hache. Il y a des entailles fraîches dans le billot et des copeaux frais dans l'herbe et un sentier qui entre droit sous la porte et qui est bien vivant encore. Gédémus dit :

– Celui-là, il n'y a pas longtemps qu'il est parti.

Arsule sauve la vie de l'un des derniers habitants, Panturle. C'est le début de leur vie de couple, et ils essaient de réaménager un coin du paysage, malgré des difficultés au début…

2

– Cette saloperie de terre... dit Panturle en entrant... Pas moyen... c'est plus dur que la pierre. On l'a trop laissée d'abandon... elle est là, toute verrouillée, on ne peut pas seulement enfoncer le couteau.

Il regarde sa charrue : c'est une petite charrue de pauvre, une de ces charrues que l'homme tire en se renversant en arrière.

– Qu'est-ce que tu veux faire avec ça ? Ça griffe juste un peu le dessus.

Arsule est dans le plein du souci avec cette nouvelle. Elle regarde Panturle, la charrue et cette bosse de coteau qui se gonfle au-delà de la fenêtre.

– Et alors ?

– Oh ! alors, dit Panturle, je passerai par chez Jasmin pour toucher le père Gaubert. Celui-là, il a le sort de la charrue. Je lui dirai qu'il m'en fasse une ; il me la fera volontiers : c'est sa passion. Je demanderai à l'Amoureux s'il veut me prêter son cheval.

3

Les labours d'automne ont commencé ce matin. Dès le premier tranchant de l'araire, la terre s'est mise à fumer. C'était comme un feu qu'on découvrait là-dessous. Maintenant que voilà déjà six longs sillons alignés côte à côte, il y a au-dessus du champ une vapeur comme d'un brasier d'herbe. C'est monté dans le jour clair et ça s'est mis à luire dans le soleil comme une colonne de neige. Et ça a dit aux grands corbeaux qui dormaient en volant sur le vent du plateau : « C'est là qu'on laboure, il y a la vermine. »

Alors ils sont tous venus, d'abord l'un après l'autre en s'appelant à pleine gorge, puis par paquets, comme de grandes feuilles emportées par le vent. Ils sont là autour de Panturle, à flotter dans l'air épais comme des débris de bois autour d'une barque.

4

Il est revenu le grand printemps.

Le sud s'est ouvert comme une bouche. Ça a soufflé une longue haleine, humide et tiède, et les fleurs ont tressailli dans les graines, et la terre toute ronde s'est mise à mûrir comme un fruit.

L'escadre des nuages a largué les amarres. Ça a fait un grand et long charroi de nues qui montaient vers le nord.

Ça a duré ; à mesure, on sentait la terre qui se gonflait de toutes ces pluies et de la vie réveillée de l'herbe. Enfin, une belle fois, on a vu bouillonner le ciel libre sous la poupe du dernier nuage.

Il est resté pourtant une balayure de ciel et elle flotte, accrochée au clocher d'Aubignane comme un linge autour d'une pierre dans un ruisseau.

Au bout de quelque temps, la nature répond aux labours de Panturle. On apprend aussi qu'Arsule attend un enfant…

5

Maintenant Panturle est seul.

Il a dit :

– Fille, soigne-toi bien, va doucement ; j'irai te chercher l'eau, le soir, maintenant. Qu'on a bien du contentement ensemble. Ne gâtons pas le fruit.

Puis il a commencé à faire ses grands pas de montagnard. Il marche.

Il est tout embaumé de sa joie.

Il a des chansons qui sont là, entassées dans sa gorge à presser ses dents. Et il serre les lèvres. C'est une joie dont il veut mâcher toute l'odeur et saliver longtemps le jus comme un mouton qui mange la saladelle du soir sur les collines. Il va, comme ça, jusqu'au moment où le beau silence s'est épaissi en lui et autour de lui comme un pré. Il est devant ses champs. Il s'est arrêté devant eux. Il se baisse. Il prend une poignée de cette terre grasse, pleine d'air et qui porte la graine. C'est une terre de beaucoup de bonne volonté.

Il en tâte, entre ses doigts, toute la bonne volonté.

Alors, tout d'un coup, là, debout, il a appris la grande victoire. Il lui a passé devant les yeux, l'image de la terre ancienne, renfrognée et poilue avec ses aigres genêts et ses herbes en couteau. Il a connu d'un coup, cette lande terrible qu'il était, lui, large ouvert au grand vent enragé, à toutes ces choses qu'on ne peut pas combattre sans l'aide de la vie.

Il est debout devant ses champs. Il a ses grands pantalons de velours brun, à côtes ; il semble vêtu avec un morceau de ses labours. Les bras le long du corps, il ne bouge pas. Il a gagné : c'est fini.

Il est solidement enfoncé dans la terre comme une colonne.

---

1 Résumez chaque extrait par deux ou trois phrases en français.

***Exemple :** 1 Gédémus et Arsule parlent du village d'Aubignane, où ils viennent d'arriver, et de ses habitants d'autrefois. Le village est maintenant désert, mais le dernier paysan est parti il y a peu de temps.*

2 Faites une liste des métaphores qu'on trouve dans les extraits. Commentez-les. Que remarquez-vous ?

Exemple : *"Il y a une maison toute ouverte… qui sonne comme une grotte".*

Giono compare la maison (construite par des hommes) à une grotte (construction naturelle). Ainsi il insiste sur le lien entre les hommes et la nature. En plus, l'allitération en "o" nous fait entendre l'écho de la maison, semblable à celui d'une grotte.

3 Comment pourrait-on traduire en anglais les phrases imprimées en bleu ? (Essayez de reproduire le style poétique de Giono.)

4 Lisez *Les citations, mode d'emploi.* Ensuite, expliquez les citations suivantes.

  a « Il y a… un sentier qui entre droit sous la porte et qui est bien vivant encore. »

  b « elle est là, toute verrouillée »

  c « Ça griffe juste un peu le dessus. »

  d « la terre s'est mise à fumer »

  e « Qu'on a bien du contentement ensemble. »

  f « C'est une terre de beaucoup de bonne volonté. »

Les citations, mode d'emploi

Citer des extraits d'un texte peut rendre vos compositions plus intéressantes et plus habiles. C'est essentiel lorsque vous rédigez une dissertation sur un thème littéraire.

Il faut savoir non seulement recopier vos citations, mais les expliquer.

« C'est la carcasse, pas plus. » l'auteur veut dire que la maison est vide – sans meubles, et peut-être aussi sans murs intérieurs.

Voici quelques expressions qu'on peut utiliser :
  Cela veut dire que…
  Cela signifie que…
  En d'autres mots…
  Par là, on entend que…
  C'est-à-dire que…
  Autrement dit, …
  L'auteur nous explique que…

Une transition difficile – des agriculteurs en colère

Entendez-vous dans nos campagnes?

Puni pour avoir été trop efficace ! Georges Valayé, 50 ans, éleveur dans l'Aveyron fait partie de ces exploitants que la réforme de la politique agricole commune touche de plein fouet. Lassée de voir s'accumuler les stocks de viande, de céréales et de lait, la Commission a en effet décidé de ne plus soutenir les prix.

« Je ne veux pas être cantonnier de la nature ! »

« Croyez-moi, par ici, la réforme de la PAC, ça va secouer ! » Georges Valayé a un beau visage buriné par ses cinquante années à La Pandarie, l'exploitation achetée jadis par le grand-père, à une soixantaine de kilomètres de Rodez. Pour la première fois il se sent trahi. Car, derrière cette nouvelle politique agricole commune, Georges voit clairement la volonté des pouvoirs publics d'aller vers une économie de marché.

L'éleveur esquisse un geste en direction du champ, où ses blondes limousines hument le vent du sud et surveillent les veaux du printemps. « On en a fait du chemin… J'étais parti avec vingt vaches à viande. J'ai triplé le cheptel. »

Valayé produit du veau sous la mère, un produit de qualité et un bon créneau. Pourtant, les prix ne cessent de se dégrader. « Pour la viande bovine, la réforme prévoit moins 15% sur trois ans. Mais cela ira plus vite », redoute Georges Valayé. Dans le même temps, ses charges, elles, n'arrêtent pas de grimper : de 6 à 8% par an. Georges a serré les coûts au maximum. Comme il ne dispose que de trente-cinq hectares, il a joué l'intensification. En complément des surfaces fourragères, il produit des céréales : blé, orge, et maïs à ensiler. Et puis, il a monté un atelier d'engraissement de jeunes mâles, achetés à l'extérieur.

Valayé, comme beaucoup d'autres, sera "puni" pour avoir été trop efficace. Il a fait ses calculs : il subira cette année une perte de 40 000 francs. Georges et sa femme ont tout fait pour garder au moins un de leurs quatre enfants à la terre. Mais maintenant, ils ne savent plus s'ils lui souhaitent cette vie-là. Dans le voisinage, deux jeunes agriculteurs, endettés, sont obligés de vendre des terres pour régler leurs échéances. Les agriculteurs aveyronnais étaient plus de cinq cents à crier leur inquiétude, à Rodez, le soir de l'adoption de la réforme bruxelloise. Leur angoisse n'est pas seulement une affaire de revenu : c'est celle d'un monde rural qui doucement se meurt. Entre 1982 et 1988, la commune sur laquelle se trouve La Pandarie a perdu soixante exploitations sur deux cent vingt. « Le curé est parti l'an dernier. Le chef-lieu du canton ne comptera bientôt qu'une épicerie… Comment voulez-vous, dans ces conditions, retenir les jeunes ? Comment voulez-vous qu'ils trouvent à se marier ? » C'est la spirale du déclin. Le bus scolaire cesse de passer, les classes ferment…

1 Lisez l'article tiré du *Nouvel Observateur*. Mettez-vous à la place de Georges Valayé et complétez ces phrases :
a Je suis puni pour…
b J'habite et je travaille ici depuis… mais maintenant…
c Au début, j'avais…
d Ma viande est bonne mais le prix…
e Cette année, j'ai perdu…
f Mon fils est à la ferme, mais je ne sais pas si…
g C'est pareil pour mes voisins. Eux aussi, ils….
h Le village a beaucoup changé récemment. Par exemple…

2 Travail oral. Regroupez toutes vos réponses à l'activité 1 pour en faire un résumé de la situation de Georges.
Exemple : Georges Valayé a l'impression d'être puni pour avoir été trop efficace. Il habite…

3 Faites des recherches et expliquez en français ces expressions de l'article, en utilisant vos propres mots :
a soutenir les prix
b cantonnier de la nature
c les pouvoirs publics
d une économie de marché
e un bon créneau.

4 Travaillez à deux. Transformez l'article en interview. Rédigez d'abord des questions, ensemble. *A* est l'intervieweur. *B* prend le rôle de Georges Valayé, mécontent comme bien d'autres agriculteurs français. Utilisez les expressions-clés.

5 Ecrivez (et criez !) des slogans que lanceraient les 500 agriculteurs aveyronnais réunis à Rodez pour manifester leur colère !
Utilisez : *A bas… ! Vive… ! Non à… ! Oui à… !*

Expressions-clés

Exprimer le mécontentement :

Croyez-moi, …

Ecoutez, je…

Vous croyez que c'est juste de… ?

Que feriez-vous… ?

Qu'est-ce que vous voulez ?

C'est honteux/monstrueux/scandaleux/infâme !

La diversification – une solution pour l'avenir

Pour certains agriculteurs qui veulent à tout prix conserver leur mode de vie et augmenter la rentabilité de leur exploitation, une des solutions est d'accueillir des clients qui payent des produits ou des services.

1 Les ▨▨▨▨▨▨▨▨▨▨ vous proposent des repas traditionnels, dans un cadre authentique, à partir de recettes du terroir. L'accueil personnalisé est privilégié. La majorité des produits servis provient de l'exploitation. Pensez à réserver, et n'oubliez pas que certaines fermes auberges peuvent vous proposer de vous héberger.

2 Que vous soyez débutant ou cavalier confirmé, vous pourrez pratiquer en ▨▨▨▨▨▨▨▨▨▨ des activités variées : initiation à l'équitation, attelage, découverte du cheval, randonnée, compétition, voltige... En ferme équestre, vous pouvez aussi parfois être hébergé ou restauré.

3 Les ▨▨▨▨▨▨▨▨▨▨ vous proposent l'hébergement, la restauration et les loisirs sur place ou à proximité de l'exploitation agricole. Si vous souhaitez vous intégrer pendant plusieurs jours dans un cadre naturel et campagnard, et profiter d'activités variées, ces fermes sont là pour répondre à vos attentes. Vous découvrirez aussi une restauration à base de spécialités du terroir et de produits fermiers.

4 Vous souhaitez faire du camping en milieu naturel ? Venez découvrir les ▨▨▨▨▨▨▨▨▨▨ (reconnus par la Fédération Française de Camping et Caravaning). Vous serez ainsi accueillis dans un cadre de verdure, à proximité de la ferme. La capacité d'accueil est limitée à 25 emplacements.

5 Le point de vente directe ▨▨▨▨▨▨▨▨ est un lieu où l'agriculteur vous propose des produits issus directement de son exploitation. Vous connaissez ainsi l'origine des produits que vous achetez et bénéficiez d'un contact direct avec le producteur. Des légumes aux pâtés, des confitures au pain en passant par le miel, vous vous régalerez.

6 Vous êtes chasseur et souhaitez pratiquer votre sport favori en toute sécurité, dans un environnement de qualité. L'agriculteur privilégie l'accueil, l'accompagnement des chasseurs et la qualité du gibier. Il veille à répondre à vos besoins en matière d'informations cynégétiques, touristiques et agricoles. Des possibilités de restauration, d'hébergement ou d'autres activités peuvent être proposées, sur place ou à proximité, à ceux qui vous accompagnent.

7 Elles vous proposent d'aller à la découverte de l'exploitation agricole et de son environnement. La visite est assurée par une personne de l'exploitation.

8 Destinée aux enfants et aux adolescents, dans le cadre de leur scolarité ou de loisirs accompagnés, elles vous proposent des activités pédagogiques visant à expliquer aux jeunes la réalité du monde agricole.

Alors, bienvenue à la ferme !

Venez découvrir nos exploitations agricoles et déguster nos produits

BIENVENUE A LA FERME

1 Reliez le bon en-tête à la description de l'activité en question.

2 Discutez en groupe : quels sont, à votre avis, les avantages de ces formules, soit pour le client, soit pour l'agriculteur ? Y a-t-il des inconvénients (et lesquels) ?

LES FERMES ÉQUESTRES

LES FERMES AUBERGES

LES FERMES DE SÉJOUR

LES CAMPINGS EN FERMES D'ACCUEIL

LA CHASSE

LES FERMES DE DÉCOUVERTES

LES FERMES PÉDAGOGIQUES

LES PRODUITS DE LA FERME

📹 *Millevaches : agro-tourisme à l'écran*

**Vous souvenez-vous de Télé Millevaches ? (Voir l'unité 3 et l'unité 8.)
C'est une "télé de proximité" sur le plateau de Millevaches, une
région agricole du centre de la France. L'agro-tourisme est une
activité importante pour les fermiers du plateau. Télé Millevaches
a consacré un débat à ce sujet et a invité des fermiers à venir en
parler. Vous allez voir un extrait de ce débat.**

1 Regardez l'extrait et répondez aux questions.
   a Quels "produits" mentionnés dans la brochure
      de la page 125 sont proposés dans la ferme de
      François Chatoux ?
   b Selon M. Chatoux, quelles différences existent
      entre les formules suivantes ?
      1 "table d'hôte" et "ferme auberge"
      2 "ferme auberge" et "restaurant"

2 Regardez une deuxième fois. Corrigez les
   affirmations fausses :
   a La réglementation pour les fermes auberges
      est la même que pour les restaurants.
   b Les spécialités chez François Chatoux
      sont le veau, l'agneau et les tomates.
   c La clientèle des fermes auberges est
      très différente de celle des restaurants.
   d Pour M. Chatoux, l'agro-tourisme
      correspond à 15% de son revenu global.

3 Vérifiez le sens des mots suivants, employés
   pendant le débat. Puis utilisez-les pour remplir
   les blancs dans les phrases ci-dessous.

   exploitation   **accueillent**

   goûter   **ovins**   **cadre**

   marginale   **bovins**

   a Les tables d'hôte n'...... pas des gens extérieurs.
   b Beaucoup de touristes ont envie de ...... des
      produits fermiers, de manger des produits cuisinés
      dans le ...... traditionnel d'une ferme.
   c Dans notre cas, on est des producteurs de ......
      et d'......
   d L'agro-tourisme n'est pas une activité ...... dans le
      revenu global de l'......

4 Rédigez une brochure publicitaire pour la ferme
   de François Chatoux.
   Exemple :

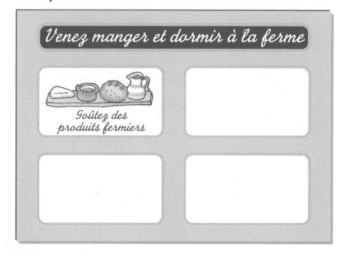

Venez manger et dormir à la ferme

Goûtez des produits fermiers

Je me suis reconverti dans les figurines en plomb...

Les robots prennent le pouvoir

Les agriculteurs français sont des champions de la production. Certaines exploitations produisent 100 quintaux de blé à l'...1... Certaines vaches donnent 6 000 litres de lait par an. Des poulets sont élevés par milliers en batterie à la lumière d'...2... électriques. A ce rythme-là, en l'an 2000, 300 000 agriculteurs suffiront pour cultiver la moitié du territoire français ! Avec les progrès de la génétique et de l'électronique, tout est possible !

▶ Les ...3... n'ont déjà plus rien à voir avec les graines d'hier. Elles sont colorées, conditionnées comme des médicaments. Elles sont enrobées d'une fine ...4... contenant de l'insecticide. Bientôt, il suffira de poser dessus une substance particulière pour éloigner les oiseaux. Les corbeaux auront alors de bonnes raisons de faire la tête ! Comme ces semences coûtent cher, elles ne sont plus lancées à la volée. Des semoirs enfoncent la graine à la bonne profondeur, au bon endroit, pas trop près de sa voisine...

▶ Les vaches peuvent déjà être traites par un robot qui a été présenté au Salon de l'agriculture de 1993. Ce robot place des ...5... sous le pis de la vache sept à huit fois par jour. Pour l'éleveur, c'est une énorme contrainte en moins. Pour les vaches, c'est moins drôle : elle passent toute leur vie à l'étable !

▶ **Les grandes plaines** seront bientôt cultivées par des moissonneuses-batteuses géantes bourrées d'électronique, et guidées par ...6...

▶ **Les cochons** de Bretagne seront élevés dans des ateliers de mille têtes, et gavés de ...7... fabriqués aux Etats-Unis à partir de résidus de maïs.

▶ **Les vergers** du sud seront envahis de robots capables de cueillir un fruit toutes les quatre secondes. Pour que ces robots soient efficaces, les pommiers seront plantés toujours à la même distance et ils ne dépasseront pas 4 mètres de hauteur...

▶ **Il y aura aussi des robots** pour tondre les moutons, récolter les asperges ; il y aura des tomates et des carottes dotées d'un ...8... de longévité, des vaches capables de donner naissance à des ...9...

Avantages : le métier d'agriculteur devient un métier de plus en plus propre. Les exportations agricoles se porteront mieux encore qu'aujourd'hui, de quoi satisfaire les besoins immenses des pays pauvres d'Asie et d'Afrique.

Inconvénients : seuls les agriculteurs capables de s'acheter un matériel très coûteux s'en sortiront. Les autres auront du mal à survivre. Certaines terres risquent d'être surexploitées et polluées. D'autres à l'abandon.

---

1 Dans l'article ci-dessus, paru dans le magazine *Okapi*, il manque des mots : vous les trouverez dans la liste qui suit. Cherchez leur signification dans un dictionnaire, si besoin est. Remettez chaque mot au bon endroit.

hectare
jumeaux
gène
gobelets
satellites
pellicule
semences
ampoules
granulés

2 Faites la liste des pratiques décrites dans le texte (a) que vous défendez et (b) auxquelles vous vous opposez. Comparez vos listes et débattez les différences d'opinion parmi les membres du groupe.

La traduction en anglais

COMPÉTENCES

Le texte ci-dessous est extrait du catalogue d'un organisme de promotion des produits biologiques, Vivez nature. Imaginez que Vivez nature va faire une campagne publicitaire lors d'un Salon en Grande-Bretagne, à la National Exhibition Centre de Birmingham. Il leur faut donc des exemplaires de leur catalogue en anglais.

2 Lisez *A checklist for good translation*.
a Ajoutez d'autres mérites et défauts à vos listes de l'activité 1.
b Pouvez-vous faire mieux ? Essayez une traduction de la première partie. Comparez avec des collègues du groupe.
c Ensuite, complétez la traduction du texte.
Attention aux collocations : *privilégiez les contacts directs, les acteurs de la bio…* et aux infinitifs : *adopter, contribuer…*

Mangez bien, mangez bio !

Face aux problèmes que pose notre environnement : pollution des eaux, épuisement des ressources naturelles, il est plus que jamais nécessaire d'adopter certains gestes. Consommer des produits issus de l'agriculture biologique répond à cette aspiration : les produits bio sont bons pour notre santé, comme pour celle de notre belle planète bleue. **Vivez nature** accorde une grande place à l'agriculture biologique et aux produits qui en sont issus. Si vous ne les connaissez pas déjà, venez les découvrir et les déguster.

A **Vivez nature,** venez rencontrer les acteurs de la filière bio : agriculteurs, éleveurs, viticulteurs, transformateurs. Privilégiez les contacts directs avec les acteurs de la bio, les plus compétents pour vous expliquer le fondement de leur démarche et l'originalité de leurs produits, ils vous feront découvrir leur travail de chaque jour.
Les produits alternatifs, du papier recyclé aux vêtements en fibres naturelles, sont faciles à intégrer à notre vie quotidienne. Comme pour les produits bio, leur mode de production est plus respectueux. Les adopter, c'est contribuer activement à la protection de notre environnement.

1 Voici des ébauches de traduction de la première partie. Quels sont les mérites (ou défauts) de ces deux traductions ?

Eat good, eat bio!
Facing the problems which our environment poses: pollution of the waters, tiring out of the natural resources, it is more than ever necessary to adopt certain gestures. To consume products emerging from biological agriculture replies to this aspiration: bio products are good for our health, as for that of our beautiful blue planet.
Vivez Nature accords a big place to biological agriculture and the products which emerge from it. If you don't know them already, come and discover them and taste them.

Do yourself a flavour favour, eat organic!
We all know about environmental disasters, yeah, tell me more! – contaminated water supplies, natural resources going for a burton … Faced with all this we've gotta make a stand. There is a way out of all this – go organic! It's the tops health-wise, and what's more it helps us save the planet!
"Vivez Nature" puts organic farming and all the great stuff it produces on top of the ratings. If you haven't got to know them yet, now's your chance to get real, come along and give it all a go.

A checklist for good translation
● *is it accurate to the author's intention?*
● *is it faithful to both languages?*
Literal translation can be accurate on a word-by-word basis, but may make no sense as a whole – often because words which form collocations in one language do not do so in another.
● *does it hit the same note as the original?*
Is it in the same style and register? This means we sometimes need to find equivalent expressions – those which create the same impression on the reader as the original author intended.
● *does it read like an original piece?*
The reader should not be able to tell that it has been translated.

All these things need to be balanced in order to find the best translation, but meaningful accuracy is your goal.
Think through three steps: what do the words say, what do they mean, how would we put that in English?

Bilan de l'unité 9

Survol 7, 8, 9

Monet : La gare St-Lazare

Révisez page 107

1 a Faites une description simple et directe de ce tableau.
Au premier plan, on distingue/voit… Au fond…
Derrière la fumée de la locomotive, on…
Mentionnez : la lumière du soleil, l'obscurité, la géométrie…

Révisez page 128

b Lisez ce commentaire du tableau, puis traduisez-le en anglais.

Ce tableau délibérément équilibré est situé sous la verrière. Nous sommes placés à l'extrémité des voies, les yeux fixés sur l'axe des rails en direction du pont de l'Europe, dont les poutrelles entrecroisées forment un pâle bandeau horizontal au niveau du panache de fumée de la locomotive. A droite de la locomotive, on aperçoit un cheminot et, plus en arrière sur le quai qui se prolonge en direction du pont, de nombreux passagers. Sur la gauche se trouve le tender d'un train sans locomotive. Les deux trains peuvent donc s'éloigner ou se rapprocher de l'observateur, directement face à lui. Il résulte de ce double mouvement potentiel que ni l'un ni l'autre ne semble bouger. Le sentiment d'être suspendu dans un instant d'éternité est accru par les bouffées de vapeur qui s'échappent de sous le châssis de la locomotive.

Pour compléter cet effet d'un équilibre en suspens et d'une délicate résolution des forces, Monet a construit une composition symétrique, mesurée. La locomotive se trouve juste à gauche de la ligne médiane du tableau, exactement marquée par le sommet du triangle de la verrière au-dessus de nos têtes. La distance entre le haut du tableau et le bord supérieur du pont horizontal (qui coïncide, délibérément, avec le sommet da la cheminée de la locomotive) est exactement la moitié de la largeur de la toile, si bien que les deux zones à gauche et à droite de l'axe médian, au-dessus du pont, sont des carrés parfaits.

Révisez pages 107, 109, 110

c Utilisez ce commentaire et les compétences que vous avez acquises au cours de l'unité 8, afin de décrire et de commenter un deuxième tableau : choisissez entre *Le pont de l'Europe* de Monet (cherchez à la bibliothèque), *La chambre à Arles* de Van Gogh (page 105), et *Le moulin de la Galette* de Renoir (page 110). Pensez à incorporer dans votre composition quelques-unes des expressions indiquées en bleu dans le commentaire ci-dessus.

Révisez pages 109, 113, 114; 104 *Zoom*, 120 *Zoom*

2 Trouvez une photo (dans un livre, un journal, etc.) qui représente un bâtiment contemporain que vous n'appréciez pas beaucoup. Faites-en une critique. Essayez d'incorporer des exemples du conditionnel passé et des propositions de concession.
Exemples : L'architecte aurait pu choisir des matériaux plus…
Bien que l'architecte aît fait des efforts pour respecter l'harmonie du quartier, …

Révisez pages 96–97, 112 *Zoom*

3 Relisez l'article sur Georges Valayé, page 124. Imaginez que trente ans plus tard, vous faites des recherches afin d'écrire l'histoire de l'agriculture des années 1950–2000.

a Notez les points les plus importants.
Exemple : G. Valayé : toute sa vie dans la ferme achetée par son grand-père, …
b Rédigez un ou deux paragraphes de l'histoire. Utilisez le passé simple et l'imparfait, et d'autres temps si nécessaire.
Exemple : A l'âge de 50 ans, Valayé se sentit trahi. Il produisait du veau. Les prix se dégradaient tandis que ses charges… Il décida de jouer l'intensification…

Révisez pages 96–97

4 Relisez l'article de la page 127 sur les nouvelles technologies agricoles.
a Faites un résumé de cet article sous forme de notes.
Exemple : Intro : les agri. fr. produisent plus (blé, lait, poulet…). Il faudra donc moins d'agriculteurs qu'avant.
• *Graines :*
• *Vaches :*
b A l'aide de vos notes, reconstituez l'article oralement : faites un bref exposé pour présenter l'avenir de l'agriculture, en citant les exemples donnés dans l'article.
Exemple : Le métier d'agriculteur a beaucoup changé et changera encore. Les niveaux de production s'élèvent, et…
Les graines contiendront de l'insecticide, …

"Ça se discute" – une émission de télé de proximité

Le groupe va simuler une émission de télé de proximité dans la région d'Aix-en-Provence. C'est une table ronde qui réunit des intervenants pour discuter d'un sujet d'actualité : un projet d'implanter un site de stockage de déchets nucléaires près du village de Vauvenargues, situé sur la Montagne Sainte-Victoire, à 10km d'Aix-en-Provence.

Révisez pages 102 *Exp.-clés*, 120 *Zoom*, 123 *Compétences*

1 Chaque membre du groupe choisit le rôle d'un des personnages de la liste. Préparez votre rôle, sans en écrire le texte entier. Les pages indiquées vous seront utiles : trouvez-y des idées et des moyens d'expression.

- **le présentateur ou la présentatrice** *page 101*
- **le maire du village**
  Vous approuvez, sous toutes réserves, le projet, qui apportera de l'argent au village. *pages 97, 100, 101*
- **le directeur technique de la société COGEMA**
  Vous représentez l'agence nucléaire cherchant à s'installer. *pages 97, 98–99, 100*
- **un architecte-urbaniste**
  Vous travaillez à Aix et vous êtes propriétaire d'une résidence secondaire près de Vauvenargues. *pages 113, 115, 116*
- **un habitant de Vauvenargues**
  Vous approuvez ou vous vous opposez au projet – à votre gré – pour des raisons diverses. *pages 97, 98–99, 100*
- **un(e) écologiste**
  Vous êtes contre le nucléaire en général et contre le stockage hors centrale en particulier.
  pages 97, 98–99, 100–101, 122–123, 124 Exp.-clés
- **un agriculteur**
  Propriétaire d'une ferme-auberge tout près du site proposé. A vous de décider si vous êtes pour ou contre le projet.
  pages 117, 124 Exp.-clés, 125
- **un artiste**
  Vous montez des stages pour des groupes d'artistes amateurs venant découvrir et peindre les paysages de Cézanne et y goûter la paix et la tranquillité de la nature sauvage.
  pages 106–107, 122–123, 124 Exp.-clés

2 Préparez une "fiche d'intervention" (voir l'exemple ci-dessous) en deux exemplaires et remettez-en un au présentateur/à la présentatrice.

3 Réalisez la discussion. Parlez à l'aide de vos notes. Le présentateur/la présentatrice commence : *Mesdames, mesdemoiselles, messieurs, bienvenue à notre émission "Ça se discute". Ce soir, un sujet d'actualité qui fait monter vivement les passions des gens de la région, le projet de COGEMA de…*

se Ça discute

Fiche d'intervention

Nom : Jacky Simonet

Profession : artiste

Points-clés de votre intervention :

- projet = profanation scandale d'une belle région
- on devrait respecter le pays où Cézanne a…
- les artistes futurs viendront s'inspirer…
- un lieu privilégié… monument national…
- le tourisme vert est menacé…

La science propose…

- Les multidébats du multimédia
- Tous internautes !
- Un monde sans maladies ?
- Une société en évolution

Multimédia

Au début 1994, on comptait en France :
- 7 millions de consoles de jeux, soit 30% des foyers équipés
- 3,8 millions de micro-ordinateurs
- 1,2 millions de modems (surtout dans les entreprises)
- 150 000 lecteurs de CD-ROM (dont 80 000 achetés en 1993, contre 17 000 en 1992).

Internet

Internet devient une source d'informations colossale. Dans ce méga-fourre-tout, on trouve des images de Saturne ou d'Hawaï, des extraits sonores des Rolling Stones ou des « hardos » de Megadeth, des informations sur Greenpeace ou la CIA, des extraits ciné de la Guerre des étoiles ou du Muppet Show, des jeux vidéo gratuits ou pas chers du tout, des programmes antivirus ou des mises à jour de vos utilitaires préférés… Vous pourrez même jouir de tous ces trésors en les rapatriant tranquillement sur votre disque dur (en bon jargon, cela s'appelle le téléchargement de fichiers).

Bioéthique

Aujourd'hui la logique économique côtoie la responsabilité médicale et les progrès de la science ouvrent des possibilités inédites aux médecins. Les conséquences ? De nouvelles questions qui concernent toute la société. Des médecins, des philosophes, des sociologues, des religieux coopèrent au sein du Comité national d'éthique pour définir une "morale du vivant", la bioéthique.

Génétique

Les gènes bouleversent la médecine, l'industrie, l'agriculture. Leur manipulation permet de modifier toutes sortes d'organismes. De même, le dépistage de maladies héréditaires crée de nouveaux modes de soin.

1 Notez le nom des technologies nouvelles mentionnées ici. Au cours de votre travail sur cette unité, faites une liste du vocabulaire important.

2 Vous tenez-vous au courant ? Avez-vous entendu parler de ces technologies ou de développements tout nouveaux ? Dites ce que vous en savez à un(e) partenaire.

Les multidébats du multimédia

Le multimédia fait son entrée à l'école, à la maison, au travail lentement mais sûrement. A quoi sert-il ?

L'ART DE L'ILLUSION

A Pour changer de coiffure, le clic ! clic ! de <u>la souris</u> vaut désormais le clic ! clac ! des ciseaux. Grâce à Morgane, un système <u>informatisé</u> qui vous filme à l'aide d'un caméscope, <u>numérise</u> votre visage sur ordinateur, puis l'embellit d'une des quelque 300 chevelures livrées avec la machine. Si vous n'y en trouvez pas une qui vous plaît, il est possible d'en ajouter des nouvelles. Au final, <u>une imprimante</u> couleur affichera sur papier votre nouvelle coiffure. La suite est plus conventionnelle et repose entre les doigts du coiffeur.

B Manipuler une image revient bien souvent à tromper la réalité. Plus rarement, cela permet de mieux coller à cette réalité. C'est dans ce sens que travaille le National Center for Missing and Exploited Children (NCMEC), une association qui a pour lourde mission la recherche des enfants disparus de longue date, en collaboration avec le FBI et le ministère de la Justice. Son arme secrète : l'utilisation de Photosketch, un logiciel de morphing capable de faire vieillir à volonté les traits des enfants. La méthode conduit parfois à des résultats heureux.

1 Lisez l'extrait de *Science et vie junior Micro* qui présente deux usages du multimédia. Avec un(e) partenaire, inventez un titre approprié pour chaque paragraphe.

2 Relisez l'extrait.
  a Paragraphe A : devinez le sens des mots soulignés. Vérifiez dans un dictionnaire.
  b Paragraphe B : imaginez que vous faites une chronique à la radio. Lisez le texte à haute voix. Sur quelles phrases ou expressions faut-il insister ?

3 🔊 Ecoutez un étudiant qui se sert du multimédia. Recopiez et remplissez la grille.

> *Le multimédia et les exposés*
> *Outils nécessaires :*
> *Informations disponibles sur CD-Rom :*
> *Inconvénients du CD-Rom :*
> *Avantages du CD-Rom :*

4 Vous servez-vous d'un ordinateur ou du multimédia pour faire vos devoirs ? Avec un(e) partenaire, discutez de leurs avantages et inconvénients.
Exemple : A mon avis, ce n'est pratique que si on a un ordinateur à la maison.

Expressions-clés

Parler du multimédia :

Avant j'allais à la bibliothèque, maintenant, je me sers d'un ordinateur.
Les ordinateurs multimédia sont rapides.
Sur les CD-Rom, on trouve textes et photos, images vidéo, séquences animées, sons et musique.
Ce qui me plaît, c'est l'interactivité, la possibilité d'agir sur le traitement des informations.
On a la possibilité d'imprimer les documents.
C'est difficile si on n'a pas d'ordinateur à la maison.
Au lycée, beaucoup d'élèves veulent s'en servir.
On peut passer beaucoup de temps à regarder et à lire.

5 Lisez cet article sur le rôle éducatif du multimédia.

a Mettez les idées suivantes dans l'ordre où vous les trouvez dans le texte.

1 Il faut reconnaître que les jeunes sont attirés par une culture visuelle.

2 Les professeurs ont la possibilité d'utiliser ces technologies nouvelles afin de renforcer le travail de leurs élèves.

3 Les compétences traditionnelles de l'écriture et de la lecture vont perdre de l'importance à cause du développement de ces technologies nouvelles.

4 Ces technologies nouvelles ne laissent pas le temps de s'arrêter pour réfléchir.

5 En fait, grâce à ces technologies nouvelles, il paraît que ces compétences traditionnelles sont consolidées.

b Avec lesquelles des idées *1–5* êtes-vous d'accord ? Discutez-en avec votre partenaire.

6 Trouvez ci-dessous la bonne définition pour chaque expression ou mot numéroté dans l'article.

– le passage d'un mot à l'autre à travers sa définition ou information données

– rendu stupide

– effacer

– la disparition définitive

– action par laquelle on reconstitue ou refait quelque chose

– une application/un programme

7 L'article est riche en "mots-charnières", qui relient deux idées, par exemple : *mais, le fait est que, …* Avec votre partenaire, passez deux minutes à identifier autant de ces mots et expressions que possible.

On dit souvent que « les élèves sont déjà abrutis (1) par la télévision et les jeux vidéo ; le multimédia va signer l'arrêt de mort (2) de l'écrit.

« L'irruption des images nous fait courir le risque d'une certaine passivité », affirme le philosophe Alain Etchegoyen ; « l'image provoque des émotions plus que de la raison ou du raisonnement » ; sa rapidité interdit « le temps de la réflexion ». Mais, ces arguments ainsi que l'hostilité d'une partie des enseignants vis-à-vis de la télévision et des jeux vidéo ne peuvent gommer (3) ce constat : le fait est que la culture des enfants est une culture de l'image, et que l'école, en la refusant, se coupe des enfants et de la société dans son ensemble.

L'image ne risque-t-elle pas alors de triompher de l'écrit, en apparaissant comme le seul support du savoir ?

Pour Pierre Lévy, professeur à l'université Paris-VIII, « l'écriture et la lecture échangent (dans l'œuvre multimédia) leurs rôles. Celui qui participe à la structuration de l'hypertexte, est auteur de l'œuvre mais aussi lecteur. En revanche, celui qui se sert du logiciel (4), le lit, bien évidemment, mais il a aussi la possibilité de le changer, de contribuer à la rédaction pour ses propres besoins. Celle-ci est très utile pour des étudiants qui préparent des dossiers ou des exposés. Depuis l'hypertexte, toute lecture est une écriture potentielle ».

Les utilisateurs du multimédia font également remarquer que la pratique de la lecture et de l'écriture s'en trouve renforcée. Celle-là est en effet intégrée de fait dans la navigation (5) à l'intérieur du produit : il faut bien lire les textes qui y figurent pour pouvoir passer d'une étape à l'autre. L'interactivité suppose également souvent une intervention du jeune face à l'écran. Enfin, rien n'empêche l'enseignant de faire participer le document écrit à l'utilisation du multimédia, soit comme support supplémentaire, soit comme support de restitution (6) d'un travail fait à partir du produit multimédia. « Il faut partir de la culture de l'image pour retourner à l'écrit », préconise Jacques Richard, directeur du centre régional de documentation pédagogique de Versailles.

Zoom *sur le pronom démonstratif : celui*

Celui qui participe à la structuration de l'hypertexte…
Celle qui est utilisée dans la salle de classe…

Celui etc. représente un nom (de personne ou d'objet). On aurait pu dire dans les exemples ci-dessus : *le jeune qui participe…* ; *l'application qui est utilisée…*

Celui s'accorde avec le nom qu'il désigne :

singulier		pluriel	
masculin	féminin	masculin	féminin
celui	**celle**	**ceux**	**celles**

Ajoutez *-ci* et *-là* pour distinguer ou opposer deux personnes ou deux choses :
celui-ci/celle-ci/ceux-ci/celles-ci = "the latter, this one/these ones here"
celui-là/celle-là/ceux-là/celles-là = "the former, that one/those ones there"

• Repérez cet exemple dans l'article ci-dessus :
La pratique de la lecture et de l'écriture s'en trouve renforcée. Celle-là (= la lecture, non l'écriture) est en effet intégrée dans la navigation…

10i

Etes-vous internaute ? Vous êtes-vous connecté ?

1 Que savez-vous sur Internet?
  a Avant de lire le texte, faites une liste, avec un(e) partenaire, de ce que vous savez déjà.

Exemple : Internet – un réseau informatique. Avec Internet, on peut envoyer des messages…
  b Lisez le texte. Pouvez-vous ensuite compléter votre liste ?

S'il fallait une image pour décrire Internet, ce serait celle d'une immense toile d'araignée composée elle-même de milliers de toiles d'araignée reliées entre elles par des fils à travers la planète.

D'où vient Internet ?

Sans la guerre froide, Internet n'existerait peut-être pas. En 1969, quand l'armée américaine a élaboré Arpanet – l'ancêtre d'Internet –, elle cherchait à construire un réseau de télécommunications capable de résister à une bombe thermonucléaire dans l'hypothèse d'un conflit américano-soviétique. L'idée d'un système central fut jetée aux orties : trop vulnérable. Dans Arpanet, les maillons de la chaîne furent créés de telle sorte qu'ils restent indépendants les uns des autres. Autrement dit, si l'un d'eux venait à sauter, les informations pouvaient continuer à passer en empruntant d'autres chemins. Ainsi naquit la technologie du « reroutage dynamique » : si la porte est fermée, passez par la fenêtre !

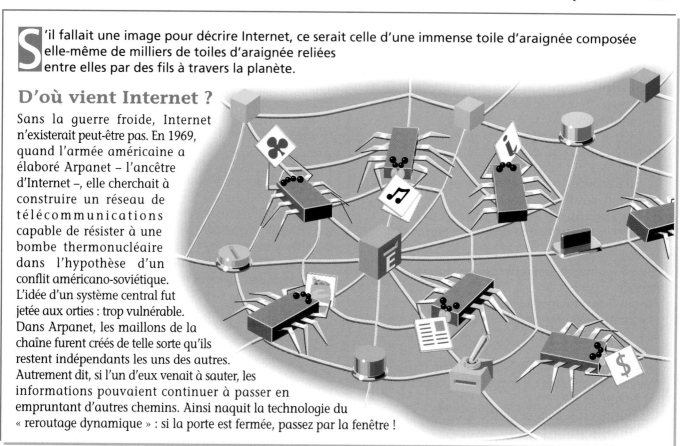

Saviez-vous que… ?

🔘 Personne ne peut plus contrôler Internet. Si un gouvernement voulait contrôler les informations, les internautes passeraient aussitôt par un autre pays. Les trafiquants de drogue, les mafias, les sectes… ont bien compris cela et s'en servent largement. C'est donc aux internautes eux-mêmes de faire la police.

🔘 Il existe un code de conduite "Néthique", non écrit mais respecté par tous. En cas de non-respect (par exemple, diffusion de publicité), vous risquez de voir votre adresse "fired" (brûlée) : un inconnu vous adressera toutes les 5 ou 12 secondes un message d'insulte, rendant votre messagerie inutilisable.

🔘 Avec Internet on peut s'échanger du courrier électronique. Le courrier parviendra à sa destination en quelques minutes ou en quelques heures selon l'encombrement des lignes, pour un prix dérisoire comparé à celui des messageries postales rapides.

🔘 On peut aussi discuter de tout et de rien. Les forums (ou newsgroups) sont les cafés de commerce électroniques. Vous aimez la pêche à la ligne, ou le Macintosh, ou Elvis Presley, ou… (en tout, plusieurs milliers de sujets possibles) ? Comme des affiches placardées sur un mur, les contributions des uns et des autres sont consultables à tout moment.

2 📼 Ecoutez Thomas, Elise et Christophe parler d'Internet. Que disent-ils sur ses avantages et ses inconvénients ?
Exemple : Thomas, avantages : on peut communiquer avec des gens partout dans le monde, …

3 Avec un(e) partenaire, discutez des avantages et des inconvénients d'Internet. Ensuite, comparez vos opinions avec les autres membres du groupe.

4 Le magazine *Les Clés de l'actualité* a interviewé Paul Virilio, écrivain et chercheur, au sujet d'Internet.

  a Lisez l'introduction. A votre avis, Paul Virilio sera-t-il pour ou contre Internet ?

  b Les réponses de M. Virilio ont été mélangées. Lisez tout, et trouvez la réponse qui correspond à chaque question.

INTERNET :
attention danger !
ENTRETIEN AVEC PAUL VIRILIO, URBANISTE ET ÉCRIVAIN

Internet qui permet la connexion à l'échelle planétaire de milliers de réseaux informatiques devient de plus en plus puissant. Mais la puissance de cet extraordinaire outil de communication suscite déjà bien des interrogations. Paul Virilio refuse de tomber dans l'idôlatrie et dénonce les dérives totalitaires possibles des nouvelles technologies de l'information.

Je répète : sans danger

A La démocratie, c'est le partage de la réflexion et de la décision en commun. Or les technologies nouvelles sont des technologies de l'immédiateté. On voit se mettre en place un temps mondial, un temps unique, le "live" ou temps réel qui va dominer les temps locaux. Cette domination est dangereuse car c'est toute la richesse de la localité, c'est-à-dire de la culture, de ce qui a fait la mémoire des populations, qui est menacée.

B Einstein avait annoncé dans les années 50 trois bombes : la bombe atomique qui était déjà là, la bombe informatique et la bombe démographique. Aujourd'hui ce qui nous menace, c'est la bombe informatique. C'est-à-dire que l'information devienne un phénomène totalitaire, gérée à l'échelle de la planète par des groupes géants de la communication comme Time Warner, Murdoch, Microsoft. Nous ne pourrons utiliser les ressources de l'information que si nous nous donnons les moyens de lutter contre le conditionnement des opinions et des populations.

C Il n'y a pas de société sans loi. La loi est faite pour les faibles, la société sans loi, c'est la société des forts. Or le propre de l'acquis historique des sociétés démocratiques, c'est de défendre les faibles. Nous nous trouvons dans un siècle qui a connu toutes les grandes catastrophes écologiques et politiques à travers Auschwitz, Hiroshima, Tchernobyl. Il faut assurer un contrôle sur Internet faute de quoi on assistera à un développement anarchique du phénomène qui aboutira aux pires excès : comme la constitution de petits groupes fermés sur eux-mêmes qui, comme les tribus par le passé, pourraient provoquer des conflits inter-ethniques ou inter-religieux.

D Il n'y a jamais eu de progrès sans dégâts du progrès. Le propre des technologies est d'innover dans l'instant. Quand on invente le navire, on invente le naufrage, quand on invente l'électricité nucléaire on invente la pollution, la catastrophe de Tchernobyl, etc.
Donc les technologies nouvelles comme Internet sont à la fois un progrès et un dégât possible. Après le siècle que nous venons de vivre, nous avons de nombreux exemples de dégâts du progrès. On ne peut pas continuer à idéaliser le progrès, il faut rester vigilants.

1 Pour certains, les autoroutes de l'information, Internet, représentent un grand progrès pour nos sociétés. Partagez-vous ce point de vue ?

2 Faut-il craindre la révolution cybernétique ?

3 La domination des technologies nouvelles constitue-t-elle une menace pour la démocratie ?

4 L'Etat devrait-il exercer un contrôle sur certaines utilisations d'Internet ?

5 Relisez. Choisissez, parmi les phrases suivantes, les opinions qui reflètent celles de M. Virilio.

  a Chaque innovation a des aspects positifs et des aspects négatifs.

  b Il est indispensable de tirer une leçon des erreurs du passé.

  c Il faut essayer de ralentir l'avancée des technologies nouvelles afin d'éviter des catastrophes.

  d Il sera nécessaire d'interdire le développement des groupes géants de la communication.

  e Même la démocratie est menacée par ce genre de réseau mondial.

  f La culture individuelle d'un pays, d'une région, pourrait être menacée par cette technologie.

  g Le manque d'un contrôle efficace sur Internet pourrait mener à des conflits.

  h On ne peut tirer aucun bénéfice de cette technologie nouvelle.

6 Ecrivez ou enregistrez un texte (250 mots minimum) sur les avantages et les inconvénients d'Internet.

Des progrès médicaux… mais pas pour tous

1 Lisez la description de quatre techniques médicales.
  a Connaissez-vous le nom anglais de chaque technique ?
  b Devinez le sens des mots surlignés en jaune. Vérifiez dans votre dictionnaire.

2 [📼] Ecoutez quelques extraits de conférences publiques sur la médecine.
  a Pour chaque extrait, identifiez la technique dont on parle.
  b Dites si chaque extrait fournit des informations supplémentaires (marquez d'un +) ou exprime une réaction négative (−).

3 [📼] Jean de Kervasdoué, économiste de la santé, a été interviewé par *Phosphore* sur le système de la santé en France et les effets du progrès technique. Nous avons réenregistré l'interview. Ecoutez-la.
Trouvez le morceau de phrase *a–h* à utiliser pour terminer chacune des phrases commencées (*1–8*).

  1 En moyenne, on dépense…
  2 Aujourd'hui, il n'est plus nécessaire…
  3 Les opérations en hôpital de jour permettent…
  4 La prévention est importante…
  5 Grâce à la vaccination, il est possible…
  6 En matière de santé, les inégalités entre classes sociales…
  7 Les problèmes sociaux surtout des plus pauvres…
  8 Non seulement ces populations consomment davantage de tabac et d'alcool, mais…

  a de réduire la mortalité.
  b pour des raisons éthiques.
  c augmentent depuis 30 ans.
  d de réaliser des économies.
  e entraînent des maladies particulières.
  f environ 11 000 francs par an et par personne.
  g de traiter les tuberculeux dans des hôpitaux spécialisés.
  h elles ont plus de risques de donner naissance à des enfants prématurés.

4 [📼] Réécoutez l'interview et répondez aux questions.
  a En France, qui paye les frais médicaux ?
  b L'évolution dans les soins a-t-elle permis de réaliser des économies ? Donnez des exemples pour justifier votre réponse.
  c Pourquoi la prévention ne permet-elle pas de réaliser des économies ?
  d Quelle est l'espérance de vie moyenne des femmes françaises ?
  e Résumez les risques pour les plus pauvres, en matière de santé.

5 A deux. Faites des recherches. Trouvez les réponses aux questions **a** et **d** de l'activité 4 pour votre pays. Ecrivez un rapport comparant le système de santé en France et chez vous.

Fécondation in vitro

Grâce à la technologie de fécondation in vitro (FIV) les spermatozoïdes fécondent plusieurs ovules en éprouvette. Généralement, cela donne naissance à plusieurs embryons dont un ou deux sont implantés dans l'utérus. Les autres sont souvent congelés dans l'attente éventuelle d'une nouvelle implantation. Dans le monde on compte aujourd'hui plusieurs dizaines de milliers de ces enfants de la science.

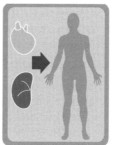

Les greffes d'organes

Depuis 1954, des centaines de malades ont reçu des organes. La première greffe de rein a eu lieu en 1954. Les greffes de foie (1963) et de cœur (1967) ont suivi. Grâce à cette technologie qui continue à s'améliorer, des milliers de malades restent en vie.

Le développement de médicaments et de vaccins

Depuis le travail de Louis Pasteur, on a cherché à éradiquer toutes les maladies infectieuses. Grâce à ce travail, beaucoup de maladies terribles ont été enrayées, comme la tuberculose. Et en 1978, l'OMS (Organisation mondiale de la Santé) proclamait l'éradication de la variole.

La génétique

Pour la santé humaine, la génétique constitue un moyen puissant inédit pour comprendre et soigner les maux. La manipulation des gènes permet de modifier toutes sortes d'organismes et en plus, les tests génétiques et le dépistage de maladies héréditaires créent de nouveaux modes de soin.

La médecine a fait d'étonnants progrès, mais leurs effets sont moins ressentis dans les pays pauvres. Les graphiques de cette page et l'enregistrement qui l'accompagne présentent la réalité de la situation.

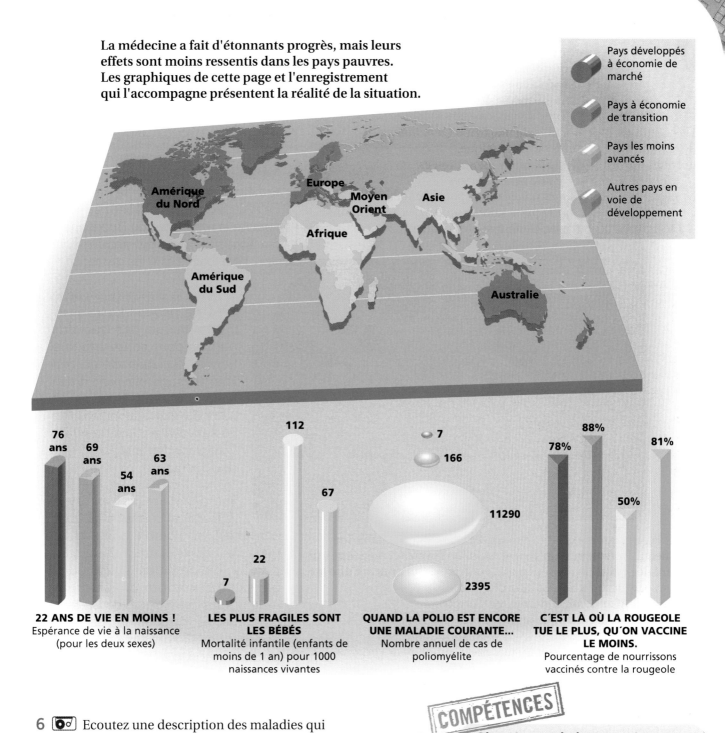

Pays développés à économie de marché

Pays à économie de transition

Pays les moins avancés

Autres pays en voie de développement

22 ANS DE VIE EN MOINS !
Espérance de vie à la naissance (pour les deux sexes)

LES PLUS FRAGILES SONT LES BÉBÉS
Mortalité infantile (enfants de moins de 1 an) pour 1000 naissances vivantes

QUAND LA POLIO EST ENCORE UNE MALADIE COURANTE...
Nombre annuel de cas de poliomyélite

C'EST LÀ OÙ LA ROUGEOLE TUE LE PLUS, QU'ON VACCINE LE MOINS.
Pourcentage de nourrissons vaccinés contre la rougeole

6 🔊 Ecoutez une description des maladies qui réapparaissent, parfois avec des souches résistantes.
  a Recopiez cette liste et cochez les maladies mentionnées.
    le choléra   la diphtérie   la fièvre jaune   la lèpre
    la malaria   la peste   la polio   la rougeole   la tuberculose
  b Réécoutez. Notez l'exemple donné des nouveaux virus. Notez les statistiques données pour la tuberculose.

7 En vous servant des statistiques données dans les graphiques et dans les enregistrements, écrivez un rapport bref (environ 150 mots) sur les différences entre la lutte contre les maladies dans les pays riches et celle dans les pays en développement.

COMPÉTENCES

Citer des statistiques et des exemples dans un texte

On utilise souvent des statistiques et des exemples pour défendre un point de vue. Pourquoi ?
– pour appuyer des faits
– pour ajouter du crédit à un argument
– pour résumer les faits
• Pouvez-vous ajouter d'autres raisons ?

L'éthique médicale

Pour la santé humaine, la génétique constitue un moyen puissant de comprendre et soigner les maux. Mais elle crée aussi des problèmes à résoudre, surtout en ce qui concerne l'éthique médicale et la liberté individuelle.

1 Lisez cette description, tirée du magazine *Ça m'intéresse*, de certaines applications de la génétique.
   a Faites une liste des applications mentionnées.
      Exemple : *identifier le sexe sur l'embryon*
   b Selon l'auteur, certaines applications pourraient être dangereuses. Avec un(e) partenaire, discutez des applications. Etes-vous d'accord avec l'auteur sur les risques ?

2 [🔊] Ecoutez trois experts : Jérôme Blandin, avocat, Catherine Doisneau, professeur d'université, et Julien Favereau, médecin, qui parlent des questions posées par la génétique. Qui pourrait dire les phrases suivantes ? (Notez 1, 2 ou 3.)
   a Ce serait quand même dommage d'arrêter.
   b En principe, la génétique permet la personnalisation de la médecine préventive.
   c Il est nécessaire d'utiliser du matériel humain pour certaines recherches.
   d Il existe déjà des abus, surtout là où il est considéré indispensable d'avoir un fils.
   e Le droit de conserver la confidentialité d'une information confidentielle devrait être un élément essentiel de la liberté individuelle.
   f Les parents veulent simplement un enfant qui n'ait pas de handicap.
   g La génétique menace le principe d'égalité, surtout des personnes qui ne correspondent pas à l'idéal fixé par la société.
   h La discrimination contre les gens prédisposés au cancer ou à l'alcoolisme existe déjà.

3 [🔊] Réécoutez. Faites une liste d'expressions utiles pour discuter des questions d'éthique.
   Exemple : *Je suis opposé à toute manipulation génétique.*

Identifier le sexe sur l'embryon a été rendu possible grâce à une technique de biologie moléculaire. Principale application : la détection de maladies génétiques liées au sexe, comme la myopathie de Duchenne – paralysie musculaire progressive – qui ne touche que les garçons.

Mais le dépistage du sexe ne risque-t-il pas aussi d'être utilisé par certains parents pour construire une famille réputée idéale (en France, un garçon suivi d'une fille) ? Serait-ce légitime ou non ? Et l'élimination des filles ne sera-t-elle pas au rendez-vous dans certains pays ? Qui doit décider ?

Le dépistage sur l'embryon va aussi permettre de "tuer dans l'œuf" un nombre croissant de maladies héréditaires. Face à la perspective de l'identification des gènes d'un nombre croissant de maladies, les questions se bousculent. Quels sont les "bons" et les "mauvais" gènes ? Quels sont les embryons pouvant conduire à une naissance et ceux qui doivent être éliminés ? Quels sont les handicaps "tolérables" et ceux qui ne le sont pas ?

Et surtout, qui doit décider en ce domaine ? Les parents ? Les médecins ? Les deux ? Faut-il fixer des règles générales ? Les comités d'éthique doivent-ils avoir leur mot à dire ? Le débat ne fait que commencer. Mais le développement des techniques, lui, n'attend pas.

Le Comité consultatif national d'éthique a été créé en 1983 pour donner des avis sur les problèmes moraux que soulève la recherche en biologie, médecine et santé. Dans l'interview suivante, parue dans *Phosphore*, un membre du comité parle de son travail.

1 La science propose, la société dispose

Agir sur le cerveau des criminels, établir des diagnostics sur les fœtus… La science offre aujourd'hui des possibilités extraordinaires… mais inquiétantes parce qu'on peut modifier la nature humaine. Le Comité d'éthique réfléchit à
5 ces problèmes. Axel Kahn, un de ses membres, en explique la mission.

Pouvez-vous nous donner quelques exemples des questions qui sont aujourd'hui soumises au Comité d'éthique ?
Je peux vous en citer quatre :
1 Dans le cadre de la fécondation in vitro, lorsque les
10 spermatozoïdes sont trop peu nombreux pour permettre la fécondation, une nouvelle technique permet aujourd'hui de la "forcer", en injectant dans l'ovule un spermatozoïde, obligatoirement choisi sur intervention humaine. Et si ce choix débouche sur la naissance d'un enfant anormal ? Voilà une
15 question d'éthique puisque ce n'est plus la nature qui aura mal fait les choses mais l'homme.
2 On peut aujourd'hui, avec quelques produits chimiques, débarrasser l'auteur de crimes sexuels de toutes ses pulsions. Mais on modifie ainsi l'individu. Est-ce moralement admissible ?
20 **3** Il existe dans les laboratoires, des collections d'ADN, des bouts de code génétique, prélevés sur l'homme, qu'on peut traiter pour en faire des médicaments. Autrement dit, on s'approprie le vivant pour le breveter, en faire une activité commerciale. Est-ce conforme à l'éthique ?

4 Est-il souhaitable d'instaurer un dépistage systématique de 25 trisomie 21 (le mongolisme) ?
Sur toutes ces questions, et d'autres, le Comité d'éthique devra rendre un avis.

De toute façon, vos avis sont facultatifs. C'est-à-dire qu'ils n'ont aucune force de loi… 30
Exactement. Le Comité d'éthique n'est pas là pour édicter la morale, à distinguer le bien du mal. Son vrai rôle, c'est de se pencher sur des problèmes nouveaux, de les analyser et d'offrir à la société des méthodes de raisonnement. Nous ne voulons pas avoir un rôle normatif, décider arbitrairement de ce qui est 35 "permis" ou "interdit". Nous ne voulons surtout pas confisquer la richesse du débat démocratique.

Servez-vous de vos dictionnaires !

4 En vous aidant de votre dictionnaire monolingue, trouvez la réponse aux questions suivantes.
  a Trouvez un verbe de la même famille que le nom *dépistage* (ligne 25). Expliquez en français le sens du verbe et du nom.
  b Quel est le contraire de *normatif* (ligne 35) ?
  c Expliquez en d'autres termes les expressions suivantes :
    – en explique la mission (ligne 5)
    – débouche sur la naissance d'un enfant anormal (ligne 14)
    – débarrasser l'auteur de crimes sexuels de toutes ses pulsions (ligne 18)
    – on s'approprie le vivant pour le breveter (ligne 23).

5 Relisez et résumez en anglais :
  a les quatre exemples décrits par M. Kahn
  b la mission du Comité d'éthique.

6 Par groupes de quatre.
  a Aidez-vous des activités précédentes pour dresser une liste des avantages et des problèmes posés par la génétique.
  b Comparez votre liste avec celle des autres groupes.
  c Préparez un exposé sur un des thèmes suivants :

  > **A** Vous voulez ralentir le progrès de la génétique. Quels arguments allez-vous utiliser pour soutenir votre point de vue ?

  > **B** Vous pensez que ce serait dommage d'arrêter les recherches. Montrez que vous reconnaissez les problèmes, mais insistez que le progrès doit continuer.

  d Présentez votre exposé devant les autres groupes.

Métiers d'avenir à découvrir Vie active

La recherche scientifique et le multimédia sont tous les deux des secteurs technologiques de pointe. Vous trouverez, peut-être, ci-dessous, des idées !

Communicateur technique

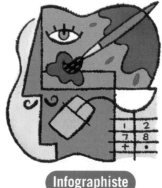

Infographiste

Journaliste spécialisé

Juriste

1 Lisez les quatre descriptions et retrouvez le nom de chaque métier.

A Voici une nouvelle race de documentalistes et de journalistes ! De la notice d'explication au manuel de formation, cette personne s'efforce d'expliquer clairement mode d'emploi et procédures.

Elle doit posséder une bonne culture technique, des connaissances en marketing pour bien cerner le public auquel elle va s'adresser, et savoir dialoguer avec les ingénieurs qui lui donneront les renseignements.

Elle sera très recherchée, car les fabricants sont en train de comprendre qu'une bonne documentation réduit considérablement les appels téléphoniques désespérés.

B Pour être dessinateur sur micro, nul besoin d'être un second Rembrandt ! Pour faire ce métier, il faut troquer son crayon HB contre la souris pour découvrir les joies du volume en 2D (deux dimensions) ou en 3D (trois dimensions). Avec ses logiciels pour outils, qu'il maîtrise parfaitement, il est capable de faire à peu près tout ce qu'il veut, du dessin animé à l'image de synthèse en passant bien évidemment par la modélisation de personnages ou d'objets. N'oubliez pas qu'il faut également être passionné d'informatique !

C Faire trembler les éditeurs de logiciels avec le moindre de ses articles ! Faire la pluie et le beau temps au royaume des jeux vidéo ! Savoir tout sur tout avant tout le monde ! Telle est l'image de ce métier, un métier qui fleurit avec l'expansion des magazines spécialisés.

Par tradition, la presse est ouverte à toutes les compétences, mais cette spécialité-là l'est plus encore : on y compte aussi bien des lycéens de 17 printemps que d'ex-médecins quadragénaires !

Au départ, une passion pour le jeu ou pour un sujet donné – musique, histoire, gestion… – est indispensable. Ajoutez à cela un petit talent de plume et, surtout, un bon piston pour vous permettre d'entrer dans une rédaction par la petite porte. Une compétence technique peut être appréciée, et les informaticiens amateurs et astucieux ont parfaitement leur place dans les rédactions.

D Trois images de film, un peu de BD, une minute de musique… on trouve de tout dans un CD-Rom. Alors, à qui verser les droits d'auteur ? Mais, au fait, qui est l'auteur ? Et là, personne n'est satisfait, ni le compositeur, ni l'infographiste, qualifiés de techniciens, ni les petits éditeurs, pour lesquels cette charge financière n'a rien de virtuel ! Alors, pour l'heure, on s'appuie sur la législation de l'audiovisuel traditionnel, mais la voie est libre pour des spécialistes du droit audiovisuel.

2 Répondez aux questions de votre professeur.

3 En vous aidant de vos dictionnaires bilingue et monolingue, traduisez en anglais la description C. (Revoir l'unité 9, page 128).

4 ▶ Christophe Bliard, chercheur au CNRS (Centre national de la recherche scientifique) à Reims, parle de son travail. Ecoutez l'interview. Complétez les phrases *1–5* en choisissant parmi les phrases *a–i*.

1 Sur la différence entre la recherche fondamentale et la recherche appliquée, M. Bliard pense…
2 Il ajoute…
3 Sur la question des règles d'éthique auxquelles il faut obéir, M. Bliard dit…
4 Il ajoute…
5 Et pour terminer, il dit…

a qu'il n'y a pas de règlement à suivre.
b qu'il n'y a pas de différence entre les deux domaines.
c qu'il y a déjà une éthique de travail, suivie par les chercheurs.
d qu'il y a un mélange entre les deux domaines.
e qu'il faut imposer des règles à court terme.
f qu'il n'est pas nécessaire de travailler dans un domaine pour en reconnaître les implications.
g qu'il faut réfléchir avant d'imposer des règles.
h qu'il faut travailler dans un domaine avant d'en comprendre les implications.
i qu'il n'est pas possible de faire l'une sans l'autre.

Le Futuroscope

1 Regardez la séquence vidéo <u>sans le son</u>.
A votre avis, cette séquence correspond
à quel genre ? Choisissez entre :
– un feuilleton
– un débat
– un film de promotion
– un documentaire.

2 Chassez les intrus ! Sans avoir entendu le son, notez
les quatre expressions qui, à votre avis, ne font pas
partie du commentaire.
a l'univers fascinant des images
b bienvenue dans la troisième dimension
c tout est prévu pour les plus petits
d voici la plus grande bibliothèque du monde
e c'est le plus grand écran du monde
f visitez le château du seizième siècle
g survolez un monde nouveau à la poursuite d'un
papillon
h une immense plage de sable doré
i vous êtes au milieu de l'écran
j dégustez des produits gastronomiques de la région
k les chiens ne sont pas admis
l les accès sont facilités

Ensuite, regardez la séquence avec le son pour
vérifier vos réponses.

3 Regardez encore une fois <u>avec le son</u>. Notez la
particularité des cinémas suivants :
a le Solido
b le Tapis Magique (qui ressemble à des orgues
géantes)
c le Panoramique 360°

4 On joue avec les mots pour mettre en valeur certains
aspects du Futuroscope.
a En vous aidant de votre dictionnaire, vérifiez le
sens des mots ci-dessous.
b Regardez encore une fois et complétez les groupes
de mots.

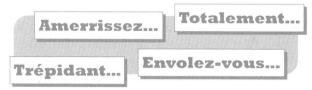

Amerrissez...   Totalement...

Trépidant...   Envolez-vous...

Ça se dit comme ça !

L'intonation expressive (1)

On change d'intonation selon le but d'un discours. Dans la
séquence vidéo, on vous...
– persuade   – enjôle   – informe
– stimule   – rassure   – ...

5 Sans revoir la séquence, savez-vous quel est le but de
ces extraits ?
a Bienvenue dans la troisième dimension.
b Au cinéma 360 la vision – enfin – est totale !
c Plongez dans l'image.
d Et si les chiens ne sont pas admis, c'est que le chenil
est gratuit.
e C'est le paradis des enfants.

6 Regardez la séquence à nouveau, en vous concentrant
sur l'intonation des extraits de l'activité 5. Essayez
ensuite de repérer d'autres phrases à l'intonation
expressive.

Interlude

Le premier siècle après Béatrice, d'Amin Maalouf, est un roman à la fois futuriste et tout à fait de notre époque. Dans cet extrait du livre, le narrateur discute du déclin des naissances féminines avec son ami, André Vallauris et un savant, Emmanuel Liev. C'est celui-ci qui parle…

J'ai un peu promené dans ma tête depuis hier tous les faits que tu as rassemblés, et je crois bien que tes préoccupations rejoignent certaines de mes plus vieilles inquiétudes. […]

L'idée de ce vaccin anti-filles était déjà monstrueuse, mais une idée plus monstrueuse encore a germé dans quelques cerveaux.

Tout est parti d'une expérimentation apparemment bénigne sur les bovins. On a découvert, il y a plusieurs années déjà, qu'il était possible, lors d'inséminations artificielles en laboratoire, d'agir sur le sperme des taureaux pour favoriser, au choix, les naissances mâles ou femelles ; une méthode parfaitement applicable, d'ailleurs, à d'autres espèces, dont la nôtre. Puis l'on s'est demandé s'il n'y aurait pas un moyen d'intervenir directement sur l'animal en lui inoculant une substance qui modifierait sa progéniture. Les recherches ont progressé relativement vite. Une substance a été mise au point, qui augmente considérablement la puissance des taureaux et leur fertilité, qui « dope », en quelque sorte, les spermatozoïdes responsables des naissances mâles, au point de rendre extrêmement improbable toute naissance femelle.

Le résultat allait à l'encontre de celui qu'on souhaitait, puisque l'idée de départ était plutôt d'aider les éleveurs à obtenir un plus grand nombre de vaches, plus rentables à cause des produits laitiers et de la reproduction. La plupart des chercheurs ont donc jugé qu'il fallait ranger la découverte sur quelque étagère, d'autant que les bêtes traitées devenaient dangereusement agressives. Mais quelques malins se sont dit qu'on pourraient la rentabiliser, notamment dans la tauromachie. Et même adapter la substance à d'autres espèces d'animaux de combat, comme les chiens ou les coqs.

Et pourquoi pas, un jour, les hommes ? Non seulement pour fabriquer des monstres du ring, mais – comme avec le « vaccin » – pour satisfaire, chez des centaines de millions de familles, cette ancestrale envie, cette « obligation » d'avoir un fils. […]

Mon ami André vous dira comme moi que toutes les monstruosités sont possibles, mais qu'aucune n'est inévitable si l'on y prend garde. […] Il est vrai que, du point de vue strictement technique, cette maudite substance pourrait sans doute être fabriquée aujourd'hui, et peut-être même depuis le milieu des années quatre-vingt-dix. Un jour, j'en suis persuadé, elle sera effectivement disponible. Le tout est de savoir quand. Le tout est de savoir si cela interviendra à un moment où les hommes et les femmes seront mûrs pour l'utiliser de manière responsable. […]

Au fil des années, j'ai eu l'occasion d'observer comment l'humanité utilise les moyens les plus modernes au service des causes les plus éculées. On se sert des armes de l'an 2000 pour régler des conflits qui remontent à l'an 1000. […] Et cette « substance », si elle était fabriquée, ne serait-elle pas le fruit de longs travaux avec des techniques de pointe ? Et à quoi servirait-elle ? A éliminer sur les cinq continents des millions et des millions de filles, parce qu'une tradition stupide née à l'âge du gourdin veut que la famille se perpétue par les fils. Une fois de plus, l'instrument moderne au service d'une cause surannée.

Oui, je sais, les mentalités évoluent à l'instar des techniques, elles s'entraînent et se suivent. Mais les unes et les autres n'avancent pas toujours au même rythme. Parfois, quand il y a danger, il faut essayer de ralentir la marche des techniques, ou leur prolifération. En 1945, dès que la bombe atomique est devenue opérationnelle, on l'a utilisée avec la plus parfaite inconscience ; elle a fait des centaines de milliers de victimes sans modifier l'issue de la guerre, tout au plus a-t-elle abrégé de quelques mois la bataille dans la Pacifique. Si elle avait été disponible en 1943, Hitler l'aurait utilisée contre Londres, puis contre Moscou, New York et Washington, le cours de l'Histoire en aurait été bouleversé, et nos familles, mon pauvre André, n'auraient même plus été à l'abri en Suisse. Je n'énonce ici aucune vérité nouvelle ; je veux seulement insister sur le facteur temps. J'aurais voulu que la bombe ne soit jamais fabriquée, ou alors dans deux cent ans ; mais je suis heureux qu'elle ne soit pas venue deux années trop tôt. J'apprécie également qu'elle demeure une technologie lourde, coûteuse, et si prolifération il y a, qu'elle soit la plus lente possible. C'est la même chose pour cette maudite substance. Si elle ne se répand que dans trente ans, j'ose espérer que l'humanité saura ne pas en abuser. Mais aujourd'hui ? Vous voyez un peu le monde où nous vivons !

Bilan de l'unité 10

Tous égaux !

- La montée de l'intolérance
- La question de la nationalité française
- Combattons le racisme !
- La remise en question de certaines idées reçues
- C'est pour quand, l'égalité entre hommes et femmes ?

A

Déclaration des droits de l'homme et du citoyen, 1789

Article 1er
Les hommes naissent libres et égaux en droits.

DROITS DE L'HOMME
et du Citoyen.

Déclaration universelle des droits de l'homme, 1948

Article 1er
Tous les êtres humains naissent libres et égaux en dignité et en droits.

B

Et, en plus, est-ce normal qu'en France, dans le pays des droits de l'homme, un homme politique pour lequel 15% des Français ont voté puisse déclarer qu'il existe des races supérieures ? Il vaudrait mieux parler de la France terre d'accueil. Pourquoi ? Parce que ce genre de déclaration veut dire que cet homme se donne le droit de rabaisser et de mépriser quelqu'un à cause de sa race. S'il y a eu des camps de concentration, c'est que quelqu'un s'est donné le droit d'exterminer les autres à cause de leur race, de leur religion. Le racisme et l'intolérance sévissent chaque jour. Combattons-les !

C
Les femmes partout en retard d'égalité

D
Faut-il faire du commerce avec un pays qui ne respecte pas les droits de l'homme ?

La France vue par les Français

Pour beaucoup de gens, la montée de l'intolérance est un problème qui menace notre société, notre mode de vie. Il y a également d'autres menaces...

1 Examinez les graphiques et les statistiques, parus dans le magazine *L'Express*. Trouvez la statistique qui correspond à chacune des constatations suivantes.

Exemple : *a 95% disent qu'ils sont heureux d'être français (graphique 1).*

a Plus de neuf personnes sur dix déclarent qu'elles sont heureuses d'être françaises.

b Selon presque toutes les personnes interrogées, les valeurs traditionnelles de la France constituent une raison importante d'être fier de son pays.

c Plus de huit personnes sur dix accordent de l'importance à la démocratie.

d Plus de la moitié des Français affirment que la vie devient de plus en plus difficile.

e La menace qui a le plus d'influence sur le sentiment de bien-être, c'est le chômage.

f Quatre personnes sur dix disent qu'elles n'aiment pas le fait que les Français deviennent de plus en plus intolérants.

g Trois personnes sur dix estiment que les Français deviennent de plus en plus égoïstes.

h Seulement une personne sur vingt dit qu'elle n'est pas heureuse d'être française.

Malgré les bombes, malgré le chômage, malgré les cités grisaille, 95% des Français se disent heureux.

① ▶ **Diriez-vous que vous êtes heureux d'être français ?**

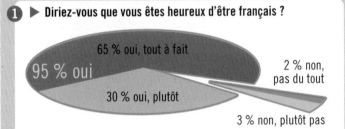

95 % oui
65 % oui, tout à fait
30 % oui, plutôt
2 % non, pas du tout
3 % non, plutôt pas

③ ▶ **Y a-t-il aujourd'hui en France des choses qui vous font craindre de ne plus vraiment être heureux d'être français ?**

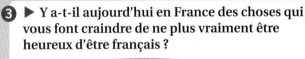
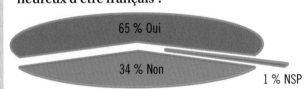

65 % Oui
34 % Non
1 % NSP

② ▶ **Les raisons du bonheur**

Voici un certain nombre de raisons qui peuvent faire dire que l'on est heureux d'être français. Pour chacune de ces raisons, dites si pour vous personnellement, c'est une raison importante ou pas importante.

	Importante	Pas importante
Les valeurs de la France : la liberté, l'égalité, la fraternité	93 %	6 %
Le fonctionnement de la démocratie	87	11
Les institutions françaises	85	12
L'histoire, le passé de la France	80	19
Le rayonnement de la France dans le monde	78	21

④ ▶ **Pourquoi ?**

Parmi les menaces suivantes, quelles sont celles qui vous font le plus craindre de cesser de vous sentir vraiment heureux d'être français ?

La montée du chômage	63 %
La montée de la pauvreté	50
La montée du terrorisme	50
La montée de l'immigration	46
La montée de l'intolérance	41
La montée de l'insécurité	41
Le développement de l'injustice ou des inégalités	40
La perte de certaines valeurs morales	33
La montée de l'égoïsme	32
La dégradation du paysage	26
Le déclin de la France dans le monde	16
Ne se prononcent pas	1

2 [cassette] Ecoutez la cassette. Stéphane, Laure et Etienne expriment leur opinion sur les problèmes auxquels les Français doivent faire face.

a Quels sont, selon eux, les problèmes auxquels certains Français doivent faire face ?

b Pour quelles raisons estiment-ils que la montée de l'intolérance devient un problème ?

c Dans quelle mesure estiment-ils que la montée des inégalités devient un problème ?

d Selon les trois jeunes, existe-t-il un problème de terrorisme en France ? Quelles solutions proposent-ils pour le réduire?

Selon les statistiques de la page 144, les Français sont préoccupés par un certain nombre de problèmes de société. Les extraits suivants présentent des exemples précis.

A

La tension ne retombe pas à Carpentras, où une large partie de la population ne cache pas son scepticisme après l'arrestation et les aveux des auteurs présumés de la profanation de sépultures au cimetière israélite. Alain Germon – cousin de Félix Germon, dont le corps exhumé avait fait l'objet d'une mise en scène à caractère raciste – qui s'est constitué partie civile dès la découverte des faits, en mai 1990, s'apprête, avec son conseil, Me Collard, à engager une action contre l'Etat…

3 Lisez le texte A et répondez en anglais à ces questions.
   a What happened at Carpentras?
   b When did this crime take place?
   c Has anyone been convicted of the crime?
   d Why is Alain Germon mentioned?

4 Dans le texte B, le reporter emploie des mots et des expressions servant à souligner la pauvreté, la tristesse de la vie des gens sans domicile fixe. Trouvez dans le texte l'équivalent des expressions suivantes :
   a (*loc prép*) dans un état d'abandon, sans direction, sans volonté
   b (*nm*) des papiers considérés comme inutiles ou encombrants
   c (*nf vulg*) des toilettes
   d (*adj*) reproduits plusieurs fois, polycopiés
   e (*v tr, fam*) porter partout avec soi (avec l'idée de difficulté).

5 Texte C : résumez le contenu de l'article pour l'expliquer à quelqu'un qui ne l'a pas lu. N'oubliez pas de mentionner :
   – les protagonistes
   – le lieu
   – les phénomènes récents
   – le résultat.

6 Relisez les textes.
   a Lesquels des problèmes mentionnés ci-dessous sont abordés dans les textes? Notez A, B ou C selon le texte.
      – l'antisémitisme
      – la montée de la criminalité
      – l'absentéisme dans les collèges
      – l'intégrisme islamiste
      – la délinquance
      – la corruption politique
      – la crise dans les banlieues
      – le chômage
      – la crise du logement
      – l'inflation
   b Avec un(e) partenaire, inventez un titre pour chaque texte.

7 A deux. Quels sont les problèmes auxquels il faut faire face aujourd'hui dans votre pays ? Essayez d'en faire une liste. Ensuite, classez-les par ordre de priorité (n° 1 = le plus grave). Comparez votre liste avec celle d'autres membres du groupe.

B

Sans toit, sans emploi, sans famille, Georges Allouche est à la rue. A 55 ans, il perd espoir. « La vie me fait peur, voilà ! » Des millions de Français sentent confusément que sa mésaventure pourrait être la leur. Il faut si peu pour basculer…

Georges Allouche est un homme digne. Tous les matins, il se rase. Ça n'a l'air de rien, mais c'est un exploit, quand on a pour salle de bains les toilettes des cafés ou les chiottes odorantes des centres d'hébergement. Les objets les plus dérisoires, un peigne, quelques biscuits, un vieux magazine, deviennent des trésors. Alors, il les trimbale avec lui tout le jour, dans un cartable comme en avaient les écoliers d'autrefois et dans un sac en plastique de supermarché. Il y range sa savonnette, quelques vêtements et toutes les paperasses de la grande misère, les formulaires à remplir, les bonnes adresses des gens à la dérive, ces feuillets ronéotés des centres de soins et de soupes populaires. Ces papiers, il les manie avec précaution.

Avec son cabas et sa petite serviette, il ressemble à un employé modeste qui serait passé par quelque supérette en rentrant chez lui après sa journée de travail. Mais du travail, il n'en a pas, pas plus qu'il n'a de maison. Il est SDF, sans domicile fixe. C'est son état. Il vous le dit comme ça :« Georges Allouche, SDF. Vous pouvez l'écrire, monsieur, y a pas de honte à avoir. »

C

Depuis une quinzaine d'années, la délinquance a pris un nouveau visage dans les cités : celui de la haine. Certains jeunes se disent : "la société ne veut pas de nous". Ce sentiment d'exclusion se retrouve dans beaucoup de banlieues. A un moment donné, cette révolte a croisé des mouvements violents venus de l'autre côté de la Méditerranée, par l'intermédiaire de militants islamistes de plus en plus présents auprès des jeunes. Ainsi, deux phénomènes au départ bien distincts, comme la montée de l'intégrisme en Algérie, d'une part, et le malaise des banlieues, d'autre part, ont fini par se rencontrer et par produire des poseurs de bombe. Mais ce phénomène est ultra-minoritaire.

Devenir français : un droit ?

La nationalité : certains disent qu'on l'acquiert par le sang de ses parents, d'autres, en vivant dans le pays…

1 Lisez l'article tiré des *Clés de l'actualité*. Répondez aux affirmations suivantes, en utilisant *vrai, faux* ou *on ne sait pas*. Justifiez vos réponses.

a A la suite de ces lois, l'immigration clandestine est en diminution.

b Quand on est sans papiers, il est impossible de trouver un emploi déclaré, même si on vit en France depuis longtemps.

c On a abaissé la limite d'âge d'entrée en France pour les jeunes qui veulent régulariser leur situation.

d Les enfants d'immigrés, nés en France, acquièrent la nationalité française à l'âge de 18 ans.

e Pour acquérir la nationalité française, les enfants des travailleurs étrangers doivent faire la demande lors de leur arrivée.

f Pour ceux qui travaillent en France, il n'est plus possible de faire venir leur famille, à moins qu'ils n'arrivent tous au même moment.

g Il faut aussi montrer qu'on a des moyens financiers suffisants.

h Il n'est plus possible d'acquérir la nationalité française en se mariant avec un(e) Français(e).

i Les étudiants n'ont plus la possibilité d'obtenir un titre de séjour après avoir terminé leurs études.

2 🔲 Cinq lycéens discutent des conséquences de la loi sur la nationalité. Ecoutez plusieurs fois. Ensuite, lisez les opinions suivantes : lesquelles avez-vous entendues pendant l'enregistrement ?

a On n'acquiert pas la nationalité de ses parents mais celle du pays où on vit.

b Je ne me sens pas totalement français ni algérien.

c J'ai besoin de la nationalité française afin de trouver du travail.

d Je me sentirais humilié si j'avais à faire cette démarche pour devenir français.

e A mon avis, cette loi est discriminatoire.

f Pour certains parents immigrés, prendre la nationalité française, c'est comme renier ses origines.

g Je ne comprends pas pourquoi on oblige désormais les jeunes nés et vivants en France à faire une démarche pour devenir français.

h Je ne vois pas pourquoi on leur donnerait automatiquement la nationalité française.

i On a voté une loi qui permettra d'expulser des jeunes parce qu'on n'arrive pas à les intégrer dans les banlieues. Ce n'est pas juste.

Quelles lois pour les immigrés ?

Depuis les lois sur l'immigration de 1993, plusieurs catégories d'étrangers se sont retrouvées dans des situations difficiles, voire intenables. En 1993, un ensemble de textes réunis sous l'appellation "lois Pasqua" ont rendu plus répressive et plus complexe la politique en matière d'immigration. Ces nouvelles dispositions ont mis hors la loi plusieurs catégories d'étrangers, qui étaient intégrés dans la société française.

■ Les parents

Les parents étrangers d'enfants français ou nés en France se retrouvent dans l'impasse. Certes, ils ne sont pas expulsables vers leur pays d'origine, mais les lois de 1993 ne leur permettent pas de régulariser leur situation (obtention d'un titre de séjour qui permet de vivre en France). Sans papiers, ils ne peuvent prétendre, par exemple, à un travail déclaré, et sont contraints de vivre dans la précarité et la clandestinité.

■ Les enfants

Aucun enfant mineur n'est expulsable. Mais tout enfant arrivé en France après 1993 ne pourra régulariser sa situation que s'il était âgé de moins de 6 ans lors de son entrée sur le territoire (auparavant, la limite d'âge était de 10 ans). Les autres enfants risquent l'expulsion le jour de leurs 18 ans. D'autre part, tout enfant né en France de parents étrangers n'obtient plus automatiquement la nationalité française, mais doit en faire la demande entre 16 et 21 ans.

■ Les familles

Autrefois, grâce au "regroupement familial", un travailleur étranger pouvait faire venir sa famille. Cette possibilité est désormais assortie de multiples conditions. L'étranger doit disposer de ressources égales au moins au SMIC, faire venir ses enfants en une seule fois et avoir obtenu l'accord du maire de sa commune.

■ Les conjoints

Une personne étrangère qui épouse un ressortissant français ne devient plus automatiquement française. Elle ne peut demander sa régularisation qu'après douze mois de mariage au cours desquels elle est expulsable à tout moment. Par ailleurs, les maires peuvent saisir la justice s'ils suspectent un "mariage blanc" visant à régulariser la situation d'un étranger.

■ Les étudiants

Les étrangers qui poursuivent actuellement des études en France seront expulsables à la date d'expiration de leur "carte temporaire de séjour", valable 10 ans. Autrefois, passée cette période, ils avaient droit à une "carte de résident" pour dix années supplémentaires.

3 Travail à deux. Pourquoi décide-t-on de quitter son pays ?

   a Discutez-en et dressez une liste de raisons possibles. (Les expressions-clés vous donneront quelques idées.)

   b Et vous, quelles sont les raisons qui pourraient vous amener un jour à quitter votre pays ? Expliquez vos raisons à votre partenaire.

    Exemple : Si je rencontrais une personne d'un autre pays européen avec qui je voulais vivre, j'irais volontiers habiter dans son pays. Toi aussi ?

4 Lisez les textes ci-dessous. Faites deux listes :
– raisons pour expulser les immigrés
– raisons pour les accueillir.
Réfléchissez et ajoutez d'autres raisons à ces listes.

◆ *Le retour chez eux des immigrés du tiers-monde*

… pour la défense de l'identité nationale par la réduction du nombre des immigrés du tiers-monde présents en France, et par la réforme du Code de la nationalité dans un sens restrictif, parce qu'« être Français cela s'hérite ou cela se mérite ».

A-t-on vraiment le droit d'expulser ceux qui travaillent ici en France, qui sont nés ici en France, qui parlent la langue française, qui sont éduqués ici en France et qui connaissent la culture française ? A-t-on le droit de leur dire : "ce n'est pas votre pays, c'est le mien" ?

Non ! Il faut plutôt les accueillir, comme une source d'enrichissement culturel et intellectuel. Il est toujours très facile d'attaquer ceux qui sont différents, soit à cause de leur religion, soit à cause de la couleur de leur peau. Il faut regarder plus au fond.

Expressions-clés

Discuter d'un aspect des droits de l'homme :

Certains prétendent/constatent que/qu'…

Il faut reconnaître que/qu'…

… le nombre d'immigrés devient insupportable pour nos structures sociales.

… il faut contrôler/empêcher l'immigration.

… un grand nombre d'immigrés cherchent un emploi.

… beaucoup d'entre eux se sont enfuis pour échapper à une situation d'injustice.

… l'on quitte son pays pour des raisons diverses.

Faut-il empêcher ceux qui veulent étudier/se marier/rejoindre leurs parents ?

Faut-il limiter le nombre de réfugiés politiques/économiques ?

On ne veut pas empêcher ceux qui demandent le droit d'asile.

5 Travail de groupe. Deux personnes parlent en faveur du contrôle de l'immigration, deux autres sont contre.

Chaque groupe :
a Préparez votre discours.
b Prononcez-le.
c Répondez aux questions de vos auditeurs.

Tous les quatre, ou le reste de la classe :
a Préparez des questions à poser.
b Pendant les discours, prenez des notes. Faut-il changer vos questions ?
c A la fin des discours, posez vos questions.

Ensuite, vous votez : faut-il contrôler l'immigration, oui ou non ?

Zoom *sur les pronoms possessifs*

– Dans notre pays, on essaie d'empêcher l'immigration.
– Mais la France est ton pays, pas **le mien**.

– Nous croyons qu'il faut contrôler l'immigration.
– Cette opinion est peut-être **la vôtre**, elle n'est pas **la mienne**. Je suis contre ce genre de contrôle.

pronom possessif = adjectif possessif + nom
   le mien   *mon pays*

5b Révisez les formes des pronoms possessifs.

6 Transformez ces phrases en utilisant un pronom possessif.

Exemple : a … je ne peux pas accepter les siennes.

   a Je suis d'accord avec tes idées, mais je ne peux pas accepter *ses idées*.

   b J'ai lu son article, mais je préfère *votre article*.

   c Vous avez déjà écouté leur opinion. Voulez-vous connaître *notre opinion* ?

   d – Ce sont vos documents ?
       – Non, ce sont *leurs documents*.

   e La France n'est pas mon pays, c'est *ton pays*.

   f J'aime bien visiter votre pays mais je préfère *mon pays*.

Combattons le racisme !

« Tous les êtres humains naissent libres et égaux en dignité et en droits » – Déclaration universelle des droits de l'homme, 1948. Mais en 1996, le leader du Front National en France, Jean-Marie Le Pen, a parlé ouvertement d'« inégalités entre les races ».

1 🔊 Ecoutez une interview avec Nancy Gouin, journaliste à *L'Union* à Reims (voir aussi page 85). Elle parle du "lepénisme". Mettez les idées suivantes dans l'ordre où vous les entendez.

a Il y a toujours eu un certain nombre de racistes en France.

b Il est du devoir du gouvernement d'agir afin d'arrêter ce genre d'argument, en trouvant des solutions aux problèmes d'emploi.

c Il est difficile d'analyser le succès du Front National.

d Le message du Front National s'appuie surtout sur les problèmes de l'emploi.

e En jouant sur les peurs des Français, et surtout en parlant de problèmes sociaux, Jean-Marie Le Pen a réussi à faire passer son message.

f Le Front National prétend que si l'on est Français, on devrait avoir plus de chance de trouver un emploi, grâce à un système de préférence nationale.

2 🔊 Lisez les slogans ci-dessous, qui représentent quelques-unes des idées du FN. Réécoutez la cassette. Lesquelles de ces idées sont mentionnées par la journaliste ?

> Le retour chez eux des immigrés du tiers-monde

> La Sécurité sociale aux Français

> Les familles françaises d'abord

> La priorité d'emploi aux Français

> Le revenu maternel pour les mères françaises

3 🔊 Avec un(e) partenaire, identifiez quelques méthodes utilisées par le FN pour gagner des voix. Ecoutez l'interview encore une fois et lisez l'extrait de lettre ci-contre pour vous donner des idées.

> **Des statistiques encourageantes !**
> Avec le succès limité du Front National, on pourrait croire que la France devient un pays raciste, mais cela n'est pas vrai. 92% des immigrés se sentent bien en France et ils sont 64% à penser que les Français ne sont pas racistes.

"Voulez-vous un million d'immigrés de plus dans sept ans?" Avec de tels slogans, les partis d'extrême-droite jouent sur les préoccupations de beaucoup de gens, surtout dans les moments de crise. En s'appuyant sur ces idées, il est plus facile de se dire " Il faut contrôler l'immigration, parce que tous ces immigrés, ils prennent notre travail. Ils refusent d'accepter les lois françaises : donc, sans eux, il n'y aurait plus un tel niveau de délinquance. Ils n'acceptent pas nos traditions, notre culture. Pourtant, ils veulent que nous acceptions les leurs! Il est indispensable de protéger notre culture, nos traditions. Alors, il faut les renvoyer!"

4 🔊 Ecoutez l'opinion de trois habitants de Reims sur le racisme en France. Trouvez l'élément de la liste à droite qui termine la phrase commencée à gauche, dans le sens des opinions entendues. (Attention ! Il y a plus de fins de phrases que de débuts.)

1ère personne
1 Je ne pense pas que les gens qui votent pour lui soient…
2 Ils cherchent plutôt…
3 Je pense que…

2ème personne
4 Je pense qu'il y a…
5 Il y a un mixage de races…
6 On n'a pas le droit…

3ème personne
7 Les étrangers…
8 Il serait préférable que…

a de l'espoir.
b des racistes dans l'âme.
c la majorité des Français ne sont pas racistes.
d là, c'est le fond du problème.
e d'insulter quelqu'un pour sa race.
f le gouvernement intervienne.
g à croire à quelque chose.
h ne sont pas acceptés.
i se sentent quelquefois acceptés et quelquefois rejetés.
j qui est en train de se faire.

5 🔊 Ecoutez une quatrième personne s'exprimer sur le même sujet.
a Complétez les phrases suivantes selon le sens de l'interview.
1 Il est important de …… qu'il n'y a pas de différence entre les races.
2 Un pays …… comme la France devrait donner ses chances à tout le monde.
3 C'est vrai que l'on voit des actes …… partout.
4 Certains hommes politiques …… le racisme qui pourrait leur rapporter des ……
5 Il faut reconnaître que le Français de la rue, confronté au ……, peut attribuer tous ses problèmes à la présence d'…… dans son pays.
6 Nous devons continuer à …… les idées racistes.
7 En plus, il faut réaffirmer que l'…… a toujours eu des effets positifs sur un pays.
b Cette personne parle des effets positifs de l'immigration. Discutez à deux ou à trois des effets positifs possibles. Réécoutez l'enregistrement pour vous aider.

6 Travail à deux. Préparez une publicité à paraître dans un magazine, pour combattre le racisme.
– Sur quel aspect du racisme allez-vous vous pencher ? Examinez plusieurs idées, puis mettez-vous d'accord. Utilisez les expressions-clés.
– Rédigez ensemble votre texte.
– Trouvez ou faites vous-même une illustration pour faire ressortir votre message.

▶ Les discours racistes révèlent le rejet, le mépris, la haine de l'autre. De nombreuses organisations anti-racistes agissent pour combattre le racisme, mais tous les jours, dans la rue, au travail, à l'école, des étrangers, des immigrés, des groupes sont insultés, agressés, blessés par des comportements racistes. ◀
AIDEZ-NOUS A COMBATTRE LE RACISME !

Expressions-clés

S'attaquer aux préjugés :

Je pense que cela est tout à fait/absolument…
C'est l'occasion de réaffirmer que…
La notion de différence entre les races n'a aucun fondement.
Cette notion est absurde.
En réalité, on reporte ses problèmes sur…
Mais cela ne veut pas dire que…
Il faut distinguer plusieurs choses : …
Ne comprenez-vous pas que… ?
Vous ne pouvez pas croire que…

Faut-il croire aux idées reçues ?

1 Vous allez lire un article publié dans *Les Clés de l'actualité* dans lequel on discute de certaines idées reçues.
Cherchez dans vos dictionnaires quelques définitions de l'expression "idée reçue" pour les comparer avec celle-ci.

> une idée reçue : une opinion courante, un préjugé

2 a Lisez cette liste d'exemples d'idées reçues. Ensuite, lisez l'article : lesquelles de ces idées y sont mentionnées ?

1 **« L'intégrisme musulman devient de plus en plus fort dans les banlieues. »**

2 **« Les immigrés ne respectent pas les lois françaises. »**

3 **« Ils n'acceptent pas les traditions françaises. »**

4 **« Les étrangers cherchent à prendre le travail des Français. »**

5 **« La crise de l'emploi est provoquée par le grand nombre d'immigrés en France. »**

6 **« Les immigrés ne veulent pas s'intégrer. »**

7 **« Ils refusent d'apprendre la langue française. »**

8 **« Les jeunes immigrés sont la plus grande cause de la montée de la délinquance. »**

9 **« Les étrangers font partie des groupes terroristes qui en veulent au gouvernement français. »**

b Relisez l'article. Notez les résultats de l'enquête qui remettent en cause les idées reçues mentionnées.

c A votre avis, le message de cet article est-il optimiste, pessimiste, ou entre les deux ? Expliquez votre choix à votre partenaire.

d Dans le dernier paragraphe, le reporter nous avertit de problèmes éventuels. Résumez, en anglais, son avertissement.

Une étude contre les idées reçues

Une récente étude montre que la capacité des immigrés, et particulièrement de leurs enfants, à s'intégrer dans notre société progresse. Une enquête qui balaye bon nombre d'idées reçues.

Les immigrés et leurs enfants se fondent de mieux en mieux dans la société française. Cette intégration se mesure entre autres par l'adoption de la langue du pays d'accueil ou la perte de certaines habitudes culturelles (coutumes, religions, etc.). Elle progresse selon une enquête réalisée par l'Institut national des études démographiques (Ined) auprès des populations étrangères et d'origine étrangère établies en France.

Ce constat remet en cause un certain nombre d'idées reçues sur le phénomène : l'intégrisme musulman qui sévirait dans les banlieues, la volonté de repli des communautés sur elles-mêmes, excluant les Français, le refus de respecter les lois françaises par la manifestation de son identité culturelle (port de voile, polygamie, etc.). En bref, l'intégration serait aujourd'hui un échec, et l'immigration menacerait l'équilibre de notre société.

Le travail de l'Ined impose pourtant une révision de ces préjugés. Pour la première fois une enquête photographie l'état de l'immigration en France (13 000 personnes interrogées par 500 enquêteurs), et surtout sonde les enfants de parents nés hors de France. Sept pays ou groupes de pays ont été retenus pour l'étude : l'Algérie, le Maroc, l'Espagne, le Portugal, la Turquie, l'Afrique noire (Mali et Sénégal surtout), et le Sud-Est asiatique (Cambodge, Laos, Viêt-nam).

En ce qui concerne la langue d'abord, facteur primordial d'intégration : 87% des jeunes d'origine algérienne déclarent que le français est leur langue maternelle.

Dans le domaine de la religion ensuite, les résultats sont aussi surprenants : près de la moitié des immigrés d'Algérie déclarent ne pas avoir de religion ou ne pas la pratiquer. Et dans l'ensemble, les Algériens s'avèrent moins pratiquants que les Marocains. L'hypothèse du repli religieux vers un islamisme militant serait donc souvent exagérée.

Surévaluée également la pratique de la polygamie (mariage avec plusieurs femmes). Certains chiffres précédents faisaient état de près de 150 000 personnes pratiquant ce type d'union. Faux, répond l'Ined, qui se contente d'une fourchette de 3 500 à 8 000 familles.

Reste cependant que l'étude souligne aussi les dangers liés à la création de ghettos dans les banlieues. Car c'est tout de même dans ce contexte que les communautés immigrées se referment sur elles-mêmes, et que, notamment, la pratique religieuse s'intensifie. Si elle éclaircit le paysage, l'étude de l'Ined ne doit pas faire oublier que l'intégration est un véritable enjeu pour l'avenir.

Les journaux de droite présentent une image plus pessimiste. Dans cet article de *Minute*, le reporter examine l'apparente diminution du nombre d'immigrés.

Carte d'identité : soldes monstres !

Depuis des années, le gouvernement certifiait que le nombre d'étrangers vivant en France restait stable. Et fournissait des chiffres. Comme ceux du dernier recensement de 1990 : 3,6 millions d'allogènes. Pas plus. C'était écrit noir sur blanc. Incontestable. Barbès, Chinatown, la banlieue : tout cela relevait donc du mirage. Un effet d'optique. Nous finissions par douter. En publiant son étude sur l'« acquisition de la nationalité » entre 1993 et 1994, le ministère de la Justice nous rassure. Sur notre santé. Pas sur celle de la France.

En fait, la « machine à fabriquer des Français » n'a jamais autant fonctionné. Pour éliminer un étranger des statistiques, il suffit d'en faire un Français. Simple question sémantique. En 1994, 126 300 personnes ont été naturalisées. Un niveau jamais atteint depuis 1945. Les plus optimistes pensaient que la réforme de 1993 (Code de la nationalité) freinerait le processus de francisation administrative. C'est le contraire qui s'est produit : les naturalisations ont fait un bond de 32% entre 1993 et 1994 ! Pour les immigrés, c'est une période de faste. A tous les coups, on gagne.

Et tout ça, ça fait d'excellents Gaulois !

A la grande loterie nationale, il existe trois tickets pour décrocher le jackpot. Primo, les naturalisations par décret : elles ont augmenté de 21% entre 1993 et 1994 pour s'élever à 49 000. En 20 ans, ce chiffre a doublé. Secundo, les acquisitions de nationalité résultant de mariages mixtes : + 28%. Total en 1994 : 20 000. Enfin, la voie offerte par la loi Méhaignerie de 1993 : la « manifestation de volonté » pour les jeunes nés en France de parents étrangers. On croyait qu'ils avaient la « haine » pour les Gaulois. Ce n'est pas si sûr à en juger par le succès de la formule. En 1994, 70 000 individus (entre 16 et 18 ans) étaient concernés par cette réforme. 41 000 ont effectué la démarche pour devenir Français et 33 000 ont obtenu gain de cause. Rien n'est perdu pour les autres : la loi leur laisse plusieurs années pour se décider…

Un petit coup de projecteur sur ce bataillon de « volontaires ». 30% des « jeunes » sont marocains et 11% sont tunisiens. Précisons que les enfants d'Algériens ne sont pas soumis à cette formalité. Ils sont Français dès la naissance en raison du statut de département qu'avait l'Algérie quand leurs parents y sont nés. La colonisation avait du bon. Les Maghrébins devraient quand même se méfier : ils sont de plus en plus concurrencés par les petits derniers de l'immigration. Le nombre de Turcs et de Zaïrois est en constante augmentation depuis quelques années. Eux aussi en « veulent » très fort. *Sic transit gloria mundi…*

3 Lisez l'article.

   a A votre avis, l'auteur est-il d'accord avec l'affirmation suivante ? Relevez dans le texte quelques exemples pour justifier votre réponse.

> **Ils vous disent que l'immigration est arrêtée… mais, c'est faux !**
>
> *– slogan du FN.*

   b L'auteur de l'article utilise un style ironique. C'est-à-dire qu'il dit parfois le contraire de ce qu'il croit vraiment. Pouvez-vous en relever quelques exemples dans le texte ?

4 Travail à deux ou en groupes. A votre avis, quels devraient être les droits et les devoirs d'un immigré ? Et ceux du pays d'accueil ?
Faites deux listes. Comparez avec d'autres groupes.
Exemples : <u>*Un immigré*</u> *La santé, c'est un droit humain fondamental, donc il a le droit de profiter des services de santé du pays…*
Il est important qu'il apprenne la langue du pays…
<u>*Le pays d'accueil*</u> *Un des devoirs du pays, c'est d'aider les immigrés à s'intégrer…*

Un monde toujours plus inégal

**Tous égaux ! Un slogan, une réalité ou un rêve ?
Considérons maintenant la situation des femmes.**

Les femmes partout en retard d'égalité

En dépit d'indéniables progrès, aucun pays ne traite les femmes à l'égal des hommes. Le rapport annuel rédigé pour le Programme des Nations unies pour le développement (Pnud) en fait foi.

Dans tous les pays du monde, les femmes restent à la traîne par rapport aux hommes. Le sixième rapport annuel sur le développement humain a le mérite, non seulement de rappeler une disparité entre les sexes qui n'est pas nouvelle, mais aussi d'en préciser les contours.

Des progrès

Certes, la vie sociale du monde, dans sa diversité géographique, économique et culturelle, ne saurait se réduire à des statistiques. Néanmoins, les instruments de mesure mis au point par les experts du Pnud permettent de tirer, prudemment, quelques enseignements.

Selon Jean-Jacques Graisse, administrateur adjoint du Pnud, « *des progrès considérables* » se sont produits dans le monde depuis vingt ans en matière d'espérance de vie, de scolarisation, de santé publique. Amélioration souvent mal prise en compte, tant l'accent est mis sur les situations de crise et les catastrophes.

Dans l'ensemble, les femmes ont bénéficié de ces progrès. Elles vivent mieux. Une généralisation de la contraception leur donne une meilleure maîtrise de leur fertilité. Leur accès progressif à l'éducation va de pair avec une meilleure rémunération de leur travail.

Sur ce plan, pourtant, une grande injustice subsiste. Le rapport insiste sur le fait que les deux tiers de l'activité des femmes (trois quarts dans les pays les plus pauvres) ne sont « ni reconnus, ni valorisés ». Autrement dit, la plupart de nos compagnes travaillent « à l'œil » à la maison, dans les champs ou dans des œuvres sociales bénévoles. Le Pnud estime à plus de 55 000 milliards de francs la part « invisible » de la contribution des femmes à l'économie mondiale.

Si, globalement, les femmes rattrapent peu à peu leur retard dans les principaux domaines du développement social, il n'en va pas de même pour leur accès aux responsabilités politiques et économiques. Alors que la moyenne mondiale est de 10% de parlementaires femmes, la France elle-même apparaît comme singulièrement attardée avec ses 6% de femmes

Les chiffres de l'injustice

● **Dans le monde, 1,3 milliard de personnes** vivent sous le seuil de pauvreté absolue. Sept sur dix sont des femmes. On compte aussi un milliard d'analphabètes. Près de sept sur dix sont des femmes.

● **820 millions de femmes** exercent une activité économique. Quand elles sont salariées, elles gagnent de 30% à 40% de moins que les hommes.

● **Les femmes sont peu représentées** dans les assemblées législatives. En moyenne, dix élus sur cent sont des femmes : quatre seulement dans les pays arabes, six en France – ce qui n'est pas beaucoup mieux –, dix-neuf en Asie, trente dans les pays scandinaves. Sur cent ministres, on ne compte que six femmes. Et seulement 4,4% des Prix Nobel sont des femmes.

● **Trois cent millions de femmes** n'ont aucun moyen de planifier leurs grossesses. Cent mille femmes meurent chaque année des suites d'avortements clandestins et cinq cent mille (dont un tiers sont des adolescentes) de pathologies liées à la maternité.

● **Environ cent millions de femmes et de fillettes** (deux millions chaque année) ont subi des mutilations sexuelles, excision, infibulation, etc. Un tiers des femmes ont été victimes d'abus sexuels durant leur vie en Norvège, aux Etats-Unis, aux Pays-Bas ou en Nouvelle-Zélande. Aux Etats-Unis, une femme est maltraitée toutes les huit secondes et une femme violée toutes les six minutes.

députés et sénateurs.

On n'est pas surpris de vérifier que les pays scandinaves, Suède en tête, sont les plus proches de l'égalité entre les sexes en termes de développement humain. La France arrive en septième position devant le Japon. Mais notre pays tombe à la 31e place pour la participation des femmes à la vie économique et politique. D'une manière générale, ce sont les pays africains les plus pauvres qui figurent au bas du tableau, avec le Niger comme lanterne rouge.

Parmi ses propositions, le Pnud suggère la création d'un Observatoire international de la condition féminine. Il demande aussi que les atrocités commises en temps de guerre contre des femmes soient pénalement qualifiées de crimes contre l'humanité. Il invite aussi les Etats à réserver aux femmes un quota minimum de 30% pour les postes de responsabilités économiques et politiques.

« *Nous savons*, conclut Jean-Jacques Graisse, *que cela sera mal pris dans certains pays. Mais notre ambition est justement de susciter le débat.* »

1 Travail de vocabulaire. Trouvez dans l'article de la page 152 l'équivalent des phrases suivantes :

a A mesure que l'éducation des femmes s'améliore, leur travail est de mieux en mieux rémunéré.

b Partout dans le monde, les femmes sont inégales par rapport aux hommes.

c Il n'est pas vraiment possible de résumer l'état actuel du monde en ne donnant que des chiffres.

d En dépit du progrès, les femmes ne sont pas aussi bien traitées que les hommes.

e Les progrès sur le plan politique et économique ne vont pas de pair avec ceux qui ont eu lieu sur le plan social.

2 Retrouvez dans l'article les expressions suivantes et expliquez-les en vos propres termes :

a la plupart de nos compagnes travaillent "à l'œil"

b avec le Niger comme lanterne rouge

c 1,3 milliard de personnes vivent sous le seuil de pauvreté absolue

d On compte aussi un milliard d'analphabètes.

3 L'article est riche en statistiques. Révisez les fractions.

1/4 = un quart	1/5 = un cinquième
1/2 = un demi/la moitié	1/6 = ?
3/4 = (les) trois quarts	1/8 = ?
1/3 = un tiers	1/10 = ?
2/3 = (les) deux tiers	3/10 = ?

Exprimez autrement les chiffres suivants – en pourcentages, en fractions ou par la formule *X sur Y* :

***Exemple :* a** *Les trois quarts des femmes…*

a 75% des femmes travaillent en dehors de la maison.

b Sept sur dix sont des femmes.

c En moyenne, dix élus sur cent sont des femmes.

d Un tiers sont des adolescentes.

e Dans les pays scandinaves, trente élus sur cent sont des femmes.

f Un tiers des femmes ont été victimes d'abus sexuels.

4  Une journaliste féministe parle de l'égalité des femmes. Écoutez et répondez aux questions.

a Selon elle, pourquoi le féminisme est-il toujours d'actualité ?

b Dans quels domaines surtout parle-t-on du féminisme ? Donnez quelques raisons.

c Résumez sa définition d'une féministe.

d Résumez sa "recette" pour améliorer la situation.

5 Est-ce que les femmes ont vraiment fait des progrès ? Quel est votre avis ? Discutez-en avec un(e) partenaire, en suivant les étapes suivantes :

a Repérez dans l'article page 152 les informations données dans différents domaines : le travail domestique, la vie politique, les salaires, la santé.

b Pensez aussi à la situation dans votre pays. Est-ce que les femmes sont toujours inégales par rapport aux hommes ? Dans quels domaines ?

> *"Pour aider les femmes, le seul moyen est de leur réserver un quota minimum". Dans quelle mesure êtes-vous d'accord avec cette constatation ?*

6 Composez un plan de dissertation pour répondre à cette question : mettez les titres suivants dans l'ordre qui vous paraît le plus approprié. Il n'est pas obligatoire de les inclure tous. Ensuite, comparez votre plan avec celui d'un(e) partenaire.

a Les progrès considérables faits dans certains domaines (travail, santé, éducation)

b Un résumé de la situation actuelle et quelques suggestions pour l'avenir

c La législation en vigueur pour décourager la discrimination

d Façons possibles de favoriser les femmes

e La situation actuelle dans certains domaines (pauvreté, manque de garderies, etc.)

f La participation actuelle des femmes au pouvoir politique (gouvernement, conseil municipal, etc.)

g L'importance d'un dialogue entre les femmes et les hommes

h Les limites budgétaires (assistance sociale, allocations familiales)

i L'importance de l'éducation

j Oui je suis d'accord/Non je ne suis pas d'accord

k La société change très lentement : la solution du quota minimum serait un moyen de redresser l'équilibre

7 Faites plus de recherches, puis rédigez votre dissertation en vous servant du plan de l'activité 6 et en l'adaptant si vous le désirez.

COMPÉTENCES

Cinq étapes pour rédiger une dissertation bien structurée

Le secret d'une bonne dissertation, c'est de bien répondre à la question posée (et non à la question qu'on imagine avoir lue…). Evident peut-être… mais il est facile de passer à côté du sujet. Alors :

1 analysez la question posée

2 séparez les différents aspects de l'argument, en notant les grands titres et les points-clés

3 classez-les selon un ordre logique, et servez-vous-en de plan

4 relisez la question du début et révisez votre plan ; ajoutez ou enlevez certains points

5 pensez au contenu de l'introduction et de la conclusion.

Revoir aussi l'unité 7, pages 94, 99, 102.

Interlude

Le roman d'Albert Camus, *L'Etranger*, publié en 1942, aborde entre autres le thème du racisme, en présentant les rapports tendus entre Français et Algériens dans l'Algérie de l'époque. En effet, l'intrigue du roman tourne autour du meurtre d'un Arabe par le héros, Meursault.

Dans le chapitre 6, qui termine la première partie du livre, Meursault et Marie accompagnent Raymond chez son ami Masson à Alger. Juste avant l'épisode que vous allez lire, ils ont passé quelques heures sur la plage avant de déjeuner dans le cabanon des Masson. Les trois hommes, en se promenant après leur repas, se sont mêlés à une querelle avec deux Arabes. Meursault persuade Raymond de ne pas tirer sur les deux hommes…

Quand Raymond m'a donné son revolver, le soleil a glissé dessus. Pourtant, nous sommes restés encore immobiles comme si tout s'était renfermé autour de nous. Nous nous regardions sans baisser les yeux et tout s'arrêtait ici entre la mer, le sable et le soleil, le double silence de la flûte et de l'eau. J'ai pensé à ce moment qu'on pouvait tirer ou ne pas tirer. Mais brusquement, les Arabes, à reculons, se sont coulés derrière le rocher. Raymond et moi sommes alors revenus sur nos pas. Lui paraissait mieux et il a parlé de l'autobus du retour.

Je l'ai accompagné jusqu'au cabanon et, pendant qu'il gravissait l'escalier de bois je suis resté devant la première marche, la tête retentissante de soleil, découragé devant l'effort qu'il fallait faire pour monter l'étage de bois et aborder encore les femmes. Mais la chaleur était telle qu'il m'était pénible aussi de rester immobile sous la pluie aveuglante qui tombait du ciel. Rester ici ou partir, cela revenait au même. Au bout d'un moment, je suis retourné vers la plage et je me suis mis à marcher.

C'était le même éclatement rouge. Sur le sable, la mer haletait de toute la respiration rapide et étouffée de ses petites vagues. Je marchais lentement vers les rochers et je sentais mon front se gonfler sous le soleil. Toute cette chaleur s'appuyait sur moi et s'opposait à mon avance. Et chaque fois que je sentais son grand souffle chaud sur mon visage, je serrais les dents, je fermais les poings dans les poches de mon pantalon, je me tendais tout entier pour triompher du soleil et de cette ivresse opaque qu'il me déversait. A chaque épée de lumière jaillie du sable, d'un coquillage blanchi ou d'un débris de verre, mes mâchoires se crispaient. J'ai marché longtemps.

Je voyais de loin la petite masse sombre du rocher entourée d'un halo aveuglant par la lumière et la poussière de mer. Je pensais à la source fraîche derrière le rocher. J'avais envie de retrouver le murmure de son eau, envie de fuir le soleil, l'effort et les pleurs de femme, envie enfin de retrouver l'ombre et son repos. Mais quand j'ai été plus près, j'ai vu que le type de Raymond était revenu.

Il était seul. Il reposait sur le dos, les mains sous le nuque, le front dans les ombres du rocher, tout le corps au soleil. Son bleu de chauffe fumait dans la chaleur. J'ai été un peu surpris. Pour moi, c'était une histoire finie et j'étais venu là sans y penser.

Dès qu'il m'a vu, il s'est soulevé un peu et a mis la main dans sa poche. Moi, naturellement, j'ai serré le revolver de Raymond dans mon veston. Alors de nouveau, il s'est laissé aller en arrière, mais sans retirer la main de sa poche. J'étais assez loin de lui, à une dizaine de mètres. Je devinais son regard par instants, entre ses paupières mi-closes. Mais le plus souvent, son image dansait devant mes yeux, dans l'air enflammé. Le bruit des vagues était encore plus paresseux, plus étale qu'à midi. C'était le même soleil, la même lumière sur le même sable qui se prolongeait ici. Il y avait déjà deux heures que la journée n'avançait plus, deux heures qu'elle avait jeté l'ancre dans un océan de métal bouillant. A l'horizon, un petit vapeur est passé et j'en ai deviné la tache noire au bord de mon regard, parce que je n'avais pas cessé de regarder l'Arabe.

J'ai pensé que je n'avais qu'un demi-tour à faire et ce serait fini. Mais toute une plage vibrante de soleil se pressait derrière moi. J'ai fait quelques pas vers la source. L'Arabe n'a pas bougé. Malgré tout, il était encore assez loin. Peut-être à cause des ombres sur son visage, il avait l'air de rire. J'ai attendu. La brûlure du soleil gagnait mes joues et j'ai senti des gouttes de sueur s'amasser dans mes sourcils. C'était le même soleil que le jour où j'avais enterré maman et, comme alors, le front surtout me faisait mal et toutes ses veines battaient ensemble sous la peau. A cause de cette brûlure que je ne pouvais plus supporter, j'ai fait un mouvement en avant. Je savais que c'était stupide, que je ne me débarrasserais pas du soleil en me déplaçant d'un pas. Mais j'ai fait un pas, un seul pas en avant. Et cette fois, sans se soulever, l'Arabe a tiré son couteau qu'il m'a présenté dans le soleil. La lumière a giclé sur l'acier et c'était comme une longue lame étincelante qui m'atteignait au front. Au même instant, la sueur amassée dans mes sourcils a coulé d'un coup sur les paupières et les a recouvertes d'un voile tiède et épais. Mes yeux étaient aveugles derrière ce rideau de larmes et de sel. Je ne sentais plus que les cymbales du soleil sur mon front et, indistinctement, le glaive éclatant jailli du couteau toujours en face de moi. Cette épée brûlante rongeait mes cils et fouillait mes yeux douloureux. C'est alors que tout a vacillé. La mer a charrié un souffle épais et ardent. Il m'a semblé que le ciel s'ouvrait sur toute son étendue pour laisser pleuvoir du feu. Tout mon être s'est tendu et j'ai crispé ma main sur le revolver. La gâchette a cédé, j'ai touché le ventre poli de la crosse et c'est là, dans le bruit à la fois sec et assourdissant que tout a commencé. J'ai secoué la sueur et le soleil. J'ai compris que j'avais détruit l'équilibre du jour, le silence exceptionnel d'une plage où j'avais été heureux. Alors, j'ai tiré encore quatre fois sur un corps inerte où les balles s'enfonçaient sans qu'il y parût. Et c'était comme quatre coups brefs que je frappais sur la porte du malheur.

Bilan de l'unité 11

page

Solidarité bien ordonnée

- L'action humanitaire : le pourquoi et le comment
- Les jeunes passent à l'action !
- Le charité-show
- La misère du quart-monde
- Œuvrer pour la cause

Le Sénégal préfère acheter son riz à l'étranger : il coûte moins cher que celui produit sur place

Khartoum, de…

DANS L'ORDRE DE MES VALEURS, TU VIENS JUSTE APRÈS MA RÉUSSITE PROFESSIONNELLE, EX AEQUO AVEC L'AIDE HUMANITAIRE POUR LE TIERS-MONDE

PERTZE

Noël = Charité ?

…RE SUCCÈS …ST LE VOTRE

LES RESTAURANTS DU CŒUR

Coluche nous a quittés. Mais ses Restos du cœur continuent chaque hiver à nourrir les pauvres

Les « bonnes œuvres » : seulement une affaire de saison ?

C'est l'heure de pointe dans la grande salle de la Maison du quartier. Christine essaie de cacher sa fatigue : cela fait trois heures déjà qu'elle distribue des paniers-repas. Mais la queue qui attend devant l'immense table semble ne jamais diminuer ! C'est bouleversant de voir qu'il y a autant de pauvres dans sa ville ! Face au visage gêné d'une jeune maman qui porte son bébé sur les bras, Christine oublie sa fatigue. Elle lui donne son paquet : des boîtes de légumes, des yaourts, du lait, du chocolat. Et un sourire en plus ! C'est ça, les Restos du cœur ! Chaque hiver,

cette formidable association fondée par Coluche distribue 30

10 Mil…

Les valeurs de la jeunesse

Pour chacun des mots suivants, dites s'il vous fait penser plutôt à quelque chose que vous aimez ou que vous n'aimez pas.

	J'aime %	Je n'aime pas %	NSP %
La liberté	100	–	–
La famille	98	2	–
La solidarité	96	4	–
L'aide humanitaire	**91**	**9**	–
L'argent	85	15	–
Le travail	84	16	1
L'écologie	81	18	4
Les immigrés	72	24	–
L'école	69	31	1
Les traditions	66	33	1
La presse, les médias	58	41	1
Les lois, les règlements	57	42	1
La religion	55	44	1
L'armée	39	60	1
La peine de mort	16	83	1
Les hommes politiques	14	84	2

NSP = ne se prononce pas

FORM

61

MAG.

La carte du monde des calories : illustration d'une inég…

2 880
Moyen-Orient
Afrique du Nord

3 583
Afrique
sub-saharienne

2 660
Asie du Sud

…latine
…bes

…mentaire
…réales

(milliers de tonnes de 1987 à 1988)

Nombre de calories par jour et par habitant

- 3 300 ou plus
- 2 900 à 3 300
- 2 600 à 2 900
- 2 300 à 2 600
- moins de 2 300
- absence de données

En fait, il serait illusoire, et …reux, d'imaginer un partage …ches entre le Nord, qui pro-…it davantage, et le Sud, qui …mmerait des surplus

…tion) a …
pour la Banque mon…
…ent réell…

fournie par les pays riche…

Travailler à se rendre inutile
La formation, axe central des programmes de VSF

…d'entre eux mangent trop. »
Suffit-il alors, comme la logique pourrait le suggérer, d'envoyer aux habitants du Sud les milliers

…ar l'agriculture est bien sou-vent la première source de ri-chesse des pays du Sud encore très peu industrialisés. Plus l'agricul-ture s'appauvrit, plus grandit la

…kina Faso, en provenan…

FRANCE
VSF EUROPA

Vétérinaires Sans Frontières
La Terre, l'Animal et l'Homme

Un monde, une famille

unicef
Fonds des Nations Unies pour l'enfance

La fin de la faim ?

1 Lisez l'article de *Francoscopie* ci-contre, et faites une liste des problèmes qui préoccupent les Français.

2 📼 **Micro-trottoir** sur l'aide humanitaire. Ecoutez et notez :
a les causes humanitaires qui préoccupent les personnes interrogées
b le nom de cinq organisations humanitaires
c ce qui constitue une bonne œuvre.
Comparez vos deux listes de problèmes humanitaires (activités 1 et 2a). Ont-elles des points communs ? Quelles sont vos conclusions ?

3 Posez les questions du micro-trottoir à vos camarades. Faites un compte rendu des résultats.

L'association "Aide Humanitaire en faveur des habitants de la Croatie" s'est créée en Bretagne pendant la guerre qui a déchiré l'ancienne Yougoslavie. Elle organise des convois humanitaires à destination de la Croatie (médicaments, vêtements, colis, etc.). Son fondateur nous explique le pourquoi et le comment de son action.

4 Lisez la lettre. Reliez les débuts et fins de phrases qui suivent :
1 La difficulté initiale de toute action humanitaire est de…
2 Le danger de toute aide est…
3 La préoccupation majeure de l'association est de…
4 Parmi les problèmes matériels auxquels les bénévoles doivent faire face, on compte…

a l'imposition de sa propre manière de voir, le non-respect de l'autre.
b s'intéresser et d'être à l'écoute des hommes, des individus.
c le manque de finances, la fatigue du voyage, la langue et les risques dus à la guerre.
d définir les réels besoins de ceux qu'on veut aider.

5 Relisez la lettre et répondez aux questions de votre professeur.

Solidarité bien ordonnée…

Plusieurs changements sont apparus en 1993 dans les attitudes des Français à l'égard des autres pays :

▶ La solidarité de proximité prend le pas sur la solidarité internationale. La lutte intérieure contre le chômage est prioritaire par rapport à la lutte contre la faim dans le monde et la recherche de la paix. De même, la lutte contre la pauvreté en France progresse dans la liste des causes prioritaires.

▶ L'aide au développement du tiers-monde reste à la sixième place, mais retrouve son niveau le plus bas depuis 1990.

▶ Parmi les régions à aider en priorité, l'Afrique recule, tandis que l'Europe de l'Est progresse.

Lettre ouverte à Essor

[…] Il est essentiel de définir les moyens et les finalités de l'action humanitaire. L'important n'est pas tant de collecter et de transporter n'importe quoi, il est avant tout nécessaire de définir les réels besoins des populations que l'on essaie d'aider. Cela veut donc dire de s'intéresser aux hommes. Nous avons constaté maintes fois que l'écoute, la compréhension, le partage des soucis, des espoirs, des craintes de nos amis croates ont été aussi importants que l'aide matérielle apportée. J'évoquerai un souvenir pour illustrer mon propos, la phrase bouleversante prononcée par mon contact croate lors de notre première conversation : « Même si votre projet d'aide s'arrêtait à ce coup de téléphone, cela est déjà extraordinaire, car maintenant, nous savons que nous ne sommes plus seuls au monde avec nos problèmes, nous savons qu'en France, des gens que nous ne connaissons pas pensent à nous. »

[…] Il faut s'attacher à résoudre les problèmes des gens concernés et non leur imposer une manière de voir, une aide que nous, nous estimons nécessaire. L'aide humanitaire ne consiste pas à se "débarrasser" de notre superflu, mais bien à répondre à une "attente", même non formulée. Il ne s'agit pas tant de quantité que de qualité.

Dans le même esprit, les bénévoles chargés du convoyage doivent être choisis avant tout pour leurs qualités humaines : ils doivent servir une cause humaine (humanitaire) quels que soient les risques (zone de conflits armés), les difficultés (la fatigue, le peu de moyens, la langue).

C'est pourquoi nous sommes toujours attendus là-bas comme des amis et non comme des donateurs. […]

En humanitaire, rien ne va de soi, tout demande une organisation de tous les instants, de la constance, du courage. Rien n'est simple, même pour la bonne cause ! L'action est souvent éreintante, mais les compensations morales et intellectuelles tellement grandes. […]

Si tous les gars du monde…

Alain Diverrès, président

Voici un extrait d'un document produit par Survie, une autre association humanitaire.

6 Lisez le texte. Faites la liste des difficultés à considérer lors de la création d'un projet d'aide. Utilisez les expressions-clés.
Exemple : La durée de l'aide alimentaire pose un problème : il est essentiel de ne pas créer une dépendance. Il faut que le pays puisse s'auto-gérer…

Pensez à d'autres problèmes et continuez la liste.
Exemple : On doit souvent faire face à l'hostilité du gouvernement du pays.

Expressions-clés

Analyser les problèmes et les difficultés :

Le/La… pose un problème.

Il faut surmonter le problème de…

Il faut que/Il ne faut pas que + *subjonctif*

La préoccupation initiale/majeure/principale ⎤
La difficulté que l'on rencontre   ⎬ est + *nom*
Le problème auquel on doit faire face   ⎦ est de + *infinitif*

Exemples tirés de la lettre de M. Diverrès :

Il est essentiel de…

L'important n'est pas tant de…

Il est avant tout nécessaire de…

Il faut s'attacher à…

Il ne s'agit pas tant de… que de…

L'aide alimentaire : le court et le long terme

Se servir massivement de l'aide alimentaire est une tentation à laquelle il faudrait savoir résister, sauf cas tout à fait exceptionnel (aide d'urgence). La preuve des effets trop souvent néfastes n'est plus à faire : découragement des producteurs locaux qui se trouvent en concurrence avec des céréales gratuites ou à prix anormalement bas ; désorganisation des circuits de distribution locaux ; changement des habitudes alimentaires (par ex., substitution du blé pour le mil) ; création d'une dépendance en cercle vicieux, car moins il y a de production locale, plus on a besoin d'aide.

Les quatre règles d'or de toute opération de partenariat :

1) Fonder le projet sur une analyse précise de son contexte écologique, humain, etc. pour qu'il réponde réellement aux *besoins de la population* concernée.

2) Etablir avec le partenariat local une relation qui prévoit à terme l'arrêt des contributions financières – tout projet doit devenir *auto-géré* avec les moyens locaux.

3) Préférer le *qualitatif* au quantitatif, l'*intégré* au ponctuel, la *responsabilisation* à l'assistance.

4) Se donner le *temps* pour transformer une situation résultant souvent des effets néfastes de la colonisation.

---

7 Lisez ces extraits de compte rendu des voyages de l'opération Bretagne-Croatie. Utilisez-les pour réagir aux opinions a–d.

Opinions

> Les dons, ça ne sert à rien, c'est une goutte d'eau dans l'océan.
>
> **a**

> On ne sait jamais si les dons arrivent à bon port.
>
> **b**

> Qui dit que ce qu'on donne est très utile aux destinataires ? Et puis, à trop donner, on crée des assistés.
>
> **c**

> La charité, c'est généreux pour qui la fait, humiliant pour qui la reçoit.
>
> **d**

Compte rendu

On nous attend dans le sous-sol de l'hôpital d'Osijek. Certaines spécialités pharmaceutiques font pousser des cris de joie à deux infirmières. Manifestement, nous ne sommes pas venus pour rien.

Nous avons, je crois, rempli notre mission, selon nos possibilités du moment. Il reste beaucoup à faire. Nous ne faisons pas la charité, nous accompagnons des femmes, des hommes, dans leur quête de liberté… Puisse notre association leur apporter l'appui moral et matériel pour leur longue marche vers l'autonomie totale.

Au foyer d'enfants Maslacak, les femmes nous attendent dans la fébrilité. Discours de bienvenue, accueil joyeux des enfants. Nous avons du mal à comprendre ce que représente pour eux ce chargement de colis… Nous faisons connaissance d'une manière plus approfondie avec l'association, ses difficultés, projets, souhaits, pour mieux cibler nos donations.

Depuis notre premier voyage, la situation en Croatie a évolué. Le temps de l'aide d'urgence est passé. La question essentielle est désormais de savoir : comment aider nos amis, sans choquer leur fierté.

Les jeunes passent à l'action

De nombreux jeunes Français sont extrêmement motivés par la solidarité et l'action humanitaire. Mais que faire quand on est encore au collège ou au lycée ? *Essor* vous présente une initiative intéressante, celle d'une association créée en 1993 : Jeunesse sans frontière.

Davantage est le journal de cette association. Ce nom vient de la citation :
« Que faut-il faire dans la vie pour faire quelque chose ?
– Davantage » (St Vincent de Paul).

JEUNESSE
SANS
FRONTIERE

EDITORIAL

Faites Davantage.

Beaucoup de jeunes cherchent à s'exprimer à travers leurs études, leur travail, le sport et les loisirs ; ils en espèrent plus d'indépendance, de reconnaissance et un avenir plus souriant. Est-ce suffisant pour réussir sa vie ? Certainement pas.

Il y manquera ce DAVANTAGE qui donnera à cette vie une dimension plus humaine, plus ouverte, plus altruiste. L'engagement humanitaire, c'est d'abord un état d'esprit, une imagination positive, une intensité émotive, une victoire du courage sur la timidité, le rejet d'une vie confortable au profit d'une aventure continuelle du cœur et de l'esprit. Vaste dépassement auquel DAVANTAGE convie ses lecteurs.

Victor Hugo nous enseignait déjà : « Etes-vous égoïste ? – Sauvez les autres. »

Jean-Michel Muzard

J.S.F. c'est :

◆ un organisme humanitaire jeune.
◆ une fédération regroupant des jeunes lycéens, collégiens ou apprentis.
◆ une ONG (organisation non gouvernementale) partenaire de l'Union Européenne.
◆ une équipe de bénévoles motivés, dynamiques, efficaces et responsables.
◆ une volonté commune de s'impliquer, d'aider les autres, en France comme à l'étranger.
◆ des Comités et des Clubs locaux répartis sur toute la France.

Jeunes en mission

Conditions pour la participation de jeunes aux missions à l'étranger (Bosnie, Croatie, Pologne, Rwanda, Palestine) :

◆ autorisation des parents
◆ engagement d'un travail régulier au sein du Comité ou du Club JSF local, compte tenu des exigences du travail scolaire.

Le monde ne doit pas se construire sans toi

Dans l'immense mouvement de solidarité qui se dresse depuis quelques années en faveur des peuples en difficulté, les jeunes sont curieusement absents.

Ceux qui sont à l'origine de Jeunesse sans frontière ne trouvent pas que cela corresponde à la réalité d'une jeunesse pourtant généreuse.

L'explication vient certainement de l'ampleur des tâches administratives à accomplir lorsque l'on veut aider ces populations ; également du fait que, dans le monde occidental où nous vivons, on ne confie plus de véritables responsabilités aux adolescents ; on ne leur fait également pas confiance. L'initiative de JSF devrait permettre à d'autres jeunes de se joindre à ce nouveau mouvement de solidarité et de donner libre cours à leur générosité.

---

1 Lisez les documents sur JSF et répondez aux questions suivantes.
   a Quelle est l'originalité de JSF en tant qu'ONG ?
   b Pourquoi les jeunes sont-ils mal représentés dans l'action humanitaire ?
   c Selon JSF, qu'est-ce qu'un engagement humanitaire peut apporter à un jeune ?
   d Quelles sont les qualités recherchées chez les bénévoles ?

2 Vous voulez participer à une mission JSF. Relisez les documents et trouvez des arguments pour convaincre…
   a un(e) partenaire de venir avec vous
   b vos parents de vous y autoriser.
   Utilisez les expressions-clés, page 159.
   Préparez-vous ; ensuite, avec un(e) partenaire, à tour de rôle, essayez de vous convaincre.

3 Ecoutez l'interview d'Arthur Da Silva, président de JSF, à son retour de mission au Rwanda.

a Retrouvez la bonne définition :
appréhender =   comprendre ?   avoir peur ?
être partant =   être pour ?   être contre ?
faire évoluer =   annuler ?   changer ?

b Résumez par écrit le contenu de l'interview. Pour vous aider, complétez d'abord ces notes.

1 ...... membres de JSF sont partis au Rwanda, pour une durée de ...... , en compagnie de ......

2 Les contacts avec la population étaient ...... parce que ......

3 Si leur âge était un avantage lors de la mission JSF en Croatie, au Rwanda, par contre, ...

4 Au départ, le projet de JSF était de ......

5 Une fois sur place, ils se sont rendu compte que c'était difficile parce que ......

6 Après la mission, le projet a évolué. JSF propose maintenant de ......

c Réécoutez la fin de l'interview. Que dit Arthur en réponse à l'activité 1c ? Avez-vous pensé à ces arguments pour l'activité 2 ?

JSF en Croatie

4 Imaginez ! Vous participez au concours ci-dessous.

a En groupes, choisissez un pays et un type de projet. Faites des recherches. Contactez une ONG française.

b Préparez votre projet.

c Présentez-le aux autres groupes. Essayez de les persuader de participer ! Pour cela, utilisez les expressions-clés, page 157 et ci-contre.

Expressions-clés

Présenter un plan d'action :

On pourrait/On devrait + *infinitif*
On suggère de/On a intérêt à + *infinitif*
Il vaut/vaudrait mieux que nous + *subjonctif*
Il faut/faudrait qu'on + *subjonctif*

Engager le soutien :

Ça vous/te dirait de + *infinitif* ?
Vous pourriez/Tu pourrais + *infinitif* ?
C'est à vous/toi de + *infinitif*
Aidez/Aide-nous à + *infinitif*

Concours jeunes

France   Belarus
Sénégal
Mali   Viêt-nam

Le Conseil régional a décidé d'organiser un concours ouvert aux lycéens, apprentis et stagiaires de la formation professionnelle du Nord-Pas-de-Calais qui veulent construire une action de coopération avec des régions du Sud et de l'Est de la planète : en Belarus, au Viêt-nam, au Sénégal et au Mali.

RÉGION NORD PAS DE CALAIS

Les projets peuvent porter sur l'éducation, la santé, la production alimentaire, la valorisation des ressources naturelles, la préservation et la requalification de l'environnement, l'ouverture sur le monde ou le développement culturel, etc. Les jeunes sont invités à réfléchir et à monter un projet.

S'ils le souhaitent, le Conseil régional peut les mettre en contact avec une ONG (organisation non gouvernementale) qui pourra les conseiller et les orienter.

Un jury sélectionnera le projet le plus intéressant.

S E R V I C E S   R É G I O N A U X

Le marketing du cœur

Le bilan des morts pourrait atteindre 1 million.
Le Monde

1.000 amputés dans la région de Kigali.
InfoMatin

320.000 RWANDAIS AUTOUR DE LA VILLE DE BUKAVU.

150.000 réfugiés seulement sont rentrés au Rwanda.
Nord-Éclair

150 à 200.000 enfants seuls ou orphelins.
LE PROGRÈS

2.5 millions de personnes auront besoin d'aide alimentaire à l'intérieur du pays suite à la perte des récoltes.
Le Monde

800.000 réfugiés rwandais sont encore à Goma. Plus de 400 meurent chaque jour.
Le Monde

Derrière les chiffres, moi, j'essaie de vivre.

C'est sur la durée que l'on juge une idée.

frères des hommes

Pour Médecins du Monde cet enfant est touché deux fois à la tête, une fois par une balle, une fois par la mort de ses parents. Nous soignons les blessures qui se voient et aussi celles qui ne se voient pas.

CCP 1144 7 Paris

MÉDECINS DU MONDE

« Charity business »

Dans les années 1980, les ONG (organisations non gouvernementales) multiplient leurs missions. Elles ont donc un besoin croissant d'argent. Et pour ce faire, la collecte de fonds se professionnalise. Les ONG s'abonnent aux techniques de vente par correspondance et de marketing direct. Elles se lancent dans d'importantes campagnes de mailings, constituent des fichiers de fidèles donateurs, qu'elles s'échangent ou louent à d'autres organismes.

L'humanitaire passe au stade industriel. La charité devient un marché, où parfois se montent des affaires douteuses.
La communication des ONG passe également par la publicité. En 1976, MSF (Médecins sans frontières) se fait connaître par une première grande campagne nationale dont le slogan est : « Dans leur salle d'attente, 2 milliards d'hommes. » Aujourd'hui, la plupart des associations consacrent de 2 à 10% de leur budget à la publicité. Pour les agences de communication, l'humanitaire est un secteur porteur. Problème : peut-on "vendre" la misère humaine comme une simple lessive ? L'utilisation de certaines images, de mots chocs, particulièrement culpabilisateurs ou manipulateurs est-elle moralement justifiable ?

Les ONG se retrouvent toujours tiraillées entre ce besoin d'obtenir des fonds et la volonté de ne pas transformer leur message en simple slogan commercial. Débat que résume Philippe Lévêque, directeur de développement de Médecins du monde : « Nous ne voulons pas nous abaisser à certaines pratiques pour engranger des fonds (gadgets, affiches douteuses, shows humanitaires). Mais le fait est qu'elles permettent parfois de toucher des gens qui sans cela n'auraient pas donné. C'est un équilibre fragile. »

Zoom sur l'opposition

Pour opposer ou contraster deux faits, on peut :
- faire deux phrases et utiliser un mot de liaison :
  Les ONG utilisent le marketing humanitaire.
  *Il n'est **pourtant/cependant/toutefois** pas très moral.*
- faire une phrase et utiliser une conjonction suivie de l'indicatif :
  *Les ONG utilisent le marketing humanitaire **alors qu'il/tandis qu'il/même s'il n'est** pas très moral.*
- faire une phrase et utiliser une conjonction suivie du subjonctif :
  *Les ONG utilisent le marketing humanitaire **bien qu'il/quoiqu'il/encore qu'il ne soit** pas très moral.*

8

1 Avant de répondre aux questions suivantes, transformez-les sur un des modèles du *Zoom*.
  a Doit-on refuser d'utiliser la publicité ? Elle permet de toucher de potentiels donateurs.
  b Le public réagit-il favorablement aux slogans publicitaires ? Ils sont culpabilisateurs en général.
  c Doit-on éviter de "vendre" la misère humaine ? Les ONG ont besoin de fonds.

PARRAINEZ UN ENFANT AVEC AIDE ET ACTION.

Quand elle saura lire, écrire, compter, ce sera aussi grâce à vous...

Pour tous les enfants du monde, les chemins de la vie passent par l'école. Et pourtant, des millions d'entre eux ne savent ni lire, ni écrire, ni compter. Des millions d'enfants n'ont pas la possibilité de se bâtir un avenir meilleur.
Depuis 13 ans, Aide et Action agit pour favoriser la scolarisation avec le concours des parrains qui la soutiennent.
Devenir parrain ? Une façon simple d'aider un enfant à grandir et à mieux préparer sa vie d'adulte. Une façon de lutter efficacement contre le sous-développement.

Avec 100 F par mois, vous pouvez offrir à un enfant un cadeau pour la vie !

Être parrain avec Aide et Action, c'est soutenir l'éducation d'un enfant en s'engageant à verser 100 F par mois, le temps de sa scolarité primaire.
Le principe est simple : dès votre accord, Aide et Action vous adresse le dossier de votre filleul avec sa photo et quelques informations sur sa famille et son village.
Grâce à vous, Aide et Action permet à votre filleul de suivre régulièrement l'école et de bénéficier d'une formation pratique, utile pour son avenir.
Grâce à vous, Aide et Action construit des écoles, forme les instituteurs, équipe les classes.
Grâce à vous, Aide et Action contribue aussi à l'amélioration des conditions de vie dans le village où vit votre filleul (installation de l'eau potable, alphabétisation des parents...).

Votre filleul vous écrira pour vous raconter ce qu'il a appris.

Trois fois par an, vous pourrez suivre les progrès de votre filleul et partager un peu de sa vie là-bas, au travers des dessins et des petits mots qu'il vous enverra. Vous pourrez bien sûr lui écrire, si vous le souhaitez.

Pour emmener à l'école un enfant qui, sans vous, n'aurait peut-être jamais cette chance, pour qu'il puisse envisager l'avenir avec le sourire, **rejoignez vite les 50 000 parrains d'Aide et Action.** Renvoyez dès aujourd'hui le coupon ci-dessous à :

**Aide et Action
67 boulevard Soult
75592 PARIS Cedex 12.
Tél. (1) 40.19.04.14**

AIDE ET ACTION, PREMIÈRE ASSOCIATION DE PARRAINAGE EN FRANCE
Créée en 1981, Aide et Action est devenue la première association faisant appel au parrainage en France. Comptant plus de 50 000 parrains, elle est active auprès de 900 écoles en Inde, en Afrique et en Haïti. Aide et Action a été récompensée par le Prix Cristal pour la transparence de son information financière, décerné par la Compagnie Nationale des Commissaires aux Comptes. Aide et Action est une association humanitaire, apolitique et non confessionnelle. Vos dons sont déductibles de vos revenus imposables, dans les limites prévues par la loi. Un reçu fiscal vous sera adressé chaque année.

« Quand un enfant ne va pas à l'école, c'est tout un peuple qui ne grandit pas. »

Aide et Action, avec le concours de ses responsables sur place, vous tiendra régulièrement informé des actions entreprises.

Aide et Action
L'ÉCOLE, UN CADEAU POUR LA VIE

✂ - - - - - - -

Parrainez un enfant !

Parrainez un enfant avec Aide et Action. Je joins un chèque de 100 F à l'ordre d'Aide et Action correspondant à mon premier mois de parrainage. Merci de m'adresser le dossier comportant la photo de mon filleul. J'ai bien noté que 20 F sur le premier chèque seront destinés à l'abonnement à mon bulletin trimestriel.

☐ OUI, je souhaite parrainer un enfant avec Aide et Action.

☐ Envoyez-moi la documentation complète sur Aide et Action.

☐ Je ne peux pas parrainer un enfant maintenant mais je vous envoie un don de : ☐ 100 F ☐ 200 F ☐ 500 F ....F

☐ Mme ☐ Mlle ☐ M.
Prénom .... EN MAJUSCULES S.V.P.
N° ...... Rue ....
Code postal ☐☐☐☐☐   OBS25
Ville ....
Tél. ☐☐ ☐☐ ☐☐ ☐☐ ☐☐
Profession (facultatif) ....

Conformément à la loi N° 78-17 du 6 janvier 1978, vous disposez d'un droit d'accès et de rectification pour toute information vous concernant, figurant sur notre fichier. Il suffit pour cela de nous écrire.

Bon à renvoyer à Aide et Action - 67 boulevard Soult - 75592 PARIS Cedex 12.

Là-bas, quand le troupeau est malade, c'est le village qui meurt

Vétérinaires Sans Frontières
FRANCE

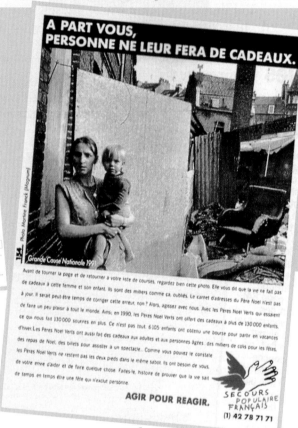

A PART VOUS, PERSONNE NE LEUR FERA DE CADEAUX.

Photo Martine Franck (Magnum)

Grande Cause Nationale 1991

Avant de tourner la page et de retourner à votre liste de courses, regardez bien cette photo. Elle vous dit que la vie ne fait pas de cadeaux à cette femme et son enfant. Ils sont des milliers comme ça, oubliés. Le carnet d'adresses du Père Noël n'est pas à jour. Il serait peut-être temps de corriger cette erreur, non ? Alors, agissez avec nous. Avec les Pères Noël Verts qui essaient de faire un peu plaisir à tout le monde. Ainsi, en 1990, les Pères Noël Verts ont offert des cadeaux à plus de 130 000 enfants. Ce qui nous fait 130 000 sourires en plus. Ce n'est pas tout. 6 105 enfants ont obtenu une bourse pour partir en vacances d'hiver. Les Pères Noël Verts ont aussi fait des cadeaux aux adultes et aux personnes âgées, des milliers de colis pour les fêtes, des repas de Noël, des billets pour assister à un spectacle... Comme vous pouvez le constater les Pères Noël Verts ne restent pas les deux pieds dans le même sabot. Ils ont besoin de vous, de votre envie d'aider et de faire quelque chose. Faites-le, histoire de prouver que la vie sait de temps en temps être une fête où n'exclut personne.

AGIR POUR RÉAGIR.

SECOURS POPULAIRE FRANÇAIS
(1) 42 78 71 71

---

2 Regardez les différentes publicités. A votre avis…
– laquelle est la plus frappante ? Pourquoi ?
– laquelle vous ferait sortir votre porte-monnaie ? Pourquoi ?
Discutez-en classe.

3 Discutez avec un(e) partenaire :
– l'utilisation de la couleur ou du noir et blanc
– le type d'illustration
– les slogans, les textes (longueur, style, ton).

4 Parmi ces procédés stylistiques et grammaticaux, lesquels ont été utilisés dans ces publicités ?
– faire parler les victimes
– s'adresser directement aux lecteurs
– placer un élément important en tête de phrase
– *c'est* + élément à mettre en valeur + *qui/que…*
– utiliser l'impératif ; le futur simple ; le passif.

5 En groupes ou à deux, concevez une affiche ou un tract pour votre projet humanitaire (activité 4, page 159). Pour vous aider, regardez les consignes ci-contre.
A votre avis, quels autres facteurs faut-il considérer pour lancer une campagne publicitaire en faveur d'une action humanitaire (par exemple : où, quand, …) ?

COMPÉTENCES

Concevoir une affiche ou un tract

• <u>Bien cibler le public</u> : pour déterminer le contenu et le choix de la langue.

• <u>Sélectionner une illustration</u> : pour souligner la gravité du problème ou renforcer le côté positif de l'action.

• <u>Choisir le ton du texte</u> : pour informer, émouvoir, culpabiliser, agresser, amuser, etc.

• <u>Rédiger un slogan</u> : choisir un style, des procédés grammaticaux pour avoir plus d'impact.

T'as pas 10 balles ?

1 🔲 Ecoutez les témoignages de quatre personnes en difficulté : Nicole, Jérôme, Jean-Michel et Elise. Qui correspond aux profils suivants ?

a Jeune, au chômage, voudrait avoir un emploi, vivre en couple, avoir des enfants

b Passe ses journées à mendier dans le métro, se fait ramasser par le bus de la Préfecture de police le soir

c Ancien employé, dans la rue depuis 18 ans, se sent souvent humilié, bien que les choses s'améliorent

d Jeune, déjà 6 ans de vie dans la rue, mécanicien au chômage parce que SDF

Réécoutez. Ajoutez d'autres détails au profil de chaque personne.

2 🔲 Réécoutez. Les quatre personnes décrivent leur centre d'hébergement. De quel centre s'agit-il ?

a 10 francs la nuit

b chambre à quatre

c décor propre et agréable

d heure d'arrivée : entre 16 et 22 heures

e entretien obligatoire avec une assistante sociale

f plus de 200 places gratuites en dortoir

g self et salle de sport ouverts toute la journée

h réveil à 5 heures

> *Chapsa* : centre d'hébergement d'assistance aux personnes sans abri, Nanterre
> *Centre Espoir*, Armée du Salut, Paris
> *Relais Poterne des Peupliers*, Paris
> *Cité Saint-Martin*, Paris

3 🔲 Ecoutez à nouveau. Ces quatre personnes utilisent un français familier. (Lisez les renseignements ci-dessous.)

a Repérez dans la boîte ci-dessous le mot familier ou argotique pour :
la police   le repas   dormir   le travail
mendier   francs   un copain   gratuit

b Repérez trois exemples de suppression du *ne* dans ce que dit Nicole.

Reconnaître et comprendre le français familier

- Exemples de vocabulaire familier :
  gratos   un pote   faire la manche   balles
  le turbin   pioncer   la bouffe   les flics
- Deux points-clés du français parlé :
  On supprime souvent le *ne* dans les négations.
  On utilise souvent des expressions comme : *hein*, *ben*, *bon ben*.

Le saviez-vous… ?

◄ "Les SDF (sans domicile fixe)", "les sans-abri", "les nouveaux pauvres", "les exclus", "les démunis", "le quart-monde", "la fracture sociale", autant de mots pour parler du problème de la misère au pas de notre porte.

◄ 5 millions de personnes en France vivent en dessous du seuil de pauvreté (2 480F par mois par personne).

◄ Les associations caritatives estiment le nombre de SDF en France entre 600 000 et 800 000.

◄ Les principales causes de la misère ? La perte de son emploi, donc de ses revenus ; la rupture familiale (séparation ou divorce, avec une personne quittant le domicile familial) ; l'exode des jeunes chômeurs provinciaux vers la capitale.

◄ On compte environ 10 000 à 15 000 associations caritatives s'occupant d'action humanitaire en France (action dite "de proximité").

◄ La France fut le premier pays à "institutionaliser" l'aide humanitaire, en créant dans les années 80 un ministère de l'action humanitaire.

Ça se dit comme ça !

La prononciation familière

🔲 Réécoutez Jérôme. Repérez comment il prononce les phrases suivantes :
Mais quand je peux, je viens…
Le problème, c'est que c'est souvent plein.
Il faut venir s'inscrire vers deux heures de l'après-midi.
• Le *e* de *je, le, que, de, venir*, etc. tend à disparaître.

Il y a la télé.
Il faut voir une assistance sociale.
• Le *il(s)* devient *i* ou disparaît, et *il y a* devient *y a*.

… pour voir s'ils ont du boulot (oui, parce que je suis mécanicien).
Ils ne sont plus intéressés.
• *oui* devient *ouais* ; *parce que* devient *pass'qu* ; *plus* devient *pu*.

4 🔲 Réécoutez Jean-Michel et Elise. Repérez ces exemples de prononciation familière.

Macadam, L'Itinerant et **Le Réverbère sont des journaux vendus au profit des sans-abri. Voici deux extraits du courrier des lecteurs et des vendeurs de Macadam.**

R.M.I. *

Revenu de misère identifiée
Pour ceux qui ont osé le demander !
D'autres n'ont pas eu ce courage.
Ils ont choisi d'errer sur les plages
Ou bien de vagabonder ailleurs
Cherchant un monde meilleur.
Les illusions font vivre
Mais n'apportent pas les vivres.

On les montre du doigt,
Pourquoi ne s'insèrent-ils pas ?
Dans ce monde de consommation
Peut-on parler d'insertion ?
Notre société capitaliste
Pour paraître moins égoïste
A fabriqué des R.M.ISTES
En essayant de leur donner "des pistes".

Ceux qui ont boudé ce système truqué
Se retrouvent assignés aux bancs des accusés :
Pourquoi ne font-ils pas valoir leur droit ?
Ils se comportent comme des goujats !
Malgré tout ils préfèrent
Ne pas adhérer à ce trompe-misère,
Ne pas se sentir obligés
De se retrouver coincés.

A quoi bon accepter cette aumône ?
Autant rester autonomes
Plutôt que d'être contrôlés
Par cette société !
Tout cela est illusoire
On veut leur faire croire
Qu'ils gagneront du pognon
Avec des contrats bidons !

Essayons de comprendre.
Ils deviendraient plus tendres
Si on leur avait proposé
Un vrai travail rémunéré !
Ils ont jugé préférable
D'être SDF non identifiable,
Leur dignité, c'est ce qui leur reste
Ne pas s'abaisser à quémander les restes !

Ne leur jetons pas la pierre
Cela accentuerait leur misère.
Apprenons à les respecter
Abstenons-nous de les juger !
Regardons-nous dans une glace
Nous ne sommes pas à leur place
Pour pouvoir philosopher
Et tenir des discours intellectualisés !
J. M.

* Revenu minimum d'insertion :
Allocation donnée aux plus de 25 ans, sans ressources,
avec comme condition de s'engager dans un projet
"d'insertion" (contrat de travail, en général sous-payé).

Si je tire sur la ficelle
Je suis un demandeur d'emploi
Si je dois tendre l'escarcelle,
Je n'ai plus de pain sous mon toit.
Quand la misère en ribambelle
Me fait souvent trembler de froid
La soif est encore plus rebelle,
Elle met l'âme en désarroi.
Car si j'avais la bagatelle
De quelques sous, je serais roi
J'aimerais être une hirondelle
Mais désir ne fait pas la loi.
Le bon Dieu ne m'a pas mis d'aile,
C'est ainsi, je n'ai pas le choix
Et mon pauvre corps qui chancelle
Ne peut plus supporter sa croix.
M. G.

5 Lisez les deux textes, à l'aide d'un dictionnaire. Reliez les expressions suivantes (*A*) avec les termes populaires et familiers, utilisés dans les textes (*B*).

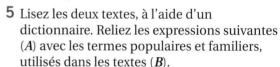

| *A* argent | petite somme | illusoire |
| exagérer | en grande quantité | |

B RMI 4ᵉ strophe :	pognon	bidon
Si je tire… :	tirer sur la ficelle	
bagatelle	en ribambelle	

6 Répondez aux questions, en travaillant seul(e) ou à deux.
   a Comment J. M. définit-il le RMI ? Est-il pour ou contre cette allocation ? Quelles raisons donne-t-il ?
   b D'après J. M., quelles sont les réactions des gens face à ceux qui refusent le RMI ?
   c D'après J. M., pourquoi le RMI a-t-il été créé ?
   d Quel est le message du texte de J. M. ?
   e Comment M. G. définit-il la misère du démuni ?
   f Pensez-vous que M.G. accepterait ou refuserait une aumône ? Pourquoi ?
   g Est-ce que M. G. a gardé espoir de s'en sortir ? Pourquoi ?
   h Quel est le message du texte de M. G. ? En quoi diffère-t-il de celui de J. M. ?

7 Imaginez-vous être SDF dans votre localité. A vous d'écrire un texte (sous forme de poème si vous voulez) sur votre vie dans la rue.

C'est pour une bonne cause...

Vous voulez lutter contre le malheur des autres, mais que faire ? Avant de vous engager, lisez nos conseils et les témoignages de deux bénévoles.

Conseils

A *A part donner de l'argent, qu'est-ce que je peux faire ?*

Donnez du temps ! Certaines actions requièrent des compétences professionnelles et une bonne formation, mais beaucoup ne nécessitent que de la bonne volonté et de l'imagination !

B *Quelle cause choisir ?*

Le tiers-monde, le quart-monde, l'enfance, le troisième âge, l'alphabétisation, le soutien scolaire, l'aide aux malades et handicapés, les droits de l'homme... les domaines ne manquent pas ! Une règle d'or à respecter : *Ce que le bénévole fait pour les autres doit être un bonheur pour lui. Sinon, ça ne dure pas.* Alors, ne pensez pas en termes de "charité" mais choisissez un secteur qui peut aussi vous apporter quelque chose.

C *De combien de temps faut-il disposer ?*

Ça peut aller d'une journée par an à cinq jours par semaine. Surtout, ne surestimez pas vos possibilités : il faudra que vous puissiez tenir votre engagement. Rien n'est pire que de décevoir.

D *Qu'est-ce que je peux faire pour être utile ?*

Toutes les associations réclament des bras : par exemple, pendant les urgences d'hiver, pour collecter de la nourriture (un jour par mois), la servir (une soirée par semaine), distribuer des vêtements (quatre heures par mois).

De chez vous, vous pouvez devenir correspondant de prison (écrire à un prisonnier, une heure par semaine), militer pour les droits de l'homme en écrivant trois lettres par mois pour Amnesty International, enregistrer des romans, des cours ou des articles de journaux sur cassette pour les mal- ou non-voyants. Si vous aimez les enfants, vous pouvez emmener des enfants des cités une journée à la campagne ou faire le clown en hôpital d'enfants. Ce ne sont pas les idées qui manquent !

Témoignages

E *Joseph Ettedgi, 28 ans, commercial. Il fait des collectes d'argent et de nourriture pour le Secours populaire.*

Durant notre dernière "opération Caddie", nous avons recueilli 1000 francs et 50 cageots de denrées. Notre principe est simple : avec un groupe de dix personnes, nous choisissons un supermarché. Et, après avoir pris contact avec la direction, nous collons des affiches pour annoncer l'événement. Puis, le jour de la collecte, je reste huit heures debout, et j'informe les clients sur notre action en faveur des plus démunis. Toutes ces tâches me plaisent. Comme la vie associative d'ailleurs.

F *Maurice Brunon, 40 ans, ouvrier. Il aide les personnes en difficulté.*

A 25 ans, j'ai failli devenir un marginal. Mal dans ma peau, sans diplômes, j'aurais sombré dans la boisson sans le secours d'une association. Aujourd'hui, c'est à mon tour d'aider les autres. Je n'hésite pas, par exemple, à héberger des sans-abri chez moi le temps qu'ils se retapent ou que le froid soit moins vif. Ma femme me soutient activement. Quitte à accepter quelques sacrifices : je l'avoue, elle n'a pas toujours été ravie de me voir revenir avec dans les bras un inconnu ivre mort.

1 Trouvez les synonymes des termes suivants dans les textes ci-dessus.
Introduction : se battre contre, se lancer
A : générosité   *B :* les personnes âgées
D : ramasser, participer activement, aveugles
E : pauvres   *F :* exclu, loger

2 Résumez les conseils (100 mots environ) en évitant d'utiliser les mots du texte. Trouvez des synonymes, comme ceux de l'activité 1.

3 Vous sentez-vous l'âme d'un(e) bénévole pour une action "de proximité" ? Que seriez-vous prêt(e) à faire ? Notez vos idées et expliquez-les à la classe.

4 En groupe de trois ou quatre, pensez à une action qui serait utile dans votre localité. Présentez la situation et analysez les problèmes. Présentez d'éventuelles solutions, en pesant le pour et le contre. Qu'en pense le reste de la classe ?

Les nouveaux missionnaires

Le profil du bénévole

pour le travail dans l'action humanitaire

- ✔ *avoir une bonne connaissance d'une langue étrangère*
- ✔ *être réfléchi, réaliste, savoir s'adapter*
- ✔ *avoir d'excellentes qualités relationnelles*
- ✔ *être disponible et opérationnel immédiatement*
- ✔ *être très motivé par l'action dans laquelle on s'engage*
- ✔ *avoir un bon équilibre psychologique*
- ✔ *avoir un métier et une expérience professionnelle*
- ✔ *avoir de l'humilité et le respect d'autrui*
- ✔ *être en excellente santé*

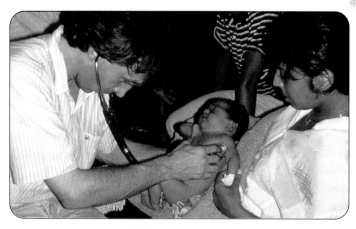

1 Lisez le profil du bénévole. Quelles sont selon vous les qualités essentielles d'un bénévole ? Discutez en groupe.

2 Travaillez à deux. Lisez le texte ci-dessous. Trouvez des exemples qui illustrent certaines qualités mentionnées dans le profil du bénévole.

3 En vous servant du contenu de cette page, écrivez le CV idéal pour un(e) jeune candidat(e) au travail humanitaire.

4 A deux, imaginez maintenant la conversation entre le/la candidat(e) de l'activité 3 et un(e) responsable de programme dans une ONG.

5 📼 Ecoutez une interview avec Vianney Danet, secrétaire général de l'ACCIR (Association Champenoise de Coopération Inter Régionale).
   a Quel est le but de cette association ?
   b Pourquoi s'est-il intéressé à l'association ?
   c S'en occupe-t-il à plein temps ? Expliquez votre réponse.
   d Comment sa famille participe-t-elle à la vie de l'association ?

La vie en mission

Ça y est, vous êtes partis. Vous allez à Kaboul, peut-être à Managua, à Nouakchott, à Beyrouth ou à Phnom Penh. Ces destinations exotiques marquent pour vous le départ d'une autre vie, une parenthèse pendant laquelle vous allez modifier votre façon de penser, de travailler et de vivre avec les autres.

LES CONDITIONS DE VIE ET DE TRAVAIL

■ La vie en communauté

En mission, la vie en communauté est la règle. Elle est bien plus souvent enrichissante que désagréable. Mais la vie en groupe impose aussi de fortes contraintes. Il faut être ouvert aux autres, tout en se préservant une certaine liberté. Sur une mission d'urgence, la vie de groupe est encore plus prenante. S'isoler est pratiquement impossible, les tensions et les stress sont forts et chacun réagit selon son caractère et ses contraintes professionnelles. Il est pourtant vital que le groupe reste homogène et travaille avec les mêmes objectifs. L'équipe est une source d'énergie pour chacun des membres, mais ses disfonctionnements peuvent aussi devenir très pesants…

■ Des conditions de travail difficiles et intensives

Les missions d'urgence :
Par définition, lors de missions d'urgence, le travail est intensif car il faut intervenir rapidement. Pour sauver le maximum de vies, il faut faire de longues journées, assumer des situations nouvelles, négocier avec les autorités locales. Il faut supporter le stress, assumer la violence et la mort des autres, et son propre sentiment d'impuissance.

Les projets de développement :
Ils ne sont pas non plus de tout repos. Le climat est dur sous les Tropiques, il faut s'adapter aux moustiques, à la nourriture et à certains petits ennuis de santé liés à tous ces dépaysements. Il faut une bonne résistance physique. C'est un tout autre rythme de vie, très physique et parfois éprouvant.

L'ASPECT PSYCHOLOGIQUE

■ Le choc des cultures

Pour qui aime voyager, la découverte de l'exotisme, au tout début, est plutôt agréable. Le choc culturel, le vrai, on le reçoit plus insidieusement, en travaillant auprès de populations dont les mœurs, les coutumes et surtout les valeurs sont parfois radicalement différentes des vôtres sur des sujets sensibles : la mort, la maladie, les relations entre hommes et femmes. A vous d'essayer de comprendre, ou au moins de respecter. Les valeurs religieuses et sociales sont fondées sur d'autres symboliques de la vie, d'autres interprétations du monde que vous ignorez sans doute. Gardez-vous de juger.

■ Le sentiment d'impuissance

Prendre conscience des limites de son action est l'une des grandes épreuves de tous ceux qui sont engagés dans l'action humanitaire. Ceux qui poursuivent leur action trouvent un équilibre dans leurs actes quotidiens : soigner, soulager, sauver une vie, même si c'est insuffisant au regard de toutes les autres perdues. Les émotions sont donc intenses en positif comme en négatif…

■ Le sentiment de surpuissance

Attention au complexe de supériorité qui peut se développer lorsqu'on est accueilli comme un sauveur et que l'on négocie quotidiennement avec les plus hautes autorités de l'Etat. La sensation de disposer d'un réel pouvoir peut vous faire perdre toute notion de la réalité.

Interlude

L'humanitaire dans la peau

Il a soigné la misère aux quatre coins du monde, il a été médecin-chef dans une prison, il s'occupe du centre de soins gratuits pour les sans-abri : Xavier Emmanuelli, l'un des fondateurs de l'association Médecins sans frontières, est une des plus grandes figures de l'action humanitaire française. Il se confie au magazine *Mikado*.

Pour vous la solidarité est-elle une obligation ?

Non, c'est un besoin intime, un élan qui débouche sur une action. La solidarité, c'est avoir le souci de l'autre, de son semblable. C'est se sentir mal si l'on ne fait rien face à la souffrance.

Existe-t-il des causes prioritaires ?

Non, toutes les injustices doivent être combattues : la famine, la misère, la maladie, l'analphabétisme, sans oublier les régimes politiques violents et corrompus. Mais on ne peut pas tout faire à la fois, alors chacun doit agir à son niveau, faire ce dont il est capable.

En 1971, vous avez participé à la création de l'association Médecins sans frontières. Comment cela s'est-il passé ?

Vers 1970, j'ai rencontré de jeunes médecins comme moi qui se sentaient concernés par les problèmes du tiers-monde. Certains d'entre eux revenaient du Biafra, une province du Nigeria où venait de se dérouler pendant trois ans une guerre terrible qui avait fait un million de morts ! Ils étaient partis là-bas avec la Croix-Rouge et étaient rentrés bouleversés. Nous avons créé un mouvement, soutenu par le journal médical *Tonus*, pour monter des opérations de solidarité avec les pays pauvres. L'une de nos premières actions a été une aide au Bangladesh, qui avait été victime de graves inondations. Cette expérience a été le pas décisif vers la création de Médecins sans frontières, en décembre 1971.

Qu'est-ce qui vous motivait au départ ?

Ce qui me plaisait dans ce projet, c'était son côté aventure, mais aussi la possibilité d'aller au bout de mes idées, de pratiquer une médecine de terrain.

Où avez-vous rencontré le plus de solidarité entre les hommes ?

Ce n'est pas dans un pays précis, mais plutôt dans certaines circonstances, comme les situations de grande détresse, après un tremblement de terre ou une inondation. Pourquoi ? Parce que ces catastrophes touchent tout le monde, sans distinction d'âge, de religion ou de richesse.

A quel âge avez-vous décidé de devenir médecin ?

Mon père exerçait ce métier. Dès ma petite enfance, il me racontait les bagarres qu'il menait contre la mort et la souffrance. J'étais ébloui de voir qu'il pouvait rompre la fatalité grâce à son travail. Alors, dès l'âge de quatre ans, j'ai décidé de faire comme lui.

Qu'est-ce que ça apporte, la solidarité ?

Sur le plan matériel, rien du tout. Mais elle nous donne quelque chose de bien plus important : en étant solidaire, on est en accord avec l'idée qu'on se fait de soi-même et des autres, c'est-à-dire l'image d'êtres humains ouverts aux autres. On éprouve une satisfaction profonde, de la paix, de l'allégresse. Même si le monde est plein de misère ou d'injustice, on se sent bien parce qu'on s'est mis au travail et qu'on a fait ce qu'on pouvait. Il ne faut jamais accepter le malheur. La vie est belle quand on sait se battre !

Propos recueillis par Maryse Berdah.

📹 Médecins sans frontières

1 Regardez la séquence vidéo pour découvrir :
  a le rôle du service logistique de MSF
  b les problèmes auxquels leurs équipes ont été confrontées...
    1 en Afghanistan   *3* en Mauritanie
    2 au Pérou   *4* en Guinée

Bilan de l'unité 12

Survol 10, 11, 12

Révisez page 153

1 Faire une dissertation bien structurée

Composez un plan de dissertation pour répondre à la question suivante :

> "En soulageant la tragédie, l'aide d'urgence contribue à la faire durer." Dans quelle mesure êtes-vous d'accord avec cette constatation ?

Suivez les cinq étapes décrites à la page 153. Relisez le texte sur l'aide alimentaire, page 157, pour vous donner des idées : cherchez aussi des idées et des moyens d'expression aux pages 155, 156, 158, 164, 166.
Exemple :
1 Introduction : …
2 Quelques exemples d'aide d'urgence : …
3 Les dangers, le côté négatif : …

Révisez page 157

2 Analyser les problèmes et les difficultés

a Relisez le texte sur les lois de l'immigration, page 146. Analysez la situation créée par ces lois : faites la liste des problèmes qu'elles soulèvent pour :
  – un jeune qui veut faire la démarche pour devenir français
  – les autorités qui doivent les imposer.
  Exemple : Il faut surmonter plusieurs problèmes dans la vie de famille, par exemple, certains parents pourraient penser que leur fille ou leur fils renie ses origines…

b Comparez vos listes avec celles d'un(e) partenaire. Faites une mise en commun orale de vos idées.

• Lisez l'article ci-dessous avant de commencer le projet de groupe de la page 168.

Révisez page 161

3 Concevoir une affiche ou un tract

Relisez les textes sur le racisme, pages 148–9. Pensez à la situation particulière des écoles secondaires de votre pays : concevez et rédigez une affiche ou un tract pour combattre le racisme à l'école.
Exemple : Education pour tous, cela veut dire…

Révisez page 160 *Zoom*

4 Opposer ou contraster deux faits

a Relisez la description des développements en matière de génétique, page 138, et réécoutez l'enregistrement qui l'accompagne.

b Transformez les phrases suivantes selon un des modèles du *Zoom*.
  1 Est-il nécessaire d'utiliser du matériel humain pour certaines recherches ? Cela pourrait permettre l'élimination de certaines maladies.
  2 A-t-on le droit de construire une famille idéale ? Dans certains pays, on craint l'élimination des filles.
  3 Doit-on continuer à développer les techniques de la génétique ? Il paraît que l'on risque d'établir une discrimination contre les gens prédisposés à certaines maladies.
  4 Est-il possible de décider quels sont les "bons" et les "mauvais" gènes ? Les parents auront le droit d'éliminer un embryon handicapé.

c Posez les quatre questions à un(e) partenaire, et discutez de vos réponses.

Révisez pages 132, 134

5 Parler du multimédia et écrire une lettre informelle

Imaginez que vous avez passé une journée à la Foire du Multimédia, une exposition énorme et passionnante. Ecrivez une lettre à un(e) ami(e). Décrivez les technologies et les applications que vous avez observées, et donnez votre opinion sur ce genre de technologie nouvelle.

Les pays pauvres n'intéressent pas les labos !

Les laboratoires pharmaceutiques ignorent volontairement les besoins des pays en voie de développement, qui représentent un marché peu lucratif.

Dans la liste des découvertes récentes, vous ne trouverez guère de médicaments concernant les maladies tropicales. Les industriels n'investissent dans la recherche que si les perspectives de commercialisation permettent de la rentabiliser. Faute d'argent, les pays en développement ne représentent pas un marché intéressant.

Un exemple : il existait un médicament efficace contre la maladie du sommeil, qui sévit en Afrique et qui provoque la mort à long terme. Malheureusement, il a fallu arrêter son utilisation car il présentait trop de dangers. Depuis, aucune firme n'a mis en œuvre les moyens nécessaires pour en trouver un autre, moins toxique.

Peut-on échapper aux contraintes de marché ?

D'une part, le financement de la recherche devrait être assuré par des organismes internationaux, tels que l'Organisation mondiale de la santé (OMS) ou l'Unicef (Fonds des Nations unies pour l'enfance). Autrement dit, les pays riches doivent faire preuve de solidarité.

D'autre part, il faut encourager la production locale de médicaments et de vaccins. Des pays comme l'Inde ou le Viêt-nam le font déjà. Hélas, trop souvent, les pays du tiers-monde consacrent bien plus d'argent aux dépenses d'armement ou de prestige qu'à celles de santé.

"Notre monde..." – documentaire

Le groupe va réaliser un documentaire sur le manque d'investissement médical dans les pays en développement. A vous de présenter la situation actuelle, d'analyser les problèmes et de proposer quelques solutions. Lisez ensemble l'article de la page 167 pour comprendre votre sujet.

1 Formez votre équipe. Il vous faut :
- un présentateur/une présentatrice qui va présenter l'émission et la contrôler en faisant intervenir un nouveau participant, par exemple
- un(e) journaliste qui va interviewer les participants soit en studio, soit sur leur lieu de travail
- un(e) responsable de programme d'aide au tiers-monde
- un(e) économiste de la santé.

Les représentants de l'industrie pharmaceutique auraient décliné l'invitation à participer à l'émission.

2 En vous servant de l'article de la page 167 comme point de départ, et des pages indiquées comme sources d'idées et de moyens d'expression, préparez chacun votre rôle.

Pour tous les rôles, vous trouverez aussi des moyens d'expression aux pages 139, 147, 149, 156, 160. Ecrivez des points-clés sur une feuille ou un carton, à utiliser pendant l'émission.

3 Faites une répétition avec vos collègues, et ensuite enregistrez votre émission.

Présentateur/trice
Préparez l'introduction. Présentez quelques statistiques intéressantes (pages 136–7) et mentionnez le manque d'investissement médical.

Bonjour. Aujourd'hui, nous allons examiner une situation grave, surtout dans certains pays du tiers-monde: le manque d'investissement médical.

Il est nécessaire que les pays riches aident les pays en développement.

Responsable de programme d'aide
Préparez-vous à parler d'un ou plusieurs pays du tiers-monde. Parlez de la situation médicale (page 137). Vous pourriez aussi parler des droits de l'homme (pages 146–7), de l'éducation, des femmes et des enfants (pages 152–3). Analysez la situation et demandez des solutions (pages 157, 159, 164).

Actuellement, les industriels n'investissent pas dans les pays en développement.

Journaliste
Préparez une liste de questions détaillées à poser aux participants (pages 136–7, 153, 158).

Il est bien évident que si les perspectives de commercialisation ne sont pas bonnes, les industriels hésitent à investir dans la recherche.

Economiste
Faites une petite analyse des statistiques (pages 136–7, 152–3, 157). Donnez quelques raisons expliquant le manque d'investissement et, si possible, proposez des solutions (pages 159, 164).

Il faut persuader les pays du tiers-monde de consacrer plus d'argent aux dépenses de santé.

Les laboratoires pharmaceutiques s'intéressent-ils aux médicaments dont ont besoin les pays en développement ?

Évadez-vous...

- Temps libre
- Ça vous dit ?
- Quelques vocations
- Un monde de culture

B

76% : c'est le nombre de Français qui s'adonnent à la lecture durant les vacances d'été. 60% continuent cependant de regarder la télévision. 73% apprécient les pique-niques ou les barbecues. Enfin, 55% profitent de leurs vacances pour pratiquer un sport ou un loisir de plein air.

C

Cet été, le centre Jean Vigo de Bordeaux (33), vous propose les "Cinésites". 60 séances pour voir un film dans le cadre historique qui lui correspond. Par exemple, *La guerre du feu* près des grottes des Eyzies (24), *Moby Dick* dans le port de Biarritz (64) ou encore *La fille de d'Artagnan* dans l'abbaye de Flaran (32). Toutes les séances sont gratuites et plus d'une douzaine de départements sont concernés.

A

Quinze ans de loisirs

Proportion de Français (en %) ayant pratiqué l'activité au moins une fois au cours des 12 mois précédents :

	1973	1981	1992
Lire un livre	70	74	75
Acheter un livre	51	56	62
Aller au cinéma	52	50	49
Visiter un musée	27	30	28
Visiter un monument historique	32	32	30
Assister à un spectacle sportif (payant)	24	20	17
Aller à une exposition (peinture, sculpture)	19	21	23
Aller dans un zoo	30	23	24
Aller à un spectacle :			
– théâtre	12	10	12
– music-hall	11	10	9
– cirque	11	10	14
– danse	6	5	5
– opéra	3	2	3
– opérette	4	3	2
Aller à un concert:			
– rock ou jazz	7	10	14
– musique classique	7	7	8

D

CHALON dans la rue
le plus grand rendez-vous européen du théâtre de rue depuis dix ans.

Nexon

Le Festival de Cannes la grande rencontre du cinéma mondial

Festival des arts du cirque

Le Festival d'Annecy est le plus important des festivals du cinéma d'animation dans le monde et il a lieu tous les deux ans.

Le Festival d'Avignon avec près de 500 000 spectateurs, c'est la plus importante manifestation théâtrale du monde.

Aurillac : Éclats 4 jours de représentation dans les différents quartiers de la ville. Beaucoup, beaucoup de spectacles gratuits.

1 Lisez les textes, et parlez-en par groupes de deux ou trois, en faisant les activités suivantes.

a Lesquels des chiffres du tableau A vous surprennent et lesquels vous semblent normaux ?
Exemple : *De moins en moins de gens vont au zoo, ça me paraît normal – moi je n'y vais jamais.*

b Lesquels des loisirs mentionnés dans le texte B pratiquez-vous pendant les vacances ?

c Texte C : quel site proposeriez-vous pour voir vos films préférés ?

d Texte D : que savez-vous sur les festivals qui ont lieu dans votre pays ? (Lesquels connaissez-vous ? Y a-t-il un festival qui a lieu près de chez vous ? De quel genre ? etc.)

Quelle est votre passion ?

"Grâce au théâtre tout le monde se parle"

"Désormais, tu t'appelles Sarah". C'est le titre de la pièce montée par les élèves du lycée Jacques-Feyder d'Epinay-sur-Seine. En un an, ils ont découvert les charmes de "l'impro" et le plaisir d'appartenir à une troupe.

"Vive le chaos et l'anarchie", chantent Marie, Marina, Alexis, Christophe, Sonya, Maëlle, François… Ils sont 15 lycéens mordus de théâtre. Dans les coulisses, ils reprennent à tue-tête l'hymne de leur pièce en faisant circuler le champagne. Mais c'est fini. Après un an d'apprentissage à la scène, les comédiens en herbe du club théâtre du lycée Jacques-Feyder d'Epinay-sur-Seine ont présenté au public *Désormais, tu t'appelles Sarah*. Cette pièce est inspirée de "tranches de vie" réellement vécues par une jeune juive, Inge Deutschkron, qui a grandi à Berlin dans les années 30. Sa vie d'enfant, d'adolescente et de jeune femme s'assombrit peu à peu, au même rythme que la montée du nazisme et la multiplication des mesures contre les juifs.

Tous les mercredis après-midi, pendant les petites vacances, sans parler de quelques dimanches par-ci, par-là, les apprentis comédiens ont improvisé, fait des exercices de mime ou de respiration. Avec l'aide d'un metteur en scène d'origine allemande, Gérold Schumann, et de Claire Caillaud, professeur de français dans leur lycée.

Pour la troupe lycéenne, l'apothéose de l'année a été la première représentation, jouée à Oberursel, la ville allemande jumelée avec Epinay, en septembre dernier. Ils ont joué devant 600 personnes et en présence du personnage principal de la pièce, "en chair et en os" ! L'héroïne, Inge Deutschkron, a en effet 72 ans aujourd'hui. *"On était tous émus"*, racontent les apprentis comédiens. Marie, qui incarnait Inge Deutschkron, est tombée en sanglots dans les bras de la "vraie" Inge.

Dans l'aventure, les lycéens timides à leurs débuts, se sont soudés comme une vraie troupe et une solide bande de copains. François s'est métamorphosé : *"Quand je suis arrivé au club de théâtre, j'étais bloqué, on ne se parlait pratiquement pas. Aujourd'hui, tout le monde se parle"*. Marina rigole : *"Maintenant, ensemble on est comme les dix doigts de la main"*. Lors de la dernière représentation en France, devant un public familier, une fois le rideau tombé, quelques vocations se sont profilées dans les coulisses. Julie et le théâtre : une passion du moment ou une révélation ? En tout cas, pour l'instant, elle ne rêve plus que de remonter sur scène. Pour Alexis, un "vieux de la vieille" qui use les planches depuis l'école primaire, ce fut une confirmation. *"Depuis ma première comédie en CM2, j'ai eu envie de devenir comédien. Faire des rencontres, me motiver face au public, cela m'a rendu plus dégourdi, et surtout plus ouvert sur les gens !"*

1 Lisez l'article. Travail de vocabulaire.
   a Devinez le sens des mots suivants, selon le contexte. Ensuite, vérifiez à l'aide d'un dictionnaire.
      – la pièce   – montée (*adj*)   – mordus de théâtre
      – la montée   – la représentation   – en chair et en os
      – incarnait   – en sanglots   – les planches
   b Cherchez les mots soulignés dans un dictionnaire monolingue. Trouvez un synonyme à chacun.

2 Mettez les idées suivantes dans l'ordre du texte.

a *Nous avons eu l'occasion de présenter la pièce en Allemagne, dans la ville jumelée avec la nôtre.*

b *La pièce traite de la vie d'une jeune fille qui vivait en Allemagne juste avant la Seconde Guerre mondiale.*

c *Nous avons répété une ou deux fois par semaine pendant un an.*

d *C'était une rencontre émouvante.*

e *A la suite de cette expérience, quelques membres du groupe espèrent devenir comédiens.*

f *Là-bas, nous avons rencontré l'héroïne de notre pièce.*

g *Nous sommes devenus très bons amis.*

h *Nous venons de monter une pièce, "Désormais, tu t'appelles Sarah".*

3 Relisez la dernière partie de l'article (de *Dans l'aventure*… jusqu'à la fin). Traduisez-la en anglais.

4 Ecoutez la cassette. Nicolas, Camille et Laure parlent de leur passion. Pour chaque personne, notez :
   – ce qu'elle fait pendant ses loisirs
   – depuis combien de temps ?
   – pour quelles raisons elle a choisi cette activité
   – les avantages de ce genre d'activité.

5 Interviewez votre partenaire sur une de ses activités de loisirs. Posez-lui des questions sur les quatre aspects de l'activité 4. Ensuite, changez de rôle.

6 Ecrivez un paragraphe sur votre activité de loisirs préférée.

Tout le monde aime aller au cinéma...

1 Lisez ces trois critiques de films.
   a Notez les mots et les expressions utilisés pour décrire l'interprétation des comédiens.
   Exemple : drôle

b Notez les expressions utilisées pour donner une opinion des films.
   Exemple : une belle déception

Fast

De Dante Desarthe, avec Frédéric Gélard, Jean François Stévenin, Karin Viard. Durée : 1 h 40.

Jean-Louis a 25 ans, mais il est resté un grand enfant. Il vit avec son grand-père dans un village en Ardèche. Il tombe amoureux d'une jolie Parisienne, de passage dans son village. Mais la jeune femme, "blonde comme les frites" disparaît aussitôt. Jean-Louis part à sa recherche. Il se rend à Paris et devient serveur dans un fast-food.

Fast, c'est la découverte de la grande ville par un être naïf, le regard d'un sage sur les citadins fous. C'est surtout l'occasion de montrer comment marche un fast-food, dont Jean-Louis le candide devient le meilleur employé. Grand dadais avec ses pantalons trop courts, Frédéric Gélard est drôle en Pierrot lunaire au sourire candide.
Une satire en douceur, à la fois poétique et tendre.

Les Anges Gardiens

de Jean-Marie Poiré, avec Christian Clavier et Gérard Depardieu. 1 h 45.

La rencontre de Gérard Depardieu avec Christian Clavier et Jean-Marie Poiré, les auteurs des *Visiteurs*, promettait d'être explosive. C'est une belle déception !
Pourtant le scénario est original : poursuivis par la mafia

chinoise, les deux héros (Carco, un patron de boîte de nuit et le Père Tarain, un prêtre) rencontrent soudain leurs doubles inversés en la personne d'un diablotin farceur pour le prêtre (Clavier) et d'un ange moralisateur pour Carco (Depardieu). Les auteurs ont pensé à tout... sauf à inventer des gags. Les personnages trépignent, les explosions et les cascades s'accumulent... mais on ne rit pas. Sauf à la fin, avec le bêtisier du tournage et les scènes ratées pour cause de fous rires des acteurs. C'est bien tard !

Le péril jeune

Quatre copains se retrouvent et évoquent leurs souvenirs de lycée. Il y a Alain, le sportif un peu naïf, Bruno le musicien rêveur, Léon, un passionné de politique et Momo le fils du boulanger... Le meneur du groupe, c'était Tomasi. Mais Tomasi est mort à la suite d'une overdose.
Un film drôle et émouvant où la vie est plus forte que tout. Les jeunes comédiens sont vraiment épatants.

2 Travail à deux.
   a Préparez une critique d'un film ou d'une vidéo que vous avez vu recémment.
   b Imaginez que vous présentez votre critique à la radio ou à la télévision. Enregistrez-vous !

3 Ecrivez une critique courte (80–100 mots) d'un film que vous connaissez. Lisez d'abord *Comment écrire une critique courte.*

Les Misérables du 20ᵉ siècle

de Claude Lelouch. Durée : 2 h 54

Claude Lelouch aime les fresques historiques, où s'entrecroisent les générations (rappelez-vous *Les uns et les autres*). Ici, il montre que le 20ᵉ siècle a été une époque aussi dure que celle décrite par Victor Hugo dans *Les Misérables* et que les personnages imaginés par Hugo (Thénardier, Javert, Jean Valjean, Cosette) sont éternels. Dans le rôle principal, Jean-Paul Belmondo, remarquable. Mais le film est très long !

Comment écrire une critique courte

N'oubliez pas de mentionner :
- le nom du film, le réalisateur et la durée
- un résumé de l'histoire
- le nom des principaux comédiens
- votre jugement de l'interprétation des comédiens et du film.

Ça vous dit ?

Lisez-vous les critiques avant d'aller voir un film ?
Ou est-ce plus important d'écouter ce que disent
vos amis ? Examinons ce qu'en disent les Français.

1 🔲 Ecoutez une critique du film *Le Hussard sur le toit*.
Notez autant de détails possibles sur :
– l'histoire du film : la date, le milieu, les
   événements-clés…
– les personnages principaux
– le jugement.

2 Lisez cet extrait de *Francoscopie*, et les jugements sur
15 films ci-dessous. Selon l'argument de
Francoscopie, lesquels de ces 15 films vont avoir du
succès ? (Donnez de 1 à 3 étoiles à chacun.)

> **La participation d'un grand acteur** à un film n'est
> plus une condition suffisante pour en assurer le succès.
> Dans le choix d'un film au cinéma, l'histoire est ce qui
> détermine d'abord les Français (59%), devant le nom
> des comédiens (26%), la rumeur, ce que l'on en dit (19%)
> et la nationalité (5%). Les spectateurs se déplacent moins
> pour voir une star consacrée qu'une histoire dont ils ont
> entendu dire du bien par le « bouche à oreille ».

Un film à gros budget

- 6 mois de tournage
- plus de 100 décors
- plus de 1000 costumes
- 25 000 tuiles romaines pour reconstituer
  les toits de Manosque
- 170 millions de francs de budget (soit 7 fois
  le budget moyen d'un film français).

a **Il est irrésistible.**

b Rien d'excitant, ni l'ombre d'une originalité.

c **Un superbe divertissement.**

d **Des effets spéciaux très réussis.**

Surprenant !

e Adapté d'une pièce
de théâtre, à succès…

f **Une belle idée de cinéma.**

g

h Beau travail, malgré
quelques longueurs.

i Un film à savourer en famille.

j **Très, très lourd.**

k **Tout simplement ridicule !**

l Avec Daniel Auteuil dans
le rôle du mari qui perd tout.

m Une histoire bouleversante,
interprétée avec justesse.

n Un film audacieux…

o Un beau film pour tous ceux qui
s'intéressent à l'histoire du 19ᵉ siècle.

3 Voici une critique de film plus longue que celles de la page 171. Lisez-la et répondez aux questions de votre professeur.

« Moi, Pascal, mongol... »

Dans *Le Huitième Jour*, de Jaco Van Dormael (film présenté en compétition officielle au festival de Cannes), Pascal Duquenne est un trisomique qui rencontre un homme « normal ». Une expérience qu'il n'est pas près d'oublier.

Georges (Pascal Duquenne) rencontre Harry (Daniel Auteuil), par une nuit d'orage, au bord d'une route. Harry ne sait plus qui il est, il fait ce qu'on attend de lui, sans envie, sans désir. Sa femme, Julie (Miou-Miou), l'a quitté en emmenant leurs deux petites filles. Georges, lui, avec son chromosome en plus et sa petite Mongolie dans la tête et le cœur, est un être libre, vivant, il fait ce qui lui plaît. Il aime se coucher dans l'herbe, sentir l'air remplir ses poumons et le souffle du vent caresser sa joue, regarder un papillon... « Moi, mongol », dit Georges à Harry, en s'installant dans sa vie, sans lui demander son avis. Il n'en sortira plus.

Pour Georges et Harry, que tout oppose, plus rien ne sera comme avant. Pour ceux qui verront ce film, non plus. Car ce *Huitième Jour*, bouillonnant de poésie et de tendresse, où l'on est sans cesse ballotté entre l'émotion et le rire, mais aussi agacé, parfois, par une mise en scène un peu trop appuyée et schématique, est un formidable « passe-muraille ». Non seulement il vous donne l'envie de prendre la clef des champs, mais, surtout, il vous permet de franchir la frontière de cet univers étrange, méconnu, auquel appartient Georges. Et Pascal Duquenne, ce jeune mongolien de 25 ans. Dont le sourire, les pleurs, les cris, les moues, face à un Daniel Auteuil impeccable, impose une présence remarquable et révèle un vrai talent de comédien.

« Pascal est un acteur-né, dit Jaco Van Dormael. Il possède une vérité incroyable. Il fait les choses par plaisir ; quand il n'en a pas, il ne se passe rien. Avec lui, j'ai découvert un monde d'une richesse immense. Sans tricherie. » « C'était chouette ! » lâche Pascal Duquenne, de sa voix légèrement saccadée, teintée d'une pointe d'accent belge. A côté de lui se tient sa mère, Huguette, son ange gardien, celle qui depuis la naissance de son « petit Chinois aux yeux bridés », n'a eu de cesse de se battre pour qu'il puisse vivre, apprendre, être accepté parmi les autres, tout en exerçant son métier d'institutrice, puis de directrice d'école primaire. « Tout jeune, Pascal a manifesté des dons pour la musique, la danse et le dessin. Nous avons eu la chance d'être entourés de spécialistes qui ont eu l'intelligence de l'aider à s'épanouir dans ces voies-là. Mais je reconnais que cela n'a pas toujours été facile. » Aujourd'hui, Pascal suit des cours de danse, de percussions, d'équitation, et fait partie d'une troupe de théâtre. « J'aime toutes mes peaux », explique-t-il joliment. « J'ai un autre fils, Yves, qui est ingénieur, dit Huguette. Finalement, l'un a tout dans la tête, l'autre a tout dans le corps et le cœur. Je suis fière des deux. »

Au festival de Cannes, le 16 mai sera un jour pas comme les autres. Georges et Harry y débouleront avec leur onzième commandement : « Aime et fais ce qui te plaît. » Pour Pascal Duquenne, ce sera un jour comme un autre. Enfin, presque. Il souhaite rencontrer Gérard Depardieu et Catherine Deneuve. « Ça serait chouette ! »

COMPÉTENCES

Reconnaître le registre d'un texte (2)

Très différent du style journalistique plus ou moins objectif, le style d'une critique est plus flou, plus imagé, avec bien sûr plus d'opinions exprimées. Dans l'exemple ci-dessus, l'auteur a choisi de colorer son style avec des expressions telles que : *Une expérience qu'il n'est pas près d'oublier* – autrement dit, une expérience qu'il n'oubliera jamais.

4 Simplifiez les expressions suivantes, tirées du texte.
a bouillonnant de poésie et de tendresse
b on est sans cesse ballotté entre l'émotion et le rire
c il vous permet de franchir la frontière de cet univers étrange
d teintée d'une pointe d'accent belge
e Georges et Harry y débouleront

5 A deux. Pensez à un film ou un spectacle que vous avez vu tous les deux, et que vous avez aimé.
a Quelles expressions et techniques utiliseriez-vous pour persuader quelqu'un d'autre d'aller le voir ? Faites-en une liste.
b Ensuite, mettez-vous avec deux collègues et essayez de les persuader. Allez-vous réussir à les convaincre ?

6 Ecrivez un texte sur un film que vous connaissez bien et que vous aimez. Aidez-vous des points de départ (activité 1), des expressions-clés (activité 2 et l'activité 1 page 171), du style coloré de la critique ci-dessus, et de votre liste d'expressions convaincantes (activité 5).

Les métiers du cinéma et du théâtre

1 a En vous servant d'un dictionnaire, reliez les métiers et les descriptions.

un metteur en scène
un réalisateur
un dramaturge
un comédien
un machiniste
un régisseur
un caméraman
un ingénieur du son
un décorateur de théâtre

b Trouvez un synonyme de *dramaturge* et de *comédien*.

2 Le magazine *L'Express* a interviewé deux metteurs en scène au Festival d'Avignon. Lisez d'abord l'introduction : notez ce que le metteur en scène doit réunir afin de réaliser une pièce de théâtre. Ensuite, lisez l'interview en entier.

1 Celui qui utilise la caméra pendant le tournage d'un film.
2 Auteur d'ouvrages destinés au théâtre.
3 Personne qui assure la réalisation d'une œuvre dramatique, surtout au théâtre.
4 Ouvrier qui s'occupe des machines, des changements de décor, des truquages, au théâtre et dans les studios de cinéma.
5 Personne responsable de la réalisation d'un film ou d'une émission.
6 Personne qui joue dans les pièces de théâtre.
7 Personne qui fait des travaux de décoration ou exécute des décors au théâtre.
8 Celui qui organise matériellement les représentations au théâtre.
9 Celui qui s'occupe de l'enregistrement, du bruitage, etc.

Mettre en scène, disent-ils

Alain Françon et Didier Bezace ont chacun un spectacle à Avignon. Ils confrontent ici leurs expériences.
Hier hommes de l'ombre, les metteurs en scène de théâtre sont devenus tellement célèbres qu'ils éclipsent parfois ceux qui s'exposent à la lumière des projecteurs et s'arrogent, pour le meilleur ou pour le pire, les textes des dramaturges. Confrontés au triangle redoutable composé par la pièce, les comédiens et le public, ils pratiquent un art très difficile à définir. *L'Express* a réuni, pour en parler, Alain Françon et Didier Bezace, deux metteurs en scène qui feront l'événement à Avignon.

L'Express : Dans votre vie de créateur, la mise en scène est-elle une vocation ou un hasard ?
Didier Bezace : J'ai fait partie de l'équipe qui a fondé le théâtre de l'Aquarium, à la Cartoucherie de Vincennes. Nous formions une compagnie qui prenait tous les métiers de la scène en charge : cela a généré des auteurs-comédiens-metteurs en scène. J'appartiens à cette famille-là.
Alain Françon : J'ai suivi un peu le même trajet. Après avoir failli être professeur d'histoire de l'art, j'ai participé à une expérience collective, le Théâtre éclaté. Je suis devenu le metteur en scène du groupe parce que j'avais la plus grande gueule, ou bien parce que j'étais le plus mauvais comédien !

C'est donc une fonction qu'on assume sans formation particulière ?
A.F. : Sur les premiers spectacles, il est vrai qu'on avance à tâtons. Mais plus j'ai accumulé d'expériences, plus ce sur quoi j'ai envie d'intervenir s'est précisé. Après une quarantaine de mises en scène, je vois quel sens je veux donner à mon travail.
D.B. : Voilà un vrai professionnel ! Je n'ai signé qu'une dizaine de mises en scène : elles m'ont appris la patience. Ce métier est une véritable gymnastique : même si les textes qu'on monte ne se ressemblent pas, ils ricochent les uns sur les autres.

C'est un étrange métier, celui dont la pratique est également l'apprentissage.
A.F. : On apprend la régie théâtrale dans les écoles, mais comment enseigner la mise en scène ? Ce sont les rencontres avec les comédiens ou avec les auteurs qui ont été déterminantes pour moi.
D.B. : On rêve toujours d'un spectacle qu'on aimerait voir et qu'on pense pouvoir réaliser : on s'en approche au prix d'un entêtement acharné. Car le plateau est un lieu d'éclosion, certes, mais de résistance aussi.

Quels rapports entretenez-vous avec les pouvoirs publics ?
A.F. : Dès les débuts de ma carrière théâtrale, j'ai reçu des subventions. L'Etat a toujours été pour moi le garant d'une certaine liberté. Il est d'usage au ministère de mettre en avant les centres dramatiques régionaux qui gagnent de l'argent. Encore faudrait-il indiquer en regard leur programmation ! Si je dois aller diriger le théâtre de la Colline, je ne veux pas être dans l'obligation de monter le énième *En attendant Godot*, même avec deux immenses acteurs.
D.B. : A la Cartoucherie, j'approche la logique du théâtre privé : il faut que ça marche. Donc, pour être fidèle à une mission de recherche, on doit accepter d'être une compagnie cyclothymique : parfois les spectacles n'ont pas une audience suffisante, et la suite de la saison nous oblige à un succès public. Cette discontinuité présente l'avantage de nous confronter à une réalité économique non biaisée, mais difficile à gérer.

3 Travail de vocabulaire. Trouvez chaque mot de cette liste dans l'interview, et trouvez la bonne définition dans la colonne de droite.

s'arroger	rebondir
à tâtons	s'approprier
ricocher	en hésitant, sans y voir clair
énième	tenace, obstiné
l'entêtement (*m*)	qui est à un rang indéterminé (mais très grand)
acharné	
l'éclosion (*f*)	aide que l'Etat ou une association accorde à un groupe ou à une personne
une subvention	
	l'obstination (*f*)
	la naissance (*fig*)

4 Relisez l'interview. Notez AF (Alain Françon) ou DB (Didier Bezace) pour dire qui :

a a fondé une troupe de théâtre

b autrement, aurait été professeur d'histoire de l'art

c a monté environ 40 pièces de théâtre

d a appris la patience en montant dix pièces de théâtre

e croit qu'on apprend ce métier en travaillant avec des dramaturges et des acteurs

f s'acharne toujours pour réaliser un spectacle qui ressemble le plus possible à ce qu'il avait imaginé

g a toujours reçu de l'aide de l'Etat

h ne reçoit pas ce genre d'aide.

5 [🔊] A Reims, le théâtre municipal s'appelle la Comédie de Reims. Ecoutez une interview avec Jean-Pierre Jourdain, son directeur délégué et secrétaire général.

a M. Jourdain touche sur les thèmes suivants. Mettez-les dans l'ordre de l'interview.

1 Le travail actuel de la Comédie de Reims

2 L'effet de la subvention sur la programmation

3 Le prix d'une place en coût réel

4 Le rôle du secrétaire général

5 Les différences entre une pièce de qualité et une pièce populaire

6 Le but de la subvention

b Réécoutez l'interview plusieurs fois et faites-en un résumé en anglais (100 mots au maximum). Utilisez les sous-titres suivants comme points de départ :

– Description of M. Jourdain's job
– Current programme
– Advantages of receiving state aid
– His definition of what makes a good programme

6 Travaillez en groupes. Préparez-vous, puis discutez ensemble de cette question : *Est-il nécessaire que les groupes de théâtre continuent à recevoir des subventions de l'Etat ?*

Servez-vous des questions suivantes comme points de départ :

– Ce genre d'aide rend-il les groupes de théâtre plus paresseux ou plus audacieux ?
– Est-il nécessaire que les théâtres soient libres de choisir une programmation audacieuse ?

Une foule de festivals

Chaque été en France il y a mille manières de se cultiver, de se détendre, de s'amuser. L'été fourmille de fêtes et de festivals…

1 Lisez la brochure.
  a Y a-t-il un festival qui vous intéresse ? Lequel ? Pourquoi ?
  b ▶ Ecoutez la cassette. Suggérez un festival qui intéresserait chacun des cinq jeunes qui parlent. Justifiez votre choix.

NORD-PAS DE CALAIS
2 au 6 juillet
Mauberge (59)
Les Inattendus
Un festival qui a dix ans : cirque, théâtre de rue, rock, rap, ciné-concerts, spectacles ambulatoires dans les jardins.
Tél : 03 27 65 65 40.

PARIS
15 juillet au 15 août
Paris Quartier d'été
Musique, théâtre et danse. Un programme généralement très chargé. Des manifestations gratuites ou des prix symboliques.
Tél : 01 44 83 64 40.

BRETAGNE
1er au 6 juillet
Rennes (35)
Les Tombées de la nuit
Six jours et six nuits de spectacles dans les rues médiévales, les jardins, les cloîtres et les places. Dans le lot, quelques-uns gratuits dans les endroits publics. Après-midi consacrés aux arts de la rue.
Tél : 02 99 79 01 98.

ALSACE
15 au 25 août
Mulhouse (68)
Festival jazz
Des têtes d'affiches à Mulhouse, mais aussi des concerts dans plus de 50 lieux différents en haute Alsace. Pour les petits budgets, des "découvertes" à 12 h et 18 h, entrée libre ; des concerts clubs à minuit à 50 et 70 F.
Tél : 03 89 45 63 95.

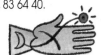

AQUITAINE
16 au 21 juillet
Capbreton (40)
Festival de contes
Dans la rue piétonne, sur le port et en bord de la mer, sur la place Yan du Gouf, on vous raconte des histoires, pour les grands et les petits. Tous les soirs, un spectacle de rue a lieu sur la plage, à 18 h des apéritifs-contes à entrée gratuite et des tarifs bien modestes pour le reste : 30 F pour les jeunes et les étudiants.
Tél : 05 58 72 21 61.

2 ▶ Ecoutez un débat au sujet du festival de théâtre d'Avignon.
  a Combien de spectacles y a-t-il à Avignon ?
  b Combien de spectateurs attend-on ?
  c Quels sont les problèmes actuels du festival ?
  d Quelles sont les solutions proposées ?

3 Lisez l'article de *L'Express*, page 177. L'auteur a utilisé un grand nombre de tournures imagées.
  a Trouvez dans l'article l'expression qui veut dire :
    1 Au début de l'été…
    2 Cela revient au même.
    3 Au début…
    4 Après avoir parcouru la France dans tous les sens…
    5 Beaucoup de gens sont venus…
    6 Pendant les premiers festivals…
    7 Ce genre de théâtre prétend avoir…
  b Maintenant, reliez les débuts de phrases *1–7* aux extraits *a–g* de façon à paraphraser les expressions de l'article.
    a … aux deux festivals.
    b … un esprit collectif.
    c … des festivals ont lieu partout.
    d … les habitants cherchaient à éviter les spectacles et les foules.
    e … ils ont fondé le festival de Chalon.
    f Carnaval ou théâtre de rue ? …
    g … la municipalité voulait animer la ville pendant les grandes vacances.

Le spectacle est dans la rue

D'année en année, le public raffole davantage de ces manifestations grandioses, imaginatives et gratuites qui s'épanouissent dès les beaux jours venus. Quelle différence y a-t-il entre des cracheurs de feu, des jongleurs, des bonimenteurs et les comédiens qui déboulent sur les trottoirs des villes avec leur spectacle ? Les premiers se contentent de faire un numéro, les seconds captent la poésie du quotidien. Les carnavals et le théâtre de rue, blanc bonnet et bonnet blanc ? Non : l'un intègre les quidams dans le défilé – preuve de sa réussite – l'autre magnifie l'existence du public.

A l'origine, une volonté des élus d'animer leur cité au moment où les vacances la vident de ses habitants. Pour que vive cette nouvelle culture populaire, il suffit d'hommes de bonne volonté et de métier : en 1986, Michel Crespin fonde le festival d'Aurillac, Eclats. En 1987, Pierre et Quentin, esprits fureteurs et marionnettistes, après avoir sillonné la France, installent Chalon sur la rue. Et, pour souder une profession balbutiante et éparpillée, on distribue *Le Goliath*, l'annuaire des artistes de rue et le répertoire de toutes les manifestations. Première publication en 1990. Deux événements sont venus conforter l'ascension de cet « enfant pauvre des spectacles vivants » : le défilé commémoratif de 1789, de Jean-Paul Goude, et le ballet des Jeux olympiques d'hiver, de Philippe Decoufle, en 1992. « A Albertville, 25% des artistes venaient soit du théâtre de rue, soit du cirque », se souvient Jean-Marie Songy, le programmateur d'Aurillac.

Sur le terrain, la mayonnaise prend rapidement. L'an dernier, 80 000 spectateurs se sont pointés dans chacun des deux festivals. « Cela a évidemment des répercussions sur les Chalonnais. Aux premières éditions, ils partaient en vacances au moment du festival pour éviter ça ! Aujourd'hui, ils restent pour en profiter. » « On ne peut nier un certain chamboulement esthétique et fonctionnel de la ville, et, si la population auvergnate a d'abord fait de la résistance, elle est maintenant séduite et le prouve par la générosité de son accueil. »

On y voit quelques petites merveilles d'invention ou de poésie, d'humour ou de gravité. Car ce théâtre réfléchit sur la collectivité et se pique d'une pensée citoyenne. « Il manifeste un sens profond de la solidarité et tente de répondre à la question : comment les gens arrivent-ils à vivre ensemble ? » s'emballe le directeur artistique chalonnais, Pierre Layac. « Il est à l'épicentre de nos modes de vie et permet une véritable cohésion sociale », renchérit Jean-Marie Songy.

Rien ne fait peur aux deux villes phares. « Osons », assurent-ils en chœur, au risque de présenter des spectacles utopiques ou de dérouter le public. Car l'impertinence est la muse du théâtre de rue et son atout majeur.

4 Ecrivez un résumé des renseignements donnés dans l'article sur :
– les origines de ce genre de spectacle
– les atouts nécessaires à la survie des festivals
– la réaction des habitants des villes où ont lieu ces festivals.

5 Imaginez, avec un(e) partenaire, que vous allez fonder un festival pour votre ville. Discutez-en et décidez-vous.
– Quels spectacles envisageriez-vous ?
– Dans quels endroits ?
– A quelle époque de l'année cela aurait-il lieu ?
– Quel serait le thème ou le lien qui lui donnerait de l'originalité ?
Ensuite, écrivez un texte pour faire connaître votre festival : soit pour une affiche, soit pour un article de journal.

ZOom *sur les prépositions*

Pour bien décrire votre festival, vous aurez besoin de prépositions :
– On envisage des spectacles **du** matin **au** soir
– Les spectacles auront lieu **pendant** tout l'été
– **Depuis** l'aube, **jusqu'au** soir
– **Entre** midi et minuit
– **Dès** le début
– **Avant** la fin du festival
– D'année **en** année, ce festival évoluera
– **A** l'origine
– Venez vous amuser **à** pied, **à** vélo, **en** auto
– Le théâtre **de** rue
– Des concerts se déroulent **dans** la rue
– Venez voir **sur** le terrain
– Des spectacles **pour** tout le monde
– Quelques-uns **d'entre** eux seront gratuits

 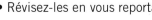

• Révisez-les en vous reportant à la Grammaire.

• Cherchez d'autres exemples dans les textes de ces deux pages.

Je bouquine…

On dit que les jeunes ne lisent plus, que le mode de culture actuel, dominé par l'audiovisuel, favorise les formats courts. Mais selon les statistiques, un jeune sur cinq lit plus de trois livres par mois, donc il y en a toujours qui aiment "bouquiner".

1 Lisez cet article des *Clés de l'actualité* sur deux jeunes écrivains.

   a Pour chaque auteur, identifiez l'endroit du texte qui donne les détails suivants (donnez les numéros de lignes) :
     – l'action ou l'intrigue du roman
     – le contexte de l'histoire
     – le message, l'idée d'origine
     – la vie et l'histoire personnelles de l'auteur
     – le jugement du journaliste sur le livre.

   b Ensuite, comparez vos réponses avec celles d'un(e) partenaire.

   c Lequel de ces livres préféreriez-vous lire ? Expliquez votre choix à votre partenaire.

2 Travail de recherche, à deux : familiarisez-vous avec la littérature française ! Allez à la bibliothèque du lycée ou de la ville, et cherchez un exemple français de chaque genre de la liste ci-dessous. Notez le titre, l'auteur et la date de publication de chacun.

un roman comique	un policier	un roman de science-fiction
un roman d'aventures	un livre classique	une nouvelle
un conte de fées	une biographie	une autobiographie
un roman historique	un recueil de poèmes du 20e siècle/du 19e siècle	

Dans quelle catégorie mettriez-vous *Les Matriochkas* et *Dade City* ? Comparez votre réponse avec d'autres membres du groupe.

3 Racontez un livre.

   a Choisissez un livre que vous avez lu récemment et racontez-le. Lisez d'abord les conseils qui suivent.

   b Faites lire votre récit aux autres membres du groupe, et lisez le leur. Chacun a-t-il réussi à vous donner envie de lire son livre ?

Votre but est d'encourager vos amis à lire le livre en question. Alors…

- commencez par le titre et le nom de l'auteur
- présentez les personnages principaux
- expliquez l'intrigue et mentionnez deux ou trois événements importants
- donnez votre opinion de façon brève mais enthousiaste.

Il ne faut absolument pas…

- donner trop de détails : vous risquez d'ennuyer vos lecteurs
- raconter le dénouement : vous enlèveriez à la fois le suspense et le besoin de lire le livre.

Rencontre avec deux jeunes écrivains

A moins de trente ans, Stéphanie Janicot et Laurent Sagalovitsch publient chacun leur premier roman.

Des centaines et des centaines de pages raturées, recommencées ou jetées à la poubelle… La publication du premier roman, c'est le
5 début d'une aventure, mais aussi la fin d'un long processus souterrain, comme un immense iceberg dont le lecteur ne découvre que la partie émergée. Stéphanie Janicot et Laurent Sagalovitsch, tous les deux âgés de vingt-neuf ans et journalistes, le savent : l'écriture est d'abord une école de patience.

10 Avant *Dade City*, Laurent avait déjà écrit deux autres romans à dix-huit et vingt-trois ans, non publiés : « *Ils étaient médiocres, voire franchement nuls. Le côté positif, c'était d'apprendre à raconter une histoire, comme un conte, et d'arriver à une fin.* » Quant à Stéphanie, à quatorze ans, elle écrivait déjà un roman de science-
15 fiction pour enfants qui traîne toujours dans un tiroir.

Les Matriochkas a bien failli connaître le même sort. La réponse positive de la maison d'édition Zulma est parvenue à Stéphanie un an et demi après l'envoi de son manuscrit ! « *Je n'y pensais même plus* », sourit-elle. Les matriochkas sont ces poupées russes qui
20 s'emboîtent les unes dans les autres, avec lesquelles les enfants adorent jouer.

La romancière, elle, joue avec les souvenirs et les secrets de famille. Werner, un étudiant allemand, loge à Paris chez une vieille dame juive, Hannah, et sa petite fille Salomé, étudiante comme lui.
25 Il découvre dans le grenier un coffre contenant des albums de photos, lettres, témoignages, et le journal intime de la tante de Salomé, qui retracent l'histoire d'une famille juive emportée dans la tempête de la Seconde Guerre mondiale et les camps de concentration. A travers ces souvenirs recouverts par le voile du
30 silence, imbriqués et cachés aux regards comme les fameuses poupées, Stéphanie Janicot explore le passé des siens pour mieux se connaître elle-même, dans une saga pleine de vie.

Laurent Sagalovitsch, lui, s'est essayé au roman policier. *Dade City*, une petite ville imaginaire au bord d'un lac, évoque l'Amérique
35 mais pourrait tout aussi bien se nicher au cœur de la Suisse, du côté de Zurich. Un adolescent fou de foot et de balades solitaires aperçoit son père tirer sur quelqu'un, et va le dénoncer.

Mais l'histoire pourrait s'avérer beaucoup plus compliquée, ainsi que le lecteur le découvre à mesure que chacun des personnages
40 prend la parole. Une suite de monologues et de lettres dans un style limpide et très maîtrisé : un travail d'orfèvre pour l'écrivain : « *Toute la difficulté consiste à inventer une petite musique pour chacun. C'est toujours une bataille.* » Laurent est lui aussi hanté par la guerre, dont le souvenir affleure discrètement ça et là, même si
45 l'intrigue se déroule aujourd'hui. Comme si ces jeunes écrivains devaient d'abord se mesurer à l'histoire de leurs parents, avant d'explorer leur propre territoire. *Dade City* ou la cité du père.

Goncourt bis

Le prix Goncourt, inauguré en 1903 par l'écrivain Edmond de Goncourt et le plus prestigieux des prix littéraires français, récompense, chaque année, le "roman de l'année". En 1988, à l'initiative de la Fnac et d'un professeur de lettres de Rennes, le prix Goncourt des lycéens a été créé pour récompenser le "roman de l'année" élu par des adolescents.

Goncourt des lycéens : mode d'emploi

En septembre, huit romans sont retenus à partir de la sélection officielle du prix Goncourt. Les élèves de treize classes (soit près de 400 élèves de formation littéraire, scientifique ou technique) choisies par le ministère de l'Education nationale, lisent ces livres et confrontent leurs opinions. Ils élisent alors un délégué qui défendra le roman de sa classe. Le jour de l'annonce du prix Goncourt, les treize apprentis jurés se réunissent et dévoilent le nom de leur lauréat juste avant l'annonce du "vrai" prix Goncourt. En 1996, ils ont désigné la romancière canadienne Nancy Huston pour son roman *Instruments des ténèbres*.

4 Lisez le texte *Goncourt bis*. Résumez par écrit, en anglais, la description des deux prix littéraires.

5 A vous maintenant de proposer un livre pour un prix littéraire. Chaque membre du groupe va préparer un exposé sur un livre de son choix.
  – Vous avez cinq minutes pour présenter votre choix de façon convaincante.
  – Il n'est pas permis de lire un script, mais vous pouvez utiliser des notes (maximum 35 mots). Aidez-vous de *Compétences* et des expressions-clés.

La Gloire de mon père, de Marcel Pagnol
L'auteur nous raconte ici...
Autres livres:...
Sa vie:...
J'estime que...

Comment préparer et présenter un exposé

- Relisez (rapidement !) le livre pour vous rappeler son contenu et ses qualités.
- Cherchez des renseignements sur l'auteur.
- Notez vos idées, vos découvertes, et des détails importants (noms, dates...). Organisez-vous bien : faites une liste de points-clés.
- Faites-vous aussi une liste d'expressions utiles.
- Allez-vous utiliser des illustrations ? Si oui, sélectionnez-les.
- Une citation pourrait vous aider à décrire le style de l'auteur. (Voir l'unité 9, page 123.)
- Structurez votre exposé : dans quel ordre allez-vous parler du livre, de votre réaction, de la vie de l'auteur, etc. ?
- Préparez les grandes lignes de votre script, ou si vous préférez, rédigez le script en entier (mais n'oubliez pas que vous n'aurez pas le droit de le lire au moment de l'exposé !).
- Trouvez des façons intéressantes d'exprimer chaque point. Inspirez-vous des expressions-clés et des critiques de livre et de film de cette unité.
- Demandez à un collègue de vous lire ou de vous écouter, et de vous donner des conseils.
- Réécrivez les points-clés : ils vous serviront d'aide-mémoire.
- Pour guider votre public, vous pourriez écrire les points-clés au tableau ou sur une feuille transparente pour rétroprojecteur.

Expressions-clés

Faire la critique d'un livre :

- L'auteur :
  L'auteur + *nom*, scénariste pour la télévision et le cinéma, nous donne ici son premier roman comique/d'aventures/d'amour.
  Né en Algérie, l'auteur nous décrit des événements inattendus/humoristiques/troublants.
  Journaliste depuis 24 ans, l'auteur présente sa première nouvelle.

- Le contexte du livre :
  Ce livre est la deuxième partie d'une trilogie.
  En continuant le thème de son premier roman, l'auteur explore la vie/les aventures d'un jeune américain/d'une bande de jeunes.

- L'histoire :
  Le roman démarre comme une agaçante histoire de succès/un bon film d'aventure/une publicité.
  Le héros, étudiant, habite en banlieue où il pratique le skate.
  Mais la jeune fille veut la vérité/voyager/se faire des amis, et alors...

- Le style :
  Il/Elle écrit en style cinématographique.
  un style journalistique/narratif/tendre/limpide/maîtrisé
  un livre écrit avec intensité/rage/humour
  Il/Elle rapporte/utilise un langage de rue.

- Votre conclusion :
  Un livre surprenant/étrange/plein de charme.
  Dans ce livre, on trouve l'extraordinaire dans la vie de gens ordinaires.
  Un livre que l'on referme les mains tremblantes et le souffle court...

Interlude

Gilda Maurice, étudiante en informatique, a remporté le prix de la meilleure nouvelle, catégorie 15–20 ans, dans le cadre de la manifestation *3 heures pour écrire*, organisée le 12 octobre 1995 pour *Les Clés de l'actualité*. Passionnée de cinéma et de télévision, elle écrit depuis son enfance et rêve de devenir scénariste, écrivain ou réalisateur. Voici un extrait de sa nouvelle primée.

L'étrange Monsieur Paul

Il n'y a pas très longtemps vivait tout près d'ici un homme qui n'avait presque pas d'amis. Tous les gens qu'il connaissait l'appelaient M. Paul, ce qui pourrait étonner puisque M. Paul est un nom bien triste à donner à quelqu'un qui n'a pas encore trente ans. Mais M. Paul, il faut l'avouer, semblait se fondre dans la foule.

M. Paul était un homme avec des habitudes. Il s'habillait toujours en gris. [...] Tous les soirs, avant de rentrer chez lui, M. Paul allait au centre commercial pour une séance de Photomaton. Depuis des années, il s'installait dans la cabine, redressait sa cravate, lissait ses cheveux d'un geste de la main, et prenait la pose. Il gardait toutes ses photos dans une grande boîte sous son lit, et quelquefois, le dimanche, il les regardait une à une avec un air perplexe.

Un soir, M. Paul alla comme d'habitude au centre commercial ; mais quand il regarda les photos, il s'aperçut que non seulement on le voyait lui, M. Paul, dans son costume gris, mais qu'apparaissait aussi une jeune fille assise à côté de lui, les mains sur les genoux. M. Paul ne paniqua pas. "Cette jeune fille n'était pas dans la cabine avec moi", se dit-il. "Voilà une chose certaine. Donc, il doit s'agir d'un phénomène optique. Il n'y a donc pas à s'inquiéter." Il ramena les photos chez lui et, ne trouvant pas de meilleure explication, s'endormit.

Le lendemain la jeune fille était encore là. [...] M. Paul regarda dans la cabine, poussa le rideau pour voir s'il n'y avait pas un double fond, scruta les objectifs pour apercevoir quelque chose qui y serait collé, mais rien. Il regarda de nouveau la photo. La jeune fille y était toujours. Elle souriait.

Les jours suivants, il devint clair que la jeune fille se rapprochait volontairement de M. Paul. Au bout d'un moment, elle prit même l'habitude de passer son bras autour du sien. Quelquefois, il sortait de la machine des images bizarres : lui et elle dans un champ, ou bien des séquences entières de film, image par image. Dans ces cas-là, M. Paul essayait de récupérer les images sans se faire remarquer, mais cela devenait difficile : car on commençait à remarquer M. Paul. Il devenait moins transparent. Il portait des costumes moins gris. Il s'était mis à faire des petits sauts pour monter sur les trottoirs. Sur certaines photos, il souriait.

Les collègues de M. Paul avaient observé ces changements ; et l'un d'entre eux, nommé Roger, décida d'inviter M. Paul à prendre un coup après le travail. [...] Il se fit tard, le bar ferma et Roger proposa d'aller chez M. Paul. Roger et lui burent une bouteille de cognac que le grand-père de M. Paul lui avait donnée ; et quand Roger voulut s'allonger, tomba du lit et du même coup sur les photos soigneusement cachées en dessous, M. Paul était si saoul qu'il lui raconta tout.

Le lendemain M. Paul crut qu'il n'aurait jamais le courage d'aller au bureau, puis, au bureau, qu'il n'aurait jamais le courage de croiser le regard de Roger. [...]

Le soir venu, M. Paul ne sut plus quoi faire. Et si Roger l'attendait derrière le Photomaton, prêt à l'humilier publiquement dès que M. Paul y glisserait une pièce ? Il hésita une bonne heure en faisant semblant de rattraper du travail en retard (bien que personne, de toute façon, ne le remarquât), puis il se décida finalement à aller au centre commercial.

Il avança très prudemment le long des caisses de l'hypermarché, prêt à sortir au moindre signe suspect. Il devenait tellement transparent que lui-même avait du mal à se distinguer. Il s'attendait chaque seconde à tomber sur Roger. Mais quand il arriva au Photomaton, un cri de colère lui échappa. Près de la machine se tenait Roger, habillé comme pour un rendez-vous. Il tenait à la main une série de photos qu'il regardait avec une tristesse indéfinissable.

M. Paul ne se contint plus. Il hurla "Trahison !", puis il marcha à grands pas vers Roger abasourdi, l'attrapa par le col, le secoua dans tous les sens et l'envoya valdinguer le long du rang des caisses enregistreuses du supermarché. Tout le monde s'arrêta et le fixa avec étonnement. Là, en plein milieu du centre commercial, M. Paul venait de se matérialiser.

Il rajusta sa cravate avec calme et sortit. Avant de passer la porte, il se tourna un instant vers la machine ; et là, dans un reflet de la glace, la jeune fille lui sourit.

Bilan de l'unité 13

Le terrorisme

- Le terrorisme à Paris, en Corse, au Pays basque
- Qu'est-ce que le terrorisme ?
- Que défendez-vous ?
- Les moyens autres que la lutte armée
- Les terroristes – lâches ou héros ?

Une maison secondaire incendiée à Pau

Bordeaux : on connaît les tueurs

Menace de mettre la banlieue à feu et à sang

Assassinat de deux policiers à Bastia

Alerte à la bombe : le Commando Andalousie revendique

Assassinat d'un CRS à Ajaccio

Les "fous de Dieu" agissent en banlieue

Le FLNC : la liste rouge

Voiture piégée : signée le FIS

1 Regardez les trois régions touchées par le terrorisme, indiquées sur la carte. Lisez les titres de journaux. Où se sont déroulés ces attentats ?
(Note : un CRS = agent des Compagnies républicaines de sécurité, les forces de l'ordre.)

l'ETA = Euzkadi ta Azkatasuna = Patrie basque et liberté
le FIS = Front islamique du salut
le FLNC = Front de libération nationale de la Corse
les GAL = Groupes anti-terroristes de libération
le GIA = Groupement islamique armé

2 Reliez les termes de la colonne de gauche à leur définition à droite.

un engin	une bombe
une voiture piégée	un attentat au plastic
un attentat	un meutre
une cagoule	un prisonnier
un cagoulé	le but, la victime
un plasticage	une attaque contre une personne
un assassinat	une voiture où on a caché une bombe
un otage	un terroriste qui porte une cagoule
la cible	un capuchon fermé, percé à l'endroit des yeux

Le terrorisme à Paris

Pendant les années 80 et 90, il y a eu plusieurs attentats terroristes à Paris, dont les plus graves étaient dûs à des bombes placées dans des endroits publics, particulièrement dans les stations du métro et du RER. Vous allez d'abord entendre un bulletin d'informations concernant un attentat qui a eu lieu en juillet 1995, puis lire un article à propos d'un autre le mois suivant.

1 🔊 Ecoutez l'extrait du journal de RTL du vendredi 28 juillet 1995. Notez les détails suivants.
  a Bilan : nombre de morts et de blessés
  b Réaction des Serbes
  c Réaction de la coordination des musulmans de France
  d Récompense offerte aux témoins
  e Deux détails du témoignage de la femme
  f Deux détails du témoignage du policier auxiliaire

2 🔊 Ecoutez encore une fois.
  a Est-ce qu'on est encouragé à croire tous les détails du reportage ? Notez les indices suivants :
    – qu'est-ce que l'enquête a déjà comme éléments ?
    – comment décrit-on les témoignages (il y a deux commentaires, l'un avant, l'autre après ?
  b A votre avis, le journaliste présente-t-il les faits de façon objective ou cherche-t-il à dramatiser l'événement ? Et les témoignages sont-ils vraisemblables ? Que pensez-vous de ce reportage ? Discutez-en avec un(e) partenaire.

ZOom sur le conditionnel (2)

Dans le style journalistique, on utilise le conditionnel présent et le conditionnel passé pour indiquer que les faits qu'on rapporte ne sont pas à 100% prouvés.
« … ils ne **seraient** plus en danger. »
« … C'est ce paquet, ce colis qu'ils **auraient laissé** sous un siège… »
« … Un des hommes **aurait dit** cette phrase terrible… »

19

• Réécoutez l'extrait du journal et repérez ces exemples. Y a-t-il des exemples semblables dans l'article de journal, page 183 ?

3 Modifiez ces phrases de façon à y ajouter un certain degré d'incertitude.
  *Exemple : a Un témoin **aurait vu** un terroriste placer une bombe.*
  a Un témoin a vu un terroriste placer une bombe.
  b Le bilan est de deux morts et treize blessés graves.
  c L'engin a explosé vers 22 heures.
  d Les terroristes se sont cachés dans la forêt.

4 Lisez l'article de l'hebdomadaire *Le Point* ci-contre. Il peut se diviser en sept sections, sous les titres suivants. Trouvez la section qui correspond à chaque titre et donnez-en les numéros de lignes.
  Exemple : a = 1–44
  a Détails de l'explosion et des blessés
  b La réaction du Premier ministre et celle de Jacques Chirac en 1986
  c L'enquête (I)
  d Le but des terroristes
  e L'enquête (II)
  f Leurs raisons pour s'attaquer à la France
  g Et maintenant ?

5 Expliquez en français ces expressions de l'article.
  Exemple : a le but d'une série d'attentats par un groupe terroriste
  a la cible d'une vague terroriste (l. 2)
  b pourrait constituer la sinistre réponse redoutée (l. 12)
  c l'engin de moyenne puissance était, semble-t-il, composé (l. 16)
  d Le premier bilan fait état de… (l. 30)
  e a invité à ne pas céder à la psychose (l. 47)
  f tandis que les hommes… effectuaient tous les prélèvements d'usage (l. 77)
  g entretenir un climat d'insécurité (l. 87)
  h les hommes qui ont semé la mort (l. 97)
  i L'absence de revendication par le GIA n'a rien d'exceptionnel (l. 104)
  j Quant aux motivations du GIA pour s'en prendre à la France (l. 111)
  k l'important dispositif policier déployé dans la capitale (l. 140)

6 Selon l'article, quel est le but de cette série d'attentats à Paris ? Et pourquoi est-ce que les terroristes en veulent au gouvernement français ?

7 🔊 Lors d'un voyage à Paris, l'un de vos amis a été témoin d'un attentat terroriste. Ecoutez la cassette et servez-lui d'interprète !

ATTENTAT

LES TERRORISTES FRAPPENT ENCORE À PARIS

La capitale est-elle à nouveau la cible d'une vague terroriste islamiste comme en 1986 ? C'était la question depuis l'attentat du 25 juillet dans la station Saint-Michel du RER qui a fait 7 morts et 86 blessés. L'explosion jeudi, vers 17 heures, d'une bombe près de la sortie du RER, à la station Etoile, pourrait constituer la sinistre réponse redoutée à cette interrogation.

Selon les premières constatations, l'engin de moyenne puissance était, semble-t-il, composé d'une bonbonne de gaz contenant l'explosif ainsi que de clous et de boulons. Une technique en partie semblable à celle utilisée à la station Saint-Michel.

La bombe avait été déposée, en cet après-midi du 17 août, dans une poubelle, non loin d'un kiosque à journaux situé à l'angle de l'avenue Hoche et de l'avenue de Friedland. Le premier bilan fait état de 3 blessés graves, dont un enfant, et 13 blessés légers.

Les secours, pompiers et Samu, en alerte permanente, sont arrivés très rapidement sur place. Les trois personnes grièvement blessées, mais dont la vie n'est pas en danger, ont été évacuées vers les hôpitaux Bichat et Ambroise-Paré. D'autres blessés légers ont été traités dans un centre de soins d'urgence installé sur place.

Le Premier ministre, arrivé sur les lieux une heure après le drame, a invité à ne pas céder à la psychose. Lors de la vague des attentats de septembre 1986, Jacques Chirac, alors Premier ministre, avait déclaré : «*Le terrorisme est un jeu dangereux pour tout le monde. Pour les victimes, naturellement, pour ceux que l'on essaie d'influencer, mais également pour ses acteurs. Il repose en quelque sorte sur le principe du "pas vu, pas pris". Il est vrai que cela marche souvent, mais cela ne marche pas toujours... Nous serons sans pitié, quelles que soient les conséquences. Quelle que soit leur origine, ceux qui manipulent le terrorisme paieront le prix le plus élevé.* »

Les spécialistes de la section antiterroriste de la brigade criminelle, déjà chargés de l'enquête sur l'attentat du RER, ont immédiatement entendu les témoins – qui auraient vu deux Maghrébins s'enfuir – tandis que les hommes du laboratoire central de la PJ effectuaient tous les prélèvements d'usage.

Apparemment, les terroristes n'ont pas cherché à provoquer le même carnage que fin juillet. Mais la répétition de ce type d'actions suffit à entretenir un climat d'insécurité. Ce qui est, visiblement, le but recherché par les terroristes. Peut-on mettre cette action, comme celle du RER, sur le compte du GIA ? Les similitudes entre les deux attentats plaident en ce sens. Même si l'enquête de la Crim' pour retrouver les hommes qui ont semé la mort dans le RER progresse lentement, les éléments aux mains des enquêteurs et du juge Ricard orientent les recherches sur la piste des groupes islamistes armés. L'absence de revendication par le GIA n'a rien d'exceptionnel. Et peut parfaitement s'expliquer par la volonté d'accroître l'inquiétude de la population en laissant planer une menace anonyme. Quant aux motivations du GIA pour s'en prendre à la France, elles ne manquent pas. Ces terroristes reprochent à Paris de soutenir le régime algérien, tandis que se multiplient les attentats au sud de la Méditerranée et que la répression sauvage des menées subversives y marque des points. Par ailleurs, le GIA n'a pas caché son intention de venger les membres du commando éliminé par le GIGN à Marseille, en décembre, après le détournement d'un Airbus d'Air France. Enfin, les coups portés en France depuis un an aux réseaux de soutien islamistes, sous la houlette des juges Bruguière et Ricard, ont certainement suscité une riposte des combattants d'Algérie pour lesquels l'appui de ces bases arrière est indispensable. Désormais, chacun se demande quand aura lieu la prochaine frappe, dès lors que l'important dispositif policier déployé dans la capitale depuis plus de trois semaines n'a pas suffi à dissuader les terroristes. ■

JEAN-LOUP REVERIER

183

Le terrorisme en Corse

La Corse : on la surnomme l'Ile de Beauté. Pourtant, les touristes y sont de moins en moins nombreux, effrayés par la violence des attentats en série, effectués par les organisations clandestines qui veulent l'indépendance de la Corse et attaquent les intérêts de l'Etat français. Ce reportage tiré du magazine *Le Point* présente les femmes corses qui luttent contre la violence.

Le front des femmes

Elles s'appellent Victoire, Danielle, Jeanne ou Serena… Dans leur engagement pour la vie et contre la loi des armes en Corse, elles ont choisi de n'être que les « Femmes du manifeste pour la vie » et de parler d'une même voix. Sans leader ni porte-parole attitré. A peine sorties de l'enfance ou plusieurs fois grand-mères, les unes travaillent, les autres pas. Certaines militent ou ont milité, d'autres n'ont peut-être même jamais voté. Citadines ou rurales, quelques-unes ont vu leur vie basculer à cause de la violence, d'autres ont toujours mené une existence préservée. Leur point commun : elles vivent dans cette île et considèrent que toute vie humaine est sacrée et que la liberté d'opinion et d'expression est un droit inaliénable.

En janvier 1995, après une année 1994 marquée par plusieurs assassinats, quelques femmes de Bastia décident de réagir et de s'unir. Pour secouer le fatalisme ambiant, elles rédigent un « Manifeste pour la vie » : « *Moi, femme, mère, sœur, épouse de Corse, je prends résolument le parti de la vie et déclare la guerre à la violence qui* règne en maître dans ce pays. Je refuse l'Etat de non-droit, la dérive aveugle, la peur et les bouches cousues. » Il circule bientôt dans toute la Corse et des réunions publiques s'organisent. Très vite, plus de 3 000 femmes vont le signer, même si les termes en sont parfois critiqués. « *C'est vrai que les hommes étaient d'emblée exclus,* reconnaît cette signataire de la première heure. *Mais il avait été écrit dans l'urgence.* » Depuis février 1996, un nouveau manifeste a été rédigé. Il ne s'adresse plus seulement aux femmes, mais à la conscience citoyenne des habitants de l'île.

Lors du premier semestre de 1995, les Femmes du manifeste pour la vie vont se rassembler devant les préfectures d'Ajaccio et Bastia après chaque meurtre commis dans l'île. Elles s'y retrouvent désormais chaque premier lundi du mois. Elles ne scandent pas de slogan et sont là, reproche silencieux et têtu.

Peu à peu, leur engagement pour le respect de la vie va se doubler d'une revendication de justice équitable et sereine.

Les Femmes du manifeste vont donc interpeller Jacques Toubon lors de sa visite en Corse sur les affaires criminelles non élucidées et plus particulièrement les assassinats de militants nationalistes. Apolitiques dans leur démarche, elles dénoncent les pesanteurs de la « *raison d'Etat* » ou la terreur des « *bandes armées* ». « *A quoi serviront des mesures économiques ou fiscales, s'il n'y a pas de loi, pas de règles dans ce pays ?* » interrogent-elles. Elles réclament simplement l'application de la loi pour tous. D'ailleurs, ces femmes ne se tournent pas seulement en direction du gouvernement. Avant toute chose, c'est à tous les Corses qu'elles s'adressent. Et, encouragées par les 5 000 signatures d'hommes et de femmes recueillies par le second manifeste, elles appellent aujourd'hui à une grande manifestation le 8 juin à Ajaccio. ∎

PAUL VERSINI (EN CORSE)

---

1 Jeu de rôles.
  A : imaginez que vous faites partie de ce groupe de femmes.
  B : vous êtes journaliste et vous voulez interviewer une des femmes du groupe. Utilisez vos notes (à droite).
D'abord, relisez l'article et notez des mots et des expressions utiles.
Ensuite, le/la journaliste pose des questions au membre du groupe.

2 Ecrivez une lettre à un(e) ami(e) pour l'inviter à devenir membre du groupe. Expliquez :
  – ce que fait le groupe
  – les buts qu'il veut atteindre et ceux qu'il a déjà atteints
  – ce qu'il veut des terroristes, du gouvernement français, et de la population corse.
Basez-vous sur les détails de l'article, mais n'oubliez pas d'inclure vos propres idées.
Exemple : Cher X, Je t'écris parce que je viens de m'engager dans les *Femmes du manifeste pour la vie*, et c'est un groupe tellement fort que je t'invite à nous joindre. Nous voulons…

Le but du groupe
L'origine des membres
La raison de l'action de janvier 1995
L'effet du premier manifeste
Différence entre premier et deuxième manifeste
Raisons pour lesquelles elles se rassemblent devant la préfecture
Sujets qu'elles vont aborder avec Jacques Toubon

☞ Corsica Viva : le "visage humain" du nationalisme ?

**Regardez l'extrait des informations du 10 juin 1996.
Un nouveau groupe nationaliste s'ajoute aux trois autres
en Corse. Ce groupe prétend être différent des autres.**

1 En Corse, chaque parti politique est lié à un groupe
terroriste. Recopiez les noms, regardez la première
partie de la séquence et retrouvez les paires.

ANC = Alliance nationaliste corse
FLNC = Front de libération nationale de la Corse
MPA = Mouvement pour l'autodétermination

partis politiques	mouvements clandestins
A Cuncolta Naziunalista	FLNC-Canal historique
MPA	FLNC-Canal habituel
ANC	Resistenza
Corsica Viva	FLNC

2 a Pendant les trois années précédentes, qu'est-ce qui
s'est passé en ce qui concerne les mouvements
nationalistes ?

b Quel est le trait commun entre la Cuncolta
Naziunalista, le MPA et l'ANC ?

c Selon Bernard Pantalacci, quel effet a eu la
violence des nationalistes sur l'image du
mouvement indépendantiste ?

d Qu'est-ce qu'il ne veut pas voir relié à l'image du
nationalisme ?

e En quoi est la méthode de Corsica Viva différente
de celle des autres groupes ? (trois adjectifs)

f Selon Corsica Viva, que doit retrouver le
nationalisme corse ?

3 Pourquoi, à votre avis, Corsica Viva a-t-il aussi son
groupe clandestin ? Regardez encore une fois la
séquence et lisez l'extrait ci-dessous. Discutez de
ce point avec un(e) partenaire.

Dernier-né, il y a moins de deux mois, le FLNC (sans
autre qualificatif) est un mystère insulaire. Ses
dirigeants se disent proches du mouvement politique
Corsica Viva, en cours de constitution.

Ce parti affiche une réelle volonté de refonder le
nationalisme, qui souffre d'un « *déficit d'image* », selon
Bernard Pantalacci. Issu du MPA, il a entrepris la
reconquête de l'électorat et multiplie les réunions
publiques. « *Nos idées ne sont pas mortes* », souligne-t-il.

Mais Corsica Viva n'a pas su résister à la tentation de
créer un mouvement clandestin. Pourquoi ? Pour le
prestige de la cagoule, pour défendre ses militants, pour
faire pression, le moment venu, sur l'Etat, sur des
dossiers comme la langue corse ou la notion de peuple
corse. Cette réponse pourrait être incomplète. Le FLNC,
qui a drainé vers lui les deux tiers du Canal habituel et,
semble-t-il, l'éphémère Fronte Ribellu, pourrait faire
sienne la terrible décision de débarrasser le nationalisme
corse de ses branches perdues, à commencer par le
FLNC-Canal historique. ■

Zoom sur l'infinitif

Lisez ces phrases tirées de l'article de la page 184 :
« *quelques-unes ont vu leur vie* **basculer**... »
« *quelques femmes de Bastia décident de* **réagir** »
« *pour* **secouer** *le fatalisme ambiant* »
« *3000 femmes vont le* **signer** »

Quand deux verbes se suivent, le deuxième est
toujours à l'infinitif. Les deux verbes peuvent se
suivre :

- directement **[A]**
  (*aller/devoir/faire/entendre* etc. + infinitif) :
  Les terroristes **veulent agir**.
  Le président **fait intervenir** le CRS.

- indirectement **[B]**
  (*hésiter* + *à* + infinitif, *essayer* + *de* + infinitif, etc.) :
  La police **commence à réagir**.
  Le FLNC **refuse de coopérer**.

L'infinitif s'emploie aussi : **[C]**
- pour exprimer un ordre ou une exhortation :
  Agir ou **mourir** !

- après certaines prépositions : **[D]**
  Pour exprimer leur détresse...
  Afin de neutraliser les terroristes...
  Il tira **sans hésiter**,...

- comme un nom : **[E]**
25 **Lutter** pour sa liberté, ce n'est pas facile.

4 a Dans quelle catégorie, A–E, peut-on mettre les
exemples du début de ce *Zoom* ?

b Cherchez d'autres exemples dans l'article *Le front
des femmes*.

5 Complétez ces phrases en utilisant un infinitif ou une
expression qui contient un infinitif :

a Les terroristes veulent...

b La police va...

c On fait appel à la police afin de...

d Les terroristes commencent...

e Le gouvernement refuse...

f ..., c'est perdre la lutte.

g Pour... la police intervient en douceur.

h Pendant l'interview avec M. Pantalacci, on l'entend...

Le terrorisme au Pays basque

Le Pays basque enjambe le sud-ouest de la France et le nord-ouest de l'Espagne. Depuis longtemps, le groupe terroriste basque, ETA effectue des attentats dans les deux pays. De nos jours, les GAL opèrent contre l'ETA.

Cet article de journal qui présente Philippe Bidart, fondateur du groupe Iparretarrak, décrit aussi le genre d'événements qui se produisent, et le contexte, le caractère de la région.

Philippe Bidart : mortelle randonnée

Il incarne presque à lui seul le terrorisme basque français. Philippe Bidart, la semaine dernière, a tué un gendarme, en a blessé un autre lors d'un contrôle, alors qu'il revenait de la plage en compagnie d'une amie.

C'est lui qui a fondé Iparretarrak, « Ceux du Nord », pour servir la cause des séparatistes basques espagnols, en 1973. Philippe Bidart a entraîné derrière lui un petit groupe d'amis qui sont passés, un beau matin, des arrière-salles des cafés du Petit Bayonne, où l'on discutait pendant des heures de l'Euzkadi, à l'avant-scène du terrorisme. Une sorte de spirale dans laquelle certains sont morts. Ces derniers mois, le chef terroriste a en effet perdu beaucoup de ses compagnons : ses deux frères, d'abord, arrêtés en juin, et plusieurs militants, dont un des chefs historiques du groupe, Gaby Mouesca, cueilli par les gendarmes en juillet dernier. D'autres ont été tués, comme Christophe Istèque, déchiqueté par sa propre bombe. Du coup, Iparretarrak a été dissous. Néanmoins, Bidart ne manque pas de soutien. Même si, au Pays basque français, les nationalistes sont minoritaires, il sait pouvoir compter sur la mouvance indépendantiste.

Etrange mouvance, composée de jeunes, proches de l'extrême gauche, d'instituteurs, et de curés depuis longtemps nationalistes. Des monastères comme celui de Bellocq, près de Bayonne, sont des hauts lieux de la culture basque. On y parle, on y écrit, on y chante en basque. Aux enterrements des militants, on compte parfois plus d'une dizaine de prêtres. A ceux des policiers, jamais plus d'un ou deux. Leurs sermons ressemblent souvent à des discours indépendantistes.

Bidart, qui a été séminariste à Ustaritz, a noué de nombreux contacts à cette époque avec des jeunes gens qui sont aujourd'hui prêtres. Les *Herri taldeak* (les comités de village), peuvent également l'épauler dans sa « cavale ». Car, au Pays basque comme en Corse, on ne parle pas. Depuis qu'il a plongé dans la clandestinité, Philippe Bidart s'est rendu plusieurs fois dans le petit village de sa famille, Saint-Etienne-de-Baïgorry. Et, bien sûr, personne n'est allé trouver les gendarmes. Même si celui qui a failli devenir prêtre est aujourd'hui assassin.

Il passe toute son enfance là-bas dans cette petite vallée à l'habitat dispersé, difficile d'accès et qui vit presque en autarcie. Tenté par la prêtrise, il enseigne ensuite dans une *ikastolak*, une école en langue basque. « *Il était très chaleureux, expansif, parlait beaucoup* », raconte un de ses anciens camarades. Il passe pas mal de temps dans les cafés et fait figure de penseur. A ses côtés, il y a déjà Joseph Etxeveste, son adjoint aujourd'hui en fuite, et Gaby Mouesca. « *Jamais on ne pensait que ces gars-là allaient prendre les armes* », dit-on aujourd'hui à Saint-Etienne-de-Baïgorry. Pourtant, en novembre 1981 après un hold-up à la Caisse d'épargne de Saint-Paul-lès-Dax, dans les Landes, le verdict de la bande vidéo de l'agence est sans appel : l'un des braqueurs est Bidart. Le groupe s'attaque alors aux gendarmeries, aux administrations.

---

1 Lisez l'article.
   a Qu'est-ce qu'Iparretarrak ?
   b Cherchez le mot *mouvance* dans un dictionnaire. Dans ce contexte, de qui était composée la mouvance indépendantiste ?
   c Que dit l'article, au quatrième paragraphe, sur les habitants de sa région ?
   d Pourquoi était-il facile pour Bidart de se cacher dans le village de Saint-Etienne-de-Baïgorry?

2 Prenez des notes, <u>en anglais</u>, sur la vie de Bidart. Notez tout ce que vous trouvez dans le texte sur les points suivants : *Childhood   Studies   First career   Key points of his second "career"*

3 Jeu de rôles.
   A : Vous représentez une organisation comme les Femmes du manifeste pour la vie (page 184). Vous parlez avec un membre d'un groupe terroriste. Essayez de le/la convaincre qu'il y a d'autres moyens que la violence pour atteindre ses buts.
   B : Vous êtes membre d'un groupe nationaliste terroriste et croyez que la lutte armée est le seul moyen d'atteindre vos buts. Défendez vos actions.

Préparez vos arguments. Essayez de repérer dans les textes des éléments susceptibles de vous aider. Vous avez cinq minutes pour convaincre l'autre.

Exemple :
A : Il n'est jamais acceptable de tuer quelqu'un.
B : Mais le gouvernement de la France ne fait rien si nous ne lui rappelons pas régulièrement notre existence.
A : Il y a beaucoup d'autres moyens de faire cela. Par exemple…

Expressions-clés

Négocier et persuader :

Vous faites erreur.

Vous vous trompez.

Je vous assure que…

Mais puisque je vous dis…

Absolument !

Oui, c'est bien ça !

Je déplore vos actions/attitudes/idées.

Je suis révolté(e).

Je trouve votre inaction impardonnable/inacceptable.

Vous manquez de courage/de fermeté.

Il faut s'engager/être engagé.

Tout en reconnaissant le fait que…

Il faut quand même accepter que…

Il est exact/vrai que…, mais…

Un texte pour quel public ?

COMPÉTENCES

Cet article concernant un attentat de l'ETA provient d'*Eclair Pyrénées*, un journal régional du sud-ouest de la France. Le même fait ne serait pas rapporté exactement de la même façon dans un journal national ou même à la radio. Quelles sont les différences ? Réfléchissez au style et au contenu.

On pourrait vous demander d'adapter un texte…

◆ **pour en faire un résumé**
Pour quelqu'un qui n'a pas le temps de lire tout, mais qui veut quand même savoir l'essentiel.

◆ **pour la radio**
Vous aurez une limite de temps, donc vous ne direz que l'essentiel : le bilan, l'heure de l'attentat, but atteint ou non, et pourquoi. Les structures du langage parlé sont souvent plus simples, les phrases moins longues, que dans un article écrit.

◆ **pour une revue ou un journal national, régional ou lu par un secteur précis du public**
Il est important de connaître et de penser à son public lorsqu'on écrit. Les lecteurs d'un journal régional s'intéressent plus à ce qui aura un effet sur leur région, tandis que chez les lecteurs d'un journal national, les préoccupations sont différentes et plus variées. Alors pensez aux détails – lesquels sont nécessaires, lesquels le sont moins ? (Noms et lieux précis, autres attentats semblables dans le passé, condamnations, …) Dans un journal national, les titres d'articles sont plus courts.

1 D'abord, lisez l'article et notez les détails suivants de façon aussi brève que possible.
   a quand ?
   b bilan
   c cible
   d autres attentats cités
   e bombe cachée où ?
   f raison des enlèvements
   g qui a condamné l'action ?

2 Préparez un communiqué relatant cet attentat pour un bulletin d'informations diffusé à la radio (nationale). Vous avez 45 secondes pour donner l'essentiel. Utilisez les détails que vous venez de noter.
   Exemple : Encore un attentat à la bombe à San Sébastien au Pays basque. Trois blessés, dont un grave. Cela s'est passé hier…

3 Adaptez l'article pour un journal national. Réduisez-le à 120–150 mots.
   a Inventez un titre (faites cela en dernier, si vous préférez).
   b Répétez le premier paragraphe sans grand changement.
   c Ensuite, continuez comme vous voulez.
      Exemple : La bombe, dissimulée sous une voiture, a explosé vers 14 h 15…

4 Imaginez que vous êtes le rédacteur ou la rédactrice d'un journal qui circule dans les milieux terroristes. Ecrivez un compte rendu de l'événement de votre point de vue.
   Exemple : Hier, nos héros ont entrepris un acte extrêmement courageux face aux ennemis de notre état…

ACTION SANGLANTE

Hier, un attentat de l'ETA visant le patronat basque a fait trois blessés à San Sébastien.

Un attentat à la bombe visant le patronat basque et attribué aux séparatistes de l'ETA a fait trois blessés, dont un grave, hier après-midi à San Sébastien.

Le 20 mai, à Cordoue (Andalousie), les indépendantistes basques avaient fait exploser une bombe près d'un arrêt de bus fréquenté par des militaires, tuant sur le coup un jeune sergent.

Hier, comme très souvent dans le passé, l'ETA a utilisé l'arme de la bombe « ventouse » en la dissimulant sous une voiture garée dans un parking appartenant à l'organisation patronale basque Adegui. Quand un employé, Santiago Lezeta, 36 ans, a voulu déplacer le véhicule vers 14 h 15, l'engin a explosé, lui arrachant une partie des deux jambes, ont indiqué les autorités locales. Deux femmes, également des employées de Adegui, ont été légèrement blessées.

Selon la police, la personne visée par l'ETA était en fait le secrétaire général de l'organisation patronale, José Maria Ruiz Urchegui, propriétaire de la voiture. Celui-ci est actuellement en déplacement à l'étranger.

L'ETA a souvent commis dans son histoire des attentats contre des représentants du patronat. Elle a également procédé à de nombreux enlèvements pour obtenir des rançons ou simplement faire pression sur les chefs d'entreprise afin que ceux-ci lui versent « l'impôt révolutionnaire ». Le patronat espagnol (CEOE) s'est déclaré indigné par cet acte de « barbarie terroriste » visant à intimider les chefs d'entreprise mais aussi « tant de citoyens ».

L'attentat a été immédiatement condamné par l'ensemble des forces politiques. « Le problème de l'ETA est que, depuis la mort de Franco, elle n'a pas changé de stratégie, et poursuit sa stratégie de mort, d'extorsion et de violence » a accusé Inaki Anasagasti, porte-parole du Parti nationaliste basque (PNV, modéré, au pouvoir au Pays basque).

Comment ça marche, le terrorisme ?

A La violence politique n'est pas nouvelle ; elle se perd même dans la nuit des temps comme en témoignent l'histoire et la mythologie grecques. L'élimination physique de l'adversaire est l'une des composantes de l'histoire des sociétés humaines. L'assassinat d'Henri IV par Ravaillac le 14 mai 1610, la tentative d'assassinat de Bonaparte, encore Premier Consul, rue Saint-Niçaise avec une machine infernale le 24 décembre 1800, le président John Kennedy abattu à Dallas le 22 novembre 1963, les attentats auxquels le général de Gaulle échappera montrent que les hommes politiques sont les cibles privilégiées de la violence politique ; ils sont en effet les symboles d'une société et d'une politique. C'est parfois à toute la classe politique que le terroriste va s'en prendre ; ainsi Auguste Vaillant, anarchiste, lancera une bombe à la Chambre des députés en décembre 1893.

B Mais la violence politique va changer de nature et d'objectifs avec l'importance prise par les médias. Abou Ayad, dirigeant de l'organisation palestinienne Septembre noir, écrit dans ses mémoires que l'objectif des terroristes, lors du massacre des athlètes israéliens aux jeux Olympiques de Munich en 1972, était d'« exploiter la concentration inhabituelle des médias à Munich pour donner à leur combat de la publicité, positive ou négative, peu importe ! » La caractéristique de la violence politique aujourd'hui est là : faire d'abord parler de soi, alors qu'autrefois il s'agissait d'éliminer un homme jugé responsable.

C Certains ont vu dans l'utilisation des opinions publiques le moyen de faire pression sur les Etats pour qu'ils modifient leur politique : c'est à cela que tendent les prises d'otages. La sensibilité des opinions publiques à la détresse des familles conduit à exiger des dirigeants politiques de tout faire pour obtenir leur libération ; il en résulte des marchandages avec les terroristes, ce qui les incite à prendre de nouveaux otages.

D Enfin, le terroriste peut viser des objectifs économiques ; en perpétrant des attentats contre certaines compagnies aériennes, le terroriste dissuade les voyageurs soit de se rendre dans un pays, soit de voyager sur d'autres compagnies aériennes.

E Cette violence conduit les Etats concernés à adopter des mesures de prévention qui limitent les libertés individuelles ; c'est parfois l'objectif poursuivi par certains groupes pratiquant la politique du pire ; ainsi, la Fraction Armée rouge en RFA et les Brigades rouges en Italie dans les années 70 dénonçaient les mesures policières prises pour les combattre comme un abandon des règles de la démocratie.

1 Lisez chaque paragraphe de ce texte et trouvez-y un mot ou une expression synonyme des expressions suivantes :
   a elle remonte dans le passé (A)
   b un élément (A)
   c les buts prisés (A)
   d cela n'a pas d'importance (B)
   e contraindre, forcer (C)
   f des tractations (C)
   g prendre comme cible (D)
   h des actes officiels préventifs (E)
   i une renonciation (E).

2 Trouvez dans le texte les réponses à ces questions.
   a On dit que la violence politique n'est pas nouvelle. Pourquoi ?
   b Donnez une raison pour laquelle on vise les hommes politiques.
   c Comment est-ce que l'attentat de Munich a pu être exploité par les terroristes ?
   d Quelle différence existe entre la violence politique d'aujourd'hui et celle d'autrefois ?
   e Expliquez comment la prise d'otages peut forcer les Etats à changer leur politique et leur comportement.
   f Justifiez aux yeux des terroristes les attaques sur les compagnies aériennes.
   g Selon vous, qu'est-ce que "la politique du pire" ?

3 Avec un partenaire, faites un résumé oral du texte. Tirez-en les points essentiels, prenez des notes, et préparez un discours d'un ou deux minutes.

4 Débat en groupe. Choisissez un thème :
   A *Quel est le rôle joué par les médias dans l'efficacité des actes terroristes ?*
   B *La fin justifie-t-elle les moyens ?*

Relisez et réécoutez les exemples de cette unité, et cherchez d'autres exemples.
Réfléchissez ensemble sur ces points :
   A Identifiez les points communs et les différences entre les informations données dans les journaux, à la radio et à la télé. Pensez à l'usage des images, des bruits, des témoignages de victimes. Imaginez un monde sans médias.
   B Approuvez-vous ou non les méthodes des terroristes ? Dans quel contexte ces méthodes seraient-elles les seules possibles ? Examinez quelques exemples précis : s'ils atteignent leur but, faudra-t-il accepter qu'ils ont eu raison de se battre ?

5 Ecrivez un article (300 mots) pour le journal d'un lycée en France, dans lequel vous expliquez votre point de vue sur le thème du débat (activité 4).

Engagez-vous !

Catastrophe nucléaire mais aucune suspension de la politique de construction de centrales nucléaires.

Vente d'armements : les USA, le Royaume-Uni, la France, toujours en tête

La Norvège nargue le monde : les baleines toujours victimes

1 Regardez les photos. Quelles émotions suscitent-elles ? Exprimez vos sentiments à un(e) partenaire.

> **Moi, quand je vois ça, je sens...**
>
> | la colère | la tristesse | l'épouvante |
> | la honte | la nausée | l'impuissance |
>
> J'ai honte.
> Ça me donne la nausée.
> Je me sens impuissant(e).

2 Travail à deux. Considérez les actions de la liste ci-dessous. Pour chacune, décidez si :
• vous la feriez volontiers
• vous la feriez sous certaines conditions
• vous ne la feriez pas du tout.
Soyez prêt(e) à justifier votre point de vue et à décrire les circonstances ou les causes qui vous provoqueraient à agir.

■ donner de l'argent
■ signer une pétition
■ manifester
■ peindre des graffiti au mur dans un lieu public
■ causer des dégâts dans un lieu privé (site industriel, commercial…)
■ blesser quelqu'un
■ tuer une personne responsable d'un mal

3 Que feriez-vous dans ces situations ?
Exemple : a J'accepterais l'achat de ma maison, et je déménagerais./ Je m'engagerais dans le mouvement de protestataires.

a On décide de démolir votre maison afin de construire une autoroute.
b Vous voyez un vieil homme attaqué par un voyou.
c Vous soupçonnez qu'un dealer vend de la drogue à votre petit(e) sœur ou frère.
d Votre pays est menacé d'invasion par un pays expansionniste.
e Vous habitez dans un pays où votre religion et votre culture sont persécutées.

4 Par groupes de quatre, choisissez une des photos. Deux membres prennent position en faveur de la violence. Les autres essaient de négocier, de les persuader de prendre une position moins radicale.

Expressions-clés

Dédramatiser une situation :

Soyez/Sois raisonnable !
Soyez/Sois rationnel(le) !
Soyez/Sois cohérent(e) !
Vous dramatisez/Tu dramatises les événements.
Je ne suis pas convaincu(e).
Je ne suis pas tout à fait d'accord.
Je suis/ne suis pas persuadé(e).

Interlude

L'histoire du roman *Les Centurions*, de J. Lartéguy, se passe pendant les années 60, lorsque l'Algérie était une colonie française. Un groupe terroriste musulman, le FLN, lutte pour l'indépendance. Aïcha, étudiante, travaille pour le FLN. Elle est en train de participer à un plan d'attentat…

FLN = Front de libération nationale
MNA = Mouvement national algérien
un moucharabieh = fenêtre au premier étage, en bois sculpté en treillis
   (un style typiquement arabe)
les mouchards = les dénonciateurs
bayer aux corneilles = perdre du temps en regardant en l'air

Aïcha grimpa en courant les escaliers, chassant sur son passage les chats qui dévoraient des ordures devant de lourdes portes cloutées au marteau de cuivre. Parfois des dessins ornaient la pierre des linteaux : les restes d'un ancien moucharabieh surplombaient la rue et derrière une petite fenêtre grillagée, un rideau s'était levé, puis était retombé. Mais Aïcha savait qu'elle ne risquait plus rien maintenant. La loi française depuis le mois de mars n'a plus cours à la Kasbah. Le Front est maître partout. Les mouchards ont été liquidés ou travaillent pour le FLN : le dernier dissident du MNA a été tué la veille, et derrière leurs sacs de sable, les commissariats de police ne reçoivent plus aucune visite. Les policiers attendent en tremblant les commandos de tueurs qui viendront un jour leur ouvrir la gorge.

Aïcha est fière d'appartenir à cette organisation, d'être une militante qui travaille pour la cause, au lieu de perdre son temps à de stériles études. Plus tard, elle les reprendra, quand le drapeau vert et blanc flottera sur Alger.

Au coin de la rue de la Bombe et de la rue Marmol, elle rencontre, accoudée contre un mur, Fatimah la putain. Fatimah porte de lourdes boucles d'oreille en argent comme les filles des tribus, un foulard jaune, un pull-over aux longs poils blancs ; elle a une tête attirante et dure de fille qui a beaucoup vécu.

Fatimah lui fait un clin d'œil amical et lui dit au passage :

– Dieu te garde, sœur Aïcha.

Fatimah est au courant du rôle de la jeune étudiante, de son travail dangereux ; elle aussi est du Front, comme tout le monde, comme toute l'Algérie. On s'appelle frères et sœurs. Et Aïcha a son cœur qui se gonfle, elle se sent grande et bonne, et caresse un enfant au crâne couvert de teigne qui la regarde stupéfait.

Au 22 de la rue de la Bombe, elle frappe trois fois, attend, puis deux fois encore. Elle pense à la tête qu'aurait faite le commandant de parachutistes si elle lui avait dit :

– Je porte dans mon sac de quoi faire sauter Alger et ses beaux quartiers et je vais au 22 de la rue de la Bombe où se trouvent les hommes qui sauront s'en servir.

Une vielle femme aux mains teintes par le henné a ouvert la porte. Elle a regardé avec mépris la jeune fille. La vieille Zoullika respecte encore l'Islam et considère Aïcha comme une dévergondée parce qu'elle ne porte pas le voile et s'habille à l'Européenne.

Mais Aïcha sait que le Front, quand il aura vaincu les colonialistes, fera se dévoiler toutes les femmes, interdira la polygamie, rendra, comme en Occident, la femme égale de l'homme.

Le commandant l'a appelée tout à l'heure mademoiselle, il lui a ramassé son sac, le sac qui contenait les détonateurs que venait de lui remettre la communiste ; il lui a ouvert la porte du taxi et s'est courbé devant elle. Le commandant a une silhouette fine, élégante, et ses yeux sont doux, pleins de tendresse…

– Alors, dit Zoullika dans son arabe criard, tu entres au lieu de bayer aux corneilles.

Résistant ou terroriste ?

Danielle Mitterrand a vécu en tant qu'étudiante et puis résistante la Deuxième Guerre mondiale et l'occupation allemande de la France. (Elle deviendra plus tard la femme de François Mitterrand, président de la France de 1981 en 1995.) Elle a décrit ses expériences dans son livre autobiographique, *En toutes libertés*. Lisez-en cet extrait.

Terroristes, dites-vous

14 février 1944, à Cluny, qui peut oublier ? [...]

Dès l'aube de ce 14 février, toute la ville est investie par les Allemands et la milice ; une opération d'envergure, une démonstration de force bloque toutes les entrées et les sorties de Cluny. Une mitrailleuse en poste à chaque issue empêche tout déplacement non autorisé. [...]

Plus tard dans la journée, nous apprenons que, par centaines, les Clunysois ont été entassés dans des camions pour une destination inconnue. Le chef de gare, pour avoir voulu s'interposer, a été fusillé sur place. Déportés en Allemagne, dans des camps aux noms dramatiquement évocateurs, quelques-uns revinrent, la plupart disparurent. [...]

Désormais ils font partie de l'Histoire, de notre Histoire, et si je la raconte aujourd'hui, c'est pour mettre en garde ceux qui ne feraient pas la distinction entre les défenseurs de leurs libertés et les terroristes internationaux ou nationaux, qui tuent inconsidérément des innocents. Ceux-là sont à la solde d'extrémistes ou de dictateurs qui incitent à la violence aveugle à leur profit. Dans mon pays envahi, sous un régime de dictature, j'ai été résistante mais je ne me suis jamais reconnue sous ce vocable de « terroriste ». [...]

Pour rétablir la République, les résistants français ont dû s'organiser, s'entraider ou se réfugier dans les maquis et se défendre.

J'ai été décorée de la médaille de la Résistance par le premier gouvernement du général de Gaulle pour avoir été considérée comme une « sale terroriste » durant toutes ces années d'occupation allemande sous un gouvernement qui pactisait et collaborait avec l'occupant. Eh oui, je n'évoque que très rarement cette distinction, et pourtant j'y tiens !

1 Expliquez en vos propres mots :

a ce qui est arrivé dans la ville de Cluny le 14 février 1944

b le rôle que Danielle Mitterrand a joué pendant la guerre

c l'ironie qu'elle souligne concernant son identité.

2 Avec un(e) partenaire, faites une liste de similarités et de différences entre un terroriste et un résistant.
Exemple : un résistant ne prend pas d'otages civils, …

3 Héros ou lâche ? Terroriste ou combattant de la liberté ?

a Relisez les textes des pages 182–187 et réfléchissez aux groupes : GIA, FLNC, ETA, Iparretarrak. Pour chacun, dites qui pourrait les considérer comme des héros, qui comme des lâches.
Exemple : ETA – ce sont des héros pour les Basques qui veulent être indépendants ; des lâches pour les gouvernements français et espagnols, les familles de leurs victimes, …

b Pouvez-vous imaginer un changement de la situation dans leur région, après quoi ces groupes seraient considérés comme des héros par tout le monde ?
Exemple : Si le Pays basque devenait indépendant et arrivait à la paix et à la réussite financière, à l'avenir on admirerait l'ETA.

résistance
Action de s'opposer à une attaque par les moyens de la guerre.

héros
Celui qui se distingue par ses exploits ou un courage extraordinaire (dans le domaine des armes).

terrorisme
Emploi systématique de la violence pour atteindre un but politique ; actes de violence (attentats, destructions, prises d'otages) destinés à déclencher des changements politiques.
Contrairement à l'attentat qui peut être une action violente individuelle, le terrorisme suppose une organisation par un groupe. Il s'agit d'une violence préméditée à motivation politique commise contre des cibles non combattantes.

4 En groupe, discutez de la situation mondiale envers le terrorisme. Pensez aux autres mouvements terroristes actuels ou récents, par exemple en Irlande du nord, en Israël et ailleurs. Est-ce qu'il peut y avoir des causes qui justifient la lutte armée ? Donnez votre avis au groupe.

5 Choisissez un de ces titres. Ecrivez une composition dans laquelle vous exprimez votre avis. N'oubliez pas de citer des exemples.
« Tout terroriste est lâche. »
« Il n'y a aucune cause qui vaille la peine de se faire tuer. »
« Moi, j'aurais résisté. Qu'est-ce que vous auriez fait ? »
« Le terrorisme menace la paix mondiale. »

A vos marques, prêts… Examen ! (1)

COMPÉTENCES

La lecture

◆ Au début de l'examen, jetez un coup d'œil sur tous les exercices. Cela vous permettra de vous faire une idée de ce qu'on vous demande de faire, et vous pourrez mieux planifier votre temps.

◆ Lisez bien les instructions pour chaque exercice. Notez bien si les réponses doivent être en français ou en anglais ! (Si c'est en français, vérifiez si vous avez le droit d'utiliser les mots et les phrases du texte, ou si vous devez utiliser vos propres termes.)

◆ Pour certains types d'exercice (lesquels ? faites-en une liste avec un(e) partenaire), vous n'avez pas besoin de comprendre le texte entier : il vous faut simplement repérer les endroits où se trouve la réponse.

◆ Pour chaque exercice, répondez au bon nombre de questions. Si vous répondez à cinq questions alors que quatre suffisaient, la dernière réponse ne sera pas notée.

◆ N'hésitez pas à utiliser un surligneur pour noter les points importants du texte.

◆ Utilisez votre dictionnaire avec prudence. Ne cherchez pas tous les mots. Soyez judicieux ; sinon, vous allez perdre du temps.

◆ Rappelez-vous que la précision de votre français – et de votre anglais – sera notée. En français, vérifiez bien la terminaison des verbes.

BON COURAGE ET BONNE CHANCE !

L'écrit

◆ Lisez les questions attentivement. Veillez à répondre à chaque section d'une même question.

◆ Ne soyez pas tenté(e) d'inclure des détails qui n'ont aucun rapport à la question posée !

◆ Donnez de vrais exemples tirés du monde francophone. Avant l'examen, relisez les articles que vous avez trouvés utiles pendant vos études.

◆ Si vous devez répondre à un texte écrit, ce texte est votre point de départ : alors, notez les points essentiels. Vous pourrez vous en servir pour rédiger votre réponse.

◆ Pour chaque exercice, notez le nombre de mots que vous devez écrire. Vous serez pénalisé(e) si vous en écrivez beaucoup plus ou beaucoup moins.

◆ Vos idées comptent ! Justifiez ce que vous écrivez et n'ayez pas peur de donner votre avis.

◆ Donnez-vous assez de temps (5–10 minutes) pour revoir ce que vous avez écrit. Relisez-vous plusieurs fois, en cherchant un autre type d'erreur à chaque fois.

◆ Familiarisez-vous à l'avance avec les critères (publiés avec le programme) utilisés pour noter votre travail.

Bilan de l'unité 14

15

La décolonisation

- Le passé colonial de la France
- Paradoxes de la décolonisation
- La francophonie en question
- Polynésie : pour ou contre l'indépendance ?
- Le français, couleur locale

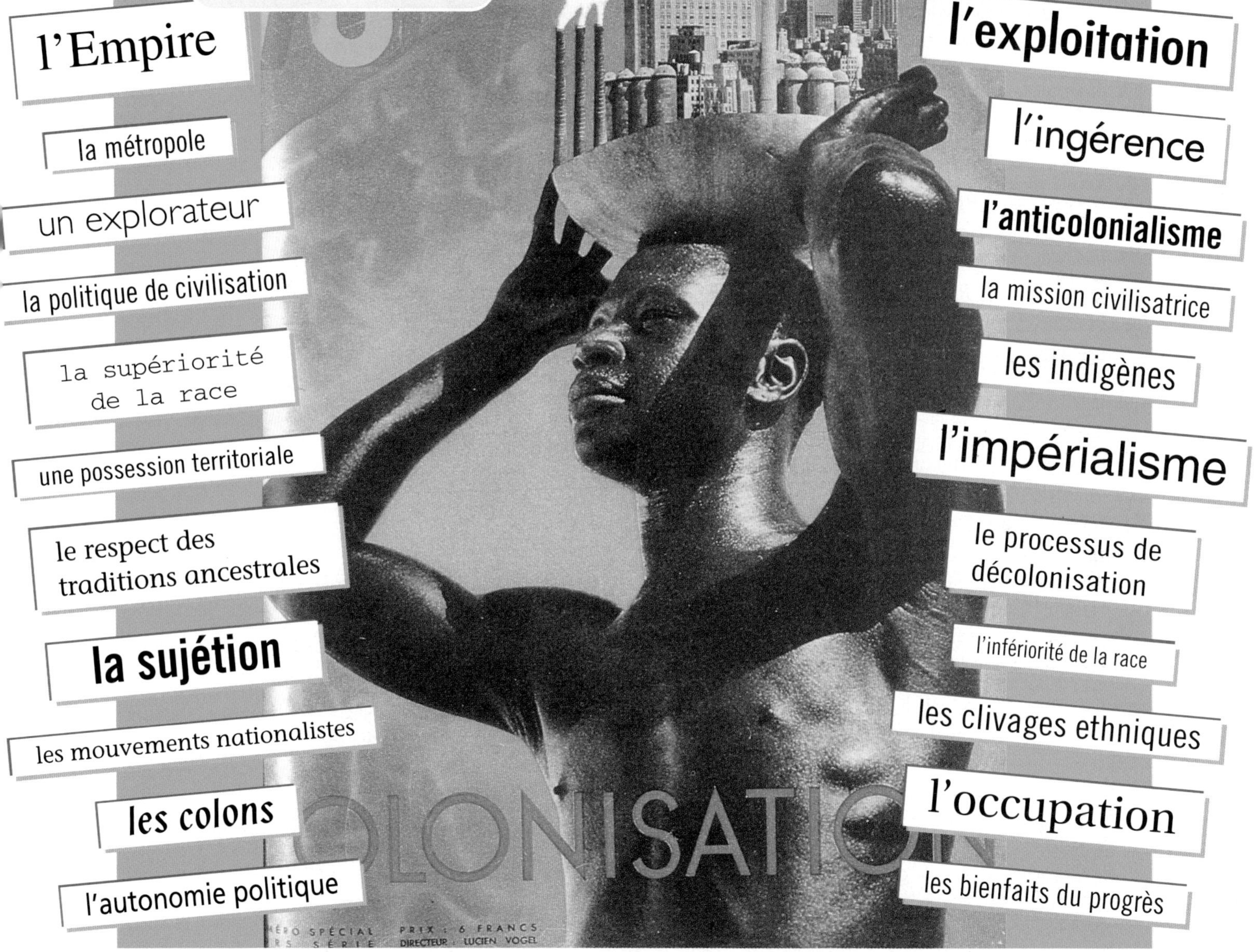

l'Empire
la métropole
un explorateur
la politique de civilisation
la supériorité de la race
une possession territoriale
le respect des traditions ancestrales
la sujétion
les mouvements nationalistes
les colons
l'autonomie politique
le colonialisme
l'exploitation
l'ingérence
l'anticolonialisme
la mission civilisatrice
les indigènes
l'impérialisme
le processus de décolonisation
l'infériorité de la race
les clivages ethniques
l'occupation
les bienfaits du progrès
PRIX : 6 FRANCS
DIRECTEUR : LUCIEN VOGEL

1 Ce montage photo était en couverture du magazine français *Vu* en 1934, pendant l'expansion coloniale de la France. A votre avis, quelle légende aurait-on choisie à l'époque ? Et maintenant ?

a *Les pays africains vont s'enrichir grâce à la colonisation.*

b *Les populations africaines vont supporter le poids du développement des industries occidentales.*

A vous d'inventer une autre légende pour cette photo.

2 Lisez les mots et expressions placés autour de la photo. Cherchez ceux que vous ne comprenez pas dans le dictionnaire. Faites deux listes :
- les mots et expressions du colonialisme
- les mots et expressions de l'indépendance.

L'héritage colonial de la France

Jeu-test ···· Jeu-test ···· Jeu-test

Que savez-vous de l'histoire coloniale de la France ? Faites vos jeux !

1 Sur quel continent les premières expéditions colonisatrices françaises ont-elles eu lieu ?
- **a** en Afrique, avec la création de Saint-Louis au Sénégal
- **b** en Amérique, avec Jacques Cartier et Samuel Champlain
- **c** en Asie, avec la conquête de la Cochinchine (ancien Viêt-nam)

2 Qui ont été les premiers à s'intéresser à la conquête de l'Afrique ?
- **a** les Français
- **b** les Portugais
- **c** les Britanniques

3 La France a possédé des territoires en Inde jusqu'à 1956.
- **a** vrai
- **b** faux

4 "L'Empire" colonial français a connu son apogée…
- **a** juste avant la guerre de 14–18.
- **b** juste avant la guerre de 39–45.
- **c** après les années 50.

5 Qu'est-ce qui a marqué définitivement la fin de cet "Empire" français ?
- **a** l'accession à l'indépendance de beaucoup de pays africains
- **b** la guerre d'Indochine (ex-territoire français entre l'Inde et la Chine)
- **c** la guerre d'Algérie

6 La France possède encore des territoires outre-mer :
- les DOM (départements d'outre-mer),
- les TOM (territoires d'outre-mer),
- les collectivités territoriales de la République.

Quelle liste correspond à quoi ?
- **a** Nouvelle-Calédonie, Wallis-et-Futuna, Polynésie française, Terres australes et antarctiques, Terre Adélie
- **b** Saint-Pierre-et-Miquelon, Mayotte
- **c** Martinique, Guadeloupe, Guyane, Réunion

7 Y a-t-il, dans la liste suivante, des territoires qui n'ont jamais été français ?
- **a** Malte
- **b** Iles Falkland
- **c** Chypre
- **d** Liban
- **e** Madagascar

8 A votre avis, combien de personnes dans le monde ont le français comme langue maternelle ou seconde langue ?
- **a** environ 80 millions
- **b** entre 100 et 150 millions
- **c** plus de 300 millions

L'Empire français en 1931

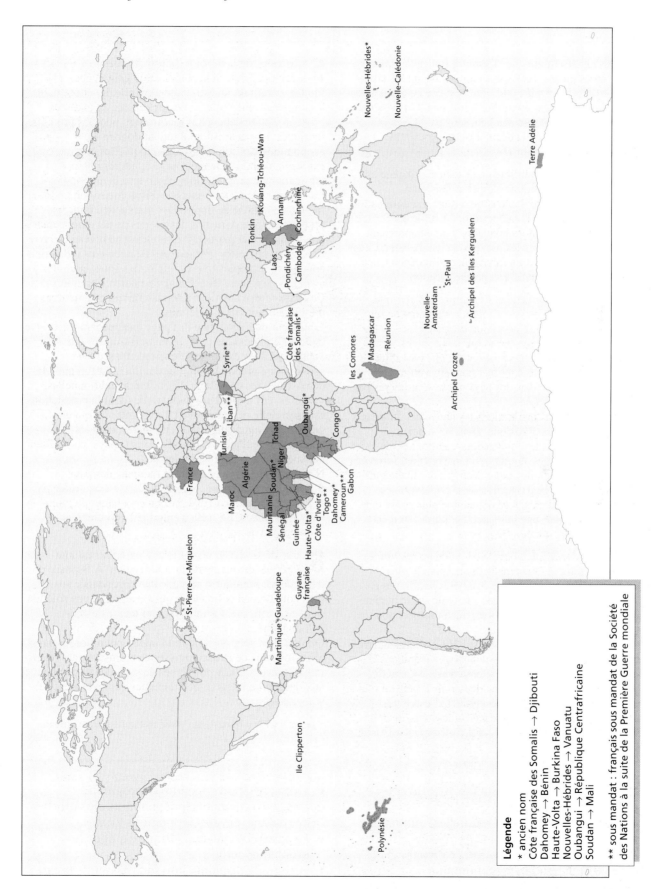

Légende

* ancien nom
Côte française des Somalis → Djibouti
Dahomey → Bénin
Haute-Volta → Burkina Faso
Nouvelles-Hébrides → Vanuatu
Oubangui → République Centrafricaine
Soudan → Mali

** sous mandat : français sous mandat de la Société
des Nations à la suite de la Première Guerre mondiale

195

La décolonisation : libération ou marché de dupes ?

1 C'est dans les années trente que "l'Empire français" connaît son apogée, après quatre siècles de colonisation sur les cinq continents. Trois décennies plus tard, il ne reste de cet immense empire que quelques vestiges éparpillés outre-mer. L'accession à l'indépendance ne s'est pourtant pas faite sans paradoxes et beaucoup de ces pays issus de la décolonisation souffrent toujours de leur héritage colonial.

2 La colonisation a brisé l'équilibre de la société indigène en fournissant à une élite restreinte l'esprit d'une autre civilisation et la connaissance d'une autre culture. La domination coloniale fut rejetée par ceux-là mêmes qui, à l'école des colonisateurs, avaient appris à les connaître ; car en apprenant leurs règles, ils ont aussi appris les moyens de leur résister. Cette élite s'est alors mise à la tête d'un mouvement d'indépendance. La colonisation a ainsi succombé à sa propre création.

3 Pour prendre plus spécifiquement l'exemple de l'Afrique, elle a connu le paradoxe de voir s'effondrer nombre de ses structures traditionnelles avec l'accession de ses pays à l'indépendance. Loin de marquer un retour aux sources africaines, la décolonisation a très souvent été une passation de pouvoirs et de privilèges des colons aux nouvelles élites dirigeantes ; à part peut-être dans les pays qui se sont libérés par la lutte armée, comme l'Algérie.
Pour aller plus loin dans la "modernité", les nouveaux dirigeants ont choisi des modèles hors d'Afrique. Dans un souci d'unification, ils ont détruit les fondements traditionnels de l'identité africaine (chefferies, émirats, sultanats), et ont forcé des peuples à suivre un parti unique autour d'un "leader libérateur". Ils ont aussi aliéné une large proportion de la population en continuant à utiliser le français, legs colonial le plus consistant peut-être, avec le goût pour une bureaucratie lourde, souvent synonyme de corruption, qui étouffe le pays.

4 L'indépendance obtenue, le nouvel état naît dans les limites de l'ancienne colonie, limites malheureusement le plus souvent artificielles. Pourquoi tant de frontières rectilignes en Afrique ? Parce qu'elles ont été tracées à la règle sur le bureau de quelque fonctionnaire en Europe, sans aucun respect pour les frontières des tribus et des peuples.
Les clivages ethniques qui allaient en résulter s'avéreraient être des bombes à retardement. Beaucoup de groupes ethniques, minoritaires dans un pays, préfèrent aller vivre dans un autre, plus proche par sa culture et son mode de vie. Ils acceptent mal d'être sous la domination d'une autre ethnie, qui parce que majoritaire, se dit supérieure. C'est le cas au Rwanda, ancien territoire belge, où Tutsis et Hutus se sont violemment affrontés au milieu des années 90.

5 Autre legs de la décolonisation : le sous-développement. Si la colonisation coûtait cher à la France, c'était un investissement qu'elle jugeait rentable : les colonies étaient d'excellentes sources de matières premières et de débouchés tout trouvés pour les produits fabriqués. Le pacte colonial réglait donc la vie économique des colonies, exigeant qu'elles commercent exclusivement avec la métropole et interdisant la fabrication de produits finis, réservée à la métropole.
La "coopération" qui a succédé à la colonisation ne fut en fait qu'un marché de dupes. Des entreprises françaises proposaient aux Africains des projets de développement qui devaient leur permettre de s'élever au niveau des pays riches : en fait, elles offraient des équipements industriels coûteux et inadaptés (par exemple, des ponts là où il n'y avait pas de routes) en échange de matières premières. Ces pays n'arrivaient pas toujours à livrer ces matières premières, alors ils s'endettaient.
Le moteur de l'économie des pays indépendants se trouve donc à l'extérieur, dans les pays industrialisés qui continuent à les exploiter. L'exemple du secteur économique prépondérant, l'agriculture, est typique : là, deux structures coexistent, les cultures traditionnelles, vivrières, et l'agriculture industrielle (dont la production est essentiellement destinée à l'exportation), qui est en général aux mains de firmes étrangères, dont les bénéfices, n'étant pas réinvestis dans le pays, ne profitent aucunement à la population locale.
N'oublions pas non plus que la monnaie des pays d'Afrique francophone, le franc CFA*, est contrôlée par la France. Quand, en 1994, la France a réduit de moitié la valeur du franc CFA, cela a entraîné l'écroulement économique de ces pays.

6 Cette dépendance vis-à-vis de l'extérieur est une conséquence directe de la colonisation. A la phase de dépendance politique a succédé une dépendance sur le plan commercial et financier qui s'avère être une sujétion tout aussi efficace. Certains parlent même de néo-colonialisme.
Quoiqu'il en soit, on comprend mieux pourquoi les pays africains issus de la décolonisation se sont souvent révélés impuissants face aux problèmes de sous-développement et aux déséquilibres socio-économiques qui ne cessent de s'aggraver.

* le franc CFA = franc de la Communauté financière africaine

---

1 Lisez le texte, à l'aide d'un dictionnaire. Retrouvez le titre de chaque section du texte :

a Le non-respect des frontières "naturelles" entraîne de violentes confrontations

b Le triste héritage de la colonisation : pauvreté, endettement et dépendance économique

c La colonisation engendre sa propre fin

d Des gouvernements indépendants plus proches des colons que des populations locales

e Le passé colonial de l'Afrique explique les problèmes actuels

f Un empire disparaît, non sans laisser de traces

2 Résumez en anglais les arguments de chaque section du texte en face.

3 🔊 Vous servez d'interprète à un jeune Français qui comprend mais ne parle pas l'anglais. Ecoutez sa conversation avec une jeune Britannique et traduisez en anglais ce qu'il dit.

4 Discutez de la question suivante avec votre partenaire et rédigez une réponse (environ 250 mots) *Dans quelle mesure la France est-elle responsable des difficultés que connaissent ses ex-colonies en Afrique ?*

ZOOm *sur le subjonctif (3)*

22a,e La formation et l'utilisation du subjonctif
Révisez page 60, Unité 4.

- Voici des phrases tirées de la discussion de l'activité 3. Complétez-les avec un verbe au subjonctif.

A La France a formé une élite afin qu'elle [*gouverner*] le pays sur le modèle français.

B Bien que cette élite [*avoir*] rejeté les Français, elle a continué à gouverner comme les Français.

C … à moins qu'ils ne se [*être*] libérés du colonialisme par une guerre, comme l'Algérie.

D La France a ruiné l'économie intérieure des pays en attendant d'eux qu'ils ne [*faire*] du commerce qu'avec elle.

Indicatif ou subjonctif ?

Je sais qu'il vient ce soir.	Je veux qu'il vienne ce soir. Je doute qu'il vienne ce soir.
Je pense qu'il sort.	Pensez-vous qu'il sorte ? Je ne pense pas qu'il sorte.
Je connais quelqu'un qui peut m'aider.	Je cherche quelqu'un qui puisse m'aider. Connais-tu quelqu'un qui puisse m'aider ? Je ne connais personne qui puisse t'aider.
Lui seul peut t'aider.	C'est le seul qui puisse t'aider.
Ils sont peut-être à Paris.	Il est possible qu'ils soient à Paris.
Il travaille alors qu'il est malade.	Il travaille bien qu'il soit malade.
Il viendra si elle est là.	Il viendra pourvu qu'elle soit là.
Je reste tant qu'il ne vient pas.	Je reste jusqu'à ce qu'il vienne.

Comparez les phrases ci-dessus.
Que remarquez-vous ?

22b,c,d

Dans les propositions subordonnées, l'emploi de l'indicatif ou du subjonctif tient souvent à une différence de sens ou de forme.

Utilisez l'indicatif si…
a le verbe de la principale exprime une constatation (affirmation ou certitude)
b la conjonction utilisée impose l'indicatif (*alors que, tandis que, si, tant que, quand, pendant que,* etc.)

Utilisez le subjonctif si…
c le verbe de la principale exprime un sentiment (intention, volonté, désir, doute, etc.)
d le verbe de la principale est à la forme interrogative ou négative
e la principale contient un superlatif ou une expression de même valeur (*le plus/moins…, le seul, l'unique, le premier, le dernier… qui,* etc.)
f la principale contient une expression impersonnelle (*il est possible que, il faut que, il est temps que,* etc.)
g la conjonction utilisée impose le subjonctif (*bien que, quoique, pourvu que, à moins que, jusqu'à ce que, en attendant que, avant que,* etc.)

- Retrouvez la bonne explication pour chacun des exemples à gauche. Par exemple :
Je sais qu'il vient ce soir = a
Je veux qu'il vienne ce soir = c

Les temps du subjonctif
Le temps du subjonctif le plus utilisé est le présent, mais vous devez reconnaître les autres temps :
Je veux qu'il **finisse**.   = *subjonctif présent*
Je voulais qu'il **finisse**. = *subjonctif présent*
Je voulais qu'il **finît**. = *subjonctif imparfait (utilisé en français littéraire)*
Je veux qu'il **ait fini** avant midi. = *subjonctif passé*
Je voulais qu'il **eût fini** avant midi. = *subjonctif plus-que-parfait (utilisé en français littéraire)*

La francophonie

Le concept de "francophonie", forgé dès 1880 par le géographe Onésime Reclus pour définir les personnes et les pays de langue française, réapparaît en 1962. S'il suscite un enthousiasme croissant à travers le monde, ce n'est pas sans soulever certaines questions. Francophonie : outil de solidarité universelle ou entreprise néo-colonialiste ?

« La francophonie est un ensemble de peuples ayant en commun l'usage du français. Pour beaucoup d'entre eux, le français est une seconde langue qui facilite les contacts et leur assure une ouverture sur le monde. La francophonie renforce et développe la coopération entre ses divers états membres. Cependant, on se demande si la francophonie n'entraînerait pas le déracinement des peuples des divers pays qui la constituent, même si d'un côté elle est pour la promotion des langues originelles, pour leur renfort et leur continuité.

En conclusion, la francophonie peut passer pour une autre forme de colonisation car c'est une autre façon de rassembler presque toutes les anciennes colonies françaises et de les dominer de façon indirecte. Mais d'un autre côté, elle est comme un sauveur, avec tous les avantages qu'elle offre. Ces pays doivent donc en profiter au maximum mais sans toutefois s'éloigner de leurs origines. »

Carole, N'Kongsamba, Cameroun

« Je trouve bizarre que les Africains défendent une langue qui n'est pas la leur : le français. Je pense qu'il faudrait laisser le français aux Français et songer à notre tour à promouvoir nos propres langues.

Tous les enseignements dispensés à l'école, depuis le primaire jusqu'à l'université sont en français. Je ne me réjouis pas de cela. Car je connais des cadres qui interdisent à leurs enfants de parler leur langue maternelle. Je pense que parler français ne fera jamais de nous des Français. »

Babatoundé Afouda, Cotonou, Bénin

Trois lecteurs du magazine Planète Jeunes expliquent ce que la francophonie représente pour eux :

« La francophonie est très importante pour nous, car elle représente d'abord notre langue officielle et ensuite parce qu'elle permet de promouvoir et de pérenniser le français qui est une langue internationale de dialogue et d'échanges économiques et politiques. Contrairement à nos langues locales, elle nous permet d'être entendu, conseillé et dirigé dans le monde. »

Hamidou Diallo, Dakar, Sénégal

L'opinion d'autres personnalités francophones

« La langue française n'est plus la langue des Français seulement. Elle n'est plus la langue des Blancs. Elle appartient autant aux Noirs, aux Jaunes qu'aux Blancs. Sans restriction.

Le français est un patrimoine universel et indivis. Et tous les peuples ayant cette langue en commun doivent non seulement la préserver d'une prostitution préjudiciable à tous, mais aussi contribuer efficacement à son enrichissement. »

Thomas Ndélo, Cameroun

« La francophonie est une entreprise culturelle de type néo-colonialiste. Affronté à l'impérialisme anglo-saxon, l'impérialisme français tente de renforcer ses positions.

La langue française est l'apanage de minorités réactionnaires liées à l'impérialisme. Dans ces conditions, la lutte révolutionnaire passe par la mobilisation des peuples dans leur propre langue, c'est-à-dire dans les langues africaines. »

L'Humanité nouvelle, 1968

« Je dirais tout d'abord que, pour nous, Sénégalais, la francophonie n'est ni soumission à un quelconque impérialisme français – puisqu'encore une fois nous la subordonnons à notre indépendance – ni un moyen détourné d'obtenir une aide financière accrue. Pour nous, la francophonie est, essentiellement, sinon uniquement, un problème culturel. [...]

La première condition de la naissance de la nation sénégalaise, comme de toute nation africaine issue du régime colonial, était, est existence d'une personnalité collective culturelle : l'enracinement dans le passé culturel de notre peuple. [...] Le premier élément, l'élément fondamental de notre culture nationale, ce sont donc les valeurs de la Négritude. [...]

Mais le passé n'a pas de valeur pour soi. Le passé n'a de valeur pour nous que dans la mesure où il informe le présent, où il permet de vivre dans le présent en préparant l'avenir. [...] Pour nous, la langue et la culture françaises sont également éléments du passé, puisque nous dénombrons trois cents ans de présence française au Sénégal. Il reste que la langue et la culture françaises sont, pour nous, avant tout, des réalités du présent et, encore, plus de moyens de l'avenir. [...] »

Léopold Sédar Senghor, premier président du Sénégal

1 Travail de groupe. Chaque groupe lit un ou deux textes et prépare une fiche de vocabulaire pour chacun. Ensuite, échangez les fiches entre groupes.

2 Voici de courts résumés des textes ci-dessus. Choisissez la bonne option pour que le sens soit correct. Ensuite, retrouvez de quel texte il s'agit.
Exemple : a – ne devienne pas – texte de Carole

a Pour que la francophonie [*devienne/ne devienne pas*] une forme de colonisation, les pays où l'on parle le français ne doivent jamais oublier leur propre culture.

b On ne peut pas [*nier/dire*] que leur appartenance à la francophonie permette aux pays africains de communiquer à un niveau international.

c [*On ne peut/On doit*] ignorer le rôle de la langue et de la culture françaises, puisqu'elles font partie du passé, du présent et surtout de l'avenir des ex-colonies françaises d'Afrique.

d Il est [*impensable/indéniable*] que le français soit à tous ceux qui le parlent, quelle que soit leur nationalité, et que tous se doivent de le protéger et l'enrichir.

e [*Il est/Il n'est pas*] normal que le français soit la langue d'enseignement en Afrique.

f Pour se libérer du joug de la France, qui utilise la francophonie comme moyen de pression impérialiste, il faut que les pays africains [*fassent/ne fassent plus*] usage du français.

3 A deux, essayez de répondre à la question de l'introduction : *Francophonie : outil de solidarité universelle ou entreprise néo-colonialiste ?*

a Ecrivez 10 arguments pour chaque point de vue. Commencez par l'étude des textes et des enregistrements de l'unité. Discutez et ajoutez d'autres arguments.

b Quel est votre point de vue personnel ? Présentez-le oralement à la classe (2–3 minutes). Aidez-vous des expressions-clés, page 201.

Le dilemme polynésien

La Polynésie, protectorat français depuis 1843, prend le statut de territoire d'outre-mer (TOM) en 1945. En 1984, elle bénéficie d'une certaine autonomie interne, grâce à l'élection d'un gouvernement territorial, qui gère les affaires locales. Mais les thèses indépendantistes sont de plus en plus populaires auprès des populations. La France est-elle prête à accorder l'indépendance à ce territoire du Pacifique Sud, à 17 000 km de la métropole ?

LA RIVALITÉ AUSTRALIENNE ET NÉO-ZÉLANDAISE

Australie et Nouvelle-Zélande n'apprécient pas cette enclave française dans leur zone d'influence.

Distantes de "seulement" 5 700 km de Papeete, l'Australie et la Nouvelle-Zélande souhaitent étendre leur influence à la Polynésie française. Ces deux pays anglo-saxons et anglophones voient d'un mauvais œil cette enclave francophone dans ce qu'ils considèrent comme "leur" Pacifique Sud. Sur le plan économique, Australiens et Néo-Zélandais souhaiteraient agrandir leur zone maritime, notamment pour y développer la pêche. Par ailleurs, ces deux pays ont été hostiles aux essais nucléaires, estimant que les tirs

comportaient des risques de contamination nucléaire. Enfin, la population néo-zélandaise compte 10% de Maoris, cousins germains des Maohis, qui composent les deux-tiers des habitants de la Polynésie.

Alors, les gouvernements australien et néo-zélandais pensent qu'un jour la Polynésie obtiendra son indépendance. Les deux pays ont subventionné d'ailleurs le mouvement écologiste Greenpeace, qui s'est opposé sur place aux derniers essais nucléaires.

UN INTÉRÊT STRATÉGIQUE

Grâce à la Polynésie, la France est présente militairement et économiquement dans le Pacifique.

Avec 4 000 km² de terres émergées réparties sur plus d'une centaine d'îles, la France dispose dans cette région du Pacifique Sud d'une zone économique de 4,8 millions de km², soit neuf fois le territoire métropolitain !
Eloigné de 17 000 kilomètres de Paris, ce TOM est situé à égale distance de l'Amérique (6 200 km) et de l'Australie (5 700 km). Il permet à la France d'être présente militairement avec les unités de marine et de sous-marins dans le vaste océan Pacifique. Le territoire polynésien a permis surtout à la France de tester ses armes atomiques en effectuant des essais sur l'atoll de Mururoa.

EXOTISME ET RÉALITÉS

Aux yeux des touristes, Papeete est un paisible port de pêche exotique sur la côte nord-ouest de Tahiti. En réalité, c'est une marmite en ébullition. A trois reprises déjà (1987, 1991, 1993), Papeete fut le théâtre de violentes manifestations anti-françaises. Si les essais nucléaires sont les détonateurs de ces émeutes, la violence reflète aussi le grave désenchantement d'une jeunesse privée de perspectives dans une région pauvre, sous-industrialisée et isolée du Pacifique Sud. Le taux de chômage de la population active de moins de 25 ans dépasse 20%. Or les jeunes sont de loin majoritaires : 53% des 208 000 Polynésiens français ont moins de 20 ans ! Faute d'avoir développé en son temps l'économie d'un territoire qu'elle a colonisé, la France va devoir gérer une situation sociale explosive.

UNE ÉCONOMIE DÉPENDANTE

La Polynésie n'a pas suffisamment de ressources propres pour assurer son développement économique.

Les ressources de la Polynésie française proviennent surtout de l'Etat qui y transfère 5,5 milliards de francs par an. Le Centre d'expérimentation du Pacifique a été l'autre grande source de revenus, en rapportant directement 4 milliards de francs par an.
Vient ensuite le tourisme, avec 800 millions de francs. En troisième position, les exportations de perles noires de culture – vers le Japon principalement – rapportent 650 millions de francs.
Mais l'agriculture et la pêche demeurent artisanales et ne couvrent que 20% des besoins. Elles emploient 15 000 personnes et font vivre un quart des Polynésiens. La culture principale est le coprah, transformé en huile pour le monoï. Les Polynésiens cultivent aussi café, vanille et fruits frais. Depuis peu, des programmes d'aides européens et français développent avec succès l'aquaculture (huîtres…).
Il n'y a pratiquement pas de mines et d'industries. Aussi, l'exploitation des ressources propres de la Polynésie française ne constitue que 33% du revenu total des îles.

L'IMPORTANCE DE L'ESPACE MARITIME

L'exploitation des richesses minérales des fonds océaniques (nodules polymétalliques) a redonné de l'importance aux DOM-TOM. Grâce à ces quelques îles, la France dispose donc de plus de 11 millions de km², superficie presque égale à celle de son ancien empire colonial. La France sera-t-elle la troisième puissance océanique après les USA et la Grande-Bretagne ? Encore un rêve impérial ?

L'AVENIR DE LA POLYNÉSIE, AVEC OU SANS LA FRANCE ?

L'opinion de deux spécialistes

Selon vous, la France doit-elle accorder l'indépendance à la Polynésie ? Ou bien doit-elle assumer une responsabilité historique du fait de la colonisation ?

Jean-Christophe Victor (professeur de géopolitique) : Je n'aime pas beaucoup la façon dont les Britanniques ont laissé brutalement leurs colonies. La France a une responsabilité politique et financière. Mais elle a aussi des intérêts économiques et culturels à défendre dans l'océan Pacifique où sa langue et son influence sont minoritaires. Alors, le principe d'autonomie élargie ne serait pas mal.

Jean Chesneaux (professeur d'histoire) : Il n'y aura jamais d'indépendance totale mais on peut imaginer un statut d'indépendance-association. Les relations de la Polynésie avec la France ne doivent pas entraver l'épanouissement de ses relations régionales avec la Nouvelle-Zélande, les îles Cook, Tonga, Samoa qui sont aussi peuplés de Maoris. Pendant longtemps, la Polynésie a eu une relation privilégiée avec la métropole mais elle est demeurée isolée du reste du monde. Et l'aide financière doit provenir de plusieurs pays, pour que le pays maîtrise lui-même son développement. La France ne peut pas s'en aller sans rien faire après 160 ans de présence !

---

1 🔲 **Micro-trottoir** sur la Polynésie. Ecoutez, puis lisez le résumé ci-dessous. Réécoutez plusieurs fois en prenant des notes, puis réécrivez le résumé en y ajoutant le maximum de détails complémentaires.
Exemple : DOM-TOM – Départements d'outre-mer – une personne dit domaines d'outre-mer.

> La majorité des personnes interrogées savent ce que sont les DOM-TOM et savent que la Polynésie est un TOM. Plusieurs personnes donnent le nom d'autres DOM-TOM, en faisant toutefois une erreur. En ce qui concerne l'indépendance de la Polynésie, la réponse n'est pas catégorique, car les personnes interrogées considèrent qu'elles ne connaissent pas assez bien la question.

2 Référendum : pour ou contre l'indépendance de la Polynésie ?
a Travaillez seul(e) ou à deux. Choisissez un camp. Utilisez tous les documents à votre disposition (textes et enregistrements de l'unité 15, vos propres recherches, etc.) pour bâtir une argumentation et défendre votre point de vue, soit sous forme d'exposé oral (enregistré sur cassette) soit sous forme de pamphlet. Utilisez les expressions-clés.
b Débattez en classe et passez au vote !

Expressions-clés

Bien articuler une argumentation :

- *1 présenter, classer vos idées*
  Tout d'abord… De plus… En outre… Enfin…
  En premier lieu… D'autre part…
  Dans un premier temps… Deuxièmement…

- *2 donner un exemple*
  Considérons le cas de…
  Prenons le cas de…
  A titre d'exemple, citons…

- *3 faire des concessions*
  S'il est vrai/exact que…,
  Il se peut effectivement que…
  On ne peut nier que…, mais…

- *4 questionner la validité d'un argument*
  Dans quelle mesure… ?
  On peut se demander si…
  Il semble très surprenant que…

- *5 réfuter catégoriquement un argument*
  Ce genre d'argument est inadmissible.
  Il est inutile d'y revenir.
  Comment peut-on laisser dire de telles choses ?

- *6 donner un avis de façon à convaincre*
  N'est-il pas évident/incontestable que… ?
  Cela prouve donc bien que…
  Il ne fait donc aucun doute que…

Ajoutez d'autres expressions à cette liste.

Ça se dit comme ça

L'intonation expressive (2)

3 🔲 Ecoutez six phrases et décidez à quelle catégorie des expressions-clés (1 à 6) appartient chaque phrase.
Exemple : A = catégorie 4

4 🔲 **a** Ecoutez bien les explications sur l'intonation et vérifiez vos réponses.
b Réécoutez et répétez en imitant l'intonation.

A vos marques, prêts... Examen ! (2)

Ecouter pour mieux entendre !

Conseils

◆ Tenez compte de tout ce qui peut vous aider à mieux comprendre :
 – la nature du passage (infos, interview, dialogues, etc.)
 – le registre de langue (familier, soutenu, journalistique, etc.)
 – le sujet du passage (pensez au vocabulaire que vous allez entendre)
 – le contexte (pour différencier *cheveux* et *chevaux* ou savoir si *une glace = mirror* ou *ice cream* !)
 – les indices sonores (bruits de fond, accent du locuteur, etc.)

◆ Ne perdez pas votre concentration !
 – Evitez de traduire ce que vous êtes en train d'écouter, vous n'entendrez pas la suite.
 – Ne vous bloquez pas sur des mots difficiles.
 – Ne prenez pas trop de notes et utilisez un code abrégé :
 pr = pour ; *bcp = beaucoup* ; *qqch = quelque chose* ; *qqn = quelqu'un*, etc.
 – Si vous voyez le locuteur (examinateur ou vidéo), suivez les mouvements de ses lèvres et observez les expressions de son visage.

◆ Faites bien attention à ce qu'on vous demande de comprendre dans le passage, sinon vous risquez le hors-sujet.

◆ Si vous écoutez une cassette individuelle : ne soyez pas tenté de réécouter trop souvent le même passage, vous risquez de ne plus avoir assez de temps pour répondre aux questions !

La parole est à vous !

Conseils

◆ Rappelez-vous les règles de prononciation et d'intonation (liaisons, e muet, l'accent tonique, etc.). Elles vous permettront d'être plus à l'aise pour parler et pour lire à voix haute.

◆ Essayez d'être le plus naturel possible avec l'examinateur !
 – N'oubliez pas les règles de base de la politesse : *Bonjour, monsieur/madame*, etc.
 – N'hésitez pas à dire que vous ne comprenez pas plutôt que de vous bloquer, de paniquer ou de laisser de longs silences.
 – Discutez de façon naturelle en gardant le plus possible un contact visuel avec l'examinateur et... souriez ! Evitez de lire vos notes ou de réciter un discours appris par cœur.
 – Répondez naturellement aux questions : il n'est pas toujours nécessaire de faire une phrase complète, une réponse très courte suffit : *Oui, quelquefois* ou *Oui, j'en ai*. Ou alors donnez le plus possible de renseignements si la question s'y prête.

◆ Ne vous bloquez pas !
 – Parlez *len-te-ment* et essayez de bien *ar-ti-cu-ler*. On a tendance à toujours parler trop vite et à bégayer !
 – Utilisez les stratégies que vous avez apprises pour hésiter (*euh*..., etc.), et pour paraphraser quand vous ne savez pas un mot. Et si vous n'arrivez pas à dire quelque chose, tant pis, parlez d'autre chose, mais n'utilisez pas l'anglais.
 – Si vous vous entendez faire des fautes, ne paniquez pas ! Corrigez-les si vous pouvez, sinon, continuez. L'important, c'est de communiquer.
 – Dernier conseil : si vous parlez le plus possible, l'examinateur aura moins de temps pour vous poser des questions !

COMPÉTENCES

Pour s'entraîner

Ecoutez le plus de français possible (radio, TV, films, etc.).

Avec un(e) partenaire, enregistrez chacun(e) un passage à la radio française (infos, interview...). Prenez quelques notes sur le passage (nature, registre, sujet...). Echangez vos cassettes. Prenez des notes sur le passage enregistré par votre partenaire. Etes-vous d'accord ?

Entraînez-vous à prendre des notes tout en écoutant ce qui suit. N'écrivez que les mots-clés. Pour vous exercer, enregistrez des passages en anglais à la radio.

Regardez souvent les sections *Ça se dit comme ça !* dans *Essor*. Travaillez-les seul(e) ou à deux. Lisez des textes à voix haute et enregistrez-vous. Recommencez plus tard et comparez les enregistrements.

Toutes les occasions sont bonnes pour parler : le plus possible en cours, avec l'assistant(e), des amis francophones, vos camarades.

Attention aux réponses courtes : ne dites jamais *Oui, je suis/j'ai/je fais* ou *Non, je ne suis pas/je n'ai pas/je ne fais pas* ! Entraînez-vous à répondre sur le modèle suivant : *Vous êtes d'ici ?*
Oui, c'est ça./Non, pas du tout.
Vous faites du sport ?
Oui, j'en fais souvent./Non, jamais.

Pour vous entraîner à bien articuler, dites les phrases suivantes sans bégayer !
Les chemises de l'archi-duchesse
sont-elles sèches ou archi-sèches ?
Un chasseur sachant chasser sait chasser
sans son chien.

BON COURAGE ET BONNE CHANCE !

Balade en francophonie

Le créole, mélange de vieux français, de parler caraïbe et de langues africaines, est devenu une véritable langue, parlée (avec des variations) aux Antilles, à la Réunion et Maurice, à Haïti, en Guyane et en Louisiane.

Quelques proverbes en créole de la Guadeloupe :

Lajan pas ni koulé.	*(L'argent n'a pas de couleur.)*
Palé fwansé pas vlé di lèspri.	*(Parler français ne veut pas dire être intelligent.)*
Twòb fòsé pa bon.	*(Faire trop d'efforts n'est pas bon.)*

Au Québec, beaucoup de mots sont influencés par l'anglais, ou au contraire francisés au maximum.

Tomber en amour et *avoir les bleus* sont deux expressions copiées sur l'anglais ; en français, on dirait *tomber amoureux* et *avoir le cafard*.

En Afrique, le français est souvent très imagé.

Au Sénégal, *camembérer* veut dire *sentir mauvais*, comme un camembert ; encore une importation française !

Au Bénin, un *digaule* (déformation de De Gaulle) désigne un homme très grand. La présence française a laissé des traces !

Les Québécois ont consciencieusement traduit les mots *hot dog* et *hamburger*, pourtant utilisés en France.

🎥 Alain Juppé, Premier ministre, en visite

1 Regardez le reportage d'abord sans le son.
  a Décrivez le paysage que vous voyez au début. De quel pays s'agit-il ?
  b Quel drapeau voyez-vous ?
  c Devinez la principale activité économique de la région.
  d Dans la dernière partie, vous voyez des gardes : comment sont-ils vêtus ? De quelle nationalité sont-ils ?
  e Où ont été tournées les dernières séquences ?

2 Regardez le reportage avec le son pour vérifier et compléter vos réponses à l'activité 1.

3 Regardez le reportage encore une fois. Notez tout ce que vous apprenez sur :
  a Saint-Pierre-et-Miquelon
    – situation géographique, population, principale activité économique, causes des difficultés économiques

  b la visite d'Alain Juppé
    – les endroits qu'il visite, le but de sa visite à Saint-Pierre-et-Miquelon.

4 Vérifiez le sens des expressions suivantes :
  le moratoire   un séjour très attendu
  vingt ans de conflit fait la fortune
  fait escale   diversifier leur économie
  la pêche à la morue

Utilisez les expressions pour compléter ces extraits du reportage. Ensuite, réécoutez pour vérifier.

Sur la route d'Ottawa, le Premier ministre a ...... en territoire français.
La pêche a toujours ...... de Saint-Pierre-et-Miquelon, mais ...... avec les Canadiens et surtout ...... imposé ici voilà trois ans sur ...... ont privé l'archipel de sa principale ressource. Alain Juppé est donc d'abord venu inciter les habitants à ...... […] D'abord Ottawa, la capitale fédérale, avant ...... au Québec.

Interlude

Mongo Beti est né en 1932 près de Yaoundé au Cameroun, colonie française jusqu'en 1960. Il a fait ses études supérieures en France. Il a publié plusieurs romans ainsi qu'un essai politique.

Mission terminée, écrit en 1957, met en scène le narrateur, Mezda, un jeune Noir du Sud-Cameroun, qui après avoir raté son baccalauréat, passe l'été dans le petit village de son oncle. Là, paré du prestige que lui confèrent ses études dans l'école des Blancs, et malgré son échec, il est fêté, choyé, consulté comme une autorité. Le voici lors d'une soirée donnée en son honneur, dans une case où s'est réuni tout le village.

« Est-ce qu'il y a beaucoup d'enfants blancs dans votre école ? demandait la maîtresse de céans.

– Oui, répondais-je, il y en a beaucoup.

– Sont-ils plus nombreux que vous, fils ?

– Non, ils sont moins nombreux, beaucoup moins nombreux que nous.

– Comment sont-ils, fils ? Dis-nous comment sont leurs enfants.

– Oh ! ils sont comme tous les enfants du monde…

– Non ? Juste comme les autres enfants ?

– Juste comme tous les enfants : querelleurs, turbulents, désobéissants.

– Et en classe, demanda une forte voix d'homme, sont-ils plus intelligents que vous en classe ?

– Non, ils ne sont ni plus ni moins intelligents, ils sont tout juste comme nous.

– Ce que le professeur explique, demanda la même voix avec un accent d'étonnement, ce que le professeur explique, ils ne le comprennent donc pas plus rapidement que vous ?

– Non, ils le comprennent juste aussi rapidement que nous.

– Tiens, fit la même voix sur le même ton, tiens, ça c'est curieux. Ils devraient pourtant comprendre plus rapidement que vous.

– Pourquoi donc ? protesta une autre voix d'homme. Pourquoi veux-tu qu'ils comprennent plus rapidement que nos enfants ? Ils ne sont pas bêtes, nos enfants, qu'est-ce que tu vas imaginer ?

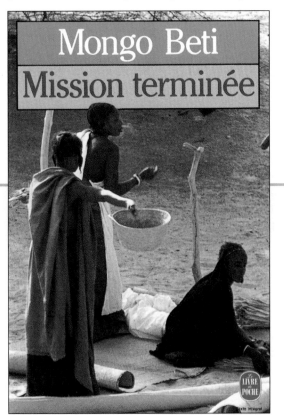

Comment peux-tu parler ainsi ? reprit l'autre voix. Il est normal que les enfants blancs comprennent plus rapidement que les enfants noirs. Parce qu'il s'agit des secrets de leurs ancêtres et non de ceux des nôtres, tu ne crois pas ? Les avions, les trains, les automobiles, les navires, est-ce que ce ne sont pas les Blancs qui les ont inventés ? Si l'on enseignait la sagesse des Noirs dans cette école, est-ce qu'il ne serait pas normal que les enfants noirs comprennent plus rapidement que les enfants blancs ? »

Le problème divisa un peu la case et provoqua quelques joutes oratoires dans lesquelles les femmes ne se montrèrent pas les moins acharnées. Cela dura jusqu'à ce que l'adversaire du raisonneur, ayant soudain trouvé une idée qu'il dut estimer magnifique et irréfutable, à en juger par la façon dont il imposa le silence à l'auditoire pour l'exposer, déclarât péremptoirement :

« Ecoutez-moi donc. Pour ma part et en ce qui me concerne, voici ce que je prétends. Il n'est pas du tout certain que ce soient les Blancs qui aient inventé les avions, les automobiles, etc. Tu parles des Noirs en songeant à nous. Sûr que nous, on est des zéros. Mais, que dis-tu de tous les autres Noirs du monde entier ? Comment peux-tu croire que ces Noirs-là ne fabriquent pas des avions, des trains, des automobiles, etc. ? »

Cette argumentation provoqua un enthousiasme sans limites, à en juger par la rumeur qui l'accueillit. A la fin, le raisonneur admit :

« Je crois bien que tu as raison. Oui, il me semble que tu as raison. »

J'avais été complètement dépassé par la discussion, ne m'étant jamais posé de telles questions auparavant. Cependant, j'eus envie de leur dire que ce n'était pas vrai, que les Noirs d'aucun pays du monde ne fabriquaient des avions. Mais je me retins : il m'aurait fallu en même temps leur expliquer trop de choses ; or, mon efficacité pédagogique étant au moins contestable, ils n'auraient sûrement pas compris et, surtout, ils auraient pu faire un complexe. Moi, je les préférais sans complexes. Je pensais du moins que la colonisation les affligeait déjà d'assez de complexes sans que la maladresse d'un des leurs y ajoutât encore. Cette concession à mon public, je ne la regrette pas, même aujourd'hui.

la maîtresse de céans – la maîtresse de maison
la case – la maison (une habitation simple, traditionnelle)

Bilan de l'unité 15

Survol 13, 14, 15

Révisez page 185 *Zoom*

1 Verbe + à/de/– + infinitif

Que faut-il mettre avant l'infinitif dans chacune des phrases suivantes ? Est-ce : *à, de, d',* ou rien du tout ?

a A 19 h 35 j'ai entendu mon ami ...... sonner à la porte, alors je suis sortie tout de suite.

b Je lui ai dit ...... se dépêcher parce qu'on était en retard.

c Il avait oublié ...... prendre les billets avec lui.

d Alors il a fallu ...... passer chez lui avant d'aller au théâtre.

e Il hésitait ...... rouler vite à cause des contrôles-radar.

f On comptait ...... tout de même arriver à l'heure.

g Nous voilà arrivés au théâtre, et la première scène venait ...... commencer.

h On a été obligés ...... attendre la fin de la scène.

i Je pensais ...... abandonner et ...... aller tout simplement au café-bar.

j Mais voilà, finalement on nous a fait ...... entrer.

Révisez page 177 *Zoom*

2 Les prépositions

Remplissez les blancs dans cet article de journal, en choisissant parmi les prépositions suivantes. (Attention, il n'est pas nécessaire d'utiliser toutes les prépositions de la liste.)

à   de/d'   du/de la/de l'/des   en   sur
avant   contre   derrière   entre   pour

L'attentat de Port Royal a une nouvelle fois donné l'occcasion ...... Françoise Rudetzki, présidente ...... l'association SOS-Attentats, ... enfourcher son cheval de bataille ...... son association ...... une "Europe judiciaire".

« Il est anormal qu' ...... Europe, où il y a une libre circulation ...... personnes, les juges se heurtent ...... des barrières géographiques ...... lesquelles se réfugient des présumés terroristes. Nous demandons l'allègement ...... procédures d'extradition, voire leur suppression. »

...... ce point, Françoise Rudetzki rejoint les sept magistrats européens qui avaient lancé début octobre un appel ...... un "espace judiciaire européen" permettant ...... lutter plus efficacement ...... la corruption, le blanchiment ...... argent, le trafic ...... drogue et le terrorisme.

Révisez pages 173, 178, 184

3 Persuader quelqu'un de faire quelque chose. Relisez l'article de la page 170 et imaginez-vous membre de ce groupe de théâtre. Un(e) de vos amis vient de déménager pour aller vivre dans une autre ville : vous voulez le/la convaincre de trouver un groupe du même genre. Ecrivez-lui une lettre : utilisez les techniques et les expressions de persuasion que vous avez apprises au cours des unités 13 et 14. Imaginez et décrivez les aspects enrichissants de l'expérience. Dites comment, à votre avis, votre ami(e) pourrait en profiter.

Exemple : Cher Christophe,
Comment vas-tu ? J'ai une idée à te proposer, une idée pleine de possibilités. Je sais que tu te sens un peu seul, et…

4 Jeu ! Un quiz à inventer vous-même…

Relisez les renseignements sur les DOM-TOM et les collectivités territoriales aux pages 194, 195, 196. Avec un(e) partenaire, préparez dix questions que vous notez sur dix morceaux de papier.

Formez un groupe avec deux autres personnes et mélangez les vingt questions. A tour de rôle, chaque équipe prend un papier et pose la question à l'autre équipe.

2 points si vous répondez juste sans consulter le livre.

1 point si vous devez consulter le livre (1 minute maximum).

Exemples :

1 La Guadeloupe, c'est un DOM ou un TOM ?

2 Lequel de ces pays n'est pas principalement francophone ? La Guinée, la Guinée-Bissau, le Niger.

Révisez page 187

5 Adapter un texte

Relisez le texte sur la Polynésie, page 200. Choisissez deux sections du texte à adapter : faites un résumé de chacune (50–70 mots) soit oral, pour une émission de radio, soit écrit, pour un article de journal.

Mise en scène : "Les Centurions"

Vous avez décidé d'adapter le roman *Les Centurions* pour en faire un film. Vous n'allez pas suivre le livre de près, mais relisez d'abord l'extrait de la page 190. Pour les activités écrites, travaillez seul(e).

1 Les personnages

Faites la liste des principaux personnages du film. Notez autant de détails possibles concernant leur apparence et leur caractère.

(Il vous faudra sans doute ajouter d'autres noms et d'autres détails à cette liste au fur et à mesure des activités 2–4.)

Pour vous aider, relisez les descriptions de personnages, page 171.

> - Aïcha 20 ans, algérienne, ex-étudiante,
>   idéaliste,…
>
> - le commandant de parachutistes
>   français, 26 ans,…
>
> - Youssef, chef du groupe de commandos,
>   38 ans, très tendu, l'air dur, cruel,…
>
> - Amar, commando,
>   28 ans, ex-étudiant en droit,…
>
> - Zoullika vieille Algérienne, le groupe
>   se réunit chez elle,…
>
> - d'autres membres du groupe (par ex.
>   Hamed, Jacques, Abdel, Farida,…)

2 L'histoire, l'intrigue

Racontez brièvement l'intrigue de votre film. Notez plusieurs idées, puis choisissez celle qui vous paraît la plus intéressante, et développez-la. Imaginez le rôle de vos personnages et leur contribution au développement de l'intrigue.

Pour vous aider, relisez les résumés de films, pages 171 et 173, et de livres, page 178. Servez-vous aussi de l'introduction à l'extrait, page 190.

> Idées
>
> - le commandant tombe amoureux   ✕
>   d'Aïcha et rejoint le FLN.
>
> - Aïcha est tuée à la fin par le
>   commandant, en essayant de   ✓
>   sauver la vie à Amar.
>
> - Zoullika trahit tout le groupe,   ✕
>   pour avoir de la paix chez elle.

3 Le scénario

Ecrivez maintenant le dialogue d'une scène-clé du film : celle d'un débat passionné. Choisissez entre :
- le moment où Amar persuade Aïcha de s'engager avec lui contre les Français, ou :
- le moment où Aïcha essaie de persuader un(e) autre étudiant(e) de rejoindre le groupe.

Révisez d'abord :
les arguments pour l'indépendance politique, pages 196, 198–9
les arguments pour et contre la violence, pages 184, 188, 189
et les expressions-clés pour persuader, négocier, et présenter votre point de vue, pages 186, 201.

4 Moteur !

Activité de groupe. Lisez votre script (activité 3) avec d'autres étudiants, selon le nombre de rôles dans la scène. S'il n'y a pas de rôle pour vous, prenez celui du metteur en scène : écoutez bien les acteurs, demandez-leur de lire moins vite ou avec plus d'émotion, etc.

5 Et après… les critiques

Rédigez deux critiques qui paraissent dans la presse à la sortie du film. L'une est positive, l'autre est négative. Aidez-vous des critiques de film, pages 171–3.

Grammaire

Liste de termes grammaticaux

un accord   agreement
This is when a word changes according to the number and gender of another word it relates to. In French, adjectives, articles, pronouns and past participles change to agree with their noun or pronoun.

un adjectif   adjective
A word which adds information about a noun or pronoun, e.g. *Le **nouvel** étudiant est **français**.*

un adverbe   adverb
A word which adds information about a verb, an adjective or another adverb, e.g. *Elle est partie **très vite**.*

un article   article
A little word which appears before a noun. It can be definite: *le, la, les*, indefinite: *un, une, des*, or partitive: *du, de la, des.*

un auxiliaire   auxiliary verb
Avoir and *être* are auxiliary verbs and are used with past participles to make compound tenses, e.g.: *Il **est** parti.*

une conjonction   conjunction
A word which links two sentences or parts of sentences, to provide more information, e.g.: *mais, ou, et.*

un démonstratif   demonstrative
An adjective or pronoun which serves to point out a particular thing or person, e.g. ***cette** robe est trop chère.*

le genre   gender
In French, every noun has a gender, masculine or feminine.

un infinitif   infinitive
The basic, unconjugated form of a verb, e.g.: *courir, vendre.*

un interrogatif   interrogative
An adjective or pronoun used to ask questions, e.g.: *quel, où.*

invariable   invariable
An invariable word does not change its form to agree with the word(s) it accompanies.

un nom   noun
A noun can be a person, a thing, a place, or something abstract, e.g.: *mère, enfants, collège, stylo, France, bonheur, problème.*

un objet direct   direct object
The person or thing which is acted upon by the verb, e.g.: *Je vois **mon ami**.*

un objet indirect   indirect object
The person or thing acted on by the verb, in an indirect manner, usually with 'to' in English or *à* in French either present or implied, e.g.: *Je parle **à mon ami**. Je **lui** dis tout.*

un participe passé   past participle
The form of a verb which is used with an auxiliary to form a compound tense, e.g.: *joué, parti, partie.*

un participe présent   present participle
The form of the verb ending in *-ant*, often used for an action simultaneous with the main verb, e.g.: *Il travaille en chantant.*

le partitif   partitive
Partitive articles are used to indicate an indefinite quantity of something: ***du** lait, **de la** viande, **de l'**huile, **des** oignons.*

personne   person
The terms 1st, 2nd and 3rd person are used to refer to verb forms and pronouns. *Je* and *nous* are 1st person pronouns, *tu* and *vous* 2nd person, *il, elle, ils* and *elles* 3rd person.

une préposition   preposition
A word showing the relationship between a noun or pronoun and another word; *à, après, de, en, sous, sur* are prepositions.

un pronom   pronoun
A word which stands for a noun or phrase, usually to avoid repetition: *je, me, moi* are pronouns.

un pronom relatif   relative pronoun
A word which introduces a relative clause, i.e. another phrase bringing more information, e.g.: *Voici le livre **que** je viens de lire.*

un radical   stem, root
The main part of a verb, to which endings are added.

un sujet   subject
The subject of a verb is the person or thing performing the action, e.g.: ***Je** mange. **Le repas** est délicieux.*

le temps   tense
The tense of a verb shows whether an action is past, present, or future.

une terminaison   ending
The last few letters of a word that change to follow set patterns.

un verbe   verb
A verb describes an action or a state, e.g.: *Elle **mange**, il **est** midi.*

un verbe transitif/intransitif   transitive/intransitive verb
A transitive verb can be used with a direct object, e.g.: *aimer, prendre*; while an intransitive one doesn't usually have a direct object, e.g.: *aller, s'habiller.*

1 Les noms   *nouns*

1a   le genre   gender

All French nouns have a gender: either masculine or feminine.

Many nouns referring to people have two forms, and you need to learn the main patterns.

1 Add an *-e* for the feminine (changing *-er* to *-ère*):
un employé/une employée   un ouvrier/une ouvrière

2 Double the final consonant and add *-e*:
un Alsacien/une Alsacienne   un cadet/une cadette

3 Change *-eur* to *-euse* and *-teur* to *-trice* (with exceptions):
un vendeur/une vendeuse   un acteur/une actrice

4 Change *-f* to *-ve* and *-x* to *-se*:
un sportif/une sportive   un époux/une épouse

5 Some changes are irregular and a different word is used:
un copain/une copine   un homme/une femme

Some nouns can be of either gender, depending on the person they refer to: *un élève/une élève   un artiste/une artiste*
Other nouns are masculine, whether they refer to a man or a woman: *un professeur   un docteur   un ingénieur*

For other nouns, gender is more difficult to work out. To help you get it right, always note the gender when you learn a new noun; learn *un arbre* not just *arbre*.

The word endings can sometimes help you – learn these (there are exceptions, so be careful):

masculine endings	feminine endings
-acle -age -é *-eau -ège -ème* *-isme -asme*	*-ace -ade -ance/anse* *-ée -ence/ense -ère* *-eur -ie -oire -té -tié* *-tion/sion/ation/aison/ison*
nouns ending in a consonant	nouns ending in silent *e* following two consonants

A few words have two different meanings, one masculine and one feminine:

un livre	book	*une livre*	pound
un tour	tour	*une tour*	tower

1b   le pluriel   plural

Use the plural form to refer to more than one thing, place or person.

1 Most nouns add a silent *-s* to the singular form:
un ami/des amis   la maison/les maisons

2 Nouns ending in *-s*, *-x*, *-z* remain unchanged:
la fois/les fois   le prix/les prix   un nez/des nez

3 Nouns ending in *-al* and *-ail* change to *-aux*:
un animal/des animaux   le travail/les travaux

4 Nouns ending in *-eau* or *-eu* add a silent *-x*:
un bateau/des bateaux   le jeu/les jeux

5 Most nouns in *-ou* add an *-s*; the exceptions are:
un bijou/des bijoux   un caillou/des cailloux   un chou/des choux
un genou/des genoux   un hibou/des hiboux
un joujou/des joujoux   un pou/des poux

Common irregular plurals:
le festival/les festivals   le pneu/les pneus   le détail/les détails
un œil/des yeux   Monsieur/Messieurs   Madame/Mesdames

Compound nouns (made up of more than one element): you will have to learn these individually by checking in the dictionary:
grand-père/grands-pères   grand-mère/grands-mères
pomme de terre/pommes de terre   chou-fleur/choux-fleurs

2 Les articles   *articles*

2a   les articles indéfinis   indefinite articles

	singular	plural
masculine	un	des
feminine	une	des

These are used before a noun to say 'a/an' or 'some/any'.
J'ai un frère.   I've got a brother.
Tu as des sœurs?   Have you got any sisters?

Don't use the indefinite article when giving someone's job:
Elle est professeur.   She's a teacher.

In negative sentences, use *de/d'* instead of *un/une/des*:
Il n'a pas de chien.   He hasn't got a dog.
Je n'ai pas d'amis.   I haven't got any friends.

2b   les articles définis   definite articles

	singular	plural
masculine	le/l'	les
feminine	la/l'	les

(Use *l'* before a noun starting with a vowel or an *h*, e.g. *l'histoire*, unless the *h* is aspirated e.g. *la honte*, *avoir le hoquet*.)

The definite article is used to say 'the' before a noun. It is used more often in French than in English, for example:

1 when making generalizations:
Le sport est bon pour la santé.   Sport is good for your health.

2 when stating likes and dislikes:
J'aime le poisson mais je déteste la viande.
I like fish but I hate meat.

3 with names of countries, regions and languages:
la France   le Japon   la Normandie   l'anglais

4 with parts of the body:
J'ai les cheveux courts.   I've got short hair.
J'ai mal à la main.   My hand hurts.

5 with names of school subjects or leisure activities:
Je préfère les maths et l'histoire.   I prefer maths and history.
Mes loisirs préférés sont la natation et la lecture.
My favourite hobbies are swimming and reading.

2c les articles partitifs · partitive articles

	singular	plural
masculine	*du/de l'*	*des*
feminine	*de la/de l'*	*des*

These are used before a noun to say 'some' or 'any':
Du pain et de la confiture. (Some) bread and (some) jam.
Achète des pommes. Buy (some) apples.
Vous avez de l'argent? Do you have (any) money?
Note that in English, you may sometimes leave out 'some/any',
but in French you can never leave out *du/de la/de l'/des*.

Use *de/d'* instead of *du/de la/de l'/des* in the following cases:
1 in negative expressions (except *ne ... que*):
Il n'y a pas de thé. There isn't any tea.
Elle n'a jamais d'argent. She never has any money.

2 with expressions of quantity:
100 grammes de crevettes 100 grams of shrimps
un peu de patience! a little patience!
combien de beurre? how much butter?

3 before an adjective and a noun (in that order):
Il a de beaux vêtements. He's got nice clothes.

4 with certain expressions:
avoir besoin de	*J'ai besoin de timbres.*
quelque chose de	*Il a quelque chose d'intéressant à dire.*
rien de	*Il n'y a rien de bien à la télé.*

How do you know when to use *le/la/les* or *du/de la/des*?
If you can put 'some' or 'any' before the English noun, use
du/de la/des:
Did you buy bread (any bread)? *Tu as acheté du pain?*
If the noun is used in a general sense, and if 'some/any' doesn't
sound right, use *le/la/les*:
I love French bread. *J'adore le pain français.*

---

3 Les adjectifs qualificatifs · adjectives

Adjectives are words that are used to describe or 'qualify'
something or someone. Many adjectives are formed from:
– nouns: *la tradition → traditionnel(le)*
– present participles: *vivre → vivant → vivant(e)*
– past participles: *classer → classé → classé(e)*

3a l'accord masculin/féminin · m/f agreement

Adjectives change their ending according to the gender
(masculine or feminine) of the noun they qualify, and its number
(singular or plural).
1 Most adjectives add an *-e* in the feminine:
grand/grande	*têtu/têtue**
petit/petite	*joli/jolie**
anglais/anglaise	*bronzé/bronzée**
(* = no change in pronunciation)

2 Adjectives ending in *-e* don't need to add an extra *-e*:
*jeune/jeune** *mince/mince**

3 Some adjectives double the final consonant before adding *-e*:
(-el) *naturel/naturelle**	*(-eil)* *pareil/pareille**
(-on) *bon/bonne*	*(-il)* *gentil/gentille*
(-as) *gras/grasse*	*(-et)* *muet/muette*
(-os) *gros/grosse*	*(-en)* *ancien/ancienne*
Exceptions: some adjectives in *-et* change to *-ète* instead:
complet/complète *inquiet/inquiète*
(* = no change in pronunciation)

4 Adjectives ending in *-er* change to *-ère*:
premier/première *dernier/dernière* *fier/fière* *cher/chère*

5 Adjectives ending in *-x* change to *-se*:
heureux/heureuse *jaloux/jalouse*
Exceptions: *doux/douce* *faux/fausse* *roux/rousse*

6 Adjectives ending in *-eur* change to *-euse*:
menteur/menteuse
Exceptions: *meilleur(e)* *extérieur(e)* *intérieur(e)* *supérieur(e)*

7 Adjectives ending in *-f* change to *-ve*:
neuf/neuve *naïf/naïve* *actif/active*

8 Adjectives ending in *-c* change to *-che* or *-que*:
blanc/blanche *public/publique*

9 Some common irregular adjectives:
long/longue	*nouveau (nouvel*)/nouvelle*
fou/folle	*beau (bel*)/belle*
frais/fraîche	*vieux (vieil*)/vieille*
favori/favorite	
(* = before a masculine noun starting with a vowel or an *h*)

10 Some adjectives, including all compound colour adjectives,
are invariable, i.e. stay the same in both genders:
sympa *marron* *chic* *bleu marine* *bleu clair*

3b l'accord singulier/pluriel · sing./pl. agreement

1 Most plural adjectives add *-s*, with no change in pronunciation:
grand/grands *grande/grandes*

2 A few masculine plurals end in *-aux*:
-al/-aux *normal/norm**aux*** *loyal/loy**aux***
-eau/-eaux *beau/be**aux*** *nouveau/nouve**aux***

3 Masculine adjectives ending in *-s* or *-x* don't change:
anglais/anglais *heureux/heureux*

4 Invariable adjectives stay the same for singular and plural:
sympa *marron* *bleu foncé*

3c les adjectifs négatifs · negative adjectives

Some adjectives have a negative equivalent, using a prefix:
(in-) *croyable* *incroyable*	*(mé-)* *content* *mécontent*
(im-) *possible* *impossible*	*(mal-)* *honnête* *malhonnête*
(ir-) *réel* *irréel*	

Other adjectives are made negative by adding *peu* or *pas très*:
intéressant *peu intéressant*
dynamique *pas très dynamique*

3d la position position of adjectives

Unlike English, French adjectives generally <u>follow</u> the noun.
une école agréable   un métier intéressant
un manteau rouge   le drapeau français

A few common adjectives come <u>before</u> the noun, including:
bon   beau   joli   gentil   cher*
grand*   petit   gros   haut   court
jeune   vieux   nouveau   ancien*
excellent   mauvais   vrai   même   propre*   brave*

* = if placed after the noun, the meaning differs:
*mon **cher** ami/un repas **cher***   my dear friend/an expensive meal
*un homme **grand**/un **grand** homme*   a tall man/a great man
*son **ancien** mari/un mur **ancien***   her ex-husband/an old wall
*une chambre **propre**/ma **propre** chambre*   a clean room/my
    own room
*un **brave** homme/un homme **brave***   a kind man/a brave man

Many adjectives, especially those with an abstract meaning, can
sometimes be placed before the noun to give them more empahsis:
une affection profonde/une profonde affection

What happens when there are two adjectives with one noun?
If one adjective normally goes before the noun and the other
after, they still do so:
*un **petit** garçon **têtu***   a stubborn little boy
If both adjectives go before the noun, they still do so:
*une **jolie petite** maison*   a lovely little house
If both adjectives go after the noun, they still do so but are
linked with *et*:
*un chien **noir et bruyant***   a noisy, black dog

What happens when there is an adjective with two nouns, one
feminine and one masculine?
It is in the masculine plural form:
*une robe et un manteau **noirs***   a black dress and coat

---

4 Les adjectifs démonstratifs
demonstrative adjectives

A demonstrative adjective is used to point something or someone
out. Being an adjective, it changes according to the gender and
number of the noun.

	singular	plural
masculine	ce/cet*	ces
feminine	cette	ces

(* before a vowel or a non-aspirated *h*)
***Ce** bureau est fermé.*   This/That office is shut.
***Cet** arbre/hôtel est grand.*   This/That tree/hotel is big.
*Je connais **cette** fille.*   I know that girl.
*Qui sont **ces** gens?*   Who are these/those people?

To distinguish more clearly between 'this' and 'that', or 'these'
and 'those', add *-ci* or *-là* after the noun:
*Je préfère ces chaussures-**ci**.*   I prefer these shoes.
*Je déteste ce chanteur-**là**.*   I hate that singer.

---

5 La possession *possession*

5a les adjectifs possessifs possessive adjectives

Possessive adjectives ('my', 'your', etc.) agree with the object
owned and not the owner.

	singular masculine noun, or feminine starting with *h* or vowel	singular feminine noun	plural
my	mon	ma	mes
your	ton	ta	tes
his/her/its	son	sa	ses
our	notre	notre	nos
your	votre	votre	vos
their	leur	leur	leurs

***mon** père, **ma** mère, **mes** parents*   my father/mother/parents
***son** ami*   his/her friend   ***sa** chambre*   his/her bedroom

Possessive adjectives are usually not used in sentences referring
to parts of the body:
*Je me brosse **les** dents.*   I'm brushing my teeth.
*Je me suis cassé **le** bras.*   I've broken my arm.

5b les pronoms possessifs possessive pronouns

Possessive pronouns ('mine', 'yours', etc.) agree with the noun
they replace – the object owned, not the owner.

	singular masculine	singular feminine	plural masculine	plural feminine
mine	le mien	la mienne	les miens	les miennes
yours	le tien	la tienne	les tiens	les tiennes
his/hers	le sien	la sienne	les siens	les siennes
ours	le nôtre	la nôtre	les nôtres	les nôtres
yours	le vôtre	la vôtre	les vôtres	les vôtres
theirs	le leur	la leur	les leurs	les leurs

*Mais la France est ton pays, pas **le mien**.*
But France is your country, not mine.
*Cette opinion est peut-être **la vôtre**, elle n'est pas **la sienne**.*
This opinion may be yours, it isn't his/hers.

5c à moi, à toi, etc. mine, yours, etc.

You can also use *à* + a stressed pronoun (see **10g**) following *être*:
– C'est à qui? – C'est à moi.   – Whose is this? – It's mine.
Ces livres-là sont à lui.   Those books are his.

5d de + nom *de* + noun

Where you can use 'apostrophe + s' in English to show
possession, in French you have to use *de*, and reverse the order of
the nouns:
*la voiture **de** Paul*   Paul's car
*le frère **de** ma mère*   my mother's brother

6 Les adverbes *adverbs*

6a la formation *forming adverbs*

Adverbs can be divided into four groups that describe:
how something happens – adverbs of manner
where it happens – adverbs of place
when it happens – adverbs of time
and **to what extent** – adverbs of intensity.

In English, adverbs are often formed by adding *-ly* to adjectives (soft → softly, normal → normally, etc.). In French, most adverbs of manner are formed by adding *-ment* to the feminine form of an adjective:
douce → *doucement*   *active* → *activement*
normale → *normalement*   *franche* → *franchement*

If the adjective ends in a vowel, add *-ment* to the masculine form:
timide → *timidement*   *absolu* → *absolument*
vrai → *vraiment*   *joli* → *joliment*
Exceptions: *nouveau* → *nouvellement*   *fou* → *follement*

A few adjectives change the final *-e* to *-é* before adding *-ment*:
précise → *précisément*   *énorme* → *énormément*

Adjectives ending in *-ent* or *-ant* change to *-emment* and *-amment* (both pronounced *'amant'*):
prudent → *prudemment*   *brillant* → *brillamment*
Exception: *lent* → *lentement*

Some adverbs are completely irregular, including common ones which you should learn:
bon → **bien**   *mauvais* → **mal**   *gentil* → **gentiment**

In some common expressions, an adjective is used as an adverb:
travailler **dur**   *parler* **bas/fort**
coûter **cher**   *sentir* **bon/mauvais**

Adverbs of place, time and intensity are not usually formed from adjectives. Here are a few common ones:
   place: *ici, là, ailleurs, loin, dessus, dessous, dedans, dehors,*
      devant, derrière, partout
   time: *après, avant, toujours, hier, aujourd'hui, demain,*
      d'abord, enfin, parfois, souvent, tôt, tard
   intensity: *un peu, trop, très, tellement, si, seulement, peu,*
      presque, plus, moins, combien, beaucoup, assez

6b la position *position of adverbs*

Adverbs usually follow verbs:
Je vais **souvent** *au cinéma.*   I often go to the cinema.
Il aime **beaucoup** *le chocolat!*   He likes chocolate a lot!

In a compound tense, they come between the auxiliary and the past participle:
J'ai **poliment** *demandé le chemin.*   I asked the way politely.
Il a **mal** *dormi.*   He slept badly.

But many adverbs of time and place follow the past participle:
Je l'ai vu **hier.**   I saw him yesterday.
Tu es parti **loin**?   Did you go far?

Adverbs usually come before adjectives and other adverbs:
vraiment *beau*   **trop** *vite*   **très** *souvent*

7 La comparaison *comparison*

7a comparaison des adjectifs *adjectives*

To compare one person or thing with another, you use the comparative ('smaller', 'better', 'more important', etc.). To say that it has the highest or lowest degree of a quality, you use the superlative ('the smallest', 'the best', 'the most important', etc.). In French it works like this:

plus + *adjectif* + **que**   more ... than
moins + *adjectif* + **que**   less ... than
aussi + *adjectif* + **que**   as ... as
La voiture est plus confortable que le vélo.
Travelling by car is more comfortable than by bike.
Ces gants sont moins beaux que les autres.
These gloves are not as nice as the others.
Les garçons sont aussi grands que leur père.
The boys are as tall as their father.

le/la/les plus + *adjectif*   the most ..., the ...-est
le/la/les moins + *adjectif*   the least ...
C'était le jeu le plus populaire de l'année.
It was the most popular game of the year.
Les trains français sont les plus rapides.
French trains are the fastest.
C'est l'ordinateur le moins cher.
This is the least expensive computer.

Remember these irregular forms for *bon* and *mauvais*:
moins bon → *bon* → **meilleur**   less good, good, better/best
moins mauvais → *mauvais* → **pire**   less bad, bad, worse/worst

7b comparaison des adverbes *adverbs*

You can make comparisons with adverbs in the same way as with adjectives.
plus + *adverbe* + **que**   more ... than
moins + *adverbe* + **que**   less ... than
aussi + *adverbe* + **que**   as ... as
J'y vais plus souvent qu'avant.
I go more often than before.
Il parle anglais moins couramment que toi.
He speaks English less fluently than you do.
Je chante aussi bien que Luc.
I can sing just as well as Luc.

le plus + *adverbe*   the most ...
le moins + *adverbe*   the least ...
De mes frères, c'est Marc que je vois le moins souvent.
Of my brothers, I see Marc the least often.

Remember this irregular form for *bien*:
moins bien → *bien* → **mieux**   not as well, well, better/best

7c plus de, moins de, autant de + nom

You can use *plus de/moins de/autant de* and a noun to talk about 'more of/less of/fewer of/as much of' something. Add *le/la/les* to talk about 'the most/the least/the fewest of' something.

*J'ai **plus de** CD que toi.*
I've got more CDs than you.
*Elle a gagné **moins d'**argent cette fois-ci.*
She won less money this time.
*Il y a **autant de** filles que de garçons à l'école.*
There are as many girls as boys at the school.
*C'est lui qui a mangé **le plus de** croissants.*
He ate the most croissants.

8 Les conjonctions conjunctions

Conjunctions are linking words. Those made up of more than one word are called conjunctive phrases, *locutions conjonctives*. Take care with any that end in *que*, since you may need to use a subjunctive afterwards – see **22**.

afin que	so that	or	now/and yet
alors que	while	ou (bien)	or
bien que	although	parce que	because
car	for/because	pendant que	while
cependant	however	pour que	so that
comme	as	pourtant	however
à condition que	provided that	pourvu que	provided that
dès que	as soon as	puis	then/next
depuis que	since	puisque	since
donc	then/so	quand	when
encore que	even though	quoique	although
et	and	soit ... soit	either ... or
jusqu'à ce que	until	de sorte que	so that
mais	but	tandis que	while
même si	even if	toutefois	however
à moins que	unless		

*Il ne viendra pas **puisqu'**il devait être au bureau à midi.*
He won't come since he had to be at the office at midday.
*Il ne viendra pas, **bien qu'**il sache combien c'est important.*
He won't come, even though he knows how important it is.

9 Les prépositions prepositions

Prepositions have many uses and can have various translations in English; the most common meanings are listed here.

9a à, de

Remember that when *à* or *de* come before the definite articles *le* or *les*, they combine with them:
*à + le = **au*** *à + les = **aux*** *de + le = **du*** *de + les = **des***
But *à la, à l', de la, de l'* stay as they are.

à	à Paris	in/to Paris
	à la campagne	in/to the country
	au premier étage	on/to the first floor
	aux Etats-Unis	in/to the United States
	à 10 km	10 kms away
	à droite/à gauche	on the right/left
	à Pâques	at Easter
	à pied/à vélo	on foot/by bike
	c'est à Etienne	it's Etienne's
de	Je viens de Perth.	I come from Perth.
	J'appelle du café.	I'm calling from the café.
	de 8 à 10 heures	from 8 to 10 o'clock
	du 5 mai	from the 5th of May
	le livre de ma mère	my mother's book
	les vacances de Noël	the Christmas holidays

9b autres prépositions other prepositions

après	après votre départ	after you left
	après vous	after you
avant	avant ce soir	before tonight
avec	avec des ciseaux	with some scissors
chez	chez le docteur	at/to the doctor's
	chez moi	at/to my home
dans	dans la maison	in the house
	mets-le dans la boîte	put it into the box
	dans une semaine	in a week's time
depuis	depuis trois ans	for three years
	depuis dimanche	since Sunday
derrière	derrière moi	behind me
dès	dès lors	from that moment
	dès son départ	as soon as he leaves
devant	devant l'école	in front of the school
en	en France	in France
	en mai/hiver/1985	in May/winter/1985
	en dix minutes	in ten minutes
	en anglais	in English
	en bleu/soie	in blue/silk
	en bateau	by boat
entre	entre ici et Paris	between here and Paris
	entre 8 et 10 h	between 8 and 10 o'clock
jusque	jusqu'à Paris	as far as Paris
	jusqu'à l'âge de 7 ans	until the age of 7
par	une fois par jour	once a day
	par le train	by train
	par ici/par là	this way/that way
	fait par des enfants	made by children
pendant	pendant l'été	during the summer
	pendant deux ans	for two years
pour	pour toi	for you
	pour un an	for a year
près de	près du marché	near the market
	près de 8 heures	nearly 8 o'clock
sans	sans espoir	without hope
	sans compter	without counting
sous	sous la chaise	under the chair
sur	sur la table	on the table
	un élève sur dix	one pupil out of ten
vers	vers 8 heures	at about 8 o'clock
	vers Paris	towards Paris

10 Les pronoms pronouns

A pronoun is a word used in place of a noun, phrase or idea.

10a le pronom personnel sujet subject pronouns

I	je/j'	we	nous
you	tu	you	vous
he	il	they (male)	ils
she	elle	they (female)	elles
one/we	on		

A subject pronoun replaces a noun which is the subject of a verb.
Simon est à Paris. **Il** *revient demain.* (Il = Simon)
Les chiens sont heureux ici, **ils** *ont un jardin.* (ils = les chiens)

tu ou vous? Use *vous* when talking to more than one person, or to a person you don't know, or an adult you know but are not on familiar terms with.
Use *tu* when talking to a younger child, a person your own age, or an adult you know very well, such as a member of your family.

on *On* is used for people in general (1), an indefinite person (2) and, more and more often, instead of *nous* (3):
1 *En France, on roule à droite.* In France, they drive on the right.
2 *On a frappé.* Somebody knocked.
3 *On y va?* Shall we go?
Note that even when meaning *nous*, *on* uses the *il/elle* form of verbs: *On a mangé au restaurant.* We ate at a restaurant.
Note also that when *on* represents a plural noun, any adjective or past participle used with it may need to agree:
On est partis à midi. We left at midday.
On s'est bien amusées. We (all female) enjoyed ourselves.
On est bien contents. We are quite happy.

ils When referring to several nouns of different gender, remember to use the masculine plural *ils*:
Où sont le sac et la veste de Jeanne? Ils sont dans la voiture.
Where are Jeanne's bag and jacket? They're in the car.

10b le pronom personnel complément
object pronouns

This replaces a noun that is not the subject of the sentence.
There are 'direct' and 'indirect' object pronouns.

	direct object		indirect object
me	me/m'	(to) me	me/m'
you	te/t'	(to) you	te/t'
him/it	le/l'	(to) him/it	lui
her/it	la/l'	(to) her/it	lui
us/one	se/s'	(to) us/one	se/s'
us	nous	(to) us	nous
you	vous	(to) you	vous
them	les	(to) them	leur

A direct object pronoun replaces a noun linked directly to the verb.
Marie *a téléphoné – tu peux* **la** *rappeler demain?*
Marie phoned – can you call her back tomorrow?
Les jeux télévisés? *Ben, je ne* **les** *regarde jamais.*
TV game shows? I never watch them.

An indirect object pronoun replaces a noun that is linked to the verb by a preposition, usually *à* – 'to'.
Elle parle **à Luc.** *Elle* **lui** *parle souvent.*
She's talking to Luc. She often talks to him.
Tu **me** *poses une question, je* **te** *réponds.*
You ask me a question, I answer you.

Be careful! Some verbs in French need an indirect object pronoun, while English uses a direct object pronoun; and vice versa.
*Dis-***lui** *tout!* (indirect) Tell him/her everything! (direct)
Je **les** *attends.* (direct) I'm waiting for them. (indirect)

10c le pronom y

Y replaces *à/en* and the name of a place, and means 'there'.
Ils habitent **en France** *et ils* **y** *sont nés.*
They live in France and were born there.
– *Vous allez* **à l'exposition?** – *J'***y** *vais demain.*
– Are you going to the exhibition? – I'm going (there) tomorrow.

Y can replace *à* and a noun or an idea:
– *Tu penses* **à ton examen?** – *Oui, j'***y** *pense souvent.*
– Do you think about your exam? – Yes, I often think about it.
– *Vous croyez* **à cette hypothèse?** – *Non, moi je n'***y** *crois pas.*
– Do you believe in this theory? – No, I don't believe in it.

Y can replace *à* and an infinitive, following verbs such as *arriver à, obliger qqn à*:
– *Tu arrives* **à jouer** *ce morceau?* – *Non, je n'***y** *arrive pas.*
– Can you manage to play that piece? – No, I can't do it.
*Il doit trouver un travail. Ses parents l'***y** *obligent.*
He has to get a job. His parents are forcing him (to do so).

Y is used in set phrases:
On y va? Shall we go? *Ça y est!* That's it!

10d le pronom en

En replaces *du/de la/des* and a noun, and means 'some' or 'any':
– *Tu veux* **du thé?** – *Oui, j'***en** *veux bien.*
– Do you want some tea? – Yes, I'd like some.
– *Je voudrais* **des pommes.** – *Désolé, je n'***en** *ai plus.*
– I'd like some apples. – Sorry, I don't have any left.

En is used with expressions of quantity, including numbers:
*Tu as plusieurs stylos, tu peux m'***en** *prêter un?*
You've got several pens – can you lend me one (of them)?

En can replace *de* and a noun:
Tu as vu sa voiture? **En** *voici une photo.* (une photo de la voiture)
Have you seen his car? Here is a photo (of it).

En also replaces *de* and a noun, after verbs such as *discuter de, se souvenir de*:
*Notez vos idées. Discutez-***en** *avec votre partenaire.*
Note down your ideas. Talk about them with your partner.
*C'était une soirée amusante. Tu t'***en** *souviens?*
It was an entertaining evening. Do you remember?

En is used in set phrases:
J'en ai assez/marre. Je m'en vais. I've had enough. I'm going.

10e la position des pronoms position of pronouns

Object pronouns generally come immediately before the verb:
*Je **les** aime bien.*   I like them.
*Je ne **les** aime pas.*   I don't like them.
*Est-ce qu'Antoine **la** connaît?*   Does Antoine know her?

If the verb is an imperative, different rules apply: see **10f**.

With a compound tense, object pronouns come before the auxiliary verb (*avoir/être*):
*Je **lui** ai raconté l'histoire.*   I told him the story.

When there are two verbs together, e.g. *aller/devoir/pouvoir/ vouloir* + infinitive, the pronoun comes before the infinitive:
*Je vais **en** prendre un kilo.*   I'll have a kilo of them.
*Je ne peux pas **y** aller.*   I can't go there.
*Je voudrais **lui** parler.*   I'd like to speak to him/her.

When there are several object pronouns in the same sentence, they follow a specific order:

1	2	3	4	5
me te se nous vous	le la les	lui leur	y	en

1 + 2 = *Je **te le** donne.*   I give it to you.
2 + 3 = *Je **le leur** ai donné.*   I gave it to them.
1 + 5 = *Ils **vous en** ont acheté.*   They bought some for you.
2 + 4 = *Je **les y** amènerai.*   I'll bring them there.

10f les pronoms avec l'impératif
pronouns with the imperative

With positive imperatives, an object pronoun comes after the verb and a hyphen is added. *Me* and *te* become *moi* and *toi*:
*Ecoutez-**moi**.*   Listen to me.
*Il reste un gâteau, Jean, mange-**le**.*
There's one biscuit left, Jean, eat it.
*Prenez des fruits. Donnez-**leur-en**.*
Take some fruit. Give them some.

With negative imperatives, the pronoun comes before the verb:
*Ne **l'**imitez pas!*   Don't copy him/her!
*N'**y** pense pas.*   Don't think about it.
*Ne **leur en** donnez pas.*   Don't give them any.

Where there are two pronouns with an imperative, follow the table in **10e**, except that columns 1 and 2 are reversed:
2 + 1 = *Donne-**le-moi**.*   Give it to me.

10g les pronoms emphatiques stressed pronouns

The stressed pronouns (also called emphatic or disjunctive pronouns) are:
moi toi lui elle soi
nous vous eux elles

They are used:

1 when the pronoun stands on its own or follows *ce/c'est/c'était*:
Moi. C'est moi.   Me. It's me.

2 when the pronoun follows a preposition:
C'est pour lui. Il est chez moi. Il est parti après toi.
It's for him. He's at my place. He left after you.

3 for emphasis:
Toi, tu m'énerves!   You do get on my nerves.
Lui, il joue bien, pas moi.   He plays well, I don't.
Je ne sais pas, moi!   How do I know?

4 when there is more than one subject:
Ma famille et moi partons ce week-end.
My family and I are leaving this weekend.

5 in a comparison:
Il est plus grand que moi.   He's bigger than me.

6 before a relative pronoun (see **10h**):
C'est toujours lui qui gagne.   It's always him who wins.

7 to express possession (see **5c**):
C'est à moi.   It's mine.

10h les pronoms relatifs relative pronouns

The relative pronouns are:

qui	who, which, that	*où*	where, when
que	who, whom, which, that	*dont*	of which, whose
ce qui	what	*quoi*	what
ce que	what	*lequel*	which

qui, que

When the pronoun relates to someone/something that is the <u>subject</u> of the verb that follows, use *qui*:
*La femme **qui** travaille au café est une voisine.*
The woman who works at the café is a neighbour.
*Victor raconte des histoires **qui** font rêver les enfants.*
Victor tells stories which make children dream.

When the pronoun relates to someone/something that is the <u>object</u> of the the verb that follows, use *que*:
*La femme **que** tu vois au café est une voisine.*
The woman (whom/that) you see at the café is a neighbour.
*Les histoires **que** Victor raconte font rêver les enfants.*
The stories (which/that) Victor tells make children dream.

ce qui, ce que

These generally mean 'what'. Use *ce qui* when 'what' refers to the subject of the verb; *ce que* when it refers to the object of the verb.
Ce qui se passe en ce moment m'inquiète.
What's happening at the moment worries me.
Merci pour ce que tu as fait pour moi.
Thanks for what you did for me.

où

*L'hôtel **où** nous sommes est très confortable.*
The hotel where we're staying is very comfortable.
*C'était le jour **où** il est parti.*   It was the day (when) he left.

dont

Dont can refer to people or things:
*C'est le prof **dont** je t'ai parlé.*   He's the teacher I talked to you about/about whom I talked to you.
*L'article **dont** elle est l'auteur est paru hier.*   The article she is the author of/of which she is the author was published yesterday.

Dont can be used with verbs such as *avoir besoin de, s'occuper de*:
*Voici le livre **dont** tu as besoin.*   Here is the book you need.

Dont can mean 'including'.
*Quelques-uns étaient là, **dont** mon correspondant.*
Several people were there, including my penfriend.

Use *ce dont* to mean 'what' when it refers to the object of a verb normally followed by *de*, such as *se plaindre de*:
***Ce dont** il se plaint, c'est ton comportement en classe.*
What he's complaining about is your behaviour in class.

quoi

*Dis-moi à **quoi** tu penses.*   Tell me what you're thinking about.

lequel, laquelle, lesquels, lesquelles

These are used to say 'which', or occasionally, 'whom', after a preposition (*à, avec, de*, etc.).
*J'ai un exposé à préparer, **pour lequel** je fais des recherches.*
I'm writing a presentation, for which I'm doing some research.
*Les personnes **avec lesquelles** il travaillait l'ont aidé.*
The people with whom he was working helped him.

Following *à* or *de*, the *le-* and *les-* forms combine with them:
à: auquel, auxquels, auxquelles   (but *à laquelle*)
de: duquel, desquels, desquelles   (but *de laquelle*)
*Le livre **auquel** tu penses* ...
The book you're thinking about (about which you're thinking) ...
*Le film **duquel** tu parles* ...
The film you're talking about (about which you're talking) ...

10i les pronoms démonstratifs
demonstrative pronouns

Demonstrative pronouns are *celui, ce, ceci, cela, ça*.

Celui agrees with the noun it stands for:

	singular	plural
masculine	celui	ceux
feminine	celle	celles

*Regarde cette robe, **celle** qui est en vitrine.*
Look at that dress, the one which is in the window.
*J'aime bien mon vélo, mais je préfère **celui** de Paul.*
I like my bike, but I prefer Paul's.

You can add *-ci* and *-là* for emphasis and contrast:
*J'aime les pulls, surtout **celui-ci**. Mais **celui-là** est moins cher.*
I like the jumpers, especially this one. But that one is cheaper.
*– Je voudrais des fleurs. – **Celles-ci** ou **celles-là**?*
– I'd like some flowers. – These ones or those ones?

Ce is mostly found with the verb *être*:
C'était bon.   It was nice.   *Ce serait super.*   That would be great.
Ce sont mes amis.   They're my friends.

Ceci is not very commonly used.
Cela is shortened to *ça* in spoken French.
Cela m'étonne.   It surprises me.
Ça m'est égal.   I don't mind.   *Je déteste ça.*   I hate that.

11 L'interrogation *asking questions*

11a l'ordre des mots word order
There are three ways of asking 'yes or no' questions in French.
1 Form the sentence in the normal way and raise your voice in a questioning manner:
Vous venez avec moi?   Are you coming with me?
Il habite en France?   Does he live in France?
Manon est partie à Paris?   Has Manon left for Paris?

2 Add *Est-ce que/qu'* at the beginning of the sentence:
Est-ce qu'il habite en France?   Does he live in France?
Est-ce qu'il y a un café ici?   Is there a café around here?
Est-ce qu'elles ont tout mangé?   Have they eaten everything?

3 Invert (reverse the order of) the subject and the verb, adding a hyphen. This is more formal than options 1 and 2.
Venez-vous avec moi?   Are you coming with me?
Habite-t-il * en France?   Does he live in France?
Manon est-elle * partie à Paris?   Has Manon left for Paris?
Y a-t-il * un café ici?   Is there a café around here?
Ont-elles tout mangé?   Have they eaten everything?

* Add a *t* between two vowels to help the pronunciation.
If the subject is a noun (*Manon, la fille*, etc.), add an extra pronoun (*elle*, etc.).

11b les interrogatifs question words
which?

	singular	plural
masculine	quel	quels
feminine	quelle	quelles

Quel manteau a-t-il mis?   Which coat did he put on?
Tu as quelle carte?   Which card have you got?
Quels pays est-ce que tu aimes?   Which countries do you like?
Quelles sont tes matières?   What are your subjects?

who?

Qui is used for people. It can be subject or object and can be used after a preposition.
Qui t'a dit ça?   Who told you that?
Qui as-tu appelé?   Who did you phone?
Il y va avec qui?   Who is he going with?

You can also use *Qui est-ce qui* (subject) or *Qui est-ce que/qu'* (object):
Qui est-ce qui t'a dit ça?   Who told you that?
Qui est-ce que tu as appelé?   Who did you phone?

what?

Que is used for things. It is always a direct object and can't be used after a preposition – use *quoi* instead.

Que désirez-vous?   What will you have?

Qu'ont-ils dit?   What did they say?

Tu l'as mis dans quoi?   What did you put it in?

You can use *Qu'est-ce que/qu'* instead of *Que*:

Qu'est-ce que vous désirez?   What will you have?

Qu'est-ce qu'ils ont dit?   What did they say?

To say 'what' as the subject of a verb, use *Qu'est-ce qui* instead:

Qu'est-ce qui ne va pas?   What's the matter?

Use *Quoi* for 'what' on its own: *C'est quoi?*   What is it?

which ones?

Use *lequel, laquelle, lesquels, lesquelles*:

Je cherche un restaurant. Lequel recommandez-vous?

I'm looking for a restaurant. Which one do you recommend?

Laquelle de ces chemises aimes-tu?

Which of these shirts do you like?

where, when, how, how much/many, why?

You can use these in three ways: at the end of a sentence, at the beginning and inverting the subject and verb, or at the beginning and adding *est-ce que*.

Ils vont où? Où vont-ils? Où est-ce qu'ils vont?

Where are they going?

Tu pars quand? Quand pars-tu? Quand est-ce que tu pars?

When are you leaving?

Il fait ça comment? Comment fait-il ça?

Comment est-ce qu'il fait ça?   How does he do that?

Ça coûte combien? Combien cela coûte-t-il?

Combien est-ce que ça coûte?   How much does that cost?

Pourquoi il est là? Pourquoi est-il là?

Pourquoi est-ce qu'il est là?   Why is he there?

11c les interrogatifs négatifs
negative interrogatives

Asking negative questions can be done simply with intonation:

Vous ne sortez pas?   Aren't you going out?

Elle n'est pas encore arrivée?   Hasn't she arrived yet?

More formally, you can use inversion:

N'est-elle pas encore arrivée?   Hasn't she arrived yet?

Ne comprenez-vous pas que ...?   Don't you understand that ...?

Question words (see **11b**) can be combined with negatives:

Qu'est-ce qui ne lui a pas plu?   What didn't he like?

Pourquoi n'as-tu pas répondu?   Why didn't you reply?

12 L'inversion   *inversion*

Verb and noun are inverted (i.e. swap places) in several cases:

1 in some question forms: see **11**.

2 after direct speech:

"Quelle journée !" a-t-il dit.   'What a day!' he said.

"Oui," a répondu le concierge.   'Yes,' replied the caretaker.

3 in indirect questions, if the subject is a noun, not a pronoun

Il m'a expliqué où se trouvait l'auberge de jeunesse.

He explained where the youth hostel was.

4 after certain adverbs, including *peut-être, à peine, ainsi, aussi, du moins, sans doute*, particularly in written French:

A peine a-t-on le temps de réagir.   One hardly has time to react.

Peut-être trouverez-vous d'autres raisons.

Perhaps you will find other arguments.

Ainsi décidèrent-ils de partir.   Thus they decided to leave.

In spoken French this can be avoided by placing the adverb after the verb, or in the case of *peut-être*, by adding *que*:

On a à peine le temps de réagir.

Vous trouverez peut-être d'autres raisons.

Peut-être que vous trouverez d'autres raisons.

5 Inversion is also used for reasons of style, for example to emphasize a particular word:

Heureux sont ceux qui sont admis.

Happy are they who are accepted.

13 La négation   *negatives*

13a les négatifs   negative expressions

Negative expressions fall into two groups:

A		
	ne ... pas	not
	ne ... plus	no more/no longer
	ne ... jamais	never
	ne ... rien	nothing/not anything
	ne ... guère	hardly/scarcely
B	*ne ... personne*	nobody/not anyone
	ne ... que	only
	ne ... ni ... ni	neither nor
	ne ... aucun	no/not any/none
	ne ... nulle part	nowhere

The *ne* becomes *n'* before a vowel or a non-aspirated *h*.

In spoken French, the *ne* tends to get dropped:

Je sais pas. C'est pas vrai!

The *ne* is not needed in sentences without a verb:

Pas de publicité!   No publicity!

13b la position des négatifs   position of negatives

1 With simple tenses and imperatives, negative expressions from both list **A** and list **B** go around the verb:

*Il **ne** parle **pas**.*   He isn't speaking.

*Elle **ne** fume **plus**.*   She doesn't smoke any more.

***Ne** cours **jamais** dans la rue.*   Never run on the street.

*Il **ne** dit **rien**.*   He doesn't say anything.

*Ça n'a **guère** d'importance.*   That hardly matters.

*Je **ne** vois **personne**.*   I can't see anybody.

*Il **ne** mange **que** des légumes.*   He only eats vegetables.

*Ce n'est **ni** noir **ni** blanc.*   It's neither black nor white.

*Elle n'a **aucun** principe.*   She's got no principles.

*On **ne** va **nulle part**.*   We're going nowhere.

2 With compound tenses or a verb followed by an infinitive, expressions in list **A** go around the auxiliary or the first verb:

Il n'est jamais allé à Paris.   He's never been to Paris.
Elle ne doit rien manger.   She mustn't eat anything.

The expressions in list **B** go around both parts of the compound tense, or the verb and infinitive:

Elle n'a mangé que le chocolat.   She only ate the chocolate.
Il ne veut voir personne.   He doesn't want to see anybody.

3 With an infinitive, the expressions in list **A** go before it:

Ne pas utiliser après le 22/1.   Do not use after 22/1.
Il préfère ne rien acheter.   He prefers not to buy anything.

The expressions in list **B** go around the infinitive:

Je préfère n'inviter personne.   I prefer not to invite anybody.
Il est surpris de ne voir que moi.   He's surprised to see only me.

4 When other pronouns precede the verb, *ne* goes before them:

Je n'en ai plus.   I don't have any left.
Je ne le leur ai pas donné.   I didn't give it to them.
Ils ne se lèvent jamais tôt.   They never get up early.

5 *Rien, personne, aucun* can come at the beginning of a sentence if they represent the subject of the verb:

Rien n'est trop choquant.   Nothing is too shocking.
Personne ne vit comme ça!   Nobody lives like that!
Aucun publicitaire ne l'ignore.   No advertiser is unaware of it.

14 *Parler du présent* talking about the present

The present tense describes what is happening now, or what happens on a regular basis.

14a le présent – verbes réguliers
present tense – regular verbs

For the three groups of regular verbs, take the *-er/-ir/-re* from the infinitive to get the 'stem', and add the endings shown below:

regarder → *regard-*   *finir* → *fin-*   *attendre* → *attend-*

	-er verbs	*-ir* verbs	*-re* verbs
je	-e	-is	-s
tu	-es	-is	-s
il/elle/on	-e	-it	-
nous	-ons	-issons	-ons
vous	-ez	-issez	-ez
ils/elles	-ent	-issent	-ent

je regarde, tu finis, il attend, elles attendent

14b le présent – verbes irréguliers
present tense – irregular verbs

Many verbs have irregular patterns that you need to learn. Patterns for the most common ones are given in the table in **26**.

Some verbs are almost regular, but have small spelling changes.
1 Verbs ending in *-cer* (like *commencer*)
add a cedilla to the *c* when it comes before an *a* or an *o* (to keep the sound soft): *nous commençons*.

2 Verbs ending in *-ger* (like *manger*)
add an *e* after the *g* before an *a* or an *o* (to keep the sound soft): *nous mangeons*.

3 Verbs ending in *-eler* (like *s'appeler*) or *-eter* (like *jeter*)
double the *l* or *t*, except for the *nous* and *vous* forms:
je m'appelle, nous nous appelons, tu jettes, vous jetez.

4 Verbs ending in *-e* + consonant + *er* (like *acheter*)
change the final *e* of the stem to *è*, except for the *nous* and *vous* forms: *j'achète, vous achetez*.

5 Verbs ending in *-é* + consonant + *er* (like *espérer*)
change the final *e* of the stem to *è*, except for the *nous* and *vous* forms: *j'espère, nous espérons*.

6 Verbs ending in *-ayer, -oyer, -uyer* (like *payer, envoyer, s'ennuyer*) change the *y* to *i*, except for the *nous* and *vous* forms: *je paie, tu envoies, nous payons, vous envoyez*.

14c en train de + infinitif

To say that someone is doing something at the time of talking or writing, you can use *en train de* ... with an infinitive.
L'avion est en train de décoller.
The plane is (in the middle of/in the act of) taking off.

15 *Parler du futur* talking about the future

15a le futur simple the future tense

To form the future tense, start with the stem, which is the same as the infinitive (if the infinitive ends in *-e*, drop the final *e*):
parler → *parler-*   *prendre* → *prendr-*

The endings are the same as for the present tense of *avoir*:

je	-ai	*nous*	-ons
tu	-as	*vous*	-ez
il/elle/on	-a	*ils/elles*	-ont

Alain partira demain.   Alan will leave tomorrow.
Je prendrai l'avion.   I'll take the plane.

Common irregular verbs:

aller → *j'irai*	*il faut* → *il faudra*
avoir → *j'aurai*	*pouvoir* → *je pourrai*
devoir → *je devrai*	*savoir* → *je saurai*
envoyer → *j'enverrai*	*venir* → *je viendrai*
être → *je serai*	*voir* → *je verrai*
faire → *je ferai*	*vouloir* → *je voudrai*

Some verbs are almost regular, but with small spelling changes.
1 Verbs ending in *-eler* (like *appeler*)
double the *l* throughout: *j'appellerai, nous appellerons*.

2 Verbs ending in *-e* + consonant + *er* (like *acheter*)
change the *e* of the root to *è* throughout: *j'achèterai, nous achèterons*.

3 Verbs ending in *-ayer, -oyer, -uyer* (like *payer*)
change the *y* to *i* throughout: *je paierai, nous paierons*.

15b aller + infinitif

A simple way to talk about what is going to happen is to use part of the verb *aller* (to go) followed by an infinitive. This is sometimes called *le futur proche*.

*Nous **allons jouer** au tennis.*   We're going to play tennis.
*Tu **vas écouter** la cassette?*   Are you going to listen to the tape?

15c le présent   the present tense

The present tense can be used for an event in the near future:
*On **sort** samedi soir?*   Shall we go out on Saturday evening?
*J'**arrive** dans cinq minutes.*   I'll be there in five minutes.

15d quand / dès que + futur simple

English uses the present tense after 'when' or 'as soon as', to talk about events in the future, e.g. 'When they arrive, we'll watch the video'. In French, you must use a future tense:
*Quand ils **arriveront**, nous regarderons la vidéo.*
*Dès qu'il **sera** prêt, on partira.*   As soon as he's ready, we'll leave.

15e le futur antérieur   the future perfect

Use this tense to refer to something that will take place before another action or point in the future. It is made up of *avoir* or *être* in the future tense, and a past participle.
*Il **aura mangé** avant le film.*   He will have eaten before the film.
*Je **serai parti(e)** quand il arrivera.*   I'll have gone when he arrives.

16 *Parler du passé* talking about the past

16a le passé composé avec avoir
the perfect tense with *avoir*

The perfect tense is the most common of the tenses used to refer to the past. It is used in conversations, letters and informal narratives, to describe a completed action in the past. There is more than one equivalent in English: *J'ai vendu mon vélo* = I sold my bike, I have sold my bike, or I did sell my bike.

The perfect tense is compound, i.e. made up of two parts: an auxiliary verb, usually *avoir*, but for some verbs *être* (see **16b**), and a past participle (see **16c**). For most verbs, put the present tense of *avoir* together with the past participle:

j'ai mangé	nous avons mangé
tu as mangé	vous avez mangé
il/elle/on a mangé	ils/elles ont mangé

*J'**ai fait** mes devoirs et puis on **a joué** aux cartes.*
I did my homework and then we played cards.

16b le passé composé avec être
the perfect tense with *être*

Some verbs have *être* as their auxiliary instead of *avoir*, giving, for example: *Paul est arrivé* = Paul arrived, Paul has arrived, or Paul did arrive. They are:
– all reflexive verbs – see **17**,
– a group of verbs connected with movement and change.
Some form pairs of opposites, which can help you to learn them.

aller to go	venir to come		
arriver to arrive	partir to leave		
entrer to go in	sortir to go out		
monter to go up	descendre to go down		
naître to be born	mourir to die		
devenir to become	rentrer to go home	rester to stay	
retourner to return	revenir to come back	tomber to fall	

The past participle must agree with the subject of the verb. Add *-e* when the subject is feminine, *-s* when the subject is plural:

je suis arrivé(e)	nous sommes arrivé(e)s
tu es arrivé(e)	vous êtes arrivé(e)(s)
il est arrivé	ils sont arrivés
elle est arrivée	elles sont arrivées
on est arrivé(e)(s)	

Marie est sortie avec Annie. Elles sont allées en ville.
Marie went out with Annie. They went into town.

A few verbs which normally use *être* change to *avoir* when there is a direct object. This changes their meaning slightly.
*Marie **est sortie**.*   Marie went outside.
*Marie **a sorti** le dossier.*   Marie took out the file.
*Ils **sont rentrés**.*   They came back.
*Ils **ont rentré** la voiture.*   They put the car away.

16c le participe passé   the past participle

The past participle is used in the perfect tense and in some other compound tenses. The regular pattern is to take *-er/-ir/-re* off the infinitive and add one of the following endings:

-er verbs → *-é*   *parler* → *parlé*   *demander* → *demandé*
-ir verbs → *-i*   *finir* → *fini*   *partir* → *parti*
-re verbs → *-u*   *vendre* → *vendu*   *battre* → *battu*

You need to learn the most common irregular past participles:

infinitive →	past participle	infinitive →	past participle
acquérir	acquis	mourir	mort
avoir	eu	naître	né
boire	bu	ouvrir	ouvert
comprendre	compris	paraître	paru
conduire	conduit	peindre	peint
connaître	connu	plaire	plu
coudre	cousu	pleuvoir	plu
courir	couru	pouvoir	pu
croire	cru	prendre	pris
croître	crû	recevoir	reçu
cuire	cuit	résoudre	résolu
devenir	devenu	rire	ri
devoir	dû	savoir	su
dire	dit	suivre	suivi
dissoudre	dissous	tenir	tenu
écrire	écrit	vaincre	vaincu
être	été	valoir	valu
faire	fait	venir	venu
falloir	fallu	vivre	vécu
lire	lu	voir	vu
mettre	mis	vouloir	voulu

The past participle usually stays the same, but in certain cases it changes, adding *e* for a feminine, *s* for a plural:
– when the auxiliary is *être* – see **16b** and **17**,
– when it is used to form the passive – see **23**,
– when a direct object comes before the verb – read on.

In sentence 1, the direct object comes after the verb, so the past participle has no agreement – *acheté*:
1 *Marc a acheté **une veste**.*
In sentence 2, the direct object comes before the verb, so the past participle must agree with that (feminine) object – *achetée*:
2 *Voici **la veste** que Marc a achetée hier.*
In sentence 3, the direct object is a pronoun, *les*, and it comes before the verb. It stands for *les cassettes* which are feminine plural, so the past participle agrees with that – *données*:
3 *Où sont les cassettes? Je **les** ai données à Anne.*
Note that the direct object can be a noun or a pronoun; and that this rule of agreement does <u>not</u> apply to <u>indirect</u> objects.

16d l'imparfait   the imperfect tense

The imperfect tense is sometimes called the continuous past tense. It is not made up of two parts like the perfect tense, it is just one word, formed from a stem and an ending.

The stem is the *nous* form of the present tense, minus the *-ons*:
regarder → *nous regardons* → *regard-*
voir → *nous voyons* → *voy-*
prendre → *nous prenons* → *pren-*
There is just one exception: *être* → *ét-*

(Verbs like *manger* that add an extra *e* in the *nous* form of the present tense, and verbs like *prononcer* that change the *c* to *ç*, keep that change in the imperfect before an *a*.)

The endings are the same for all verbs:

je	-ais	nous	-ions
tu	-ais	vous	-iez
il/elle/on	-ait	ils/elles	-aient

je regardais, tu voyais, il prenait, nous mangions, ils mangeaient

The imperfect is used:
1 to describe what something was like:
*Il **faisait** nuit.*   It was night time.
*Elle **avait** les cheveux blonds.*   She had blond hair.

2 to describe continuous or interrupted actions in the past:
*Il **écoutait** la radio.*   He was listening to the radio.
*Elle **traversait** la rue quand une moto l'a renversée.*
She was crossing the road when a motorbike ran her down.

3 to describe something that happened frequently in the past:
*On **regardait** la télé.*   We used to watch television.
*Il **venait** me voir.*   He used to come and see me.

4 in reported speech (to report the present tense):
Pierre: "Je n'aime pas le camping."
*Pierre a dit qu'il n'**aimait** pas le camping.*
Pierre said he didn't like camping.

5 after *si* in conditional sentences:
*Si tu **travaillais**, tu réussirais.*   If you worked, you'd succeed.

6 in suggestions:
*Si on **allait** au bowling?*   What about going bowling?
*Si tu m'**accompagnais**?*   How about coming with me?

16e venir de + infinitif

To say that something has just happened or has only just finished, use the present tense of *venir* + *de* + infinitive:
Mon père vient de sortir.   My father has just gone out.
Je viens de me réveiller.   I've just woken up.

To say that something <u>had</u> just happened, use *venir* in the imperfect tense, followed by *de* + infinitive:
Il venait de sortir quand vous avez téléphoné.
He had just gone out when you phoned.

16f depuis

Depuis means 'since' or 'for (a certain time)' in the past. If the action is still going on, *depuis* is used with the present tense, although in English we use a past tense, 'have/has been ...'.
J'apprends le japonais depuis un an.
I've been learning Japanese for a year.
Mon grand-père joue au tennis depuis des années.
My grandfather has been playing tennis for years.

If the action lasted for some time but is now over, *depuis* is used with the imperfect tense, to say 'had been ...'.
Nous habitions à Paris depuis un mois.
We had been living in Paris for a month.

16g le plus-que-parfait   the pluperfect tense

The pluperfect tense is used to refer to an event or action that had taken place before some other event in the past. It is a compound tense, rather like the perfect tense. It is made up of *avoir* or *être* in the imperfect tense, and a past participle.

with *avoir*	with *être*
j'avais chanté	j'étais venu(e)
tu avais chanté	tu étais venu(e)
il/elle/on avait chanté	il/elle/on était venu(e)(s)
nous avions chanté	nous étions venu(e)s
vous aviez chanté	vous étiez venu(e)(s)
ils/elles avaient chanté	ils/elles étaient venu(e)s

*Quand je suis arrivé au café, les autres **étaient partis**.*
When I arrived at the café, the others had gone.
*Il **avait travaillé** chez Air France avant de trouver un poste ici.*
He had worked for Air France before getting a job here.

The pluperfect is used in reported speech (to report the perfect tense):
*Il a dit qu'il n'**avait** pas **vu** la figure de l'assassin.*
He said he hadn't seen the murderer's face.

16h l'infinitif passé   the past infinitive

A past infinitive is used after *après* to say 'after doing' or 'having done something'. It is made up of *avoir* or *être* in the infinitive, and a past participle.

*Après **avoir lu** le journal, j'ai fait mes devoirs.*
Having read the newspaper, I did my homework.
*Après **être allé** au supermarché, Paul est rentré chez lui.*
After going to the supermarket, Paul went home.
*Après **s'être couchées**, elles ont entendu un drôle de bruit.*
After going to bed, they heard a strange noise.

16i le passé simple   the past historic

The past historic is used principally in stories, novels, history books, newspapers and magazines. It is used to describe a completed action in the past. It is not used in spech or informal writing; the perfect tense is used instead. You should learn the endings for each person of the verb, but the 3rd person (singular and plural) is used most often. It is formed from a stem (the infinitive minus *-er/-ir/-re*) and the following endings:

	-er verbs	*-ir* and *-re* verbs
je	*-ai*	*-is*
tu	*-as*	*-is*
il/elle/on	*-a*	*-it*
nous	*-âmes*	*-îmes*
vous	*-âtes*	*-îtes*
ils/elles	*-èrent*	*-irent*

*Ils **se levèrent** et **partirent** ensemble.*
They got up and left together.
*Il **répondit** à toutes nos questions.*
He answered all our questions.

Many common verbs are irregular (see **26**), including:
avoir: j'eus, il eut, nous eûmes, ils eurent
être: je fus, il fut, nous fûmes, ils furent
*Ce **fut** une journée inoubliable.*   It was an unforgettable day.

Note that a good number of irregular *-re* and *-oir* verbs share a characteristic pattern of endings:
-us/-us/-ut/-ûmes/-ûtes/-urent
*L'idée lui **parut** bizarre.*   The idea seemed odd to him.

16j le passé antérieur   the past anterior

Like the pluperfect, the past anterior describes an action or event that had taken place before another action in the past. It is used in sentences where the main clause is in the past historic, so it is found in formal written material. It is mainly introduced by *quand, aussitôt que, dès que, après que,* or *à peine*. It is a compound tense, formed with *avoir* or *être* in the past historic and a past participle.
*Quand ils **eurent mangé**, ils se mirent au travail.*
When they had eaten, they set to work.
*Dès qu'elle **fut arrivée**, il demanda à lui parler.*
As soon as she arrived, he demanded to speak to her.

17 Les verbes pronominaux   reflexive verbs

The sign of a reflexive verb is the *se* or *s'* in front of the infinitive: *s'appeler, se lever, s'amuser, se tromper.*

A reflexive pronoun is added between the subject and the verb. The reflexive pronouns are:
me/m'   te/t'   se/s'   nous   vous   se/s'

The reflexive pronoun is not usually translated in English.
*Je **me** repose.*   I am resting.
*Tu **t'**ennuies?*   Are you bored?
*Il **se** couche.*   He's going to bed.
*Nous **nous** sommes assis.*   We sat down.
*Vous **vous** appelez comment?*   What's your name?
*Elles **se** sont trompées.*   They made a mistake.

Questions   In questions, the reflexive pronoun stays before the verb:
Tu te couches? Est-ce que tu te couches? Te couches-tu?
Are you going to bed?

Negatives   In negative sentences, the negative expression goes around the pronoun as well as the verb:
On ne se couche pas.   We're not going to bed.

Infinitives   When the reflexive verb is in the infinitive, you need to replace the *se* with the right pronoun for the subject of the verb:
*Je dois **me coucher**.*   I must go to bed.
*Nous voulons **nous amuser**.*   We want to enjoy ourselves.
*Tu ne veux pas **te reposer**?*   Don't you want to have a rest?

Perfect tense   All reflexive verbs have *être* as the auxiliary verb, and the past participle must agree with the subject of the verb.

je me suis levé(e)	*nous nous sommes levé(e)s*
tu t'es levé(e)	*vous vous êtes levé(e)(s)*
il s'est levé	*ils se sont levés*
elle s'est levée	*elles se sont levées*
on s'est levé(e)s	

Les voitures se sont arrêtées.   The cars stopped.
On s'est bien entendu(e)s.   We got on well.
Je ne me suis jamais ennuyé(e).   I never got bored.

Most reflexive verbs have regular past participles.
There are three exceptions:
s'asseoir → je me suis assis(e)
se mettre à → je me suis mis(e) à
se souvenir de → je me suis souvenu(e) de

18 L'impératif   the imperative

Use the imperative form to give orders or instructions, and to make suggestions. It is simply the *tu, vous* or *nous* form of the present tense of the verb, but leaving out the pronoun. The *s* is dropped from the 2nd person singular of *-er* verbs.

Viens!   Passe-moi le sel.   Come on!   Pass me the salt.
Regardez!   Roulez lentement.   Look!   Drive slowly.
Allons-y!   Voyons qui est là.   Let's go!   Let's see who's there.

Most verbs have regular imperatives, but you will meet the following irregular forms:
avoir: *aie* *ayez* *ayons*
être: *sois* *soyez* *soyons*
savoir: *sache* *sachez* *sachons*

With reflexive verbs, take care with the reflexive pronoun:
– in a positive imperative, *te* changes to *toi*, and the pronoun goes after the verb: *Couche-toi.* Go to bed. *Asseyez-vous.* Sit down.
– in a negative imperative, the pronoun does not change and remains immediately before the verb:
Ne te couche pas. Don't go to bed.
Ne vous asseyez pas. Don't sit down.

19 Le conditionnel the conditional

The conditional is used:
1 to express a wish or make a suggestion:
*Je **voudrais** aller au Canada.* I'd/I would like to go to Canada.
*Elle **devrait** acheter un chien.* She should buy a dog.

2 to make a polite request:
***Pourriez**-vous m'aider?* Could you help me?

3 in a sentence which depends on another event or situation:
*Si je savais conduire, je **louerais** une voiture.*
If I knew how to drive, I would hire a car.

4 in reported speech (to report the future tense):
*Il a dit qu'il **partirait**.* He said he would leave.

5 to attribute opinons or reports to someone else:
*Selon le journaliste, l'attentat **serait** très grave.* According to the journalist, the attack is/would appear to be very serious.

6 in news reports, to indicate that the facts are not fully verified:
*Le bilan **serait** de trois morts et deux blessés.* The number of casualties is said to be three dead and two wounded.
*Un témoin **aurait vu** un terroriste placer une bombe.*
A witness apparently/allegedly saw a terrorist place a bomb.

19a le conditionnel présent the present conditional

To the stem of the future (see **15a**), add endings which are the same as for the imperfect (see **16d**):

je regarderais	nous regarderions
tu regarderais	vous regarderiez
il/elle/on regarderait	ils/elles regarderaient

19b le conditionnel passé the past conditional

This is a compound tense similar to the future perfect (**15e**). Use *avoir* or *être* in the conditional, and add a past participle:
*Moi, j'**aurais fait** comme toi.* I would have done as you did.
*Vous **seriez devenu** célèbre.* You would have been famous.
*Il **se serait coupé** le doigt.* He would have cut his finger.

The past conditional of *devoir* and *pouvoir* are useful forms, to say that something should/ought to or could have been done:
*Il **aurait dû** en parler à son prof.* He ought to have told his teacher.
*Tu **aurais pu** me téléphoner.* You could have phoned me.

20 La concordance des temps avec si
sequence of tenses after si

Where a clause starts with *si*, take care with the verb tenses in both clauses. The pattern is similar to that in English; and is not the same as for *quand* and *dès que* (see **15d**).
1 *si* + present + future
S'il pleut, on ira au cinéma.
If it rains, we'll go to the cinema.

2 *si* + perfect + future
Si tu as déjà vu le film, on ira au café.
If you've already seen the film, we'll go to a café.

3 *si* + imperfect + conditional
Si j'avais beaucoup d'argent, je partirais en vacances.
If I had a lot of money, I would go on holiday.

4 *si* + pluperfect + past conditional
S'il avait essayé, il aurait trouvé un emploi.
If he had tried, he would have found a job.

21 Le participe présent the present participle

To form the present participle, take the *nous* form of the present tense, remove the *-ons* and add *-ant*:
parler → *nous parlons* → ***parlant***
suivre → *nous suivons* → ***suivant***
finir → *nous finissons* → ***finissant***

There are three exceptions, not based on the *nous* form:
avoir → ***ayant*** *être* → ***étant*** *savoir* → ***sachant***

The present participle has various uses.
1 When used as an adjective, the present participle agrees with the noun or pronoun it qualifies:
*un homme **charmant*** a charming man
*la semaine **suivante*** the following week

2 Many present participles can act as nouns, but check in a dictionary. They have normal feminine and plural forms.
*Le journaliste interrogea quelques **passants**. Une **passante** ...*
The journalist questioned a few passers-by. One female ...

3 Used as a verb, the present participle describes an action and is invariable. (It is often introduced by *en* – see **21a** below.)
*Elle est partie, **traînant** son écharpe dans la poussière.*
She went out, trailing her scarf in the dirt.

21a en + participe present

This structure is used:
1 to say 'while/by/on doing something':
*Il nous a fait rire **en racontant** des histoires amusantes.*
He made us laugh by telling us amusing anecdotes.
***En** la **voyant**, il se leva brusquement.*
On seeing her, he started to his feet.

2 to express the manner of motion:
*Je suis sorti de la maison **en courant**.*
I left the house running/I ran out of the house.

3 to express how something happened:

*Il s'est blessé **en faisant** du ski.*   He injured himself skiing.

4 to express two simultaneous actions:

*Elle entra **en parlant** à un élève.*   She came in talking to a pupil.
*Il travaille **en écoutant** de la musique.*
He works while listening to music.

Adding *tout* can:
– emphasize the fact that two actions take place at the same time:
***Tout en parlant**, il se leva et sortit.*   Still talking, he got up and left.
– add a concessive sense:
***Tout en admettant** ses raisons, je ne suis pas convaincu.*
While accepting his arguments, I am not convinced.

22 Le subjonctif   the subjunctive

The subjunctive is used to express opinions, wishes, possibilities, doubts; it is more noticeable in French than in English. There are four tenses of the subjunctive: present, perfect, imperfect and pluperfect. The present subjunctive is used most frequently.

22a le subjonctif présent   the present subjunctive

To form the present subjunctive, add these endings to the stem of the *ils* form of the present tense:

je	-e	nous	-ions
tu	-es	vous	-iez
il/elle/on	-e	ils/elles	-ent

Je préfère que tu finisses ça.   I'd prefer you to finish that.
Il faut qu'elles attendent ici.   They must wait here.

Common irregular verbs:
aller → *j'aille, nous allions*
avoir → *j'aie, nous ayons*
croire → *je croie, nous croyions*
devoir → *je doive, nous devions*
écrire → *j'écrive, nous écrivions*
être → *je sois, nous soyons*
faire → *je fasse, nous fassions*
pouvoir → *je puisse, nous puissions*
prendre → *je prenne, nous prenions*
recevoir → *je reçoive, nous recevions*
savoir → *je sache, nous sachions*
venir → *je vienne, nous venions*
vouloir → *je veuille, nous voulions*
voir → *je voie, nous voyions*

22b le subjonctif passé   the perfect subjunctive

This is a compound tense formed from the present subjunctive of *avoir* or *être* and a past participle. You may need to use it in conjunction with the present subjunctive.

*Il est possible qu'elle **ait** déjà **téléphoné** à ses parents.*
It's possible that she has already phoned her parents.
*Je ne crois pas qu'elle **soit** déjà **partie**.*
I don't think she has left yet.

22c le subjonctif imparfait   the imperfect subjunctive

This is rarely used but you need to be able to recognize it. It is formed by removing the *-s* from the *tu* form of the past historic (see **16i**) and adding these endings:
-sse, -sses, -^t, -ssions, -ssiez, -ssent

donner → *tu donnas* → *je donnasse*
finir → *tu finis* → *tu finisses*
avoir → *tu eus* → *il eût*
être → *tu fus* → *nous fussions*
prendre → *tu pris* → *vous prissiez*
faire → *tu fis* → *ils fissent*

22d le subjonctif plus-que-parfait   the pluperfect subjunctive

This is used in literary French. It is formed from the imperfect subjunctive (**22c**) of *avoir* or *être* and a past participle.
*... comme s'il **eût parlé** au mur.*
... as if he had spoken to the wall.
*Il douta qu'elle **fût allée** seule.*
He doubted that she would have gone alone.

22e l'emploi du subjonctif   use of the subjunctive

The subjunctive is almost always introduced by *que*. It is used:
1 after many verbs expressing emotion:
vouloir que, préférer que, douter que, craindre que*, avoir peur que*, se plaindre que, être content que, aimer que, souhaiter que, demander que, ordonner que, défendre que, s'étonner que, regretter que, être surpris que, interdire que, permettre que

*Je préfère que mes parents ne **viennent** pas.*
I prefer my parents not to come.
*Il s'étonne que ses élèves **soient** prêts.*
He is surprised that his students are ready.
*Nous voudrions que vous **arriviez** de bonne heure.*
We would like you to arrive early.

 * Note the use of *ne* with *craindre* and *avoir peur*:
*Je **crains** qu'ils **ne soient** trop jeunes.*
I'm afraid they'll be too young.
*Elle **a peur** qu'il **ne soit** trop tard.*
She is afraid that it is too late.

• Verbs such as *penser que, croire que, dire que, nier que* and *être sûr que* are only followed by the subjunctive when they are negative or interrogative:
*Je ne pense pas qu'il **ait** raison.*   I don't think he is right.
(Compare: *Moi, je pense qu'il **a** raison.*)

*Croyez-vous qu'il **puisse** refuser?*   Do you think he can refuse?
(Compare: *Je crois qu'il **peut** refuser.*)

2 after certain impersonal phrases:
il faut que, il est nécessaire que, il est temps que,
il est préférable que, il est important que, il vaut mieux que,
il est honteux que, il semble que*

*Il faut que nous **soyons** prêts.*   We must be ready.
*Il est nécessaire qu'il y **aille**.*   It is necessary that he goes.
*Il est temps que tu **l'admettes**.*   It is time you admitted it.
*Il semble que les cours **soient** intéressants.*
It seems the lessons are interesting.

* When *il semble que* is used with *me, te*, etc., it is followed by the indicative instead:
*Il me semble que tu **as** raison.*
It seems to me that you are right.

3 after certain conjunctions:
avant que, en attendant que, jusqu'à ce que, pour que, afin que, de manière que, de sorte que, à condition que, pourvu que, sans que, quoique, bien que, à moins que
Also after *que* at the start of a sentence, meaning 'whether'.

*Attends là jusqu'à ce que je **revienne**.*
Wait there until I get back.
*Ecrivez-nous afin que nous **soyons** au courant.*
Write to us so that we can be kept up to date.
*Qu'il **écrive** ou pas, je partirai samedi.*
Whether he writes or not, I'll leave on Saturday.

4 after *qui que, où que, quoi que, quel que, quelque*:
*Qui que vous **soyez**, vous pouvez nous aider.*
Whoever you are, you can help us.
*Quel que **soit** le prix, il faut le payer.*
Whatever the price, it must be paid.
*Quoi qu'il **dise**, j'insiste.*   Whatever he says, I insist.

5 after a relative pronoun (*qui, que*) when that follows:
– a superlative:
*C'est le meilleur repas que j'**aie** jamais mangé.*
It's the best meal I've ever eaten.
– a negative:
*Ils ne font rien qui **puisse** nous aider.*
They're doing nothing that can help us.
– an expression of a wish or dream:
*Je voudrais/rêve d'un emploi qui **soit** intéressant.*
I'd like/I dream of a job that is interesting.

22f éviter le subjonctif   avoiding the subjunctive

Use an infinitive, not the subjunctive, when there is no change of subject:
Je veux le savoir.   I want to know.
(compare: *Je veux qu'il le sache.*   I want him to know.)
Il faut partir.   We must leave.

Use the indicative, not the subjunctive, after phrases expressing certainty:
Je suis sûr qu'il viendra.   I'm sure that he will come.
(compare: *Je ne suis pas sûr qu'il vienne.*   I'm not sure ...)
Il était évident qu'elle était tombée.   It was obvious that she'd fallen.

You can occasionally use a noun instead of a subjunctive:
Avant son départ, je voudrais téléphoner à ses parents.
Before he leaves, I'd like to phone his parents.

23 Le passif   the passive

When the subject of the sentence has the action of the verb done to it instead of doing it, this is called the 'passive' voice. Use *être* and a past participle, which agrees with the subject.

*Après un accident, les blessés **sont transportés** à l'hôpital.*
After an accident, the injured are taken to hospital.
*L'église **a été construite** au quinzième siècle.*
The church was built in the fifteenth century.

The passive has many tenses, relating to the tenses of *être*:
*Les enfants **sont protégés**. Ils **étaient protégés** avant, mais ...*
Children are protected. They were protected before, but ...
*Il **sera invité/serait invité** à parler aux lycéens.*
He will be invited/would be invited to speak to the students.
*Il **a été invité**/Il **fut invité** ...*   He has been/was invited ...

It is important not to confuse the passive with the perfect:
Le piéton a été renversé par la voiture. (= passive)
The pedestrian was knocked over by the car.
Le piéton n'a pas été content. (= perfect)
The pedestrian was not happy.

... nor with an adjective:
La visite est organisée par la mairie. (= passive)
The tour is organized by the town hall.
Elle est bien organisée. (= adjective)   It is well organized.

23a l'emploi du passif   use of the passive

The passive is used:
– when the person doing the action is not named:
Il a été renversé. He was knocked over.
– to focus on the person or thing receiving the action rather than on the one doing it:
Les bêtes sont très bien nourries par ces méthodes.
The animals are fed very well by these methods.
– for reasons of style, especially in newspaper accounts:
Les deux jeunes ont été arrêtés dès leur arrivée.
The two youths were arrested as soon as they arrived.

23b éviter le passif   avoiding the passive

The passive is used less frequently in French than in English. It can be better to use instead:
1 *on* + verb
On a arrêté les deux jeunes. (= ils ont été arrêtés)

2 another subject + verb
Une ceinture de sécurité protège les enfants. (= ils sont protégés)

3 a reflexive verb
Le passif s'utilise rarement en français. (= il est utilisé)

Some verbs can not be used in the passive:
– reflexive verbs,
– verbs used without a direct object, e.g. *aller, décider de, demander de*. So, 'I was asked to take part...' would be:
On m'a demandé de participer ...

24 Les verbes impersonnels
impersonal verbs

These are only used in the 3rd person singular (all tenses) or the infinitive. Some do have other forms, but not when used impersonally. The most common are: *falloir, valoir, s'agir de, faire* (+ weather), *pleuvoir.* Also: *il y a, il reste, il manque, il paraît que, il suffit de.*

Il fallait attendre son arrivée.　We had to wait for him to arrive.
Il vaudrait mieux se taire.　It would be better to keep quiet.
Il s'agit de la situation des immigrés en France.
It's about the situation of immigrants in France.
Il fera mauvais demain.　It/The weather will be bad tomorrow.
Il pleuvait à verse.　It was pouring down.

25 L'infinitif　the infinitive

25a les verbes suivis d'un infinitif
verbs followed by an infinitive

When one verb introduces another, the second is always in the infinitive.

1　Verbs followed directly by the infinitive:

adorer	entendre	pouvoir
aimer	espérer	préférer
aller	faire	prétendre
compter	falloir	savoir
croire	laisser	sembler
désirer	oser	souhaiter
détester	paraître	voir
devoir	penser	vouloir

Il faut partir tout de suite?　Do we have to leave at once?
Je compte/pense aller à l'université.　I intend to go to university.
Il l'a entendu pleurer.　He heard him crying.
On m'a fait attendre.　They made me wait.
J'ai fait appeler la police.　I've had the police called.
Il ne laisse pas voir ses sentiments.
He doesn't let his feelings show.

2　Verbs followed by *à* + infinitive:

aider à	s'entraîner à
s'amuser à	faire attention à
apprendre à	s'habituer à
arriver à	hésiter à
s'attendre à	inviter à
avoir du mal à	se mettre à
chercher à	penser à
commencer à	se préparer à
consister à	réussir à
continuer à	servir à
se décider à	songer à

Il hésita à parler.　He hesitated to speak.
Nous pensions à partir quand le téléphone a sonné.
We were thinking of leaving when the telephone rang.

3　Verbs followed by *de* + infinitive:

accepter de	décider de	finir de	rêver de
s'arrêter de	s'efforcer de	manquer de	risquer de
avoir envie/peur de	envisager de	oublier de	se souvenir de
cesser de	essayer de	refuser de	tenter de
choisir de	éviter de	regretter de	venir de

Il envisage de passer l'été en France.
He intends to spend the summer in France.
Tu as essayé d'imprimer le texte?　Have you tried to print the text?

4　Verbs followed by *de* + infinitive and *à* + person:

conseiller	interdire	prier
défendre	offrir	proposer
demander	ordonner	recommander
dire	permettre	reprocher
empêcher	persuader	suggérer

On a demandé aux étudiants de remplir la fiche.
The students were asked to fill in the form.
Ils leur ont interdit d'interviewer le ministre.
They forbade them to interview the minister.

25b autres usages de l'infinitif　other uses

The infinitive is also used in the following ways:

1　to give instructions in notices and printed directions:
Ne pas se pencher au dehors.　Do not lean out.
Tenir au frais.　Keep in a cool place.

2　after certain prepositions, including *avant de, sans, au lieu de, par, pour, afin de, en train de*:
Avant de partir …　Before leaving …
Elle a répondu sans hésiter.　She replied without hesitating.
Au lieu de téléphoner, il m'a écrit.
Instead of phoning, he wrote to me.

But take care with these two prepositions:
– *après* + perfect infinitive:
　Après avoir mangé, on est partis.　After eating, we left.
– *en* + present participle:
　Il est parti en souriant.　He left, smiling.

3　as a noun:
Sortir, ça fait du bien.　Going out is good for you.

4　after an adjective, linked with *à* or *de*:
*Cet exercice est **difficile à** faire.*
***Il est difficile de** faire cet exercice.*
*On sera **heureux de** vous aider.*
*Elle était **la seule à** comprendre.*

5　after a noun or an expression of quantity. Most nouns are linked to an infinitive with *de*: *le besoin de, le droit de, l'envie de, l'honneur de, l'occasion de, le plaisir de.*

Where the verb has a passive meaning, noun and infinitive are linked with *à*: *un homme à respecter, une maison à vendre.*

Certain expressions of quantity are linked with *à*:
J'ai quelque chose à faire. Je n'ai rien à faire.

26 *Verbes – tableaux* *verb tables*

infinitif		présent	passé composé	passé simple	futur simple	conditionnel	subjonctif
-er verbs	je/j'	parle	ai parlé	parlai	parlerai	parlerais	parle
	tu	parles	as parlé	parlas	parleras	parlerais	parles
parler	il/elle/on	parle	a parlé	parla	parlera	parlerait	parle
to speak	nous	parlons	avons parlé	parlâmes	parlerons	parlerions	parlions
	vous	parlez	avez parlé	parlâtes	parlerez	parleriez	parliez
	ils/elles	parlent	ont parlé	parlèrent	parleront	parleraient	parlent
-ir verbs	je/j'	finis	ai fini	finis	finirai	finirais	finisse
	tu	finis	as fini	finis	finiras	finirais	finisses
finir	il/elle/on	finit	a fini	finit	finira	finirait	finisse
to finish	nous	finissons	avons fini	finîmes	finirons	finirions	finissions
	vous	finissez	avez fini	finîtes	finirez	finiriez	finissiez
	ils/elles	finissent	ont fini	finirent	finiront	finiraient	finissent
-re verbs	je/j'	réponds	ai répondu	répondis	répondrai	répondrais	réponde
	tu	réponds	as répondu	répondis	répondras	répondrais	répondes
répondre	il/elle/on	répond	a répondu	répondit	répondra	répondrait	réponde
to answer	nous	répondons	avons répondu	répondîmes	répondrons	répondrions	répondions
	vous	répondez	avez répondu	répondîtes	répondrez	répondriez	répondiez
	ils/elles	répondent	ont répondu	répondirent	répondront	répondraient	répondent
aller	je/j'	vais	suis allé(e)	allai	irai	irais	aille
to go	tu	vas	es allé(e)	allas	iras	irais	ailles
	il/elle/on	va	est allé(e)(s)	alla	ira	irait	aille
	nous	allons	sommes allé(e)s	allâmes	irons	irions	allions
	vous	allez	êtes allé(e)(s)	allâtes	irez	iriez	alliez
	ils/elles	vont	sont allé(e)s	allèrent	iront	iraient	aillent
avoir	je/j'	ai	ai eu	eus	aurai	aurais	aie
to have	tu	as	as eu	eus	auras	aurais	aies
	il/elle/on	a	a eu	eut	aura	aurait	ait
	nous	avons	avons eu	eûmes	aurons	aurions	ayons
	vous	avez	avez eu	eûtes	aurez	auriez	ayez
	ils/elles	ont	ont eu	eurent	auront	auraient	aient
battre	je/j'	bats	ai battu	battis	battrai	battrais	batte
to beat	tu	bats	as battu	battis	battras	battrais	battes
	il/elle/on	bat	a battu	battit	battra	battrait	batte
	nous	battons	avons battu	battîmes	battrons	battrions	battions
	vous	battez	avez battu	battîtes	battrez	battriez	battiez
	ils/elles	battent	ont battu	battirent	battront	battraient	battent
boire	je/j'	bois	ai bu	bus	boirai	boirais	boive
to drink	tu	bois	as bu	bus	boiras	boirais	boives
	il/elle/on	boit	a bu	but	boira	boirait	boive
	nous	buvons	avons bu	bûmes	boirons	boirions	buvions
	vous	buvez	avez bu	bûtes	boirez	boiriez	buviez
	ils/elles	boivent	ont bu	burent	boiront	boiraient	boivent
comprendre		*see* **prendre**					
to understand	je/j'	comprends	ai compris	compris	comprendrai	comprendrais	comprenne
conduire	je/j'	conduis	ai conduit	conduisis	conduirai	conduirais	conduise
to drive	tu	conduis	as conduit	conduisis	conduiras	conduirais	conduises
	il/elle/on	conduit	a conduit	conduisit	conduira	conduirait	conduise
	nous	conduisons	avons conduit	conduisîmes	conduirons	conduirions	conduisions
	vous	conduisez	avez conduit	conduisîtes	conduirez	conduiriez	conduisiez
	ils/elles	conduisent	ont conduit	conduisirent	conduiront	conduiraient	conduisent

infinitif		présent	passé composé	passé simple	futur simple	conditionnel	subjonctif
connaître	je/j'	connais	ai connu	connus	connaîtrai	connaîtrais	connaisse
to know	tu	connais	as connu	connus	connaîtras	connaîtrais	connaisses
	il/elle/on	connaît	a connu	connut	connaîtra	connaîtrait	connaisse
	nous	connaissons	avons connu	connûmes	connaîtrons	connaîtrions	connaissions
	vous	connaissez	avez connu	connûtes	connaîtrez	connaîtriez	connaissiez
	ils/elles	connaissent	ont connu	connurent	connaîtront	connaîtraient	connaissent
craindre	je/j'	crains	ai craint	craignis	craindrai	craindrais	craigne
to fear	tu	crains	as craint	craignis	craindras	craindrais	craignes
	il/elle/on	craint	a craint	craignit	craindra	craindrait	craigne
	nous	craignons	avons craint	craignîmes	craindrons	craindrions	craignions
	vous	craignez	avez craint	craignîtes	craindrez	craindriez	craigniez
	ils/elles	craignent	ont craint	craignirent	craindront	craindraient	craignent
croire		*see* **voir**					
to believe	je/j'	crois	ai cru	crus	croirai	croirais	croie
devoir	je/j'	dois	ai dû	dus	devrai	devrais	doive
to have to/	tu	dois	as dû	dus	devras	devrais	doives
must	il/elle/on	doit	a dû	dut	devra	devrait	doive
	nous	devons	avons dû	dûmes	devrons	devrions	devions
	vous	devez	avez dû	dûtes	devrez	devriez	deviez
	ils/elles	doivent	ont dû	durent	devront	devraient	doivent
dire	je/j'	dis	ai dit	dis	dirai	dirais	dise
to say	tu	dis	as dit	dis	diras	dirais	dises
	il/elle/on	dit	a dit	dit	dira	dirait	dise
	nous	disons	avons dit	dîmes	dirons	dirions	disions
	vous	dites	avez dit	dîtes	direz	diriez	disiez
	ils/elles	disent	ont dit	dirent	diront	diraient	disent
dormir	je/j'	dors	ai dormi	dormis	dormirai	dormirais	dorme
to sleep	tu	dors	as dormi	dormis	dormiras	dormirais	dormes
	il/elle/on	dort	a dormi	dormit	dormira	dormirait	dorme
	nous	dormons	avons dormi	dormîmes	dormirons	dormirions	dormions
	vous	dormez	avez dormi	dormîtes	dormirez	dormiriez	dormiez
	ils/elles	dorment	ont dormi	dormirent	dormiront	dormiraient	dorment
écrire	je/j'	écris	ai écrit	écrivis	écrirai	écrirais	écrive
to write	tu	écris	as écrit	écrivis	écriras	écrirais	écrives
	il/elle/on	écrit	a écrit	écrivit	écrira	écrirait	écrive
	nous	écrivons	avons écrit	écrivîmes	écrirons	écririons	écrivions
	vous	écrivez	avez écrit	écrivîtes	écrirez	écririez	écriviez
	ils/elles	écrivent	ont écrit	écrivirent	écriront	écriraient	écrivent
être	je/j'	suis	ai été	fus	serai	serais	sois
to be	tu	es	as été	fus	seras	serais	sois
	il/elle/on	est	a été	fut	sera	serait	soit
	nous	sommes	avons été	fûmes	serons	serions	soyons
	vous	êtes	avez été	fûtes	serez	seriez	soyez
	ils/elles	sont	ont été	furent	seront	seraient	soient
faire	je/j'	fais	ai fait	fis	ferai	ferais	fasse
to do/make	tu	fais	as fait	fis	feras	ferais	fasses
	il/elle/on	fait	a fait	fit	fera	ferait	fasse
	nous	faisons	avons fait	fîmes	ferons	ferions	fassions
	vous	faites	avez fait	fîtes	ferez	feriez	fassiez
	ils/elles	font	ont fait	firent	feront	feraient	fassent

infinitif		présent	passé composé	passé simple	futur simple	conditionnel	subjonctif
falloir	il	faut	a fallu	fallut	faudra	faudrait	faille
to be necessary							
se lever	je	me lève	me suis levé(e)	me levai	me lèverai	me lèverais	me lève
to get up	tu	te lèves	t'es levé(e)	te levas	te lèveras	te lèverais	te lèves
	il/elle/on	se lève	s'est levé(e)(s)	se leva	se lèvera	se lèverait	se lève
	nous	nous levons	nous sommes levé(e)s	nous levâmes	nous lèverons	nous lèverions	nous levions
	vous	vous levez	vous êtes levé(e)(s)	vous levâtes	vous lèverez	vous lèveriez	vous leviez
	ils/elles	se lèvent	se sont levé(e)s	se levèrent	se lèveront	se lèveraient	se lèvent
lire	je/j'	lis	ai lu	lus	lirai	lirais	lise
to read	tu	lis	as lu	lus	liras	lirais	lises
	il/elle/on	lit	a lu	lut	lira	lirait	lise
	nous	lisons	avons lu	lûmes	lirons	lirions	lisions
	vous	lisez	avez lu	lûtes	lirez	liriez	lisiez
	ils/elles	lisent	ont lu	lurent	liront	liraient	lisent
mettre	je/j'	mets	ai mis	mis	mettrai	mettrais	mette
to put	tu	mets	as mis	mis	mettras	mettrais	mettes
	il/elle/on	met	a mis	mit	mettra	mettrait	mette
	nous	mettons	avons mis	mîmes	mettrons	mettrions	mettions
	vous	mettez	avez mis	mîtes	mettrez	mettriez	mettiez
	ils/elles	mettent	ont mis	mirent	mettront	mettraient	mettent
mourir	je	meurs	suis mort(e)	mourus	mourrai	mourrais	meure
to die	tu	meurs	es mort(e)	mourus	mourras	mourrais	meures
	il/elle/on	meurt	est mort(e)(s)	mourut	mourra	mourrait	meure
	nous	mourons	sommes mort(e)s	mourûmes	mourrons	mourrions	mourions
	vous	mourez	êtes mort(e)(s)	mourûtes	mourrez	mourriez	mouriez
	ils/elles	meurent	sont mort(e)s	moururent	mourront	mourraient	meurent
naître	je	nais	suis né(e)	naquis	naîtrai	naîtrais	naisse
to be born	tu	nais	es né(e)	naquis	naîtras	naîtrais	naisses
	il/elle/on	naît	est né(e)(s)	naquit	naîtra	naîtrait	naisse
	nous	naissons	sommes né(e)s	naquîmes	naîtrons	naîtrions	naissions
	vous	naissez	êtes né(e)(s)	naquîtes	naîtrez	naîtriez	naissiez
	ils/elles	naissent	sont né(e)s	naquirent	naîtront	naîtraient	naissent
ouvrir	je/j'	ouvre	ai ouvert	ouvris	ouvrirai	ouvrirais	ouvre
to open	tu	ouvres	as ouvert	ouvris	ouvriras	ouvrirais	ouvres
	il/elle/on	ouvre	a ouvert	ouvrit	ouvrira	ouvrirait	ouvre
	nous	ouvrons	avons ouvert	ouvrîmes	ouvrirons	ouvririons	ouvrions
	vous	ouvrez	avez ouvert	ouvrîtes	ouvrirez	ouvririez	ouvriez
	ils/elles	ouvrent	ont ouvert	ouvrirent	ouvriront	ouvriraient	ouvrent
paraître		*see* **connaître**					
to appear	je/j'	parais	ai paru	parus	paraîtrai	paraîtrais	paraisse
partir		*see* **sentir**, *but with* **être** *in compound tenses*					
to leave	je	pars	suis parti(e)	partis	partirai	partirais	parte
pleuvoir	il	pleut	a plu	plut	pleuvra	pleuvrait	pleuve
to rain							
pouvoir	je/j'	peux	ai pu	pus	pourrai	pourrais	puisse
to be able/	tu	peux	as pu	pus	pourras	pourrais	puisses
can	il/elle/on	peut	a pu	put	pourra	pourrait	puisse
	nous	pouvons	avons pu	pûmes	pourrons	pourrions	puissions
	vous	pouvez	avez pu	pûtes	pourrez	pourriez	puissiez
	ils/elles	peuvent	ont pu	purent	pourront	pourraient	puissent

infinitif		présent	passé composé	passé simple	futur simple	conditionnel	subjonctif
prendre	je/j'	prends	ai pris	pris	prendrai	prendrais	prenne
to take	tu	prends	as pris	pris	prendras	prendrais	prennes
	il/elle/on	prend	a pris	prit	prendra	prendrait	prenne
	nous	prenons	avons pris	prîmes	prendrons	prendrions	prenions
	vous	prenez	avez pris	prîtes	prendrez	prendriez	preniez
	ils/elles	prennent	ont pris	prirent	prendront	prendraient	prennent
recevoir	je/j'	reçois	ai reçu	reçus	recevrai	recevrais	reçoive
to receive	tu	reçois	as reçu	reçus	recevras	recevrais	reçoives
	il/elle/on	reçoit	a reçu	reçut	recevra	recevrait	reçoive
	nous	recevons	avons reçu	reçûmes	recevrons	recevrions	recevions
	vous	recevez	avez reçu	reçûtes	recevrez	recevriez	receviez
	ils/elles	reçoivent	ont reçu	reçurent	recevront	recevraient	reçoivent
rire	je/j'	ris	ai ri	ris	rirai	rirais	rie
to laugh	tu	ris	as ri	ris	riras	rirais	ries
	il/elle/on	rit	a ri	rit	rira	rirait	rie
	nous	rions	avons ri	rîmes	rirons	ririons	riions
	vous	riez	avez ri	rîtes	rirez	ririez	riiez
	ils/elles	rient	ont ri	rirent	riront	riraient	rient
savoir	je/j'	sais	ai su	sus	saurai	saurais	sache
to know	tu	sais	as su	sus	sauras	saurais	saches
	il/elle/on	sait	a su	sut	saura	saurait	sache
	nous	savons	avons su	sûmes	saurons	saurions	sachions
	vous	savez	avez su	sûtes	saurez	sauriez	sachiez
	ils/elles	savent	ont su	surent	sauront	sauraient	sachent
sentir	je/j'	sens	ai senti	sentis	sentirai	sentirais	sente
to feel	tu	sens	as senti	sentis	sentiras	sentirais	sentes
	il/elle/on	sent	a senti	sentit	sentira	sentirait	sente
	nous	sentons	avons senti	sentîmes	sentirons	sentirions	sentions
	vous	sentez	avez senti	sentîtes	sentirez	sentiriez	sentiez
	ils/elles	sentent	ont senti	sentirent	sentiront	sentiraient	sentent
tenir		*see* **venir**, *but with* **avoir** *in compound tenses*					
to hold	je/j'	tiens	ai tenu	tins	tiendrai	tiendrais	tienne
venir	je	viens	suis venu(e)	vins	viendrai	viendrais	vienne
to come	tu	viens	es venu(e)	vins	viendras	viendrais	viennes
	il/elle/on	vient	est venu(e)(s)	vint	viendra	viendrait	vienne
	nous	venons	sommes venu(e)s	vînmes	viendrons	viendrions	venions
	vous	venez	êtes venu(e)(s)	vîntes	viendrez	viendriez	veniez
	ils/elles	viennent	sont venu(e)s	vinrent	viendront	viendraient	viennent
vivre		*see* **écrire**	*past participle:* **vécu**				
to live	je/j'	vis	ai vécu	vécus	vivrai	vivrais	vive
voir	je/j'	vois	ai vu	vis	verrai	verrais	voie
to see	tu	vois	as vu	vis	verras	verrais	voies
	il/elle/on	voit	a vu	vit	verra	verrait	voie
	nous	voyons	avons vu	vîmes	verrons	verrions	voyions
	vous	voyez	avez vu	vîtes	verrez	verriez	voyiez
	ils/elles	voient	ont vu	virent	verront	verraient	voient
vouloir	je/j'	veux	ai voulu	voulus	voudrai	voudrais	veuille
to want	tu	veux	as voulu	voulus	voudras	voudrais	veuilles
	il/elle/on	veut	a voulu	voulut	voudra	voudrait	veuille
	nous	voulons	avons voulu	voulûmes	voudrons	voudrions	voulions
	vous	voulez	avez voulu	voulûtes	voudrez	voudriez	vouliez
	ils/elles	veulent	ont voulu	voulurent	voudront	voudraient	veuillent

Vocabulaire

adj	adjectif
adv	adverbe
conj	conjonction
loc	locution
loc adv	locution adverbiale
loc conj	locution conjonctive
loc prép	locution prépositive
nf	nom féminin
nm	nom masculin
nmf	nom masculin et féminin
nfpl	nom féminin pluriel
nmpl	nom masculin pluriel
prép	préposition
pron	pronom
rel	relatif
v	verbe
fam	français familier
vulg	français vulgaire
qqn	quelqu'un
qqch	quelque chose
sb	somebody
sth	something

A

abaisser v to lower; to pull down; to debase; to humiliate

s' **abaisser** v *à* to stoop to

abasourdir v to stun, to bewilder, to dumbfound

abatteur nm abattoir manager

abattre v to shoot sb down

aborder v to tackle; to approach

aboutir v *à* to end in/at

aboutissement nm culmination

abrégé adj abbreviated

abréger v to cut short, to shorten

abri nm shelter

abruti adj dazed; idiotic

s' **abstenir** v *de* to refrain from

abus nm abuse, misuse

accent nm accent
 – **tonique** stress

accession nf accession, attainment

accoler v to bracket together

accouveur nm hatchery

accroc nm tear (in cloth etc.)

accroché adj hooked

accroître v to increase, to grow

accueil nm welcome, reception

accueillant adj welcoming

accueillir v to welcome, to receive; to accommodate, to take in

acéré adj scathing, biting, cutting

acharné adj passionate, fierce, bitter; relentless, unremitting

acier nm steel

acquérir v to acquire, to purchase; to win, to gain

actifs nmpl the working population

actuellement adv at present, currently

adepte nmf follower, enthusiast

adhérer v to join, to subscribe to

adjoint nm assistant

admettre v to admit

admissible adj acceptable

s' **adonner** v *à* to devote oneself to; to go in for

affection nf affection; ailment

afficher v to declare; to flaunt

affleurer v to show on the surface; to come to the surface

affliger v to afflict

affolé adj terror-stricken

affronté adj *à* faced with, confronted with

affronter v to face, to brave

s' **aggraver** v to get worse

agiter v to agitate; to stir

agneau nm lamb

agro-alimentaire nm food processing industry

aigre adj sour, sharp

aigu, aiguë adj acute

aile nf wing

ailleurs adv elsewhere
 d'– besides
 par – in addition

aine nf groin

aire nf **de repos** space to lie down; rest area

alentours nmpl neighbourhood, surrounding area

alexandrin nm alexandrine (12-syllable line of verse)

aliment nm food

alizés nmpl trade winds

alléger v to lighten

allégresse nf joy

allocation nf benefit

allogène adj non-native; foreign

s' **allonger** v to lengthen; to lie down

alors que loc conj while, when

alvéole nf cavity

s' **amasser** v to pile up, to accumulate

ambiance nf atmosphere

ambiant adj surrounding, ambient

ambulant adj itinerant, travelling

âme nm soul

améliorer v to improve

aménagement nm developing, adaptation; planning; equipping

amerrir v to land (on the sea)

amitié nf friendship

ampleur nf scale, size, extent

analphabète adj, nmf illiterate

s' **ancrer** v to take root, to become fixed

animateur nm presenter, host

annonceur nm advertiser

annuler v to cancel

antenne nf aerial
 – **parabolique** satellite dish

apanage nm prerogative

apogée nm peak

apothéose nf apotheosis; grand finale; pinnacle

s' **apparenter** v *à* to ally with

apparition nf appearance

apprendre v to learn; to teach

apprentissage nm apprenticeship, training

s' **apprêter** v *à* to get ready to do sth; to prepare oneself for sth

appui nm support

s' **appuyer** v **sur/contre** to lean on/against; to rely on

araire nm swing-plough

argile nf clay

armature nf frame, reinforcement

arnaquer v fam to swindle, to rip sb off

arpenter v to pace (up and down)

arracher v to rip sth off

arrestation nf arrest

arrêt nm **de mort** death sentence

arrêter v to stop; to arrest

arriéré adj backward; outdated

arrière-salle nf back room

arriver v *à* **faire qqch** to manage to do sth

s' **arroger** v to assume, to claim

artisanal adj traditional, cottage industry-style

asile nm refuge, sanctuary

asperge nf asparagus

assassinat nm murder, assassination

assassiner v to murder, to assassinate

s' **assombrir** v to darken; to become gloomy

assorti adj matched
 être – de to be accompanied by/with

assoupissement nm drowsiness

atelier nm workshop, studio

attache nf tie, ties

attardé adj backward; late; old-fashioned

atteindre v to reach, to arrive at, to achieve; to affect

attelage nm carriage-driving

attentat nm attack, assassination attempt

attente nf expectations

attestation nf certificate

attirer v to attract

attrait nm attraction, appeal

aube nf dawn

augmenter v to increase

aumône nf charity, hand-out

auparavant adv before, beforehand, previously

autant adv **(que)** as much (as)

autarcie nf : **vivre en autarcie** to be self-sufficient

s' **auto-gérer** v to be self-managing

autrefois adv in the past, in bygone days

avant-scène nf fore-stage, centre-stage

s' **avérer** v to turn out, to prove to be

averse nf shower

avertir v to warn

avertissement nm warning

aveu nm confession; acknowledgement

aveugler v to blind

avortement nm abortion

avouer v to confess; to acknowledge

B

bagarre nf fight, struggle

baie nf **de laurier** laurel

baisse nf fall, drop

balade nf walk, stroll

balayer v to sweep up; to brush aside

balayure nf sweepings

balbutier v to stammer, to mumble

ballotter v to roll around; to shake about, to jolt; to sway

banal adj trivial, ordinary

banalisation nf becoming commonplace

bande nf **magnétique** tape

barque nf boat

barre nf long building

basculer v to fall over; to knock off balance; to change radically

base nf basis, foundation

bassin nm pelvis

bataillon *nm* battalion; crowd
bateau-mouche *nm* river boat
bâtir *v* to build
batteuse *nf* thresher
béant *adj* gaping
bégayer *v* to falter (out); to stammer
bénéfice *nm* profit, benefit
bénévole *nmf* volunteer
Bepa : Brevet d'études professionnelles agricoles *nm* (a technical qualification)
bêtisier *nm* silliness; mistakes
béton *nm* concrete
betterave *nf* beet, beetroot
beurre *nm* butter
 avoir le – et l'argent du – to have one's cake and eat it
biaiser *v* to sidestep the issue; to prevaricate
bien que *loc conj* although, though
bienfait *nm* beneficial effect, benefit
bilan *nm* assessment; report; toll, outcome
billet *nm* ticket; short written commentary
billot *nm* block
blague *nf* joke
 sans – no joking
blanchiment *nm* laundering
blé *nm* wheat
blesser *v* to injure, to hurt
blessure *nf* injury, wound
bleu *nm* **(de chauffe)** boiler suit, overalls
blocus *nm* blockade
se bloquer *v* to freeze, to tense up
blouse *nf* overall
bocage *nm* hedged farmland
boisé *adj* wooded
boîte *nf* (night)club; box, tin
bombe *nf* **ventouse** magnetic bomb
bonbonne *nf* **de gaz** gas cylinder
bond *nm* jump, leap
 faire un – de cabri to leap like a lamb
bosse *nf* hump, bump
bouder *v* to want nothing to do with; to sulk
boue *nf* mud, silt
boues *nfpl* sludge
bouffe *nf fam* food, grub; meal, spread
bouffée *nf* puff
bouger *v* to move
bouillonner *v* to bubble, to seethe

bouleversant *adj* deeply moving; distressing
bouleversé *adj* overwhelmed
boulon *nm* bolt
bouquin *nm fam* book
bouquiner *v fam* to read
bousculer *v* to shake up
se bousculer *v* to jostle each other
bout *nm* end; piece, bit
bovin *adj* bovine, of cows
bovins *nmpl* cattle
branle *nm* **: en branle** in motion
braquer *v* to point, to aim (a weapon)
braqueur *nm* bank robber
brasier *nm* furnace
bref *adj* short, brief
 en – in short, to summarize
brève *nf* newsflash; brief newspaper item, giving basic facts
brevet *nm* diploma, certificate
breveter *v* to patent
bricoleur *adj* good with one's hands
brisé *adj* worn out, exhausted
briser *v* to break (down), to shatter, to destroy
brocante *nf* secondhand trade
brouter *v* to graze
bruit *nm* **de fond** background noise
bruxellois *adj* from/of Brussels
buée *nf* (clouds of) steam
buriné *adj* furrowed, deeply lined
but *nm* aim, goal

C

cabanon *nm* cabin, chalet
cabas *nm* shopping bag
cadre *nm* setting, surroundings; framework
 – de vie (living) environment
cageot *nm* crate
cagoule *nf* balaclava, hood
cagoulé *nm* terrorist
calomnie *nf* slander, calumny
caméscope *nm* video camera
canard *nm* duck
canicule *nf* heatwave
cantonnier *nm* roadmender
capter *v* to win, to gain; to pick up (TV signal etc.)
car *conj* for, because
caractère *nm* nature; character
 en –s gras in bold type
caritatif *adj* charitable

carré *nm* square
casanier *adj* stay-at-home
catégorique *adj* categoric, adamant
cavale *nf fam* escape, run
cendre *nf* ash
censé *adj* supposed to
cependant *conj* nevertheless, however
cerner *v* to encircle, to surround; to outline
cerveau *nm* brain
cessation *nf* cessation, suspension
chaîne *nf* chain; radio/TV channel
chair *nf* flesh
chamboulement *nm* chaos, confusion; upheaval
champ *nm* field
chanceler *v* to stagger, to waver
chanteur yé-yé *nm* rock n' roll singer
chantier *nm* building site
charbon *nm* coal
charrier *v* to cart (along); to carry (along)
charroi *nm* caravan, waggon train
charrue *nf* plough
chasseur *nm* hunter
chaudière *nf* nuclear steam boiler
chef *nm* **d'orchestre** conductor
chef-d'œuvre *nm* masterpiece
chef-lieu *nm* main town, administrative centre
cheminot *nm* railway worker
chenil *nm* kennel(s)
cheptel *nm* livestock, herd
chevalin *adj* equine, horse
chevaucher *v* to sit astride, to bestride
chevelure *nf* hair; hairstyle
chiffre *nm* figure, number
chiotte *nf vulg* toilet
choix *nm* choice
choquer *v* to shock
choyé *adj* pampered
chronique *nf* column, page
cible *nf* target
cibler *v* to target
cil *nm* eyelash
circumvoisin *adj* surrounding, neighbouring
citation *nf* quotation
cité *nf* housing estate; building development
citer *v* to quote, to cite
citoyen *nm* citizen

clair-obscur *nm* chiaroscuro, light and shade
clairière *nf* clearing, glade
classe *nf* **verte** field trip (to the countryside)
classeur *nm* file, ring binder
claustrer *v* to confine
clavier *nm* keyboard
clientèle *nf* customers, viewers
clin *nm* **d'œil** wink
clivage *nm* divide
cloison *nf* partition
cloître *nm* cloister
clou *nm* nail
clouer *v* to nail (up)
clouté *adj* studded
cocarde *nf* rosette
cocorico pour... *loc* well done to...
code *nf* **de conduite** code of conduct
code *nf* **de la route** highway code
cœur *nm* heart
 par – by heart
coincé *adj* trapped, stuck
colis *nm* parcel
collaborer *v* to collaborate
colle *nf* glue
 une heure de – one hour's detention
collecte *nf* collection
coller *v* to glue; to slap on
colon *nm* colonist
colza *nm* rape(seed)
combattre *v* to fight, to combat
combinaison *nf* combination; overalls
comblé *adj* **de** filled with
commettre *v* to commit
compétence *nf* skill, competence, ability
complément *nm* **d'objet** object
comportement *nm* behaviour
comporter *v* to be composed of, to include, to comprise
composition *nf* creative/descriptive essay
compte *nm* amount; account
 demander des –s to ask for an explanation
 se rendre – to realize
compte rendu *nm* report, review
se concerter *v* to confer
se concrétiser *v* to become a reality
conçu *adj* designed
concurrence *nf* competition
concurrencer *v* to compete with
concurrent *nm* rival, competitor
confier *v* entrust

se confier *v* to confide in; to talk to
conjoint *nm* spouse
conseil *nm* piece of advice; consultant, adviser; counsel
consommateur *nm* consumer
constat *nm* (certified) report
constater *v* to notice
constatation *nf* observation
  –s *nfpl* findings
constituer *v* to set up, to form, to put together
contester *v* to challenge
contraire *adj* opposite
  au – on the contrary
contrecoup *nm* repercussions, effects
contrôle *nm* test; check; security check
convoi *nm* convoy
convoyage *nm* transportation
copeau *nm* shaving
copie *nf* copy; paper; homework
coprah *nm* copra
coquillage *nm* shellfish
corbeau *nm* crow
cordes *nfpl* string section (of orchestra)
corne *nf* horn
corrélation *nf* correlation
corrida *nf* bullfight
corriger *v* to correct
  – le tir to alter one's aim
corrompu *adj* corrupt
côte *nf* **: à côtes** ribbed
coteau *nm* hillside
côtier, côtière *adj* coastal
côtoyer *v* to verge on, to be next/close to
couche *nf* layer
se couler *v* to slip into/through
coup de chaleur *nm* heat stroke
coupable *adj* guilty
se couper *v* **de** to cut oneself off from
couramment *adv* fluently; commonly
courant *adj* common; current
  être au – to know about it, to be up to date
courbe *nf* curve
se courber *v* to bow (one's head)
cours *nm* **: avoir cours** to be accepted, to be effective
  donner libre – à to give free rein to
course *nf* race
courses *nfpl* shopping
cousin *nm* **germain** first cousin

cousu *adj* sewn (up)
cracheur *nm* **de feu** fire-eater
crainte *nf* fear
crâne *nm* skull; scalp
craquer *v* to be falling apart
créneau *nm* niche/gap in the market
criard *adj* shrill
se crisper *v* to tense; to become tense, strained
critique *nf* review; criticism
croissance *nf* growth
croissant *adj* increasing, growing
crosse *nf* butt; grip
cru *nm* vintage
  grand – great vintage
crue *nf* flood
cueillir *v* to pick; to pick up, to arrest
cuivres *nmpl* brass section (of orchestra)
culpabiliser *v* to make sb feel guilty
cumuler *v* accumulate
curé *nm* priest
cyclothymique *adj* cyclothymic; highs and lows
cynégétique *adj* hunting

D

dadais *nm fam* awkward lump (of a person); clumsy oaf
davantage *adv* more, (any) longer
débarrasser *v* to clear; to rid sb of
débat *nm* debate
débouché *nm* outlet, market; job opportunity
déboucher *v* **sur** to lead to
débouler *v* to bolt; to tumble down; to charge down
se débrouiller *v* to manage
décennie *nf* decade, ten years
déchets *nmpl* waste
déchiqueter *v* to tear/blow to pieces
déchirer *v* to tear apart/up
déclencher *v* to release, to activate
se déclencher *v* to go off, to be activated
décliner *v* to decline, to turn down, to refuse
décollage *nm* take-off
décollation *nf* decapitation, beheading
décortiquer *v* to break down; to dissect

découpage *nm* division
découragement *nm* discouragement
décret *nm* decree
déçu *adj* disappointed
décupler *v* to increase/multiply tenfold
défendre *v* to forbid; to fight for, to stand up for
défigurer *v* to disfigure, to spoil
définir *v* to define
dégager *v* to free, to extricate, to relieve
dégâts *nmpl* damage, harm
dégourdi *adj* smart, resourceful, bright
dégradation *nf* degradation, debasement, erosion
dégueulasse *adj fam* lousy, disgusting
délasser *v* to refresh
délectation *nf* delight
délester *v* to relieve
démanteler *v* to demolish, to dismantle
démarche *nf* step; approach, method; procedure
demeurer *v* to live; to stay, to remain
démographique *adj* demographic, relating to population
démolir *v* to demolish, to pull down
démontrer *v* to show; to demonstrate, to prove
démunis *nmpl* destitute
dénombrer *v* to count (up)
denrées *nfpl* food
dépassement *nm* overrun; challenge; surpassing oneself
dépasser *v* to overtake; to go beyond
dépaysé *adj* disorientated
dépistage *nm* detection
déplacement *nm* moving, transfer
déprime *nm* depression
déranger *v* to disturb, to bother
dérisoire *adj* derisory, laughable, pathetic
dérive *nf* drift; drifting
  à la – adrift
déroulement *nm* progress, development
se dérouler *v* to take place
dès *prép* (right) from
dès lors que *loc conj* since; from the moment that
dès que *loc conj* as soon as

désarroi *nm* confusion
désormais *adv* in future; from now on; henceforth
déstabiliser *v* to destabilize
détaillant *nm* retailer
se détendre *v* to relax
détendu *adj* relaxed
détériorer *v* to deteriorate, to damage
détournement *nm* hi-jacking
dévalorisant *adj* depreciative, devaluing
devancer *v* to be ahead of
dévergondée *nf* shameless hussy
dévolu *adj* devolved, handed down
diablotin *nm* imp
diapositive *nf* (photographic) slide
dictature *nf* dictatorship
diffuser *v* to broadcast, to circulate, to distribute
diminution *nf* decrease
dingue *adj* crazy
diphtérie *nf* diphtheria
discours *nm* speech
disponible *adj* available
dispositif *nm* device, mechanism; system
dissertation *nf* essay
dissous *adj* dissolved
domaine *nm* field, sphere
don *nm* gift
données *nfpl* data
dont *pron rel* whose, of which, among whom
dossier *nm* file, folder
dotation *nf* (financial) allocation
doté *adj* given, endowed
se doter *v* **de** to provide oneself with
douceur *nf* softness; mildness
  en – smoothly, gently
douleur *nf* pain
drainer *v* to attract; to siphon off
dramaturge *nmf* dramatist, playwright
droit *nm* law; right
  – d'asile right of asylum
  avoir – à to have the right to (+ noun)
  avoir le – de to have the right to (+ verb)
dû, due, dus, dues *adj* **à** due to
dupe *nf* dupe
  un marché de –s a fool's bargain
durée *nf* length, duration
  – de vie life

E

ébauche *nf* rough draft
ébaucher *v* to sketch
ébloui *adj* dazzled
ébullition *nf*: **en ébullition** boiling, about to boil over
écart *nm* gap
écarter *v* to remove; to rule out
échapper *v* to escape
échéance *nf* repayment
échéant : le cas échéant *loc adv* if need be
échec *nm* failure
échelle *nf* ladder; scale
éclaircie *nf* sunny spell, bright interval
éclaircir *v* to lighten; to clear up; to solve
éclatement *nm* scattering, breaking up
éclater *v* to explode, to burst, to break out
éclosion *nf* birth, dawn; hatching; opening
s' **écouler** *v* to pass by; to flow/drain/melt away
écoute *nf*: **être à l'écoute** to be ready to listen
écrit : par écrit *loc* in writing
s' **écrouler** *v* to collapse, to fall down
éculé *adj* hackneyed, worn-out
effacer *v* to erase; to wipe out; to obliterate
effectifs *nmpl* workforce
effectuer *v* to carry out
efficace *adj* effective; efficient
s' **effondrer** *v* to collapse, to fall in ruins
s' **efforcer** *v* **de** to endeavour to, to try to
effrayant *adj* frightening
égard *nm*: **à l'égard de** towards, with regard to
égoïste *adj* selfish
élan *nm* impetus; enthusiasm
élancé *adj* slender
s' **élancer** *v* **vers** to throw oneself at, to dash towards
élevage *nm* (livestock) farming
éleveur *nm* stock farmer
élu *adj* elected
emballement *nm* fad
embaucher *v* to take on, to recruit
embaumé *adj* **de** filled with; smelling of
embellir *v* to embellish, to make attractive
embouteillage *nm* traffic jam

embryon *nm* embryo
émeute *nf* riot
émission *nf* programme
emmener *v* to take (sb) along
empêcher *v* to prevent, to stop
emplacement *nm* place, placing
empoigner *v* to take hold of, to grasp
empreinte *nf* imprint, mark
emprunter *v* to borrow; to take, to follow (a route)
ému *adj* moved, touched
émule *nm* rival, imitator
enceinte *adj* pregnant
enchaînement *nm* sequence; transition
encombrement *nm* congestion, obstruction
encontre : à l'encontre *loc prép* contrary to, against
encore que *loc conj* even though
endetté *adj* in debt
s' **endetter** *v* to get into debt
enfer *nm* hell
enfoncer *v* to push in
enfouir *v* to bury
enfourcher *v* to mount, to get astride
s' **enfuir** *v* to run away; to escape
engagé *adj* (politically) committed
s' **engager** *v* to commit oneself (to sth); to get involved
engendrer *v* to engender, to create
engin *nm* device; vehicle; bomb
s' **engouffrer** *v* to rush, to sweep
engrais *nm* fertilizer
engraisser *v* to fatten; to get fat
engranger *v* to bring in, to gather in
énième *adj* nth, umpteenth
enjamber *v* to span
enjeu *nm* stake; issue; what is at stake
enlèvement *nm* kidnapping
s' **ennuyer** *v* to get bored
enquête *nf* enquiry, investigation
enracinement *nm* (deep) root
enrayer *v* to stop, to check
enregistré *adj* recorded
enregistrement *nm* recording
s' **enrichir** *v* to get rich
enrobage *nm* coating
enseignement *nm* education, teaching
ensiler *v* to store in a silo
entaille *nf* notch
entamer *v* to broach, to start (upon)

entassé *adj* piled up; packed, crammed
entendre *v* to hear; to mean; to understand
enterrement *nm* burial
entêtement *nm* stubbornness
s' **entourer** *v* **de** to surround oneself with
s' **entraider** *f* to help each other
entraînement *nm* training, practice
entraîner *v* to lead to; to take (away); to train, to coach
entraver *v* to hinder, to impede
s' **entrecroiser** *v* to intertwine; to intersect
entrejambes *nm* crotch
entreposage *nm* storage
entreprendre *v* to undertake; to start
entreprise *nf* business, firm
entretenir *v* to maintain, to support
entretien *nm* maintenance, upkeep; interview
envahir *v* to invade
envergure *nf*: **d'envergure** substantial
s' **envoler** *v* to fly off
s' **épaissir** *v* to thicken; to deepen
s' **épanouir** *v* to bloom; to light up; to blossom
épanouissement *nm* development
épargner *v* to save, to spare (sb from sth)
éparpiller *v* to scatter
épatant *adj* splendid
épaule *nf* shoulder
épauler *v* to help
éphémère *v* short-lived
époque *nf* time, period, era
à l'– at that time
épouvante *nf* horror
épreuve *nm* trial, test, hardship
éprouver *v* to feel, to experience; to test
éprouvette *nf* test tube
épuisement *nm* exhaustion
équilibré *adj* balanced
éreintant *adj fam* exhausing
errer *v* to wander
escadre *nf* squadron
escale *nf* stopover; stopping off
escarcelle *nf* purse, money pouch
esclave *nmf* slave
escourgeon *nm* winter barley
espérance *nf* **de vie** life expectancy

esprit *nm* mind; wit; spirit
les grands –s se rencontrent great minds think alike
esquisser *v* to sketch (out), to outline
– un geste to make a vague gesture
essai *nm* test, testing; trial; attempt
esthétique *nf* aesthetic quality
estival *adj* summer
étale *adj* slack; steady
étape *nf* stage, step
état *nm* state
– des lieux inventory; appraisal
s' **éteindre** *v* to pass away, to fade
éthique *nf* ethics
étouffer *v* to stifle; to muffle; to suffocate
étourdi *adj* absent-minded, scatter-brained
s' **évader** *v* to get away, to escape
éventuel *adj* possible
éviter *v* to avoid
excédentaire *adj* excess, surplus
exercer *v* to practise; to exercise; to exert
exigeant *adj* demanding, hard to please
exigence *nf* demand, requirement
exiger *v* to demand, to require
expérience *nf* experiment; experience
exploitation *nf* **(agricole)** farm
expression *nf* phrase, expression
exprimer *v* to express

F

faciliter *v* to make sth easier
façon *nf* way
de toute – at any rate, anyway
facultatif *adj* optional
faculté *nf* faculty, school
faïence *nf* earthenware
faim *nf* hunger
manger à sa – to have enough to eat
farceur *nm, adj* (practical) joker; mischievous
faste *adj* lucky, good
se **faufiler** *v* to thread one's way
faute *nf* fault
– de for/through lack of
faux : avoir tout faux *loc* to be completely wrong
fébrilité *nf* agitation, nervousness

fécondation *nf* fertilization
féconder *v* to fertilize
féculents *nmpl* starchy food
fendre *v* to chop, to split
fendu *adj* open
fente *nf* crack, slit
féria *nf* bullfight
feuille *nf* leaf, page
feuillet *nm* leaf, page
feuilleton *nm* soap opera (TV)
fichier *nm* file
fier *adj* proud
fierté *nf* pride
filière *nf* course (of study)
fissuré *adj* cracked
fleurir *v* to flower, to blossom
foie *nm* liver
foncer *v* **sur** to go for, to push for
foncier *adj* land
fonctionner *v* to work
fond *nm* background
fondement *nm* foundation
fonder *v* to found; to base
fonds *nmpl* funds
forcément *adv* inevitably
forfait *nm* fixed/set price; withdrawal
  déclarer – to withdraw
forger *v* to invent; to forge
se forger *v* to create, to build up
formation *nf* training
forme *nf* shape, form
formel *adj* formal; categorical, definite
formule *nf* expression; option; form
  – d'en-tête opening expression
  – de politesse letter ending
fossé *nm* ditch
fouet *nm* whip
  de plein – full-force
fouiller *v* to search; to rummage through; to excavate
foule *nf* crowd
fourmilière *nf* ant's nest; hive of activity
fourmillement *nm* swarming
fourmiller *v* to swarm; to teem
fournir *v* to supply, to provide
fourrager *adj* fodder, of food
franciser *v* to Frenchify, to gallicize
frappe *nf* strike, hit
frémir *v* to shudder, to shiver, to tremble
fresque *nf* fresco
frisson *nm* shiver; shudder; thrill
froment *nm* wheat

fusée *nf* rocket
fût *nm* drum; barrel

G

gâchette *nf* trigger
gagnant *nm* winner
galère ou sinécure? *loc* hard labour or a complete skive?
gamme *nf* range, gamut
garant *nm* guarantor; guarantee
garde *nm* guard
garde *nf* **à vue** police custody
se garder *v* **de** to be careful not to
garderie *nf* day-care centre; day nursery
gargouillis *nm* gurgling
gâter *v* to spoil, to ruin
gavage *nm* force-feeding
gène *nm* gene
gêner *v* to bother, to put out
générer *v* to generate
genêt *nm* broom
génétique *nf* genetics
gérant *nm* manager
gérer *v* to manage, to administer
germer *v* to germinate, to shoot
gestion *nf* management
gicler *v* to spurt, to squirt
glaive *nm* two-edged sword
gommer *v* to erase
se gonfler *v* to swell (up), to become swollen; to expand
gorge *nf* throat
  à pleine – with a full-blooded cry
gosier *nm* throat
goujat *nm* boor
gourdin *nm* club, bludgeon
goût *nm* taste
  prendre – à to develop a taste for
goutte *nf* drop
grâce à *loc prép* thanks to
graine *nf* seed
gras *adj* greasy
gravier *nm* gravel
gravir *v* to climb (up)
greffe *nf* **d'organe** organ transplant
grève *nf* strike
griffer *v* to scratch
grimper *v* to climb (up)
grisaille *nf* colourlessness, dullness; greyness
grotte *nf* cave
guère *adv* hardly
guérir *v* to cure

H

hache *nf* axe
hachis *nm* **parmentier** shepherd's pie
haie *nf* hedge
haleine *nf* breath
haleter *v* to pant, to gasp for air
haro sur... ! *loc fam* a plague on ...!
hausse *nf* increase, rise
hebdomadaire *nm* weekly magazine
hébergement *nm* accommodation
héberger *v* to put sb up, to provide accommodation
henné *nm* henna
herbage *nm* pasture
héros *nm* hero
hirondelle *nf* swallow
homogène *adj* united; homogenous
honteux *adj* shameful
horloge *nm* (large) clock
hors-piste *nm* off-piste skiing
houle *nf* swell
houlette *nf* crook
  sous la – de under the leadership of
humer *v* to sniff
huppé *adj* posh, classy
hypothèse *nf* hypothesis, assumption

I

îlot *nm* block (of houses/ buildings)
imbriquer *v* to be linked; to overlap
impasse *nf* impasse; deadlock; dead end
important *adj* important; major, large
importer *v* to be important
  peu importe it doesn't matter
imprégnation *nf* impregnation
imprimante *nf* printer
imprimer *v* to print
impuissance *nf* powerlessness, helplessness
inachevé *adj* unfinished
incarner *v* to conjure up
incertitude *nf* uncertainty
inclure *v* to include; to insert
inconnu *adj* unknown
incroyable *adj* unbelievable
indice *nm* clue, sign; index

indigène *nmf* native
inédit *adj* novel, new, original
inexpérimenté *adj* inexperienced
inexpugnabilité *nf* impregnability
infâme *adj* despicable
informatisé *adj* computerized
ingérence *nf* interference
ingrat *adj* ungrateful, unrewarding, thankless
inlassablement *adv* untiringly, tirelessly
innové *adj* innovative
inondation *nf* flood, flooding
inonder *v* to flood, to inundate
inquiétude *nf* worry
s' inscrire *v* to enrol, to register, to join
s' insérer *v* to fit in
insertion *nf* integration
s' interposer *v* to intervene
instar : à l'instar de *loc prép* following the example of
intarissable *adj* inexhaustible
intégré *adj* integrated, fitting in
intégrisme *nm* fundamentalism
intempéries *nfpl* bad weather
intempestif *adj* untimely
intenable *adj* intolerable, unbearable; untenable
intermédiaire *adj* intermediate, intermediary
interne *nmf* boarder
interpeller *v* to call out; to question
interroger *v* to question
intervenant *nm* participant
interview *nf* (journalistic) interview
investi *adj* besieged
investissement *nm* investment
investisseur *nm* investor
islamiste *adj* Islamic

J

jaillir *v* to spurt out; to flash; to spring up
jeu vidéo *nm* computer game
joindre *v* to reach, to get hold of (sb)
joue *nf* cheek
jouir *v* to enjoy
joute *nf* jousting
juridique *adj* legal
juriste *nm* lawyer
justement *adv* precisely, exactly

K

kermesse *nf* fête

L

lâche *adj* coward
lâcher *v* to loosen; to drop; to let go of
laisser *v* to leave; to allow
 se – prendre to be taken in
laitier *adj* dairy, milk
lancée *nf* way
 être sur sa – to be under way
lancement *nm* launching, issuing, floating
lande *nf* moor
larguer *v* **les amarres** to cast off
las *adj* weary, tired
lasser *v* to weary, to exhaust
latence *nf* latency
latte *nf* **de bois** wooden slat
légende *nf* caption; key (to map, etc.)
légitime *adj* legitimate, lawful
legs *nm* legacy
lèpre *nf* leprosy
lequel *pron rel* which?, which one?
lessivier *nm* washing powder manufacturer
lieu *nm* place
 en premier – in the first place
limer *v* to file (down)
limpide *adj* lucid, limpid
linge *nm* cloth; linen; washing
linteau *nm* lintel
lisser *v* to smooth down; to stroke
litière *nf* litter, bedding
littoral *nm* coastline
logiciel *nm* computer programme
logistique *adj* logistical
logistique *nf* logistics
lointain *adj* distant, remote; *nm* distance
loque *nf* rag(s)
lot *nm* prize; share; fate; batch
louer *v* to hire out
loupe *nf* magnifying glass
lourd *adj* heavy, grave, weighty
luire *v* to shine
lunette *nf* **arrière** rear window
lutte *nf* struggle, fight

M

mâcher *v* to chew
mâchoire *nf* jaw
Maghrébin *nm* North African; sb from the Maghreb
maillon *nm* link
main *nf* **d'œuvre** labour
maint *adj* : **maintes fois** many a time
maintien *nm* maintaining
maïs *nm* maize, sweetcorn
maison *nf* **secondaire** holiday home
maîtrise *nf* mastery, command, control; skill; master's degree
maîtriser *v* to overcome; to control; to bring under control
mal *adv* badly; wrongly
mal *nm* something bad; wrong, evil; pain, sorrow
malgré que *loc conj* even though
malsain *adj* unhealthy
manche *nf* sleeve; round (of a game)
manier *v* to handle
manque *nm* lack
marchandage *nm* bargaining
marge *nf* **brute** cash flow
marginal *nm* dropout
marmite *nf* (large) pot; casserole
marque *nf* brand, make
marraine *nf* godmother
marteau *nm* hammer; (door) knocker
marteau-piqueur *nm* pneumatic drill
matière *nf* material; (school) subject
 –s premières raw materials
matraquer *v* to plug; to bombard
maudit *adj* cursed, confounded, beastly
mécontentement *nm* discontent
méfiant *adj* suspicious, distrustful
meilleur *adj* best
même si *loc conj* even if
mendier *v* to beg
menées *nfpl* plotting
mener *v* to lead; to carry out
mensonger *adj* lying
mépris *nm* contempt, scorn
mépriser *v* to scorn, to despise
messagerie *nf* (computer) mailbox
met *nm* dish
métropole *nf* Metropolitan France
metteur *nm* **en scène** producer; director
meunier *nm* miller
meurtre *nm* murder
micro-trottoir *nm* vox pop, short interviews with the public
mil *nm* millet
milice *nf* militia
millier *nm* thousand
mineur *nm* **de fond** miner, pit worker
minier *adj* mining
miroiter *v* to sparkle, to shimmer
mise *nf* **à jour** update
mise *nf* **en commun** pooling of ideas
mise *nf* **en page** (page) layout
mise *nf* **en place** setting up
mise *nf* **en scène** production
mitrailleuse *nf* machine gun
mobylette *nf* moped
mode *nm* **d'emploi** instructions, directions for use
mœurs *nfpl* customs, lifestyle
moindre *adj* less, lesser; lower, poorer
 le – the least, slightest
moisi *nm* mould, mildew
moissonneuse *nf* reaper
moissonneuse-batteuse *nf* combine harvester
monocoque *adj* monohull
monoï *nm* coconut oil
montant *nm* sum; total
montre *nf* : **contre la montre** against the clock
moral *adj* moral
morceler *v* to divide up, to split up
morne *adj* dreary
morue *nf* cod
motif *nm* motif, design, pattern; motive
mouche *nf* fly; bulls-eye
 faire – to hit the target
moue *nf* pout
mousse *nf* foam; mousse
 se faire une/de la – to get into a tizzy
mouvance *nf* sphere of influence, scene
muet *adj* dumb
muni *adj* **de** provided with, equipped with
mûr *adj* mature; ripe
muret *nm* low wall
musculature *nf* muscle structure
musulman *adj*, *nmf* Moslem, Muslim

N

naguère *adv* not long ago; of late
naufrage *nm* shipwreck
navigant *nm* flying personnel
navigation *nf* navigation
navire *nm* ship
néfaste *adj* harmful
nerf *nm* **de la guerre** heart of the matter
nier *v* to deny
nocif *adj* harmful, noxious
normatif *adj* prescriptive
note *nf* mark
nourrir *v* to feed
se nourrir *v* to feed oneself
nourrisson *nm* infant
nouvelle *nf* short story
nuage *nm* cloud
nues *nfpl* clouds, heavens
nuisible *adj* harmful
nul *adj* hopeless, no good
numériser *v* to digitalize
nuque *nf* nape of the neck

O

occidental *adj* western
s' occuper *v* **de** to busy oneself with, to look after
odorant *adj* sweet-smelling; odorous
odorat *nm* sense of smell
œil *nm* eye
 voir qqch d'un mauvais – to view sth unfavourably
œuvre *nm* work
œuvrer *v* to work
oie *nf* goose
ombre *nf* shade
opulence *nf* wealth
or *conj* now
or *nm* gold
ordures *nfpl* rubbish
orfèvre *nm* silversmith, goldsmith; expert
orge *nm* barley
s' orienter *v* **(vers)** to choose a direction, to go for a career (in)
originaire *adj* : **être originaire de** to be originally from
orthographe *nf* spelling
ortie *nm* stinging nettle
 jeter aux –s to throw out, to reject
os *nm* bone
oser *v* to dare (to)
otage *nm* hostage
oublier *v* to forget
ouïe *nf* hearing
outil *nm* tool
outrance *nf* excess
outre *prép* in addition to

en – in addition
outre-mer *adv* overseas
ouvrage *nm* work, piece of work
ovin *adj* ovine, of sheep
oxyde *nm* **d'azote** nitrogen oxide

P

PAC : Politique agricole commune
Common Agricultural Policy
pactiser *v* to deal with
paille *nf* straw
palmarès *nm* hit parade; record of
achievement
panache *nm* plume (of smoke,
etc.)
panurgique *adj* sheep-like
(Panurge: a Rabelais character)
paperasses *nf fam* papers; forms
papillon *nm* butterfly
parcours *nm* route, area; career
paré *adj* adorned
pare-soleil *nm* sun visor
parler *nm* dialect; way of talking
parmi *prép* among
parpaing *nm* breeze-block
partager *v* to share
partenariat *nm* partnership
parti *nm* group; party; option
prendre le – de to opt for
participer *v* to take part
partie *nf* **civile** (private party
associating in a court action
with public prosecutor)
partie *nf* **prenante dans**
participant actively involved in
pas *nm* step
prendre le – sur to overtake
passation *nf* **de pouvoirs** transfer
of power
passe-muraille *nf* breaking down
walls/barriers
se passer *v* **de** to do without
passerelle *nf* footbridge; link
patauger *v* to wade/splash about;
to flounder
pathologie *nf* pathology; disease
patrimoine *nm* heritage
patronat *nm* the employers
paupière *nf* eyelid
paysagiste *nmf* landscape painter
peau *nf* skin
être mal dans sa – to feel bad
about oneself
peccadille *nm* trifle
peine : à peine *loc adv* hardly,
scarcely
peintre *nm* painter

peinture *nf* painting
pelucheux *adj* fluffy
pencher *v* to lean; to be slanting
se pencher *v* to lean; to lean over, to
bend down
– sur to look into
pendant *prép* for, during
pendant que *loc conj* while
pente *nf* slope
pénurie *nf* shortage
percevoir *v* **(comme)** to perceive,
to see (as)
perdant *nm* loser
pérenniser *v* to perpetuate
perle *nf* pearl
permis *nm* **de conduire** driving
licence
perte *nf* loss
peste *nf* plague
petit-matin *nm* early morning
phare *nm* lighthouse; beacon;
leading light
phrase *nf* sentence
pièce *nm* piece, part, component
–s de réchange spares, spare
parts
pilotis *nm* pile
sur – on piles
pingrerie *nf* stinginess, meanness
se piquer *v* to pride oneself on sth
pis *nm* udder
le – the worst
piste *nf* lead; trail, track
piston *nm* piston, valve
PJ : police judiciaire *nf* detective
division of police force
plaie *nf* wound
se plaindre de *v* to complain about
plan *nm* plane, level
premier – foreground
arrière- – background
planer *v* to hover; to persist, to
hang over
planétaire *adj* planetary
plaquette *nf* brochure
– de frein brake shoe, brake
pad
plasticage *nm* bombing
plateau *nm* plateau; stage, set;
tray
plomb *nm* lead
plutôt *adv* rather
pluvieux *adj* rainy
poids *nm* weight
poignée *nf* handfull
poilu *adj* hairy
point *nm* **de vue** point of view
pointe *nf* point

de – high-tech, leading
polémique *nf* argument,
controversy
politique *nf* policy; politics
ponctuel *adj* punctual, prompt;
localized, limited
pondre *v* to lay (eggs)
porcelet *nm* piglet
porcin *adj* porcine, of pigs
porcins *nmpl* pigs
portant : bien/mal portant *adj* in
good/poor health
porteur *adj* booming, buoyant
pose *nf* installation, putting up;
pose
poste *nm* job; (phone) extension
poudre *nm* powder, dust
poudreuse *nf* powdery snow
poule *nf* hen
– pondeuse laying hen
poumon *nm* lung
poupe *nf* stern
poursuivre *v* to continue, to
pursue; to follow
pourtant *conj* however
pourvoir *v* to provide, to endow
pourvu que *loc conj* provided that,
as long as
poussière *nf* dust
poutrelle *nf* girder
pouvoir *nm* power, ability
prairie *nf* meadow
pré *nm* meadow
préambule *nm* preamble,
introduction
en – as a preamble
préavis *nm* (advance) notice
précarité *nf* precariousness;
uncertainty
préconiser *v* to recommend, to
advocate
prédisposé *adj* predisposed
préférence *nf* preference
de – preferably
préfet *nm* prefect
préjudiciable *adj* detrimental
préjugé *nm* prejudice
se prélasser *v* to laze
prélèvement *nm* sample
prenant *adj* absorbing
prendre *v* to take
s'en – à to take on; to attack;
to blame
préoccuper *v* to worry, to concern
pressé *adj* in a hurry
pression *nf* pressure
faire – sur to put pressure on
prestation *nf* service

prétendre *v* to claim, to maintain
prêter *v* to lend
preuve *nf* proof, evidence
prévenir *v* to warn; to tell
prévoir *v* to plan for; to allow for;
to predict, to foresee
prime *nf* bonus, subsidy
primordial *adj* essential,
primordial
principal *nm* head teacher (in a
collège)
prise *nf* **d'otages** hostage-taking
processus *nm* process
profanation *nf* desecration;
violation; defilement
profondeur *nf* depth
progéniture *nf* offspring, progeny
promesse *nf* promise,
commitment
promouvoir *v* to promote
promulgation *nf* decree
propre *nm* (distinctive) feature
prosaïquement *adv* prosaically,
mundanely
proviseur *nm* head teacher (in a
lycée)
proximité *nf* **: de proximité** local,
neighbourhood
prudemment *adv* prudently,
cautiously
publiable *adj* publishable
publicité *nf* advertising
puiser *v* to draw (on, sth from)
puisque *conj* since, seeing that
puissance *nf* strength, power
pulsion *nf* drive, urge
pupitre *nm* desk; podium
pureté *nf* purity
putain *nf* prostitute

Q

quadragénaire *adj* forty-year-old
quant à *loc prép* as for, as regards
quasiment *adv* almost
quel que *adj rel* whoever, whatever
quelqu'un *pron* someone,
somebody
quémander *v* to beg
querelleur *adj* quarrelsome
quinquagénaire *adj* fifty-year-old
quintal *nm* 100 kg
quitte à *loc prép* even if, at the
risk of
quoique *conj* although, though
quotidien *adj* everyday, daily
quotidien *nm* daily paper; daily
routine

R

rabaisser *v* to belittle; to disparage; to humble

racheter *v* to buy back

radical *nm* stem

raffoler *v* to be very keen on; to be wild about

ragoût *nm* stew

ralentir *v* to slow down

ramasser *v* to pick up, to collect

se faire – to get picked up

randonnée *nf* walk, ramble

rapport *nm* link, connection; report

–s *nmpl* relations, relationships

ras-le-bol : en avoir ras-le-bol *loc fam* to be sick of, to be fed up with

rater *v* to miss; to fail

rattraper *v* to catch (sb) up

raturer *v* to make an alteration to; to cross out, to erase

rayonnement *nm* influence; radiance

réalisateur *nm* (film) director

réaménagement *nm* rearranging

recaler *v* to fail

être recalé à l'oral to fail the oral (exam)

recensement *nm* census

recette *nf* recipe

réchauffement *nm* warming

récif *nm* **de corail** coral reef

réclamer *v* to ask for, to call for

récompense *nf* reward

reconnaissance *nf* recognition; gratitude

se reconvertir *v* to switch (employment); to convert

recours *nm* (last) resort; friend to turn to

rectiligne *adj* straight, rectilinear

recueillir *v* to collect

recul *nm* detachment, standing back

reculer *v* to fall back, to drop

rédacteur *nm* editor; writer

rédaction *nf* editorial staff; composition; writing

rédiger *v* to write (up), to compose

redoublement *nm* repeating a year at school

redouter *v* to fear

réfléchi *adj* thoughtful

refonder *v* to recreate

refus *nm* refusal

réfuter *v* to disprove, to refute

se régaler *v* to treat oneself, to (thoroughly) enjoy oneself

régie *nf* production department; (TV) control room; state control

régisseur *nm* stage manager

rein *nm* kidney

rejet *nm* rejection; dismissal

réjouir *v* to delight, to gladden

relais *nm* **de diffusion** broadcasting outlets, relay stations

relater *v* to recount, to relate

remembrement *nm* regrouping of lands

rémouleur *nm* **de couteaux** knife-grinder

remplir *v* to fill (in/up)

remue-méninges *nm* brainstorming

renchérir *v* to go further; to go one better; to get more expensive

rendement *nm* yield

renforcer *v* to strengthen, to reinforce

renfort *nm* support

renfrogné *adj* sullen

renier *v* to renounce; to disown

renseignements *nmpl* information

rentable *adj* profitable

rentrée *nf* **des classes** start of the school year

se renverser *v* to lean, to fall over

réparti *adj* spread

répartir *v* to divide, to spread out

repère *nm* point of reference, landmark, marker

repérer *v* to pick out, to locate, to spot

repli *nm* withdrawal; fold; turn (in)

reportage *nm* report, commentary

reporter *v* to postpone; to defer

– sur to transfer (onto)

reprise *nf* **: à trois reprises** on three occasions

réputé *adj* well-known, renowned

réseau *nm* network

résoudre *v* to solve, to resolve

respiratoire *adj* respiratory, breathing

ressortir *v* to stand out

ressortissant *nmf* national

restes *nmpl* leftovers

restitution *nf* restoration, reproduction

restreint *adj* restricted, limited

se retaper *v fam* to get back on one's feet

se retenir *v* to hold back

retentissement *nm* repercussion; stir, effect

retirer *v* to take off, to remove

retordre *v* to twist

donner du fil à – à qqn to give sb a hard time

retraitement *nm* reprocessing

rétroviseur *nm* rear-view mirror

revaloriser *v* to revalue

revanche *nf* revenge

en – on the other hand

revendication *nf* demand, claim

revendiquer *v* to claim responsibility for

– une action to claim responsibility for an attack

revenu *nm* income, yield, revenue

revêtir *v* to put on

revisser *v* to screw (sth) back on

ricocher *v* to rebound, to ricochet; to bounce (off)

ride *nf* wrinkle

rigolo *adj* funny, comical

riverain *nm* resident

rompre *v* to break off, to interrupt

ronéoté *adj* duplicated; copied

ronronnement *nm* hum, purring, droning

rosée *nf* dew

rotation *nf* rotation; shift-work

rougeole *nf* measles

rubrique *nf* column; heading

ruisseau *nm* stream

rumeur *nf* murmur; rumour

rupture *nf* breaking off, rupture

S

saccadé *adj* jerky; halting

sacré *adj* sacred

sagesse *nf* wisdom

sainement *adv* healthily

saisonnier *adj* seasonal

salé *adj* salty, salted

petit – *nm* streaky salted pork

saloperie *nf vulg* muck

cette – de (+ nom) this damn (+ noun)

salutaire *adj* salutary, healthy, beneficial

Samu : Service *nm* **d'assistance médicale d'urgence** mobile accident unit

sang *nm* blood

sangle *nf* strap

sanglot *nm* sob

sans-abri *nm* homeless person

sans-logis *nm* homeless person

santé *nf* health

saoul *adj* drunk

sauter *v* to jump, to leap; to skip, to leave out

savonnette *nf* tablet/cake of soap

scander *v* to chant

scier *v* to saw (off/down)

sein *nm* breast

au – de within

sélectionné *adj* selected; highlighted

self *nm fam* self-service restaurant

sémantique *adj* semantic; relating to meaning

semence *nf* seed

séminaire *nm* seminary; training college for priests

séminariste *nm* seminarist; trainee priest

sens *nm* **de l'orientation** sense of direction

sensible *adj* sensitive

sentier *nm* path, track

septennat *nm* seven-year term of office

sépulture *nf* burial place

sérieux *nm* seriousness

servir *v* to serve

– d'interprète to act as interpreter

se – de to use

seuil *nm* doorstep, threshold

sévir *v* to rage, to be rife; to act ruthlessly

siècle *nm* century

siège *nm* **principal** head office

signature *nf* signature; name

porter sa – to carry his name

sillon *nm* furrow, groove

sinistré *adj* (disaster-) stricken

sinon *conj* except, other than

sobriété *nf* sobriety, abstemiousness, temperance

sobriquet *nm* nickname

société *nf* **de production** production company

sociologue *nmf* sociologist

soigner *v* to treat; to look after

soin *nm* care

soit *conj* either, or

sol *nm* ground

solde *nf* **: à la solde de** in the pay of

solution *nf* **(de facilité)** (easy) answer

sombrer *v* to sink
son *nm* sound; sound track
sondage *nm* survey
sonder *v* to sound; to probe; to sound out, to poll
songe *nm* dream
songer *v* to dream; to think of
sonore *adj* sound
sonorité *nf* acoustics
sort *nm* destiny, fate
sorte : de sorte que *loc conj* so that
souci *nm* worry, concern
se souder *v* to knit together
souffrance *nf* suffering
souhait *nm* wish
souhaiter *v* to wish, to want to
soulager *v* to relieve
soulever *v* to lift up, to raise
souligner *v* to underline; to emphasize
soupçonner *v* to suspect
source *nf* spring; source
sous-marin *nm* submarine
soutenir *v* to support, to maintain
soutenu *adj* formal
soutien *nm* support
spot *nm* jingle; advert
stage *nf* training course
standardiste *nmf* switchboard operator
stupéfiant *nm* drug, narcotic
subir *v* to suffer; to put up with
subvention *nf* grant, subsidy
subventionner *v* to subsidize
succomber *v* to succumb
sueur *nf* sweat
suite *nf* continuation
sujétion *nf* subjection
superbement *adv* haughtily, proudly
superficie *nf* surface area
supplice *nm* torture
supprimer *v* to abolish, to do away with
sûr *adj* safe; reliable; certain
sur-place *nf* stop-start
surgelé *adj* deep-frozen
surgelé *nm* frozen food
surligné *adj* highlighted
surmonter *v* to overcome
surplomber *v* to overhang
surveillance *nf* monitoring; watch
susciter *v* to arouse
synthèse *nf* synthesis, summary (of essential facts)

T

tableau *nm* painting, picture
tache *nf* stain, mark, spot
tâche *nf* task, job
tâcher *v* **de** to attempt to
tags *nmpl* graffiti
tambour *nm* drum
tandis que *loc conj* while, whereas
tant *adv* so much, as much
    en – que as, as a
tas *nm* pile, heap
    un/des – de *fam* loads of, lots of
tâter *v* to feel
tâtonner *v* to grope/feel one's way (along)
tâtons *nmpl* **: avancer à tâtons** to grope/feel one's way along
taureau *nm* bull
tauromachie *nf* bullfighting
taux *nm* rate
teigne *nf* ringworm
tel *adj* such; like
téléchargement *nm* **de fichiers** downloading files
téléspectateur *nm* viewer
témoignage *nm* account; story; evidence, testimony
témoigner *v* to witness
tendance *nf* tendency
tendancieux *adj* biased
tendre *v* to tighten; to hold out
tendu *adj* tight, taut; tense, strained
tenir *v* **à** to value
tenter *v* to tempt
terme *nm* **: à terme** eventually
terminaison *nf* ending
terre *nf* ground; earth; soil; land
terroir *nm* land
    du – local
têtu *adj* stubborn
thérapeute *nmf* therapist
thèse *nf* thesis
tiède *adj* warm
tiers-monde *nm* the Third World
tir *nm* firing; shooting
tiraillé *adj* **entre** torn between
tisser *v* to weave
titre *nm* **: au même titre que** with the same status as
toile *nf* canvas, painting
    – d'araignée spider's web
tôle *nf* **ondulée** corrugated iron
tour *nf* tower, tower-block
tournée *nf* tour
    être en – to be on tour
tourner *v* **un film** to make a film

tournure *nf* turn of phrase; form; turn (of events)
toutefois *conj* however
trac *nm* *fam* **: avoir le trac** to feel nervous
traduire *v* to translate
trafiquant *nm* **de drogue** drug trafficker
trahir *v* to betray
trahison *nf* betrayal, treachery; treason
traîne *nf* train (of a dress)
    être à la – to lag behind; to be in tow
traire *v* to milk
trajet *nm* journey, voyage
tranche *nf* slice; phase
    – d'âge age bracket
trancher *v* to slice, to cut through
transcription *nf* **phonétique** phonetic transcription
transcrire *v* to transcribe
transport *nm* **en commun** public transport
transposer *v* to transpose, to change
travers : à travers *loc* through; across
trépidant *adj* thrilling; vibrating
trépigner *v* to stamp one's feet; to trample on
tressaillir *v* to start, to quiver
tributaire *adj* **de** dependent on
trimbaler *v* to lug/cart around; to trail along
trisomie *nf* Down's syndrome
trompe-misère *nm* poverty-dodger
tromper *v* to deceive, to trick, to mislead
troquer *v* to swap
troufion *nm* *fam* soldier, squaddie
truc *nm* *fam* thing; whatsit; trick
truie *nf* sow
truqué *adj* rigged
tube *nm* hit record
tubulaire *adj* tubular
tue-tête : à tue-tête *loc adv* at the top of one's voice
tuile *nf* tile
tumulus *nm* tumulus, mound

U

urbanisme *nm* town planning
urbaniste *nmf* town planner
usager *nm* user
utilisateur *nm* user

V

vaincre *v* to win
valdinguer *v* **: envoyer valdinguer** to send sb flying; to tell sb to clear off
valeur *nf* value, worth; merit
valoir *v* to be worth
    il vaut mieux it is better
valorisant *adj* enhancing, adding value
vapeur *nf* steam
variole *nf* smallpox
veau *nm* calf; veal
    – de lait milk-reared calf
vedette *nf* star
veiller *v* **à** to look after, to see to
velours *nm* corduroy; velvet
venger *v* to avenge
vente *nf* sale
verdoyant *adj* green, verdant
verger *nm* orchard
vérité *nf* truth
verrière *nf* window; glass roof
verrouillé *adj* locked (up)
verser *v* to pour; to pay
vert : se mettre au vert *loc fam* to take a break in the country
vieillir *v* to grow/get old
vif, vive *adj* bright, brilliant; lively
vignoble *nm* vineyard
virer *v* to turn; to throw sb out
    se faire – to get expelled
virgule *nf* comma
viser *v* to aim at/for
viticulture *nf* wine-growing, viticulture
vivres *nmpl* food
vivrière *adj* **: cultures vivrières** subsistence crops
vocable *nm* term
voile *nm* veil
voire *adv* even, indeed
voirie *nf* public highways
voiture *nf* **piégée** car bomb
voix *nf* voice; vote
volaille *nf* poultry
volet *nm* shutter; facet
volonté *nf* will; willingness
voltige *nm* vaulting
vouloir *v* to want
    en – à qqn *v* to have/hold sth against sb
vraisemblable *adj* plausible, convincing

Z

zèle *nm* zeal

237

Index

This index lists key contents of *Essor* units with page numbers and section numbers in the *Grammaire* (**G**)